ВЕСЬ ПЕРРИ МЕЙСОН

PERRY MASON

ЭРЛ СТЕНЛИ ГАРДНЕР

ВЕСЬ ПЕРРИ МЕЙСОН

PERRY MASON

ERLE STANLEY GARDNER

The Case
of the Stuttering Bishop

The Case
of the Counterfeit Eye

The Case
of the Careless Kitten

ВЕСЬ ПЕРРИ МЕЙСОН

PERRY MASON

ЭРЛ СТЕНЛИ ГАРДНЕР

ДЕЛО О ФАЛЬШИВОМ ГЛАЗЕ

РОМАНЫ

Москва
ЦЕНТРПОЛИГРАФ
1999

УДК 820(73)
ББК 84(7Сое)
Г20

Серия «Весь Перри Мейсон»
выпускается с 1999 года

Выпуск 2

Художник И.А. Озеров

Г20   **Гарднер Эрл Стенли**
Дело о фальшивом глазе: Детективные рома-
ны. — Пер. с англ. — «Весь Перри Мейсон». — М.:
ЗАО Изд-во Центрполиграф, 1999. — 602 с.

ISBN 5-227-00480-3 (Вып. 2)
ISBN 5-227-00468-4

Адвокат Перри Мейсон, защищая потерпевшего, попадает в самые
невероятные ситуации и вынужденно становится детективом, пытаясь
разобраться в запутанных обстоятельствах, связанных с наследством
миллионера («Дело заикающегося епископа»), в убийстве на почве не-
выполнения долговых обязательств («Дело о фальшивом глазе») и в якобы нелепом случае отравления котенка («Дело о беззаботном котенке»).

УДК 820(73)
ББК 84(7Сое)

ISBN 5-227-00480-3 (Вып. 2)
ISBN 5-227-00468-4

ДЕЛО ЗАИКАЮЩЕГОСЯ
ЕПИСКОПА

THE CASE OF THE STUTTERING BISHOP

Глава 1

Перри Мейсон внимательно посмотрел на фигуру, в нерешительности замершую на пороге его кабинета.

— Входите, епископ, прошу вас.

Облаченный в широкую черную одежду приземистый человек, слегка поклонившись, подошел к креслу. Белый отложной воротник сутаны священнослужителя подчеркивал темный загар лица и холодный блеск серых глаз.

Короткие ноги, обутые в черные, сильно поношенные башмаки, ступали твердо и уверенно, и, приглядевшись к посетителю, Мейсон подумал: походка не изменилась бы, даже если бы эти ноги несли торс своего владельца к электрическому стулу.

Епископ сел в кресло.

— Сигарету? — предложил Мейсон, придвигая посетителю коробку.

Епископ потянулся было за сигаретой, но тут же отрицательно покачал головой.

— В течение последнего часа я только и делал, что курил. Еще пара затяжек, и со мной все будет кончено. — Он проговорил эти слова, слегка запинаясь, как будто ему было трудно их произнести.

Затем епископ вообще замолчал, вероятно, для того, чтобы справиться с волнением и взять себя в руки. И действительно, после минутной паузы его голос стал таким же твердым, как пальцы пианиста, который, допустив фальшь, тут же спешит компенсировать ее дополнительной экспрессией.

— Если вы не против, я бы закурил свою трубку.

— Курите на здоровье, — сказал Мейсон.

Он отметил про себя, что трубка, появившаяся из левого кармана посетителя, очень подходит ее владельцу.

— Секретарша сказала мне, что вы епископ Вильям Меллори из Сиднея и что вы хотите проконсультироваться со мной по делу об убийстве человека, — сказал адвокат, стараясь облегчить задачу своего визитера.

Епископ кивнул, достал из кармана кожаный кисет, набил мелким табаком инкрустированную трубку, сунул ее в рот, крепко зажал зубами и зажег спичку. Наблюдая за его действиями, Мейсон так и не понял, загородил ли он пламя спички ладонями для того, чтобы справиться с дрожью пальцев, или же сказывалась многолетняя привычка закуривать на ветру.

Когда трепещущее пламя осветило высокий лоб, плоское лицо с высокими скулами и упрямым подбородком, Мейсон слегка сдвинул брови, пытаясь разобраться в своих первых впечатлениях.

— Расскажите мне все, — сказал Мейсон.

Епископ Меллори выпустил несколько сизых облачков дыма. Он не относился к тем людям, которые при подобных обстоятельствах стали бы ерзать на стуле, но все же все его поведение говорило о крайней озабоченности.

— Боюсь, — наконец произнес он, — что мое юридическое образование весьма поверхностно. Мне хотелось бы знать, существуют ли смягчающие обстоятельства в отношении убийства человека.

Как только он запнулся вторично, его зубы крепко стиснули деревянный черенок трубки, а несколько быстро выпущенных к потолку струек голубоватого дыма сказали не только о том, что он нервничает, но также и о том, что его раздражает, что он никак не справится со своим волнением.

— По всей вероятности, — медленно заговорил Мейсон, — вы имеете в виду так называемый срок давности в отношении некоторых видов преступлений. В нашем штате любые преступления, кроме убийства, растраты общественных денег и подделки общественных документов, преследуются законом в течение трех лет после совершения преступления.

— Допустим, что полиция не нашла лицо, совершившее преступление, — проговорил Меллори, впиваясь глазами в лицо адвоката, слегка затуманенное дымом из трубки.

— Если подозреваемый жил за пределами штата, то время его отсутствия не входит в эти три года.

Епископ быстро отвел в сторону глаза, но не настолько быстро, чтобы Мейсон не заметил мелькнувшее в них разочарование. Мейсон продолжал говорить ровным тоном, совсем как доктор, старающийся успокоить больного перед предстоящей ему тяжелой операцией.

— Понимаете ли, дело в том, что по истечении трех лет и обвиняемому трудно бывает привести убедительные доказательства своей невиновности или непричастности к расследуемому преступлению, но и обвинению не менее трудно найти улики, бесспорно доказывающие его вину. Вот почему для всех преступлений, за исключением самых тяжелых, закон и установил срок давности. Это юридическое ограничение, но существует также и практическое. Поэтому, даже если прокурор по закону имеет право возбудить уголовное дело против того или иного лица, зачастую он не решается это сделать после нескольких лет, прошедших со дня совершения преступления. Кому хочется проигрывать процесс?

Он замолчал. Епископ тоже ничего не говорил — очевидно, подбирал в уме необходимые слова, чтобы четко выразить свои мысли. Мейсон заявил:

— В конце-то концов, епископ, клиент, советующийся с адвокатом, ничем не отличается от больного, пришедшего на консультацию к врачу. Так что говорите все начистоту: не надо ходить вокруг да около и задавать абстрактные вопросы.

Епископ Меллори торопливо спросил:

— Так вы считаете, что если преступление совершено даже двадцать два года тому назад, то окружной прокурор имеет право привлечь виновного к ответственности и возбудить против него судебное дело, если виновный не жил все это время в штате?

Ему так не терпелось услышать ответ Мейсона, что он не смутился от своего заикания и не слишком гладкой речи.

— Все зависит от того, посчитает окружной прокурор преступление преднамеренным убийством или же несчастным случаем, — сказал Мейсон.

— Это было непредумышленное убийство, нечаянное убийство. Но был выдан ордер на арест, и виновнику пришлось скрыться.

— При каких обстоятельствах все произошло?

— Человек ехал в автомобиле и врезался в другую машину. Было заявлено, что она... это... была пьяна.

— Двадцать два года назад? — переспросил Мейсон. Епископ кивнул.

— Двадцать два года назад таких аварий было немного, — заметил Мейсон, внимательно разглядывая Меллори.

— Верно, — согласился епископ, — но все произошло в одном из отдаленных округов, где прокурор был излишне рьяным и усердным.

— Что вы имеете в виду?

— То, что он постарался использовать все зацепки, которые предусмотрел закон.

Кивнув, Мейсон спросил:

— Скажите, епископ, случайно, не вы этот обвиняемый?

Удивление на лице епископа, вне всякого сомнения, было подлинным.

— Я в то время находился в Австралии, — ответил он.

— Двадцать два года, — произнес Мейсон.

Он прищурил глаза и задумался, размышляя вслух:

— Это очень долгий срок даже для самого придирчивого окружного прокурора. Более того, окружные прокуроры приходят и уходят, так что за эти двадцать лет в политической системе того округа наверняка произошли изменения.

Епископ рассеянно кивнул головой, словно политические перемены если и имели какое-то отношение к обсуждаемой проблеме, то весьма незначительное.

— Поэтому, — ровным голосом продолжал Мейсон, — если вы все еще озабочены этой историей, то думаю, что за ней скрывается нечто большее, чем просто излишне придирчивый окружной прокурор.

Глаза епископа Меллори широко распахнулись, он в упор посмотрел на Мейсона и пробормотал:

— Вы очень умный адвокат, мистер Мейсон.

Мейсон помолчал несколько секунд, прежде чем сказал:

— Может быть, вы мне расскажете все остальное?

Епископ снова затянулся из трубки.

— Вам приходилось браться за дела, в основе которых лежит непредвиденная случайность?

— Иногда.

— Стали бы вы защищать бедняка от обвинения миллионера?

Мейсон ответил очень серьезно:

— Я стал бы отстаивать интересы моего клиента даже против самого дьявола.

Епископ продолжал дымить, внимательно разглядывая адвоката, видимо стараясь отыскать правильный метод подхода к нему. Затем он вынул изо рта трубку, спрятал ее в ладонях, кашлянул и спросил:

— Вы знаете Ренволда К. Браунли?

— Я слышал о нем.

— Вы когда-нибудь работали на него? Точнее, принадлежит он к вашим клиентам? С вами хотят проконсультироваться по делу против Ренволда Браунли. Речь идет о миллионе, если не больше. Я точно не знаю, сколько. Вам предстоит драка с самого начала. Если вы выиграете, то получите гонорар — двести — триста тысяч долларов. Должен сразу предупредить, что с Браунли трудно справиться. Дело обещает быть неприятным. Вам придется защищать права женщины, которой причинили величайшее зло, причем единственным шансом выйти победителем будут мои свидетельские показания.

Мейсон насторожился.

— И что же?

Епископ Меллори покачал головой.

— Поймите меня правильно. Для себя я ничего не прошу. Мне ничего не нужно. Я просто хочу, чтобы восторжествовала справедливость. Но если мне предстоит быть главным свидетелем по делу, поверят ли моим показаниям, если узнают, что я проявляю особый интерес к одной стороне?

— Сейчас трудно сказать что-либо определенное.

Епископ взял трубку, набил табак, сунул изогнутый черенок трубки в рот, кивнул и сказал:

— Думаю, что сомнения будут.

Мейсон молчал.

— Поэтому, — продолжал епископ, раскуривая трубку, — я не хочу, чтобы кто-нибудь знал, что я был у вас. Естественно, я не стану отрицать, если меня спросят. Но и в том случае, если меня спросят в суде, заинтересован ли я лично в данном деле, я отвечу правду... Но для всех причастных к данной истории было бы лучше, если бы подобного вопроса мне не задали. Далее. Я позвоню вам через час и сообщу, куда вам надо приехать, чтобы встретиться со мной и с теми людьми, которые хотят выиграть процесс. Их рассказ может показаться вам неправдоподобным, но клянусь, они говорят правду от первого слова до последнего. Это непростое дело об очень богатом человеке, человеке жестоком и безжалостном. Пока я сказал все, — заключил епископ. — Сейчас я ухожу и исчезну до того дня, когда вы вызовете меня в суд как свидетеля для дачи показаний. Вам придется потрудиться, чтобы найти меня, мистер Мейсон. Но мне кажется, я могу не беспокоиться, вы обязательно разыщете меня.

Епископ тряхнул головой. Видно было, что он вполне удовлетворен положением вещей. Затем он резко вскочил с места, короткие ноги затопали к выходу. Открыв дверь в коридор, епископ повернулся, поклонился Мейсону и, с шумом захлопнув за собой дверь, вышел.

Делла Стрит в секретарской с микрофона стенографировала беседу. Она тотчас вошла к Мейсону.

— Как вам все это нравится, шеф?

Мейсон стоял посреди кабинета, широко расставив ноги, засунув руки в карманы брюк и уставившись глазами на рисунок ковра.

— Провалиться мне на этом месте, если бы я знал, Делла, — медленно произнес Мейсон.

— Но какое он сам произвел на вас впечатление?

— Если он действительно епископ, то весьма светский человек. Прокуренная трубка, широкая одежда, не сковывающая движений... Да, он производит впечатление опытного, очень эрудированного человека, обладающего широким кругозором и не боящегося высказывать свое собственное мнение. Ты обратила внимание, как он подчеркнул, что не станет лгать, если противная сторона задаст определенные вопросы? Мне предстоит повести дело так, чтобы они не были заданы.

— Почему вы сказали «если он епископ»?

Мейсон покачал головой:

— Епископы не запинаются и не заикаются.

— Не поняла...

— Епископам приходится очень много выступать, это люди, обладающие исключительным красноречием, они ежедневно выступают перед народом. Если человек заикается, он вряд ли станет министром, скорее из него получится адвокат, хотя ты сама понимаешь, насколько и это неправдоподобно. Ну, допустим, что, несмотря на дефект, он все же пробился в министры, но епископом он никогда не будет.

— Понятно, — сказала Делла. — Так что же вы думаете?

— Этот человек может быть чертовски умным самозванцем, хотя я и не исключаю, что он на самом деле епископ, только переживший какой-то эмоциональный шок. В учебниках по судебной медицине описаны случаи заикания у взрослых после неожиданного эмоционального потрясения.

— Послушайте, Перри, если вы намереваетесь всерьез отнестись к заявлению этого человека и начать борьбу с мультимиллионером Ренволдом К. Браунли, вам лучше сначала выяснить, на самом ли деле ваш посетитель епископ или самозванец. Мне кажется, это весьма важно.

Мейсон кивнул.

— Я сам думаю об этом. Позвони-ка в Детективное агентство Дрейка и попроси Пола бросить все дела и приехать к нам.

Глава 2

Пол Дрейк боком скользнул в большое мягкое кресло, перекинув ноги через подлокотник, и уставился на Перри Мейсона своими слегка выпученными глазами. Глаза Пола были похожи на стеклянные глаза манекенов в универсальном магазине и придавали его цветущему лицу какое-то особое, бесстрастное выражение. Кончики губ приподнялись кверху, можно было подумать, что он над кем-то издевается. Его наружность была настолько далека от общепринятого представления о частном детективе, что Пол Дрейк часто добивался поразительных результатов в расследовании.

Перри Мейсон, засунув большие пальцы в петли отворотов пиджака и шагая взад и вперед по кабинету, бросал слова через плечо:

— Ко мне пришел на консультацию человек, назвавшийся Вильямом Меллори из Сиднея, епископом англиканской церкви. Он неразговорчив, с внешностью и манерами светского человека, но я могу с уверенностью сказать, он не любитель закрытых помещений. Ты понимаешь, что я имею в виду: загорелое лицо, кожа, огрубевшая от ветра. Не знаю, когда он приехал. Он хотел узнать, что ждет человека, в пьяном виде задавившего кого-то черт знает где двадцать с лишним лет назад.

— Опиши, как он выглядит, — попросил детектив.

— На вид ему пятьдесят три — пятьдесят пять лет, высокий, носит сутану, курит трубку, изредка сигареты, глаза серые, волосы темные, густые, с сединой на висках, производит впечатление человека компетентного, слегка заикается.

— Заикается? — переспросил Дрейк.

— Совершенно верно.

— Ты хочешь сказать, что он епископ и что он заикается?

— Да.

— Епископы не заикаются, Перри.

— В том-то все и дело. Заикание, я думаю, появилось недавно в результате какого-то эмоционального шока. Я хочу докопаться, в чем тут было дело.

— Как он сам воспринимает свое заикание?

— Точно так же, как и игрок в гольф. Допускает обидные ошибки, которые вообще-то для него не характерны.

— Мне все это не нравится, Перри. Это очень подозрительно. Откуда ты знаешь, что он действительно епископ? Или ты поверил ему на слово?

— Ты совершенно прав, — сразу же согласился с ним Мейсон.

— Тебе лучше всего поручить мне последить за ним и выяснить, кто он такой.

— Именно для этого я тебя и вызвал, Пол. Епископ собирается через час позвонить, и мне придется сказать «да» или «нет» о деле, затрагивающем огромные деньги. Если он действительно епископ, я склонен ответить положительно. Если же это какая-то мистификация, тогда я, естественно, откажусь.

— Какое дело?

— Что-то сверхконфиденциальное. Имеет непосредственное отношение к миллионам Ренволда К. Браунли, и если верить словам епископа, то мой гонорар составит несколько сот тысяч долларов.

Дрейк присвистнул от удивления:

— Вот это да...

— Кроме того, здесь всплывает старое уголовное дело о смерти человека по вине водителя, севшего за руль в нетрезвом состоянии.

— Когда это произошло?

— Двадцать два года назад, Пол.

У детектива поднялись брови вверх.

— Я знаю, двадцать два года назад подобных дел почти не было. Более того, все это случилось в каком-то глухом месте. Мне необходимо немедленно выяснить, что это за история. Усади всех своих людей за работу. Начни с округов Ориндж, Сан-Бернардино, Риверсайд и Керн. Да, и напомни мне про Наптча. Полагаю, что обвиняемым была женщина. По моим подсчетам, это произошло в 1914 году. Дело так и не было доведено до конца. Свяжись со своим австралийским корреспондентом в Сиднее, пусть он узнает все о епископе Вильяме Меллори. Проверь корабельные записи, выясни, когда Меллори прибыл из Австралии в Калифорнию. Наконец, проверь все центральные отели, не остановился ли там Вильям Меллори, епископ. Брось на это дело столько людей, сколько сочтешь нужным, но узнай все. И, главное, побыстрее, время не терпит.

Дрейк шумно вздохнул и сказал:

— Сразу видно, что у тебя время не терпит. Как будто у тебя бывает иначе. Ты требуешь, чтобы недельная работа была выполнена за час!

15

Можно было подумать, что Мейсон не слышал последних слов детектива.

— Больше же всего меня интересует, с кем он поддерживает связь, — продолжал он. — Так что постарайся выйти на него как можно быстрее. Установи наблюдение за всеми людьми, с которыми он общается.

Дрейк опустился еще ниже в кресло — теперь он опирался поясницей в полированную ручку кресла. Потом повернулся, поднялся, расправил широкие плечи и выгнул грудь колесом.

— О'кей, Перри, я пошел.

У самой двери детектив обернулся:

— Допустим, я выясню, что этот тип не тот, за кого себя выдает, ты станешь выводить его на чистую воду?

— Я? Ни в коем случае! — ответил Мейсон, подмигивая. — Я спутаю его по рукам и ногам, но докопаюсь, кто скрывается за обличием епископа.

— Давай поспорим, что он не имеет никакого отношения к церкви.

— Лицо у него честное, Пол.

— Как и у большей части авантюристов. Вот почему они и преуспевают в своих махинациях, — горячился Дрейк.

— Мне не кажется таким уж невероятным, чтобы у настоящего епископа было честное лицо. Катись-ка ты поживее отсюда и принимайся за работу, а то слишком уж ты разболтался, — разозлился Мейсон.

Но Дрейк не уходил.

— Так ты не хочешь заключить со мной пари, а, Перри?

Мейсон потянулся за томом свода законов, явно намереваясь запустить его в Дрейка.

Детектив все понял, хлопнул дверью и сбежал по лестнице.

Зазвонил телефон.

Мейсон поднял трубку. Говорила секретарша Делла Стрит:

— Шеф, пришел шофер такси. Мне кажется, вам стоит его принять, он сам кое-что вам расскажет.

— Шофер такси?

— Да.

— Какого черта ему от меня нужно?

— Денег.

— Ты считаешь, что мне надо его принять?

— Да.

— Не можешь ли ты коротко объяснить, в чем там дело?

— Нет.

— Ты хочешь сказать, он рядом и слышит наш разговор?

— Да.

— О'кей. Пусть войдет.

Мейсон не успел положить на рычаг трубку, как дверь распахнулась и Делла Стрит впустила извиняющегося, но очень настойчивого таксиста.

— Этот водитель подвозил к нам в офис епископа Меллори, — пояснила Делла.

Шофер торопливо заговорил:

— Этот человек попросил меня подождать перед конторой, но у вас стоянка запрещена. Полицейский сразу же велел мне очистить место. Я отъехал и стал ждать пассажира, а тот как сквозь землю провалился. Счетчик в машине я не выключил. Время идет, а пассажира нет. Я пошел к лифтеру. К счастью, тот его запомнил. Он рассказал, что мой пассажир спрашивал, где помещается ваша контора, поэтому я к вам и пришел. На вид ему пятьдесят — пятьдесят пять лет, небольшого роста, коренастый, одет в черную сутану с круглым белым воротником...

Мейсон быстро спросил:

— Вы утверждаете, что он не выходил из здания?

— Я его не видел, а смотрел во все глаза, можете мне поверить. Да и лифтер сказал, что он не спускался. Но я-то его хорошо запомнил. На счетчике у меня три восемьдесят, и кто мне теперь заплатит?

— Где вы посадили этого человека?

Шофер задумался.

Мейсон вытащил из кармана несколько бумажек, отыскал пятидолларовую и, подмигнув, протянул шоферу.

— Я хочу избавить себя от непредусмотренного расхода, но и вы не оставьте меня внакладе. Я-то ведь не ездил в такси.

Тогда шофер сказал:

— Он сел возле отеля «Ригал».

— И вы повезли его сразу сюда?

— Да.

— Он спешил?

— Еще как.

Мейсон протянул шоферу деньги.

— Мне кажется, вам не стоит его ждать.

— Да у меня нет особого желания задерживаться здесь. Уж больно злой полицейский на этой улице, — весело ответил водитель, отсчитывая сдачу. — Спасибо, что заплатили мне. С вашей стороны это чертовски благородно! Мне про вас рассказывали наши ребята, мол, человек вы честный, дело свое знаете вдоль и поперек и никогда не стараетесь сделать так, чтобы победил тот, у кого карман набит потуже. Если вам когда-нибудь понадобится моя помощь, рассчитывайте на меня. Я тоже не подведу. Меня зовут Винтерс, Джек Винтерс.

— Отлично, Джек. Кто знает, может, и впрямь придет такой день, когда придется вас пригласить выступить перед присяжными, а чтобы ваша память не ослабела и вы не позабыли о своих благих намерениях, оставьте сдачу себе. Идет? Купите сигарет или чего-нибудь покрепче.

— Идет! — широко улыбаясь, ответил шофер, поклонился и, насвистывая, сбежал по лестнице.

Мейсон поднял телефонную трубку и вызвал Пола Дрейка:

— Пол, проверь отель «Ригал». Наш клиент мог там зарегистрироваться как Вильям Меллори. Позвони сразу же, если его обнаружишь, обязательно установи наблюдение за теми, с кем он общается.

Делла Стрит, одетая в серый приталенный костюм и ярко-красную блузку, выглядела не многоопытным деловым секретарем, а весьма привлекательной, легкомысленной молодой женщиной. Она кокетливо просунула голову к нему в кабинет:

— Шеф, Джексон желает с вами поговорить по делу. Можете ли вы уделить ему несколько минут?

Мейсон кивнул:

— Пусть войдет.

Он сразу же заперся вместе с клерком и стал отрабатывать текст апелляции против приговора жюри в иске о нанесении телесных повреждений. Делла Стрит несколько раз старалась подписать какую-нибудь бумагу или подчистить те огрехи, которые всегда встречаются в текущей работе. Она знала своего шефа и чувствовала, что в скором времени адвокат с головой окунется в настоящее серьезное дело, которое потребует от него всю энергию и душевные силы. Значит, все второстепенное будет отложено на неопределенный срок. Во всяком случае, раньше всегда так было.

Перри Мейсон как раз указывал клерку на те слабые места в позиции противника, которые можно использовать в апелляции, когда Делла Стрит постучалась в кабинет со словами:

— Звонит Пол Дрейк, шеф. Говорит, что это очень важно.

Мейсон кивнул, снял телефонную трубку и услышал торопливый голос Дрейка, который выпалил:

— Перри, звоню из отеля «Ригал», если ты еще не потерял интерес к епископу, то давай-ка приезжай сюда.

— Еду!

Мейсон положил трубку, взял шляпу.

— Делла, можешь идти домой.

Он посмотрел на часы.

— Если мне что-нибудь понадобится, позвоню тебе домой. Джексон, продолжайте работать в том направлении, которое мы только что наметили. Когда закончите апелляцию, покажите мне.

Он вскочил в лифт, выбежал на улицу и увидел пустое такси как раз напротив конторы. В отеле «Ригал» он уже был через пятнадцать минут. Дрейк ждал его в вестибюле вместе с каким-то лысым типом, у которого меж толстых губ торчала короткая черная сигара.

— Познакомьтесь, это Джим Поли, местный детектив, — сказал Дрейк.

Поли протянул руку:

— Как поживаете, Мейсон?

Глаза его откровенно, с живейшим интересом разглядывали адвоката.

— Поли мой старый приятель, — сказал Дрейк. Он незаметно подмигнул Мейсону. — Искуснейший детектив, вряд ли найдется второй такой в нашем городе. Я пытался нанять его, но всегда не хватало денег. У него трезвая голова на плечах. Он дал пару раз мне советы, которые оправдали себя. Этого человека, Перри, нельзя упустить. Когда-нибудь в одном из твоих дел он тебе здорово поможет!

Поли передвинул сигару в самый угол рта и скромно сказал:

— Я вовсе не гений, просто шевелю мозгами когда положено. Ничего не принимаю на веру. Руководствуюсь соображениями здравого смысла.

Пол Дрейк хлопнул по плечу местного детектива:

— Вот он весь в этом. Скромность. Ты ни за что не поверишь, но это он поймал Изопов, шайку изобретательных воров, орудовавших в отелях с отмычками. Конечно, лавры достались полиции, но выследил их Джим. Так вот, Перри, мы кое-что обнаружили, то есть Джим обнаружил. Джим, расскажи все сам.

Местный детектив толстыми коротенькими пальцами не спеша вытащил изо рта помятую сигару и заговорил тихо и многозначительно, будто больше всего его беспокоило, что их разговор кто-нибудь может подслушать:

— Вильям Меллори действительно остановился в отеле. Весьма странный тип. Отсюда он уехал на такси, торопился, но кто-то на другом такси поехал следом. Никто, кроме меня, не обратил на это внимания. Это моя обязанность. Я дока в этих штучках, меня не проведешь. Я заметил этого типа в то самое мгновение, когда он отъехал с тротуара. Видел, как он что-то сказал шоферу, кивнув головой в сторону отъехавшего Меллори. Мне не нужно было слышать, что он сказал. Даже если бы его слова были предъявлены в письменной форме, их смысл не стал бы мне яснее. Поэтому я решил повнимательнее присмотреться к этому Меллори. За ним наблюдать мог кто угодно, от частного детектива до сотрудника Федерального бюро расследований. Отель «Ригал» тихий, спокойный, в высшей степени респектабельный, и нам не хотелось бы иметь среди своих постояльцев людей, за которыми ведется слежка. Поэтому я решил поговорить с епископом, как только он возвратится назад, и сообщить ему, что нам срочно понадобилась его комната. Когда он пришел, в вестибюле находилась рыжеволосая девушка. Увидев его, она вскочила со стула и почтительно поздоровалась. Он слегка поклонился ей и поспешил к лифту. Походка у него удивительно забавная, ножки коротенькие, он ступает, не сгибая их, а переваливаясь с боку на бок, как утка. Естественно, джентльмены, я решил, что девушка в вестибюле ожидает его, и подумал, что он не задержится в номере дольше пяти минут и сразу же спустится к ней. Он же не пригласил ее с собой. Вы понимаете, это непросто — сразу же заявить клиенту, чтобы он освободил помещение. Некоторые выходят из себя, грозят подать в суд за оскорбление личности. Конечно, их слова по большей части пустая болтовня, но все равно это крайне неприятно. Вот я и решил, что будет гораздо проще, если эта рыжая поднимется к нему в номер и я в ее присутствии передам ему требование администрации. Он наверняка шуметь не станет.

Мейсон кивнул, а Дрейк пробормотал совершенно серьезно:

— Я же говорил тебе, Перри, что он голова! Очень сообразителен. Все учтет и продумает в наилучшем виде!

Поли скромно улыбнулся и продолжал:

— Действительно, через несколько минут рыжеволосая встает со стула и поднимается наверх. Я решил, пусть они минут десять поговорят, а уж потом я и пойду к нему в номер. Но прошло каких-то три-четыре минуты, вижу, она спускается вниз, с шумом отодвигает двери лифта, проходит через вестибюль с таким видом, как будто за ней гонятся с пистолетом. Я хотел было спросить, что случилось, но вовремя сообразил: не мое это дело. Хватит мне неприятностей с Меллори. И подумал: пусть идет с миром. К тому же она не проживает в отеле. И если поднимет скандал, то я сам окажусь в дурацком положении. Я сразу поднялся в шестьсот второй номер, который занимает Меллори. А там стулья перевернуты, зеркало разбито, Меллори лежит на кровати без признаков жизни. Покойник, решил я, увидев его. Борьба наверняка была шумной, но случилось так, что в это время ни в соседних номерах, ни напротив никого не было. Первым делом, понятно, я к нему. Схватил руку, пульс очень слабый, убеждаюсь, что сердце стучит, покойник-то еще, оказывается, не совсем покойник. Тогда я хватаю телефонную трубку и прошу Мейми на коммутаторе вызвать «скорую помощь». Минут через пять «скорая» приезжает, и они начинают его откачивать.

— Он пришел в сознание? — спросил Мейсон.

— Нет, — сказал Поли. — Разумеется, я не хотел, чтобы про этот случай пронюхали журналисты и прославили наш отель в газетах, поэтому я уговорил санитаров из «скорой» спустить Меллори на грузовом лифте и уехать по боковой аллее. Теперь еще один странный момент: только «скорая» уехала, прибыла вторая. Мейми уверяет, что она вызывала только одну, но записи доказывают, что из отеля поступило два вызова. Оба раза звонили молодые женщины, сообщили в больнице. Вот и пораскиньте мозгами: как это могло случиться? Разве что эта рыжеволосая сначала уложила его, а потом сама же вызвала машину «Скорой помощи».

Мейсон согласно кивнул.

Поли сунул изжеванный, влажный конец сигары в рот и чиркнул спичкой.

Воспользовавшись тем, что, прикуривая, он наклонился, Мейсон, вопросительно приподняв брови, многозначительно посмотрел на Дрейка.

Дрейк кивнул, отвечая на молчаливый вопрос адвоката, а вслух произнес:

— Я подумал, не захочешь ли ты посмотреть, как работает настоящий детектив, Перри. Джим намерен подняться наверх и проверить комнату Меллори. Уж он-то докопается, чьих рук это дело. Как только я увидел, что ты подъезжаешь сюда, и зная, как ты дотошно работаешь над своими делами, я решил, тебе будет любопытно понаблюдать за действиями опытного детектива.

Поли выпустил несколько белых облачков дыма и самодовольно сказал:

— Ах, не расхваливайте меня, я вовсе не гений. Просто знаю свое дело, только и всего.

— Конечно! — с искренним энтузиазмом воскликнул Мейсон. — Мне бы очень хотелось понаблюдать за работой настоящего детектива.

Поли напустил на себя важность.

— Конечно, полиции может не понравиться, если я возьму с собой посторонних в комнату Меллори. Они предпочитают, чтобы детективы-профессионалы держались в стороне и терпеливо смотрели на то, как куча полицейских орудует на месте преступления, затаптывая следы и уничтожая улики. Они всегда воображают себя такими умниками, для которых найти преступников — дело пустяковое. Если вы, друзья, обещаете ни до чего не дотрагиваться, мы поднимемся вместе наверх и быстренько все осмотрим. Возможно, я сумею предоставить мистеру Мейсону какие-нибудь улики.

Он подошел к лифту, указательным пальцем с грязным обгрызенным ногтем нажал на кнопку звонка и слегка откинул голову назад, чтобы дым от его изжеванной сигары не попадал ему в глаза. Через минуту кабина лифта спустилась вниз. Детектив вошел первым, едва только распахнулась дверь. Мейсон задержался, чтобы спросить у Дрейка:

— Кто-нибудь из твоих людей находится в отеле, Пол?

Дрейк кивнул и прошел в лифт.

— Шестой, — скомандовал Поли.

Лифт взмыл вверх, остановился.

Поли сделал широкий жест рукой:

— Сюда, ребята.

И уверенно зашагал по длинному коридору.

Дрейк тихонько сообщил на ходу:

— Один из моих парней сумел увязаться за рыжеволосой девушкой, но не дай Бог, если Поли что-нибудь заподозрит!

Они прошли почти в самый конец коридора. Местный детектив достал отмычку, открыл дверь и на пороге еще раз предупредил:

— Только ни до чего не дотрагивайтесь!

Стол был перевернут, коврики сбиты в угол, торшер валялся на полу, матовая лампочка разбита вдребезги, и ее мелкие осколки блестели крошечными льдинками на фоне ковра. Разбившееся на многочисленные мелкие кусочки зеркало валялось на паркете, только пустая рамка сиротливо свисала с крюка. Глэдстонская сумка с ярлыком «Монтери» лежала на полу, из нее были вытащены кое-какие предметы облачения духовного лица. Небольшой сундук для перевозки верхней одежды тоже был раскрыт. Портативная пишущая машинка, перевернутая кареткой вниз, валялась на полу, на ее футляре был приклеен такой же ярлык — «Монтери». Дверца шкафа распахнута наполовину, внутри три или четыре костюма.

Глаза Мейсона остановились на портфеле для бумаг. Замок на нем был вырезан с трех сторон и теперь болтался на куске кожи.

— Рыжеволосая пыталась обчистить епископа, — уверенно заявил Поли. — Он поймал ее за руку. Тогда она ударила его по голове, он потерял сознание, она стала рыться в его вещах, по всей вероятности, искала деньги.

— В таком случае эта рыжеволосая должна быть опытной преступницей, — заметил Мейсон.

Поли сурово усмехнулся и, показав рукой на беспорядок, спросил:

— А разве это ни о чем не говорит?

Мейсон кивнул.

— Самое первое, что мне надлежит сделать, — с важным видом продолжал Поли, доставая из кармана карандаш, — это переписать вещи, которые находятся в комнате. Когда епископ придет в себя, он непременно заявит, что у него пропали вещи после того, как его забрали в больницу, что отель не принимает никаких мер по охране личного имущества постояльцев. Ох, тут надо держать ухо востро, я изучил все эти трюки досконально, мне их положено знать, чтобы не нажить всяких неприятностей.

— Я кое-что хочу сказать, — перебил его Дрейк. — Понимаешь, Перри, некоторые считают, что вот такой детектив при гостинице вовсе не должен обладать большим опытом и умом, потому что ему нечасто приходится оказываться в настоящих переделках, но лично я считаю, что работа местного детектива весьма ответственная и сложная! Она требует смелости, находчивости, смекалки.

Мейсон еще раз согласно кивнул и сказал:

— Мне думается, Пол, что нам лучше уйти отсюда и не мешать Джиму.

— А я считал, что вы захотите побыть тут, пока я буду производить осмотр.

— Мне очень было интересно наблюдать, как вы приметесь за дело, — ответил Мейсон. — Насколько я понимаю, вы сейчас приступите к подробной описи имущества.

— Совершенно верно.

— Неужели вы не упустите ни единой мелочи, находящейся в комнате?

— Безусловно. И вы поразитесь, как быстро я с этим справлюсь.

Мейсон покачал головой.

— Мне бы хотелось взглянуть на эту опись, когда она будет закончена, чтобы разобраться, по какому принципу вы работаете и как характеризуете предметы в описи.

Поли вытащил из кармана записную книжку и сказал:

— Нет ничего проще.

— Через час мы заедем, — сказал Мейсон. — А пока огромное вам спасибо, мне доставило истинное удовольствие видеть вас за работой. Не думаю, что кто-то, кроме вас, обратил внимание на эту девушку в вестибюле.

Поли энергично закивал.

— О, она чертовски умна, эта штучка. Неторопливо встала с места, слегка повела бровями, этим ограничились ее сигналы. По всей вероятности, она познакомилась с ним где-то раньше и договорилась о свидании уже в отеле.

— Ну, пошли.

Мейсон слегка подтолкнул Дрейка.

Поли провел их до лифта, после чего возвратился в номер, чтобы заняться описью.

Дрейк объяснил:

— Я не был уверен, Перри, что тебе захочется играть с этим малым, но все же решил, нельзя упускать такой возможности. Он настоящий напыщенный индюк, но здесь он на месте, свое дело великолепно знает. Лестью от него можно добиться чего угодно.

— Мне самому хотелось взглянуть на комнату, — ответил Мейсон. — Другой возможности у нас не было бы. Я предполагаю, что за епископом следили, и он это заметил. Он решил избавиться от хвоста, поэтому оставил водителя такси дожидаться его перед входом, а сам незаметно улизнул через другой выход. Те типы, которые установили за ним наблюдение, рассчитывали, что епископ задержится и они успеют проверить его багаж. Но епископ вернулся в разгар обыска — и произошла драка.

— Ну, а какова роль рыжеволосой красотки в вестибюле?

— Это-то мы и должны выяснить. Надеюсь, что твои парни ее не упустили.

— Надеюсь. Здесь был Чарли Даунс, я просил его установить наблюдение за любым человеком, который будет интересоваться епископом. Сейчас позвоню в офис и узнаю, было ли от него сообщение.

Дрейк позвонил из будки телефона-автомата в вестибюле, разговор продолжался несколько минут, а когда он вышел наружу, на его физиономии играла довольная улыбка.

— Чарли звонил несколько минут назад. Он на Адамс-стрит, наблюдает за многоквартирным домом. Туда прошла рыжеволосая красотка.

— О'кей, — сказал Мейсон, — поехали!

Машина Дрейка находилась на стоянке вблизи от отеля. Он сел за руль, и машина рванула с места. Дрейк показывал чудеса водительского искусства, лавируя в потоке машин. Добравшись до нужного дома по Адамс-стрит, он поставил свою машину за «шевроле» старого образца, припаркованного у обочины. В ту же минуту рядом с машиной появился человек и подошел к ним.

— Что ты выяснил? — спросил Дрейк.

Чарли Даунс, высоченный тип с наружностью гангстера, вынул изо рта сигарету, встал боком к ним, так что они видели только его профиль, и стал рассказывать, в то время как его глаза оставались прикованными к дому напротив. Через секунду он снова сунул сигарету между зубов, и она поднималась то вверх, то вниз при каждом сказанном им слове.

— Увидев рыжеволосую красотку, епископ явно смутился. Он подал ей едва заметный знак и отправился к себе наверх в номер. Через несколько минут красотка тоже встала с места. Я не пошел следом, но обратил вни-

26

мание на то, что указатель этажа на лифте показывал шестой этаж, когда лифт остановился. Девушка быстро возвратилась, вид у нее был крайне взволнованный. Она буквально выскочила из отеля, перебежала на другую сторону в аптеку, позвонила из автомата. Потом остановила первое же свободное такси и приехала в этот дом.

— Предпринимала ли она попытки скрыться от тебя?

— Нет.

— А в какой квартире она живет?

— Она заглянула в нижний почтовый ящик справа. Я проверил имя на этом ящике. Дженис Ситон, а номер триста двадцать восемь. Лифт находится на третьем этаже. Я спустился и позвонил вам в офис, чтобы получить дальнейшие указания.

— Молодец, — похвалил его Дрейк, — ты неплохо поработал. Побудь-ка еще здесь, Чарли. Если она выйдет, перехвати ее, а мы поднимемся наверх.

Даунс кивнул и забрался обратно в машину.

Дрейк, заметив, что Мейсон с недоумением рассматривает старенький «шевроле», рассмеялся:

— Единственно подходящая машина для сыщика. Настолько незаметная, что на нее никто не обратит внимания, в то же время весьма надежная и безотказная. На ней можно поехать куда угодно, а если сыщику понадобится кого-нибудь прижать к обочине, то лишняя вмятина в крыле погоды не сделает.

— А мотор у нее, наверное, далеко не из слабеньких?

— Само собой.

— Полагаю, мы не станем звонить этой крошке?

— Чего ради? Зачем предоставлять человеку возможность подготовить сцену? Нет, я считаю, лучше навалиться на нее, как тысяча кирпичей. Давай-ка позвоним кому-нибудь из жильцов.

Он не глядя нажал на пару звонков, пока не раздался электрический зуммер, возвещая, что запирающее устройство на двери отошло и путь свободен.

Дрейк придержал дверь, пропуская в холл адвоката, потом они поднялись вверх по лестнице. Дойдя до 328-й квартиры, они постояли с минуту перед дверью, прислушиваясь. До их слуха долетал неясный шум, торопливые шаги.

— Собирают вещи, — сказал Дрейк.

Мейсон кивнул головой и кончиками пальцев тихонько постучал в дверь.

Женский голос, слабый, тоненький, испуганно откликнулся:

— Кто это?

Мейсон ответил:

— Срочная доставка почтового отправления.

— Подсуньте под дверь.

— Вы должны доплатить два цента.

— Одну минутку, — отозвался женский голос.

Топот шагов около двери.

Была предпринята бесплодная попытка подсунуть монетку под дверь. Мейсон шумно запротестовал:

— Что это за глупости? Я почтальон, а не мальчишка-рассыльный. Откройте двери и заберите пакет.

Щелкнула задвижка, дверь немного приоткрылась, но этого было достаточно для того, чтобы Мейсон успел просунуть в щель ногу.

Женщина испуганно вскрикнула и попыталась захлопнуть дверь, но Мейсон без труда распахнул ее, заявив:

— Не пугайтесь, Дженис. Мы просто хотим с вами поговорить.

Он уже увидел раскрытый чемодан на кровати, второй, большего размера, стоял посреди комнаты, на кресле лежала куча одежды.

— Я вижу, что вы собрались путешествовать?

— Кто вы такие и какое у вас право силой вламываться в мой дом? Где срочное почтовое отправление?

Мейсон, указав рукой на свободный стул, повернулся к Дрейку:

— Садись, Пол, устраивайся поудобнее.

Детектив уселся. Мейсон опустился на краешек кровати. Девушка смотрела на них огромными, расширенными от ужаса голубыми глазами. Волосы у нее были цвета красной меди, а кожа отличалась той бархатистой белизной, которая характерна для рыжеволосых людей. Она была стройной, с великолепной фигурой спортсменки и казалась безумно испуганной.

— Вы тоже могли бы присесть, — сказал ей Мейсон.

— Кто вы такие? Почему вы ворвались силой в мой дом? — опять спросила девушка, стараясь сохранять спокойствие.

— Мы хотим спросить вас о епископе Меллори.

— Я не знаю, о ком вы говорите. Я не знакома ни с каким епископом.

— Вы были только что в отеле «Ригал».

— Ничего подобного! — закричала она, весьма естественно изображая свое возмущение.

— Вы поднимались в комнату епископа, местный детектив заметил вас в вестибюле, он видел, как вы подали епископу условный знак, когда он вошел. Мы смогли бы, возможно, помочь вам, конечно, если вы перестанете упорствовать и расскажете правду.

Дрейк добавил:

— Полагаю, вы понимаете, в каком вы оказались положении. Насколько нам известно, вы последней видели епископа в живых.

Девушка сжала в кулак пальцы, стиснув их с такой силой, что все косточки побелели. Глаза ее потемнели от ужаса.

— В живых... — пролепетала она. — Он умер?

— А вы думаете, он жив? — спросил Пол.

Девушка упала в кресло и залилась слезами. Мейсон сочувственно посмотрел на нее и тихонько шепнул Дрейку:

— Не надо так нажимать.

Дрейк возразил:

— Нечего с ней миндальничать, Перри. Если их сразу же не загнать в угол, они будут запираться, врать и вилять до бесконечности. Оставь это мне.

Он подошел к девушке, положил ладонь на ее лоб, откинул немного назад ее голову и отобрал у нее носовой платок.

— Это вы его убили?

— Нет! — закричала она. — Говорю вам, я его не знаю. Я не знаю, о чем вы говорите, и, кроме того, он не умер...

Мейсон подмигнул Полу.

— Разреши-ка мне самому с ней поговорить, Пол. Послушайте, Дженис, вышло так, что за епископом Меллори наблюдали сразу несколько человек. Я не собираюсь вам объяснять, что это за люди и почему их заинтересовал епископ, важно то, что за ним следили. Несколько человек видели, как он вошел в отель. Вы сидели в вестибюле и подали ему условный знак. Он махнул в ответ, показывая, чтобы вы немного обождали. Поднялся к себе в комнату. Минут через пять-шесть вы прошли в лифт и вскоре вернулись назад. Вы были страшно взволнованны, а все это время за вами наблюдали мои люди, специальность которых — запоминать людей. У вас нет ни единого шанса опровергнуть их показания. Дальше. После того как вы вышли из отеля, вы заскочили в аптеку напротив и вызвали «скорую». Таким образом, вы оказались в гуще событий. Я хочу помочь вам выбраться из этой неприятной ситуации.

— Кто вы? — спросила девушка.

— Друг епископа Меллори.

— Почему я должна вам верить?

— В настоящий момент вам придется поверить мне на слово.

— Мне нужно нечто большее.

— О'кей, в таком случае я ваш друг.

— Почему этому я должна поверить?

— Потому, что я сижу здесь и разговариваю с вами, вместо того чтобы позвонить в полицейское управление.

— Он не умер? — спросила она.

— Нет, не умер.

Дрейк нахмурился и сказал с досадой:

— Таким путем ты никогда не добьешься правды, Перри. Теперь она начнет изворачиваться и лгать.

Девушка повернулась к Дрейку и закричала:

— Замолчите! С вашим коллегой я договорюсь гораздо быстрее, чем с вами.

Дрейк не сдавался:

— Мне известен такой тип. Их надо держать в страхе Божием, не давать опомниться, иначе они начинают придумывать способы ответеться, нельзя с ними играть начистоту, откроешь перед ними свои карты, а они тут же и выскользнут у тебя из-под пальцев.

Девушка, не обращая никакого внимания на слова Дрейка, повернулась к Мейсону и сказала:

— Я буду с вами совершенно откровенна. Я ответила на объявление в газете.

— И таким образом познакомились с епископом?

— Да.

— Что это было за объявление?

Она поколебалась с минуту, потом вздернула подбородок и сказала:

— Он искал опытную медсестру, на которую можно положиться.

— Так вы дипломированная медсестра?

— Да.

— Сколько других сестер откликнулись на это объявление?

— Не знаю.

— А когда вы на него ответили?

— Вчера.

— Епископ сообщил вам свое имя и адрес?

— Нет, только номер почтового ящика.

— Итак, вы ответили на объявление, что было потом?

— Епископ позвонил мне, сказал, что ему понравилось мое письмо, теперь он хотел бы переговорить со мной лично.

— Когда это было?

— Вчера поздно вечером.

— Итак, вы сегодня поехали в отель на встречу с епископом.

— Нет, я ходила в отель вчера, и он меня нанял.

— Он вам сказал для чего?

— Сказал, что мне придется ухаживать за больным.

— Вы утверждаете, что вы дипломированная сестра? — вмешался Дрейк.

— Да.

— Покажите мне свидетельство.

Девушка открыла чемодан, достала из него конверт из твердой манильской бумаги, подала его Дрейку и снова повернулась к Мейсону. Теперь она держалась увереннее, выглядела более спокойной, хотя и было видно, что это стоило ей больших усилий.

— У вас есть копия этого объявления? — спросил Мейсон.

На секунду она отвела глаза, потом ответила довольно неуверенно:

— Нет...

— В какой газете оно было помещено?

— Не могу припомнить. В одной из вечерних, пару дней назад. Кто-то из моих знакомых обратил мое внимание на это объявление.

— Итак, епископ Меллори вас нанял? — повторил свой вопрос Мейсон.

— Да.

— Он рассказал вам, чем болен человек, за которым вы должны ухаживать?

— Нет. Но из его слов поняла, что речь идет о сумасшествии в семье или что-то в этом роде.

— А почему вы укладываете свои вещи? — спросил Дрейк, возвращая ей конверт.

— Потому что епископ мне сказал, что я должна буду поехать с ним в путешествие. С ним и с больным.

— Сказал — куда?

— Нет.

— И он просил вас ждать его в гостинице?

— Да. Причем я не должна была заговаривать с ним в вестибюле. Мы договорились, что он кивнет мне, если все будет в порядке, и тогда минут через пять мне можно будет подняться к нему в номер.

— Для чего такая таинственность?

— Не знаю. Он ничего не объяснил, а я не спрашивала. Он епископ, значит, у меня нет оснований сомневаться в правильности его поступков. Ну и потом, он положил мне хорошее жалованье. Кроме того, вы же знаете, как бывает с душевнобольными, они впадают в ярость, если догадываются, что находятся под наблюдением.

— Итак, вы поднялись наверх в номер к епископу, — повторил Мейсон. — И что вы там увидели?

— В комнате царил страшный беспорядок. Епископ лежал на полу. У него была контузия. Пульс был слабый, но постоянный. Я подняла его, положила на кровать. Можете поверить, это была очень трудная работа.

— Вы видели кого-нибудь в комнате?

— Нет.

— Дверь была заперта или открыта?

— Приоткрыта на пару дюймов.

— Видели ли вы кого-нибудь в коридоре?

— Вы хотите сказать, когда я поднималась наверх, чтобы пройти в номер к епископу?

— Да.

— Нет.

— Не заметили ли вы, чтобы кто-нибудь спускался на лифте в то самое время, когда вы поднимались наверх?

— Нет.

— Почему вы не сказали о случившемся администратору отеля?

— Я не видела в этом необходимости. Все равно они не смогли бы ничего сделать. Я вышла из отеля и вызвала «скорую».

— А потом поспешили сюда и приготовились удрать? — насмешливо спросил Пол.

— Я вовсе не готовилась удирать, но стала собирать свои вещи, чтобы отправиться в путешествие. Как мне сказал епископ, мой пациент должен был отплыть на «Монтери».

— Каковы ваши планы теперь?

— Буду ждать вестей от епископа. Не думаю, что контузия у него серьезная. Через час, максимум через два он придет в себя, если, конечно, не будет склеротических осложнений.

Мейсон встал.

— О'кей, Пол, я думаю, она рассказала нам все, что ей известно. Пошли.

Дрейк удивился:

— Неужели, Перри, ты собираешься ее отпустить, поверив всей этой ерунде, которую она здесь наговорила?

Глаза адвоката укоризненно посмотрели на Дрейка.

— Вся беда в том, Пол, что ты так часто имел дело с проходимцами и жуликами, что совершенно не знаешь, как обращаться с женщиной, которая не собирается тебя обманывать.

Дрейк вздрогнул и сказал:

— Твоя взяла. Пошли!

Дженис вплотную подошла к Перри Мейсону, положила пальчики ему в руку и дружески сжала ее.

— Огромное вам спасибо за то, что вы вели себя поджентльменски.

Они вышли в коридор, услышали, как за ними захлопнулась дверь и в замочной скважине звякнул поворачиваемый ключ.

Дрейк спросил Мейсона:

— Какого черта ты был с ней таким мягким, Перри? Мы смогли бы в два счета выяснить что-нибудь существенное, если бы внушили ей, что ее подозревают в убийстве епископа.

— Таким образом нам удастся разузнать гораздо больше, Пол, поверь мне. Эта девушка что-то замышляет. Если только она что-то заподозрит, мы никогда этого не узнаем. Но если она поверила, что сумела нас провести и заморочила нам голову, она выведет нас на настоящий след. Отправь-ка на работу пару сообразительных молодчиков. Подмасли нашего приятеля-детектива из отеля «Ригал», не скупись на комплименты, попробуй узнать, не обратил ли он внимание на человека или на людей, которые спускались сверху в тот момент, когда Дженис поднималась наверх в лифте, не сомневаюсь, что он или они появились в вестибюле до того, как местный детектив пошел за Дженис к лифту.

— Что еще, Перри?

— За девушкой надо установить постоянное наблюдение и не выпускать ее из виду, куда бы она ни направилась. Поторопись с тем заданием, которое я дал тебе раньше. Помнишь? Транспортное преступление, наезд на человека, причастность к этому епископа, ну все. Узнай, в какую больницу отвезли епископа, выясни, как он себя чувствует.

— Ставлю четыре против одного, что он не тот, за кого себя выдает, — не сдавался Дрейк.

Мейсон усмехнулся:

— Пока я не готов заключить пари. Держи меня в курсе событий, звони в любое время суток.

Глава 3

В пять часов вечера все эскалаторы метрополитена были запружены толпой людей, закончивших работу и спешащих домой. Внизу — на платформе — они сливались в единый человеческий поток, который электропоезда разносили во все концы города и выбрасывали на улицы и проспекты.

С улицы доносились полицейские свистки, регулирующие движение транспорта, гудки автомобилей, нетерпеливые сигналы автобусов, звонки трамваев и гул голосов.

Делла Стрит сидела за своим столом, раскладывая документы по папкам. Она подняла голову, услышав стук двери, и увидела хмурую физиономию Перри Мейсона, который входил в офис.

— Ну как, состоялась у вас встреча с епископом Меллори, вам удалось выяснить, что это за странная история?

Адвокат покачал головой:

— Нет, епископ не в состоянии ходить на свидания. Он временно вышел из игры, и, думаю, на довольно продолжительное время. Принеси-ка, пожалуйста, все вчерашние газеты. Они требуют проверки, особенно нужно обратить внимание на объявления с предложениями работы.

Она пошла к двери в юридическую библиотеку, но на полпути остановилась и спросила:

— Не могли бы вы в двух словах рассказать, что произошло, шеф?

Мейсон кивнул:

— Конечно. Мы проследили епископа до отеля. Кто-то уложил его спать, хлопнув по голове мешком с песком. Мы устремились в погоню за рыжеволосой красавицей, которая усыпила нашу бдительность занимательной сказкой. Но она несколько раз проговаривалась, потому как не могла достаточно быстро придумать правдоподобную ложь.

— Что мы ищем в газетах? — деловито спросила Делла.

— Рыжеволосая заявила, что она познакомилась с епископом, ответив на помещенное им в газете объявление. Возможно, это правда, епископ в нашем городе чужой и мог дать объявление в газете. Во всяком случае, нам необходимо проверить эту ниточку, наверное, она нас куда-то приведет. Смотри раздел «Требуется обслуживающий персонал». Возможно, и правда было объявление о том, что кому-то нужна молодая, не обремененная семьей медсестра, согласная отправиться в путешествие. Ее, кстати, зовут Дженис Ситон.

— Но для чего епископу Меллори потребовалась медсестра?

— Сейчас-то она ему нужна на самом деле.

Мейсон усмехнулся.

— Кто знает, не предвидел ли он это и не принял ли заранее кое-какие меры. Он ей якобы сказал, что предстоит путешествие с больным.

Каждый жест Деллы Стрит говорил о многолетнем опыте секретарши. Делла скрылась за дверями библиотеки, чтобы через минуту появиться вновь с охапкой газет. Мейсон освободил место на письменном столе, достал сигарету и сказал:

— О'кей, приступим.

Они просмотрели раздел объявлений с предложениями работы во всех газетах. Минут через пятнадцать Мейсон, поморгав глазами, спросил:

— Ты что-нибудь нашла, Делла?

Она покачала головой, дочитала до конца еще столбец с объявлениями и, тяжело вздохнув, ответила:

— Ничего подходящего, шеф.

Мейсон потер ладонями щеки и пожаловался:

— Представляю, с каким злорадством на меня набросится Пол Дрейк. Я решил, что мы сумеем добиться большего, если отпустим ее на длинный поводок. Более того, я самоуверенно заявил, что отлично различаю, когда люди врут, а когда говорят правду.

— Вам показалось, что об объявлении в газете рыжая говорила правду?

— Да, я был в этом уверен. Не все в ее рассказе было истиной, но все же я полагал, что объявление — та путеводная ниточка, которая поможет нам выбраться из тьмы к свету.

— Почему вы так решили?

— Ты же знаешь, как бывает, когда людям приходится сочинять на ходу, когда нет времени обдумать ответ. В таком случае они обязательно мешают правду с вымыслом, это гораздо легче, чем придумывать все решительно от начала до конца. В тот момент, когда речь идет о том, в чем они абсолютно уверены, голос у них звучит ровно и гладко, но вот когда правда становится «опасной» и надо что-то измыслить, человек начинает запинаться. Рассказ о знакомстве через газетное объявление прозвучал очень правдоподобно.

Мейсон встал из-за стола и принялся расхаживать по кабинету, засунув большие пальцы за отвороты пиджака и наклонив голову немного вперед.

— Самое же неприятное, — продолжал он, — что Пол Дрейк хотел ее поприжать, оказать на нее психическое давление, уверял, что, если она испугается, мы скорее добьемся правды. Возможно, на этот раз он был прав. Но ведь ты знаешь, что собой представляют рыжеволосые женщины! Им не занимать решительности. И эта тоже сумеет постоять за себя. Я подумал, что она сначала вспылит, а потом закатит истерику. Ну и решил, что нам удастся добиться большего, если мы предоставим ей видимость свободы, проявим к ней чуткость и не обрушимся на нее с пустыми угрозами и двусмысленными намеками.

Зазвонил телефон.

Делла Стрит, глаза которой все еще были прикованы к одной из газет, автоматически сняла трубку и произнесла официальным тоном:

— Офис Перри Мейсона.

И тут же передала трубку адвокату.

— Пол Дрейк.

Мейсон спросил:

— Что нового, Пол?

В тягучем голосе детектива явно проскальзывало волнение.

— Я откопал сведения о том давнишнем случае автомобильного происшествия. Во всяком случае, я надеюсь, что это именно то, что мы ищем. Женщина и мужчина поехали в Санта-Энн пожениться. На обратном пути в Лос-Анджелес машину вела женщина. Она выпила несколько рюмок, не справилась с управлением и врезалась в машину одного старого хозяина ранчо. Этому человеку было около восьмидесяти лет. Самое непонятное заключается в следующем: в то время не было проведено расследование дорожного происшествия. Записали имя женщины, ее адрес. Старик умер через пару дней, а через четыре месяца был издан приказ об аресте женщины по обвинению в убийстве. Мне вся эта история кажется весьма подозрительной.

— Кто была женщина?

— Некая Джулия Брэннер, но в то время ее имя было миссис Оскар Браунли, а Оскар Браунли — сын Ренволда К. Браунли.

Мейсон тихонько присвистнул:

— Скажи, Пол, а не было ли какой-нибудь скандальной истории в связи с его женитьбой?

— Не забывай, все это произошло в тысяча девятьсот четырнадцатом году. Браунли нажил свои миллионы в каких-то крупных биржевых спекуляциях, а перед великим экономическим кризисом двадцать девятого года у него хватило ума не пускаться в сомнительные авантюры и попридержать денежки. Ренволд Браунли занимался недвижимым имуществом. Он утроил, если не учетверил свой капитал.

— Неужели они не могли арестовать женщину, если она на самом деле виновна?

— Нет. После ссоры со старым Ренволдом они с Оскаром уехали, и никто не знал куда. Примерно через год Оскар возвратился. Тем временем дела у старого Браунли шли все лучше и лучше, он попутно начал спекулировать на бирже.

— Где Оскар в настоящее время? Он жив?

— Нет, умер два или три года назад.

— У него осталась дочка, не так ли?

— Да, но в отношении дочки тоже не все ясно. По-моему, тут тоже какая-то тайна. Ренволд души не чаял в Оскаре. Но внучку он признал только лишь после смерти сына. Он не одобрял женитьбы Оскара и, по всей вероятности, считал девочку скорее ошибкой матери, чем отпрыском своего сына. Только два года назад он отыскал внучку и поселил ее у себя. Большого шума по этому поводу не было поднято. Девушка просто переехала к Ренволду.

Мейсон нахмурился, задумавшись, прижал трубку у уха левой рукой, пальцами же правой автоматически выстукивал какое-то подобие марша на крышке стола.

— Получается, мать девушки, которая сейчас купается в роскоши, живя в резиденции Ренволда Браунли на Беверли-Хиллз, скрывается от закона? Это она должна быть арестована по обвинению в убийстве человека в Ориндж-Каунти двадцать два года назад?

— Верно.

— Знаешь, Пол, эта история начинает меня здорово интересовать. А что слышно о епископе?

— Все еще не пришел в себя в Ресивинг-госпитале, но дежурный хирург сказал, что ничего серьезного нет. Как только он придет в сознание, его переведут в частную больницу. Я узнаю куда и сообщу тебе.

— За мисс Ситон ты установил наблюдение?

— Можешь не сомневаться. Двое моих людей караулят ее дом: один у парадного выхода, второй у черного. Очень жаль, что ты не разрешил мне воспользоваться моим методом, Перри. Мы бы заставили ее оправдываться, и тогда...

— Ты плохо разбираешься в рыжеволосых, Пол. Все будет хорошо. Узнай все, что возможно, о семье Браунли и позвони мне, как только у тебя появится что-нибудь новое.

— Да, я кое-что узнал о епископе. Он приплыл шесть дней назад на «Монтери» и прожил четыре дня в «Паласотеле» в Сан-Франциско. Затем он приехал в наш город.

— Ну что ж, посмотрим, удастся ли тебе что-нибудь в Сан-Франциско узнать: кто навещал его в отеле и все прочее. Повторяю, держи меня в курсе всех новостей. Я пробуду в конторе еще около часа. Потом мы с Деллой отправимся куда-нибудь поесть.

Мейсон положил на место телефонную трубку и возобновил свое хождение по кабинету. Однако не успел он сделать пару поворотов, как Делла Стрит возбужденно сказала:

— Обождите, шеф! Вы оказались правы. Вот оно!

— Что?

— Объявление.

Адвокат подошел к столу своей секретарши, опустил руку ей на плечо, наклонился, глядя на объявление, которое она подчеркнула карандашом.

В нем было написано:

«Если дочь Чарльза В. и Грейс Ситон, которая раньше жила в Рино, Невада, свяжется с ящиком ХУЗ Лос-Анджелесского Игхаминера, она узнает нечто весьма важное для себя».

Мейсон присвистнул и спросил:

— В колонке личных сообщений, а?

Делла Стрит кивнула, подмигнула ему и сказала:

— Как видите, у меня оказалось гораздо больше доверия к вашему чутью, чем у вас самого. Раз вам показалось, что она сказала правду в отношении объявления, я решила, что мне стоит покопаться в газетах более тщательно. Вот поэтому, не обнаружив ничего подходящего в разделах о предложениях работы, я просмотрела личные объявления.

— Давай теперь посмотрим «Таймс», нет ли там чего-нибудь еще. Когда было помещено это объявление?

— Вчера.

Мейсон взял «Таймс» за то же число, быстро проверил колонку личных объявлений и, присвистнув от удивления, протянул газету Делле.

— Посмотри-ка сюда.

Они, не сговариваясь, принялись читать вслух:

— «Требуется информация, которая поможет мне связаться с Дженис Ситон, которой исполнится двадцать два года девятнадцатого февраля. Она дипломированная медсестра, рыжеволосая, голубоглазая, привлекательная, рост пять футов один дюйм. Является дочерью Чарльза В. Ситона, который погиб шесть месяцев назад в автомобильной катастрофе. Премия двадцать пять тысяч долларов первому человеку, который сообщит исчерпывающие данные. Ящик ABC «Лос-Анджелес таймс».

Делла Стрит взяла ножницы и вырезала оба объявления.

— Ну? Что скажете?

Мейсон широко улыбнулся.

— Как тот соус, который я приготовил во время последнего пикника: он получился у меня полным комков, которые никак не желали расходиться.

Она посмотрела на него и сказала:

— Готовить соусы — это не разбираться в убийстве, шеф, верно?

— Как тебе сказать... Меня учил знаменитый повар из нью-йоркского ресторана, а соус назывался «Тысяча островов».

— Может быть, эти комочки и есть тысяча островов?

— Может быть. Позвони Полу Дрейку, предупреди его, что собираешься идти со мной обедать. Не говори про объявления. Посмотрим, обнаружит ли он их сам. И договорись с ним о встрече здесь сразу же после обеда.

— Послушайте, шеф, а не покупаете ли вы подойник раньше коровы? Мы собрали довольно-таки большую информацию о самом епископе, но ничего не узнали для него. В конце-то концов, его интересовало дело об убийстве человека, произошедшем двадцать с лишним лет назад!

Мейсон задумчиво наклонил голову.

— Да, по его словам, его интересовало именно это. Но я чую что-то куда более важное в ветре, и этот запах все усиливается. Более того, меня волнует то, что запах делается слишком сильным. Я попытался сложить два и два, Делла, и у меня получилось шесть.

Глава 4

Перри Мейсон был в прекрасном настроении, когда заказывал коктейли и обед. Делла Стрит наблюдала за ним с тем полнейшим пониманием, которое достигается за долгие годы совместной работы. Она спросила, беря в руки бокал:

— Интересное дело, шеф?

Адвокат кивнул, в его глазах блеснул азарт.

— Обожаю всякие запутанные загадки, ненавижу рутину, ненавижу мелочи. Мне нравится мериться силами с авантюристами и распутывать их замыслы. Мне нравится уличать их во лжи, когда они лгут и изворачиваются. Мне нравится слушать, как люди рассказывают, и определять, что в их рассказах является правдой, а что вымыслом. Люблю жизнь, движение, вечно меняющиеся действия. Люблю сопоставлять факты, соединять их в единое целое и отбрасывать непригодные, как это делал когда-то в детстве, подбирая кусочки распиленной картинки.

— Вы считаете, что этот заикающийся епископ подкинул вам загадку?

Мейсон стиснул резную ножку своего пустого бокала:

— Если бы я знал наверняка. Епископ затеял непростую игру. Это я почувствовал сразу же, в то самое мгновение, когда он переступил порог моего кабинета, причем сразу было видно, что он стремится скрыть от меня свои истинные намерения. Вот почему я пытаюсь узнать, с кем имею дело и чего он в действительности добивается. Я непременно должен это знать до того, как он сочтет нужным сам мне об этом сообщить. Ну ладно, идем потанцуем.

Он повел ее на танцевальную площадку, где они танцевали танго, великолепно улавливая каждое движение друг друга благодаря долгой практике. Когда они вернулись к своему столику, первое блюдо было уже подано.

— Расскажите, что вы думаете об этом деле, шеф, если, конечно, это не тайна, — попросила Делла.

— С удовольствием, — ответил Мейсон. — Я хочу еще раз перебрать все факты и посмотреть на дело со стороны, удастся ли их увязать воедино? Некоторые из них тебе известны, другие нет. Начнем с самого начала. Ко мне с визитом является человек, называющий себя австралийским епископом. Он крайне возбужден и заикается, причем каждый раз, когда это случается, он негодует на себя. Почему?

— Потому что, — ответила Делла, — он понимает, что епископ не должен заикаться. Возможно, этот недостаток появился у него недавно, после какого-то эмоционального потрясения; естественно, его беспокоит, что получится, если он возвратится в Австралию и заикание не пройдет.

— Прекрасно, — одобрил адвокат, — это вполне логичное объяснение. Именно это я и подумал сам. Но предположим другое: этот человек вовсе не епископ, а какой-то мошенник, замаскированный под епископа Меллори из Сиднея. У него дефект речи: он заикается в возбужденном состоянии. Поэтому он старается изо всех сил не заикаться и, естественно, заикается еще сильнее. Он боится, что заикание его выдаст.

Делла кивнула.

— Пойдем дальше. Епископ хотел видеть меня по поводу дела об убийстве человека двадцать с лишним лет назад. Он не называет никаких имен, но можно не сомневаться, он имел в виду дело, касающееся Джулии Брэннер, которая стала миссис Оскар Браунли, женой старшего сына Ренволда К. Браунли. Мне нет необходимости рассказывать тебе о семье Браунли. Младший сын умер лет шесть-семь назад. Оскар уехал со своей женой, никто не знал, куда именно. Потом он возвратился. Женщина — нет. В округе Ориндж было возбуждено дело об убийстве. Но обвинение-то было предъявлено через несколько месяцев после того, как произошла автомобильная авария.

— Ну а дальше?

— Предположим, что Ренволд К. Браунли не сомневался, что его сын Оскар к нему вернется, и опасался, как бы его жена тоже не приехала. В таком случае со стороны Ренволда было бы не очень умным ходом нажать на известные ему политические связи и добиться того, чтобы был выдан ордер на арест жены Оскара. В этом случае, как только она пересекла бы границу штата Калифорния, ее могли бы отправить в тюрьму по обвинению в убийстве человека.

Делла Стрит, рассеянно кивая головой, отодвинула тарелку с супом и спросила:

— Если я не ошибаюсь, с Браунли живут двое внуков?

— Верно. Филипп Браунли, сын младшего сына Ренволда, и девушка, имя которой я забыл, дочь Оскара. Далее, епископ Меллори приплыл на «Монтери», четыре дня жил в Сан-Франциско, поместил объявление в местной газете и...

— Минуточку! — остановила его Делла. — Я кое-что припомнила, вы говорите, что епископ приплыл на «Монтери».

— Да.

Она смущенно засмеялась и сказала:

— Шеф, вам многое известно о человеческой природе, но, увы, вы никогда не задумывались, почему стенографистки, секретарши, продавщицы, машинистки, в общем-то все женщины, с таким интересом читают великосветские новости?

— А почему?

Она пожала плечами. На минуту в ее глазах мелькнуло мечтательное выражение.

— Сама не знаю, шеф. Наверное, мне было бы неинтересно жить, если бы я не должна была ходить на службу, но больше всего я люблю читать о том, кто из знаменитостей отдыхает на курорте в Палм-Спрингс, что творится в Голливуде и все прочие великосветские сплетни. Все знакомые мне секретарши увлекаются тем же самым.

Внимательно глядя на нее, Мейсон попросил:

— Опусти вводную часть, Делла, переходи к сути.

— Я случайно запомнила, что Дженис Элва Браунли, внучка Ренволда К. Браунли, была пассажиркой «Монтери» от Сиднея до Сан-Франциско, причем все газеты взахлеб писали о том, что обаятельная молодая наследница была центром внимания на пароходе. Вот видите, шеф, вы даже не знаете имени внучки Ренволда Браунли, а я смогла вам сообщить о ней очень многое.

Мейсон внимательно посмотрел на секретаршу, улыбнулся и произнес:

— Двенадцать!

— Что?

— Двенадцать, — повторил он, блестя глазами.

— Шеф, о чем это вы?

— Минуту назад я говорил, что, складывая два и два, в этом случае я получил не четыре, а шесть, и это меня беспокоило. А теперь я складываю два и два и получаю двенадцать.

— Двенадцать чего?

Он покачал головой.

— Не ломай себе над этим голову. Не так-то часто у нас бывает возможность отдохнуть, Делла. Давай есть, пить и веселиться, немножко потанцуем, затем возвратимся в офис и вызовем Пола Дрейка на совещание. К тому времени та вещь, которая меня тревожит, возможно, превратится просто в мираж. Если этого не случится, что за чертово дело получится! Сплошной клубок загадок!

— Почему, шеф?

— Такого не бывает. Какая-то фантазия. Слушай, не будем сейчас об этом говорить, это всего лишь мои домыслы, чтобы потом не разочароваться, если Пол раздобудет сведения, доказывающие, что нас обвели вокруг пальца.

Делла Стрит внимательно посмотрела на Мейсона и спросила:

— Вы хотите сказать, что девушка...

— Та-та-та!

Он погрозил ей пальцем.

— Уж не собираешься ли ты спорить с шефом? Пошли, Делла, это фокстрот. Не забывай, мы даем отдых своим головам.

Мейсон категорически отказался спешить с обедом или обсуждать деловые вопросы. Делла Стрит всегда угадывала точное настроение своего шефа. Более часа они наслаждались редко выпадавшей им возможностью вести бездумную беседу, радоваться жизни и тем чувством единения, которое возникает в результате долгих лет совместной работы, когда и удачи, и разочарования переживаются вместе, когда исчезает необходимость притворяться, скрывать и обманывать друг друга даже из самых лучших побуждений.

И лишь когда было покончено с десертом и адвокат допил свой последний бокал золотистого вина, он со вздохом сказал:

— Ну что же, Делла, давай вернемся снова к нашей погоне за призраками и постараемся доказать, что в конечном итоге это не что иное, как всего лишь мираж.

— Вы все же так считаете?

— Не знаю, но боюсь даже думать, что это не так. Как бы там ни было, давай позвоним Полу Дрейку, чтобы он приехал в офис.

— Послушайте, шеф, вот о чем я подумала. Допустим, эта женщина, зная, что существует ордер на ее арест за убийство человека, удрала в Австралию, и допустим...

— Ни слова больше! — Он схватил ее за плечо. — Нам не следует блуждать в потемках и строить какие-то необоснованные теории. Давай твердо придерживаться фактов. Пока ты будешь договариваться с Полом Дрейком о встрече, я пойду за машиной, отыщу такси.

Она кивнула, но в ее глазах появилась задумчивость:

— Конечно, если выяснится, что он в действительности вовсе не епископ, а самозванец...

Мейсон протянул к ней руку, делая вид, что он сжимает в ней револьвер, и крикнул:

— Остановись, или стреляю!

Она засмеялась.

— Я позвоню Полу за то время, пока буду пудрить себе нос. — И исчезла в дамской комнате.

Пол Дрейк тихонько постучался в дверь кабинета Перри Мейсона, и Делла Стрит сразу же впустила его.

— До чего же у вас откормленный вид!

Детектив подмигнул им.

Но Мейсон уже утратил всю ту беспечность, которая напала на него в ресторане. Глаза у него были полузакрыты, лоб нахмурен.

— Что ты нам расскажешь о епископе, Пол?

— В настоящее время епископ вполне способен самостоятельно пуститься в морское путешествие, — сказал Дрейк. — Он выписался из больницы и вернулся в отель. Однако он не может надеть на себя шляпу, потому что голова его забинтована, виден только один глаз да кончик носа. Согласно последним донесениям, следует по ровному течению своего духовного образа жизни.

— Ну, а мисс Ситон?

— У себя на квартире на Вест-Адамс-стрит. Затаилась. Очевидно, она ожидает вызова от епископа и не намерена ничего предпринимать, пока не получит его указаний.

Мейсон задумался на пару секунд, затем сказал:

— Это же не имеет смысла, Пол!

— Не согласен. Это как раз одна из немногих вещей, которая имеет смысл, — возразил детектив. — Дженис укладывала чемоданы, когда мы ворвались к ней. Очевидно, она и правда собиралась отправиться путешествовать. Мне кажется, она не солгала, сказав, что уедет с епископом и с каким-то больным, за которым она должна будет ухаживать. Вот она и дожидается, когда епископ даст ей соответствующие указания. С той минуты, как епископ попал в больницу, она не высовывала носа из дома.

— Совсем не выходила?

— Даже не открывала задней двери, чтобы вынести ведро, — ответил Дрейк.

— Как я понимаю, двое твоих людей наблюдают за обоими выходами из ее дома?

— Верно. Человек, который проследил ее до квартиры, стережет парадный вход, второго я поставил у черного входа через пять минут после того, как мы поехали сюда.

— Делла сообщила об одном факте, который может оказаться важным. На днях Дженис Элва Браунли приехала на «Монтери» из Австралии.

— Ну и что?

— Епископ Меллори ехал на этом же пароходе. Иначе говоря, они провели на борту этого лайнера две или три недели. Ну, а если у епископа не имелось какой-то дополнительной цели, когда он пришел ко мне с расспросами о преступлении двадцатилетней давности, то речь могла идти только о матери мисс Браунли.

Теперь уже нахмурился Дрейк.

Мейсон продолжал:

— Мы с Деллой прорабатывали тут вот какую идею, Пол. Конечно, она может оказаться несостоятельной. Во всяком случае, я осмеливаюсь высказать ее вслух впервые. Мне хотелось бы услышать твое мнение, Пол.

— Выкладывай. Обожаю проделывать дырки в чужих идеях.

— Допустим, что миссис Брэннер удрала в Австралию. Допустим, что после того, как Оскар Браунли возвратился в Штаты, у нее родился ребенок. Допустим, что епископу Меллори, который в то время являлся там главой англиканской церкви, было поручено поместить девочку в какой-то хороший дом. Допустим, что он отдал ее в семью Ситон, а далее случилось следующее: когда епископ плыл в Соединенные Штаты на «Монтери», он обнаружил, что какая-то девушка на лайнере выступает в роли Дженис Браунли, и понял, что она является самозванкой. Допустим, что он решил действовать предельно осторожно и осмотрительно, раздобыть какие-то определенные доказательства, прежде чем что-либо предпринять. В первую очередь ему надо было отыскать настоящую мисс Браунли. Так вот, насколько данная версия увязывается с известными нам фактами?

Дрейк задумался.

— Нет, Перри, это глупость. Во-первых, все это домыслы. Во-вторых, никто бы не принял девушку в доме старого Браунли без ведома ее матери, ну, а если бы это была не ее дочь, она бы подняла такой крик, что небу стало бы тошно.

— Допустим, — перебил его Мейсон, — что мать находилась в отъезде и ничего не знала об этом, но вот теперь до нее дошла эта новость, и она поспешит сюда, чтобы поднять скандал.

— Пока она не появилась. По-моему, это самый лучший ответ на твои слова, Перри. Да и кроме того, ты не забывай, что молодые девушки настолько изменяются, что в них порой бывает невозможно узнать тех розовощеких крошек, какими они когда-то были, прежде чем расцвести в соблазнительных наследниц. Епископ Меллори, думаю, должен больше заниматься своими церковными обязанностями, нежели тем, чтобы ставить отметины младенцам, предназначенным для усыновления или удочерения. Нет, Перри, думаю, ты стоишь на неверном пути. Как мне кажется, дело обстоит таким образом: кто-то задумал вытрясти кругленькую сумму из семейства Браунли, а чтобы это сделать, им понадобился «епископ Меллори», дабы тот создал основу для махинации. И вот, если они напустят лжеепископа на агрессивного, но довольно-таки доверчивого адвоката, рассказав трогательно-слезливую историю, они смогут кое-чего добиться от Браунли.

— Ты считаешь, что это лжеепископ?

— Я в этом не сомневался с самого начала. Я твердо уверен, что твой епископ — мошенник. Мне не по душе его заикание, Перри.

Мейсон покачал головой.

— Мне тоже это не нравится.

— Ну вот, хоть в этом мы с тобой единодушны.

— Поэтому, мне кажется, нам надо в первую очередь переговорить с епископом Меллори, если, конечно, он первым не свяжется со мной. Сколько времени он уже пробыл в отеле, Пол?

— С полчаса. В больнице его залатали довольно-таки искусно. Так что после того как епископ пришел в себя, он остался таким же, как и до контузии, если не считать головные боли да кучу бинтов вместо шляпы.

48

— Что он заявил в полиции?

— Сказал, что открыл дверь своего номера, кто-то выскочил из комнаты и ударил его по голове, больше он ничего не помнит.

Мейсон нахмурился.

— Это не объясняет разбитое зеркало и картину погрома в номере, Пол. Там была борьба.

Дрейк пожал плечами.

— Это все, что мне известно. Конечно, когда человек получает такой удар по макушке, у него многое выскакивает из памяти.

— Ты установил слежку за епископом?

— За ним следят двое, в двух отдельных машинах. Мы не спускаем с него глаз.

— О'кей. Давай-ка съездим поговорим еще раз с мисс Ситон, и пусть Делла тоже поедет. Возможно, Делле удастся подобрать к ней ключик.

Дрейк не согласился.

— Думаю, сейчас она нам ничего не скажет.

— Почему такой акцент на «сейчас»?

— Мне не нравится, как ты принялся за это дело, Перри. Я знаю женщин такого типа. Мы должны были ее запугать, убедить, что епископ убит, притвориться, будто ее подозревают в убийстве. Вот тогда она бы рассказала правду, чтобы обелить себя.

— Во всяком случае, часть правды она рассказала. Она действительно познакомилась с епископом через объявление.

Мейсон сделал знак Делле Стрит, которая протянула ему вырезанные из газет объявления. Адвокат передал их Дрейку, который с хмурым видом прочитал их и спросил:

— А что это, собственно, меняет?

— Трудно подумать на что-либо другое, если это не то, что я обрисовал тебе. Ты не получал никакой дополнительной информации из Австралии?

— Нет. Я попросил моих корреспондентов прислать описание внешности епископа и сообщить мне его постоянный адрес.

— Я, Пол, думаю, что мисс Ситон является тем лицом, у которого хранятся ключи ко всей загадке. Мы поедем к ней, зададим несколько вопросов, после чего отправимся к его милости заикающемуся епископу. Надеюсь, что к тому времени картина более-менее прояснится и мы перестанем блуждать в потемках.

Пол Дрейк почесал затылок.

— Конечно, Перри, это не мое дело, но чего ради столько хлопот из-за истории, которая, скорее всего, ни к чему не приведет в том смысле, что ты не заработаешь на этом деле. Более того, мне кажется, никто особенно не нуждается в твоих услугах.

Мейсон пожал плечами:

— Боюсь, Пол, что ты не видишь потенциальных возможностей данной ситуации. Прежде всего, это загадка, а ты знаешь, как я отношусь к загадкам. Во-вторых, если я только полностью не утратил чутье, то, с чем мы имеем дело вплоть до настоящего момента, является всего лишь введением.

— Введением к чему? — со свойственной ему медлительностью переспросил Пол.

Взглянув на наручные часы, Мейсон ответил:

— Думаю, что в ближайшие двенадцать часов я получу сообщение от женщины, которая назовется либо Джулией Брэннер, либо миссис Оскар Браунли.

— Уж не знаю, откуда у тебя такая уверенность, но только она может оказаться ложной, не настоящей. Ну, а если нет, тогда у тебя будет очень много работы.

Мейсон надел шляпу.

— Хватит болтать, поехали!

Они отправились в машине Дрейка к многоквартирному дому на Вест-Адамс. Позади ветрового стекла стоящей через дорогу потрепанной машины светился красный огонек сигареты. Откуда-то из темноты вынырнула мужская фигура и подошла к ним.

Это был Чарли Даунс.

— Все в порядке? — спросил Дрейк.

— Все контролируется.

Чарли подмигнул:

— Сколько времени мне еще здесь торчать?

— Тебя сменят в полночь, — сказал Дрейк, — а пока не спускай глаз с двери. Мы поднимемся наверх. Возможно, она выйдет из дому сразу же после того, как мы уйдем. Если так случится, проследи, куда она направится.

Они поднялись на лифте на четвертый этаж.

Дрейк уверенно двинулся первым к триста двадцать восьмой квартире и тихонько постучал в дверь. Ответа не последовало.

Тогда он постучал гораздо громче.

Мейсон прошептал:

— Обожди минуточку, Пол. Мне пришла в голову одна мысль.

Он повернулся к Делле Стрит:

— Ну-ка, Делла, скажи громко: «Открой, Дженис, это я!»

Делла Стрит кивнула, наклонилась к самому замку и произнесла эту фразу.

И снова никакого результата. В квартире стояла полнейшая тишина. Дрейк покачал головой.

— Пойду-ка я проверю, наблюдают ли за черным ходом и не ушла ли куда-то эта девица за то время, как мы отсюда уехали!

— Ладно, а мы подождем здесь, — согласился адвокат.

Дрейк не стал входить в лифт, а побежал вниз по ступенькам.

— Допустим, что у нее нет возможности выйти из дому незаметно, — заговорила Делла.

— И что?

— В таком случае она здесь.

— Что ты имеешь в виду?

— А вдруг она... Вы понимаете?

— Наложила на себя руки?

— Да.

— Мне показалось, что она не из этой породы, Делла. Нет, она не истеричка и больше походит на борца. Но не исключено, что у нее хватило ума перебраться в квартиру какой-нибудь приятельницы в этом же доме. Такую возможность надо учитывать. Или же она затаилась у себя в квартире.

Они замолчали, терпеливо ожидая возвращения Дрейка.

Наконец тот появился, тяжело дыша от бега по лестнице.

51

— Она где-то в доме. Совершенно определенно, что она не выходила. Нет, она наверняка затаилась у себя в квартире. Но, понимаешь, Перри, я подумал, что...

Он замолчал, но Мейсон понял, что он имеет в виду.

— Да, Делла тоже подумала о том же. Но почему-то не верится, что она способна на такой шаг.

Дрейк подмигнул:

— Вообще-то я знаю, как мы можем в этом удостовериться.

— Как адвокат, я могу сразу же заявить, что твои методы наверняка в высшей степени противозаконны.

Мейсон усмехнулся.

Дрейк достал из кармана сложенный вдвое кожаный футляр с набором отмычек и извлек из него одну.

— Так что же нами руководит, сознание долга или любопытство?

— Любопытство.

Дрейк бесшумно вставил отмычку в замочную скважину.

Мейсон повернулся к Делле Стрит.

— Тебе лучше оставаться в стороне от этой истории, Делла. Оставайся в коридоре, не входи внутрь. Если поднимется шум, тебя никто ни в чем не сможет обвинить.

Дрейк почти неслышно отомкнул замок.

— Договоримся так, Делла, если ты заметишь кого-то в коридоре, стучись в дверь. Мы ее запрем изнутри. Твой стук явится для нас сигналом, что нам следует соблюдать тишину.

— А если это будет сама девушка? — спросила Делла.

— Вряд ли, она не могла никуда уйти. Но на всякий случай вот ее приметы: ей года двадцать два — двадцать три, у нее темно-рыжие волосы, живые глаза, белая матовая кожа. На нее приятно смотреть, если... Ты понимаешь, что я имею в виду. Постарайся придумать какой-нибудь предлог увести ее просто от двери, чтобы мы могли удрать незамеченными. Скажи, например, что внизу в машине ее дожидается какой-то человек, которому необходимо с ней поговорить. Не называй никаких имен, но можешь дать ей понять, что это епископ, и посмотри, как она на это среагирует.

— О'кей, — сказала Делла, — не беспокойтесь. Что-нибудь придумаю.

— Не забывай, что она настоящий порох, — предупредил Мейсон, — так что не вздумай вступать с ней в споры. Я бы не удивился, если бы она вцепилась тебе в волосы.

— Мы включим свет? — спросил Дрейк.

— Конечно.

— О'кей, пошли.

— Сразу же закрой за собой дверь, Пол, — напомнил Мейсон.

Они закрыли дверь. Дрейк потянулся к выключателю, комнату залил яркий электрический свет.

С первого взгляда казалось, что в ней ничего не изменилось за то время, которое прошло после их первого утреннего визита.

Одежда по-прежнему кучей лежала на постели, посреди комнаты на полу находился большой чемодан, наполовину уложенный.

Мейсон тихонько сказал:

— Если она что-то сделала, то сразу после того, как мы с тобой сюда приходили, Пол. Пойди проверь спальню, я загляну в кухню.

— Не забудь про большой шкаф за кроватью, Перри. Великий Боже, мне делается страшно. Если только мы найдем ее мертвой, в хорошенькую историю мы с тобой влипнем.

— Этого ты мне можешь не объяснять, я и сам все прекрасно понимаю.

Они торопливо осмотрели всю квартиру, чтобы через несколько минут снова остановиться у кровати с глупейшими улыбками на лицах.

— Ну, Перри, она таки нас облапошила.

Дрейк вздохнул.

— Конечно, можно предположить, что в этом же доме живет ее приятельница и она ушла к ней.

Мейсон покачал головой:

— Если бы она планировала такой ход, она наверняка бы уложила вещи, чтобы, вернувшись, могла схватить чемоданы и улизнуть из дому, как только путь станет свободен. Нет, Пол, как только мы ушли от нее, она сразу же бросилась к черному ходу и сбежала еще до того, как твой второй детектив занял пост.

Дрейк шумно вздохнул.

— Видимо, ты прав, Перри. Но тошно думать, что какая-то девица так дешево нас купила. Я-то воображал, что и мышь отсюда не сможет проскочить без того, чтобы мы об этом не узнали, а вот рыжая смеется над нами где-то совсем в другом месте.

Мейсон угрюмо ответил:

— Нам остается одно: поехать и поговорить с епископом.

Они вышли в коридор.

— Делла, возвращайся в офис и никуда не уходи. Включи везде свет и не запирай входной двери.

Увидев вопросительное выражение ее лица, он добавил:

— Я хочу, чтобы ты подождала Джулию Брэннер или миссис Оскар Браунли, уж не знаю, под каким именем она появится. Мы довезем тебя до бульвара, там легко найти такси, сами же мы поедем дальше, до отеля «Ригал».

Дрейк отдал распоряжения своим людям, которые остались наблюдать за домом, сразу же сообщить ему, если только Дженис Ситон возвратится.

Потом они довезли Деллу Стрит до бульвара, посмотрели, как она поехала на такси, и поспешили в отель «Ригал».

В вестибюле отеля Дрейк, обеспокоенно оглядываясь по сторонам, сказал:

— Не вижу никого из своих ребят.

— Что это значит?

— Может быть, то, что он вышел.

— Чтобы где-то встретиться с мисс Ситон? — предположил Мейсон.

— Пойдем отыщем Джима Поли и посмотрим, не знает ли он чего-нибудь, — сказал Дрейк. — А вот и он, легок на помине. Эй, Джим!

Местный детектив, выглядевший особенно нелепо в черном фраке, важно наклонил лысую голову, приветствуя их, и неторопливо двинулся навстречу.

— Этот Меллори — епископ англиканской церкви, — заявил он. — Сейчас у него здорово болит голова. Но он настоящий спортсмен. Говорит, что в номере ничего не пропало, он не собирается поднимать скандала по этому поводу, поэтому мы можем эту неприятную историю замять. А раз так, то и мы пойдем ему навстречу. Кстати, он недавно куда-то ушел, оставив письмо для мистера Мейсона.

Мейсон с Дрейком переглянулись.

— Письмо для меня? — спросил адвокат.

— Да. Оно в столе. Сейчас принесу.

— Забрал с собой вещи? — спросил Дрейк.

— Нет, полагаю, что он отправился в ресторан пообедать.

Поли пошел к стойке дежурного и вытащил запечатанный конверт из ящика для писем.

На конверте было написано:

«Перри Мейсону, адвокату.

Вручить мистеру Мейсону, когда он зайдет сегодня вечером».

Мейсон открыл конверт. К фирменному листку почтовой бумаги отеля была прикреплена бумажка достоинством в пять долларов. Короткая записка гласила:

«Дорогой мистер Мейсон.

Выйдя из вашей конторы, я увидел, что за мной следят, поэтому я уговорил коменданта выпустить меня через подвал в боковую аллею. Позднее по телефону я связался с моим таксистом и выяснил, что вы ему заплатили. Поэтому возмещаю вам ваши расходы.

Что касается того совета, который вы мне дали, я прошу вас смотреть на него как на нечто такое, что было сделано вами заблаговременно и что не может дать вам немедленных результатов, но что в конечном итоге окупится сторицей».

Мейсон вздохнул, открепил пятидолларовую ассигнацию от записки, сложил ее и спрятал в жилетный карман.

— Епископ не говорил, когда он вернется, не так ли? — спросил он у местного детектива.

Джим Поли покачал головой.

— До чего же приятный человек этот епископ! Похоже, что он совершенно не переживает из-за случившегося, а ведь ему чудом не проломили череп! Стукнули-то неслабо! Он даже шляпу не может надеть, вся голова забинтована.

Мейсон многозначительно кивнул Дрейку.

— Позвони-ка к себе в контору, Пол.

Дрейк вошел в будку телефона-автомата. Разговор его не был продолжительным. Через несколько минут он приоткрыл дверцу и поманил пальцем Мейсона. Не выходя из будки, он тихо шепнул адвокату:

— Мои ребята уже позвонили. Они проследили епископа до причала 157 — 158 Лос-Анджелесского порта. По дороге он зашел в магазин, купил два чемодана и кое-что из одежды. Оттуда сразу же поехал на пристань, поднялся на борт «Монтери» и обратно не спускался. Лайнер уже отплыл в Австралию через Гонолулу и Паго-Паго. Ребята проводили «Монтери» довольно далеко на катере, чтобы убедиться, что епископ не перешел на береговой катер, чтобы остаться на побережье. Похоже, Перри, что твой клиент дал тягу. Осторожнее, говорю тебе! Этот епископ совсем не тот человек, за кого он себя выдает.

Мейсон пожал плечами и сказал:

— Пропусти-ка меня к телефону, Пол.

Голос Деллы Стрит, ответивший на его звонок, был крайне возбужденным:

— Хэлло, шеф. Ваша взяла!

— То есть?..

— Здесь находится Джулия Брэннер, она вас ждет. Говорит, что должна немедленно поговорить с вами.

Глава 5

Джулия Брэннер разглядывала Мейсона рыжевато-карими глазами, которые очень подходили к цвету ее медных волос. По первому впечатлению ее можно было принять за молодую женщину лет двадцати с небольшим, если бы не складка под ее подбородком да тоненькие морщины, которые лучиками протягивались от носа к уголкам губ, когда она улыбалась.

— Я не привык видеть своих клиентов в такое время, — сказал Мейсон.

— Я только что вошла, — ответила она, — увидела свет в ваших окнах и решила подняться наверх. Секретарша сказала, что вы сможете меня принять.

— Вы живете здесь, в городе?

— Остановилась у приятельницы в доме 214а в Вест-Вичвуде. Собираюсь вообще поселиться вместе с ней в их квартире на паритетных началах.

— Вы замужем?

— Я зовусь мисс Брэннер.

— Работаете?

— Сейчас нет, но до недавнего времени работала. У меня есть небольшой капитал.

— Вы работали в нашем городе?

— Нет.

— А где?

— Разве это имеет какое-то значение?

— Да, — ответил ей Мейсон.

— В Солт-Лейк-Сити.

— Вы сказали, что делите одну квартиру со своей приятельницей?

— Да.

— Сколько времени вы с ней знакомы?

— Я ее знаю по Солт-Лейк-Сити вот уже несколько лет. В Солт-Лейке у нас тоже была общая квартира.

— Телефон?

— Глэдстон, 87-19.

— Ваша специальность?

— Я медсестра. Но не будет ли правильнее рассказать вам сначала, почему я обратилась к вам, мистер Мейсон? А после этого, если вы сочтете необходимым, я отвечу на все эти второстепенные вопросы.

Мейсон решительно покачал головой.

— Нет, я всегда с самого начала стараюсь выяснить, кто мой клиент. Почему вы решили обратиться именно ко мне?

— Я слышала, что вы прекрасный адвокат.

— И вы приехали из Солт-Лейк-Сити повидаться со мной?

— Ну, не совсем так...

— Вы приехали поездом?

— Нет, прилетела самолетом.

— Когда?

— Недавно.

— Когда точно?

— Сегодня утром в десять часов, если это так необходимо знать.

— Кто рекомендовал вам меня?

— Человек, которого я знала в Австралии.

Мейсон приподнял брови, как бы требуя пояснения.

— Епископ Меллори. Я знаю его с тех пор, когда он еще не был епископом, но теперь он епископ.

— И он посоветовал вам прийти ко мне?

— Да.

— Вы виделись с епископом после приезда?

Она заколебалась, смутилась, потом пробормотала:

— Мне кажется, мистер Мейсон, это не имеет никакого отношения к делу.

Мейсон улыбнулся.

— Ну что ж, возможно, вы и правы, потому что я сомневаюсь, что возьмусь за ваше дело. Понимаете ли, я в настоящее время очень занят и...

— Ах, но вы должны. Я... Нет, вы просто не имеете права мне отказать. Я...

— Когда вы виделись с епископом Меллори? — спросил Мейсон.

Она ответила со вздохом:

— Несколько часов назад.

— Почему же вы не пришли ко мне в приемные часы?

Она заерзала на стуле, на минуту в ее глазах мелькнуло возмущение. Она готова была вспылить, но все же взяла себя в руки, тяжело вздохнула и ответила:

— Епископ Меллори посоветовал мне обратиться к вам. С ним я виделась недавно. Он находился в больнице, потому что на него было совершено нападение.

— Он, говорите, посоветовал вам отправиться ко мне?

— Да.

— Дал ли он вам письмо для меня?

— Нет.

— В таком случае вы совершенно ничем не можете подтвердить, что вы действительно знаете епископа, что вы с ним сегодня виделись и что это он направил вас ко мне.

В голосе адвоката звучали суровые нотки.

Снова в рыже-карих глазах Джулии Брэннер мелькнуло негодование, но сразу же исчезло. Она только покачала головой. Мейсон же продолжал с невозмутимым видом:

— А в этом случае я, разумеется, не могу заинтересоваться вашим делом.

С минуту она боролась с собой, потом резко раскрыла черную сумочку, которая лежала у нее на коленях.

— Полагаю, — сказала она, — что это рассеет ваши сомнения.

Ее рука, сжатая в тонкой перчатке, принялась лихорадочно рыться в сумочке.

Мейсон насторожился, как только свет отразился от синевато-черной стали автоматического пистолета, который находился вместе с чисто женскими предметами в ее глубине. Как будто чувствуя его реакцию, мисс Брэннер повернулась так, чтобы загородить сумочку плечом от адвоката, и почти сразу же достала из нее желтый конверт, из которого извлекла фирменный бланк телеграммы, поспешно щелкнула замком сумочки, телеграмму же протянула Мейсону.

Телеграмма была из Сан-Франциско и адресована Джулии Брэннер, сотруднице больницы «Систез» в Солт-Лейк-Сити, штат Юта. В ней было сказано:

«Встретимся отеле Ригал Лос-Анджелеса днем четвертого тчк Захватите все документы тчк *Вильям Меллори*».

Мейсон, нахмурясь, дважды перечитал телеграмму.

— Днем вы не встретились с епископом, не так ли?

— Нет, я же сказала вам, что он попал в больницу.

— Вы видели его сегодня вечером, несколько часов назад?

— Да.

— Сказал ли он вам что-нибудь о своих дальнейших планах?

— Нет.

— Что вообще он говорил?

— Посоветовал мне обратиться к вам и рассказать мою историю.

Мейсон уселся поглубже в своем кресле и предложил:

— Начинайте.

— Вы знаете такого Ренволда К. Браунли? — спросила она.

— Слышал о нем, — осторожно ответил адвокат.

— А Оскара Браунли?

— И о нем тоже слышал.

— Я миссис Оскар Браунли, — торжественно заявила женщина.

Она замолчала, выжидательно поглядывая на своего собеседника, как шахматист, сделавший свой наиболее выигрышный ход.

Мейсон достал сигарету из шкатулки, стоящей на столе, и сказал ровным голосом:

— И вы, насколько мне известно, скрываетесь от закона? Прокуратура округа Ориндж выдала ордер на ваш арест за наезд на человека со смертельным исходом?

Она отпрянула назад, как будто Мейсон неожиданно нанес ей удар в солнечное сплетение.

— Как... каким образом вы об этом узнали? Епископ не должен был вам этого рассказывать.

Мейсон пожал плечами и равнодушно заметил:

— Я упомянул об этом только для того, чтобы вы поняли, что вам не стоит неправильно освещать те или иные факты. Ну, а теперь приступайте к своей истории и постарайтесь ничего не упустить и не исказить.

Она посмотрела на него и, вздохнув, приступила к рассказу. Можно было предположить, что вся история была выучена наизусть или же столько раз продумана, что запечатлелась в ее голове, как стихотворение. Она говорила не останавливаясь, без запинки.

— Двадцать два года назад я была взбалмошной, ужасно взбалмошной девицей. Ренволд Браунли тогда занимался продажей недвижимого имущества и не располагал особенно большим капиталом. Оскар был его любимцем. Он берег сына и лелеял как зеницу ока. Оскару нравилась беспечная жизнь, шумные сборища, всеобщее внимание. Я работала медсестрой. С Оскаром мы встретились на какой-то вечеринке, он влюбился в меня без памяти с первого взгляда. Мы поженились. Все произошло очень быстро и, я бы сказала, лихорадочно. Так бывает только в молодости. Старик Ренволд пришел в ярость. Потому что мы с ним не посоветовались. Но думаю, он бы в конце концов смирился, если бы не дорожное происшествие. Оно спутало все карты. Мы выпили всего лишь по паре бокалов, я не была пьяна. Старик неожиданно вынырнул из-за угла на моей стороне. Я попыталась избежать столкновения, резко свернула влево. Если бы он оставался на своей стороне, все было бы в порядке, но он, перепугавшись, метнулся вбок. В результате, когда разбирали причины несчастного случая, во всем виноватой оказалась я. Я не была пьяна, а Оскар был пьян в стельку, вот почему я была за рулем. Вы не знаете, каковы тогда были порядки в Ориндж-Каунти. Сажали в тюрьму, если ты проехал со скоростью тридцать миль в час. Оскара предупредил отец, и мы сбежали из страны.

У нас все равно был медовый месяц, свадебное путешествие. Поехали мы в Австралию. И вот там меня и предали, только я узнала об этом поздно. Оскар попросил отца замять эту историю, заплатить кому нужно и сколько нужно. Но, как я потом узнала, старик сделал как раз обратное. Он разбогател, причем быстро. Оскар, как я уже говорила, был для него всем. Старик решил, что Оскара завлекла, околдовала какая-то авантюристка, отдавшись ему до свадьбы легко и не задумываясь... Мы жили в чужой стране. Я работала как проклятая. Оскар вообще не мог никуда устроиться. Старик тем временем приложил немало усилий, чтобы не только не замять эту историю с дорожным происшествием, а, наоборот, чтобы добиться ордера на мой арест по обвинению в убийстве. Он не хотел, чтобы я возвратилась в Штаты. Одновременно он завел с Оскаром тайную переписку. В то время я ничего об этом не знала. Однажды, вернувшись домой, я обнаружила, что Оскар исчез. Отец перевел ему телеграфом деньги на дорогу. После случившегося я вынуждена была проработать еще несколько месяцев, потом мне пришлось уйти с работы, я родила девочку.

Оскар даже не знал про ее рождение, я поклялась, что он никогда не узнает про нее. Я ненавидела его самого, его семью и все то, что составляло смысл их существования. Тогда я не знала, каково финансовое положение Ренволда К. Браунли. Но если бы и знала, ничего бы не изменилось. Я решила во что бы то ни стало сама зарабатывать на жизнь и себе, и дочери. Но вскоре поняла, что мне одной не удастся вырастить ребенка, а с другой стороны, я ни за что не хотела отдавать девочку Оскару. Епископ Меллори в то время был главой англиканской церкви, и я в жизни не встречала другого более гуманного человека. У него совершенно отсутствовало то надменно-презрительное отношение к прихожанам, которым отличаются многие проповедники Божии. Он всегда стремился помочь людям, и он помог мне. Я доверилась ему, и в один прекрасный день он пришел ко мне и сказал, что ему удалось подыскать хороший дом для Дженис. Объяснил, что эти люди не были особенно богаты, но все же достаточно обеспечены, чтобы дать Дженис приличное образование. Они настояли на том, чтобы мне не было известно, кто именно взял девочку, и чтобы я не предпринимала никаких попыток разыскать ее. Епископ Меллори вынужден был дать честное слово, что он свято выполнит оба эти условия.

— И он сдержал свое обещание? — спросил Мейсон.

— Разумеется, — сказала Джулия Брэннер.

На глазах у нее появились слезы.

— В молодости мы все отличаемся безрассудством, мы совершаем поступки, не думая, что впоследствии будем о них сожалеть. Я вышла замуж, подчиняясь минутному капризу, и так же бездумно отказалась от всех притязаний на свою дочь. Как дорого я заплатила за ошибки молодости.

Ее губы задрожали, она быстро заморгала, стараясь остановить слезы, и продолжала:

— Но это ничего не меняет, я имею в виду мое раскаяние.

Она подняла голову.

— Не волнуйтесь, мистер Мейсон, я не истеричка. Я с боем прокладывала себе путь в жизни. Я нарушала на своем пути не одно правило хорошего тона и за все расплачиваюсь высокой ценой. Я никогда не ныла и не жаловалась и не намерена опускать руки в дальнейшем.

— Продолжайте, прошу вас.

— Через несколько лет я, вернувшись в Штаты, узнала, что Ренволд К. Браунли буквально купается в деньгах, что касается Оскара, то как будто бы у него не было лишних денег, помимо тех, что считал нужным выделять ему отец. Естественно, я решила, что Оскар должен что-то сделать для меня. Я с ним связалась. С его точки зрения, я была не кем иным, как человеком, скрывающимся от правосудия. Старик упорствовал в своей неприязни ко мне. Если я вернусь в Калифорнию, меня привлекут к суду и обвинят в убийстве человека. Ох, вот тут-то я совершенно ясно увидела, что это за люди. Но что я могла сделать? Ведь я была всего лишь медсестрой, с трудом зарабатывающей себе на жизнь. Оскар каким-то образом получил развод. У Ренволда К. Браунли были миллионы. Меня ожидали арест и тюремное заключение. Я не могу сказать, что мне безумно хотелось возвратиться в Калифорнию. А тем более к Оскару. Конечно, я рассчитывала, что он постарается так или иначе урегулировать наши отношения, но руки у меня были связаны. Меня намеревались осудить не просто за вождение автомобиля в нетрезвом виде, а за убийство человека. Против меня ополчились миллионы Ренволда и его политическое положение в округе. Я понимала, у меня нет никаких шансов, я была бы непременно осуждена, потеряла бы подданство, квалификацию медсестры, а с нею возможность зарабатывать на жизнь. Во всяком случае, так я рассуждала в то время. Я была слишком напугана даже для того, чтобы проконсультироваться с адвокатом, потому что я не верила в бескорыстность и беспристрастность людей, когда им приходится иметь дело с деньгами.

— Продолжайте, — сказал Мейсон.

По тону его было понятно, что он очень заинтересован.

— Единственное, чего я хотела, это добиться для моей дочери того, что принадлежало ей по праву. Поэтому я написала в Австралию. Преподобный Вильям Меллори стал епископом к этому времени, но и он не мог мне ничем помочь. Он сразу же напомнил мне о моем обещании и о своем собственном честном слове. Мою дочь взяли к себе люди, которые были к ней исключительно добры, она считала их своими отцом и матерью. Эти люди настолько сильно к ней привязались, что скорее предпочли бы умереть, чем расстаться с ней. У них не было особенно больших денег, но они и не нуждались. Я узнала, что моя дочь с самого детства проявила склонность к медицине и больше всего хотела стать медсестрой. Поэтому она училась. Специализировалась на медицинскую дипломированную сестру в детской больнице. Все ее любили и уважали. Мистер Мейсон, я перевернула небо и землю, чтобы разыскать ее. Сначала я пыталась уломать епископа, давала ему всяческие обещания, но кто поверит клятвам матери, разыскивающей единственного ребенка. Я истратила все свои деньги до последнего цента на частных детективов. Но все напрасно. Они не сумели ее отыскать. Епископ Меллори — умный человек, он тщательно скрыл все следы, а что-нибудь узнать у него я никак не могла. Неожиданно я получаю вот эту телеграмму от епископа Меллори. Я надеялась, что он мне все расскажет. Моя девочка теперь стала взрослой. Мне кажется, у нас нет никаких оснований скрывать от нее правду. По всей вероятности, удочерившие ее люди умерли. Но епископ ничего мне не рассказал. Он только настойчиво советовал мне повидаться с вами. Мне удалось узнать, что после смерти Оскара старику Ренволду каким-то образом стало известно, что у него есть внучка. Он поручил детективам отыскать ее. Сейчас в его доме живет девушка по имени Дженис. Но, понимаете, епископ Меллори уверяет меня, что это не настоящая Дженис. Это самый настоящий обман, подделка, мошенничество.

Она замолчала, не спуская глаз с адвоката.

— Чего вы ждете от меня? — спросил Мейсон.

— Для себя ровным счетом ничего. Я хочу одного, чтобы вы сорвали маску с этой лжевнучки, хочу, чтобы вы разыскали мою девочку и добились того, чтобы она была признана единственной дочерью, законной дочерью Оскара Браунли.

— Учтите, это может ни к чему не привести, — остановил ее Мейсон. — Дело в том, что Дженис не единственная внучка Ренволда, у него, насколько мне известно, есть еще внук. Поэтому старик Ренволд может спокойно лишить Дженис наследства.

— Да, есть еще Филипп Браунли, но почему-то мне кажется, что Ренволд не пойдет на такую несправедливость и не обидит свою внучку. Нет, он непременно что-нибудь для нее сделает.

— И это все?

— Все.

— Для вас ничего?

— Мне не нужно на единого цента. Не возмущайтесь, если я невзначай ругнусь, после этого мне делается легче. Вы понимаете, уж очень я обижена на эту семью. В свое время мне хорошо дали коленкой под... И теперь мне остается либо плакать, либо проклинать. Лично я предпочитаю последнее.

Мейсон посмотрел на нее очень внимательно и тихо спросил:

— Джулия, почему вы носите с собой пистолет?

Она инстинктивно схватила сумочку, лежащую у нее на коленях, и спрятала ее за спину. Глаза адвоката были прикованы к ее лицу.

— Отвечайте!

— Мне приходится возвращаться домой с работы в любое время дня и ночи. К некоторым сестрам приставали пьяные на улицах. В полиции посоветовали иметь при себе оружие.

— И у вас имеется на него разрешение?

— Да, конечно.

— Ну, а зачем же вы его захватили сюда?

— Не знаю. Он всегда находится при мне с той минуты, как я его приобрела. Он стал для меня такой же привычной принадлежностью, как помада или носовой платок. Клянусь вам, мистер Мейсон, это единственная причина.

— Если у вас имеется разрешение на оружие, — чуть ли не по слогам проговорил адвокат, — значит, номер этого пистолета зарегистрирован в полиции. Вам это известно, не так ли?

— Да, конечно.

— Знали ли вы, что епископ Меллори без всякого предупреждения отплыл на «Монтери», оставив все свои вещи у себя в номере отеля «Ригал»?

Она крепко стиснула губы, потом решительно произнесла:

— Я предпочитаю не обсуждать поступки и действия епископа Меллори. В конце-то концов, единственный вопрос, который касается меня, — это будущее моей дочери.

— Когда же вы хотите, чтобы я начал? — спросил Мейсон.

— Прямо сейчас! Я хочу, чтобы вы избили этого хладнокровного дьявола так сильно, чтобы он стал умолять о помощи! Я хочу, чтобы вы доказали, что по его настоянию был выдан ордер на мой арест, дабы удерживать меня вдали от штата. Это он уговорил Оскара расторгнуть наш брак, обрек нашу дочь на жизнь у приемных родителей. Мне не нужно ни цента из его миллионов, но я хочу унизить их. Я хочу, чтобы вы заставили старого дьявола понять, что никакие деньги не смогут избавить его от ответственности за причиненное нам с Дженис зло.

Сейчас в ее глазах не было и намека на слезы. Губы у нее подергивались, лицо сильно побледнело от ненависти.

Перри Мейсон довольно долго всматривался в свою посетительницу, затем поднял телефонную трубку и сказал Делле:

— Соедини меня с Ренволдом К. Браунли.

Глава 6

Полуночный дождь, струящийся с темного неба и усиливаемый порывами южного ветра, обмыл листву на кустах, окружающих резиденцию Ренволда К. Браунли. Свет фар машины Перри Мейсона отразился от их блестящей поверхности, когда он круто свернул на подъездную дорогу.

Адвокат остановился под крышей специального портика для автомобилей. Дворецкий, выглядевший таким же неприветливым, как и погода, спросил, отворив дверь:

— Мистер Мейсон?

Адвокат кивнул.

— Сюда, пожалуйста, мистер Браунли вас ожидает.

Он не предложил адвокату снять пальто и шляпу.

Они прошли через огромную приемную в просторную библиотеку, отделанную полированными темными панелями.

Приглушенный свет вырывал из тьмы ряды книжных шкафов, низкие кресла, глубокие ниши, удобные приоконные диванчики.

Человека, сидевшего за высоким письменным столом красного дерева, отличала суровая, аскетическая внешность, словно это был член Великой инквизиции.

Волосы у него были совершенно белые и такие редкие, что самым приметным на лице оказывались брови, придающие ему сходство со стервятником или какой-то хищной птицей.

— Итак, вы Перри Мейсон, — сказал старик отнюдь не дружелюбным тоном.

У адвоката мелькнула мысль, что голос похож на голос исследователя, впервые изучающего интересующий его экспонат.

Мейсон стряхнул дождевые капли со своего плаща и, не дожидаясь приглашения, повесил его на спинку ближайшего кресла. Расправив плечи, широко расставив ноги, он заговорил ровным голосом, который полностью соответствовал его как бы высеченному из гранита лицу, освещенному настольной лампой.

— Да, я Мейсон, а вы Браунли.

Он ухитрился вложить в свой голос ровно столько неприязни, сколько ее было в голосе хозяина дома.

— Садитесь, — сказал Браунли. — Отчасти я даже рад тому, что вы приехали, мистер Мейсон.

— Благодарю, — ответил Мейсон. — Через некоторое время я сяду, пока же я предпочитаю постоять. Скажите, почему вас радует мой приход?

— Мистер Мейсон, вы очень умный и образованный адвокат.

— Благодарю вас.

— Не надо благодарить меня. Это вовсе не комплимент. Это истина. Или, вернее, признание факта. При данных обстоятельствах, не слишком-то приятных для меня. Я с большим интересом следил за вашими успехами по газетам. А также с известным любопытством. Не стану скрывать, вы меня заинтриговали настолько, что мне хотелось с вами познакомиться. Фактически я собирался проконсультироваться с вами по одному вопросу. Но потом решил, что вряд ли стоит доверять дело, имеющее финансовое значение, адвокату, отличительной чертой которого является ловкость ума, а не...

— ...чувство ответственности, — подхватил Мейсон насмешливым тоном, заметив, что Браунли колеблется.

— Нет, я не это имел в виду, но ваше искусство неразрывно связано с драматичностью и театральными эффектами. Когда вы станете старше, мистер Мейсон, вы поймете, что люди с большими средствами стремятся оставаться в тени от скандалов и всякого рода шумихи.

— Иными словами, вы раздумали ко мне обращаться.

— Совершенно верно.

— А поскольку вы не решились обратиться ко мне за консультацией, я имею полное право принять предложение тех людей, которые занимают противоположную позицию.

Тень улыбки промелькнула на губах старика, важно восседавшего за огромным столом в окружении предметов, говорящих о его богатстве и высоком общественном положении. Очевидно, он считал свою финансовую позицию своеобразной неприступной крепостью.

— Хороший ответ, — одобрительно произнес он. — Ваше умение обращать мои собственные слова против меня не вполне соответствует тому представлению, которое сложилось у меня о вас.

— Я уже коротко объяснил по телефону, почему мне необходимо с вами встретиться. Речь пойдет о вашей внучке. Независимо от того, каково ваше личное мнение, мистер Браунли, в действительности я вовсе не платный борец, защищающий интересы тех, у которых нашлось достаточно денег, чтобы нанять меня. Я борец, но мне нравится сознавать, что я выступаю за тех, кто не в состоянии постоять сам за себя, я не предлагаю свои услуги без разбора кому угодно. Я борюсь только для того, чтобы помочь восторжествовать справедливости.

— Не хотите ли вы убедить меня, мистер Мейсон, что вы всегда стараетесь наказать зло?

Браунли даже не попытался скрыть насмешку.

— Я вовсе не стараюсь вам ничего внушать, мистер Браунли. Я ставлю вас в известность: можете мне верить или не верить, это ваше дело.

Браунли нахмурился.

— Не считаете ли вы нескромным характеризовать себя подобным образом, мистер Мейсон?

— Нет, потому что кому как не мне самому судить об этом.

После этих слов Мейсон уселся в кресло, с самым непринужденным видом закурил сигару, отметив про себя довольно-таки наигранную сверхсдержанность Ренволда Браунли.

— Не мне вам объяснять, — начал он, — что если человек обладает чем-то заманчивым для других людей, он будет непременно подвергаться всякого рода давлениям. У вас есть деньги. Многие жаждут получить их. И для этого они прибегают к различным махинациям и шантажу с одной целью — заставить вас отказаться от собственного состояния в их пользу. Природа наделила меня борцовскими качествами, люди стараются воздействовать на мою доверчивость, чтобы вызвать у меня чувство симпатии. Я хочу сразу же выложить свои карты на стол. Цепь событий, обусловивших мой интерес к данному делу, была весьма необыкновенной. Я уверен, что это не была хитроумная, заранее подстроенная история, чтобы заручиться моей поддержкой. Если это окажется не так, то я не хочу ставить свой опыт и энергию на службу самозванцам и мошенникам, задумавшим черное дело. Таким образом, если эта цепь обстоятельств не является частью искусственной постановки, а является подлинной последовательностью событий, тогда есть все основания предполагать, что та особа, которую вы считаете дочерью вашего сына Оскара и Джулии Брэннер, в действительности вам совершенно чужая девушка.

— У вас имеются какие-то данные, чтобы сделать подобное заявление? Кто уполномочил вас его сделать?

— Да.

Мейсон молчал, разглядывая горящий кончик своей сигары, затем, глядя в недобрые глаза своего собеседника, добавил:

— Я делаю данное заявление по поручению матери девочки, Джулии Брэннер.

На лице Браунли не отразилось никаких эмоций, усмешка же была совершенно ледяной.

— Могу ли я узнать, кто-нибудь подтвердил вам личность Джулии Брэннер?

Лицо Мейсона могло бы соперничать по беспристрастности с лицом собеседника.

— Никто, — ответил он. — Вот почему я и обратился к вам. Если в моем деле имеется какой-то обман, только вы один в состоянии его разоблачить.

— А если я сейчас докажу вам, что подобный обман действительно существует? — спросил Браунли.

Мейсон улыбнулся, разведя руками.

— В таком случае я оставлю это дело. Только учтите, мистер Браунли, я должен быть уверен.

— Джулия Брэннер — авантюристка. Самая настоящая авантюристка. Я нанял частных детективов, и они собрали сведения о ее прошлой жизни еще до того, как она познакомилась с моим сыном. Это любопытные данные.

Мейсон поднес сигару ко рту, сделал глубокую затяжку, улыбнулся, выпустил дым длинной струйкой и заговорил:

— Вне всякого сомнения, существует множество женщин, прошлое которых, если подвергнуть его микроскопическому исследованию, произведет шокирующее впечатление.

— Утверждаю, эта женщина — авантюристка.

— Вы сейчас говорите о Джулии Брэннер, которая была женой вашего сына?

— Да, конечно.

— В таком случае тот факт, что она авантюристка, не имеет ничего общего с юридическим статусом рожденного ею ребенка.

Браунли задумался, поколебался с минуту, затем продолжал с холодной беспристрастностью банкира, анализирующего все недочеты предполагаемой им финансовой операции.

— К счастью для всех, рожденный ею ребенок был изолирован от ее влияния еще в раннем детстве. Я не желаю вдаваться в подробности того, как это случилось. Сведения были получены преданными мне людьми, движимыми единственным желанием защитить мои интересы. Я случайно узнал, и, вне всякого сомнения, вы можете это проверить, что сама Джулия Брэннер тоже предприняла бесполезные, хотя и дорогостоящие попытки раздобыть те же самые сведения лично для себя. Но, разумеется, я располагал большими возможностями, чем она, и поэтому преуспел там, где она потерпела неудачу.

— Предпринимала ли Джулия Брэннер попытки примириться с вашей семьей? Прошу вас отбросить предубеждение и дать мне точный ответ.

Лицо Браунли оставалось серьезным.

— Она никогда не предпринимала попыток, потому что я принял меры, чтобы пресечь подобные действия с ее стороны.

— Правильно ли я понимаю, что вы имеете в виду тот факт, что вам удалось превратить ее в человека, скрывающегося от закона?

— Вы можете толковать мое заявление так, если вам угодно. Я не намерен делать никаких признаний.

— Я обязан предупредить вас, что, если я возьмусь за это дело, я буду защищать интересы своей клиентки решительно во всем, и, если выясню, что миссис Брэннер стала изгоем из-за вашего вмешательства и влияния на органы юстиции, я приложу все усилия, чтобы вы ответили за свои поступки по закону.

— Естественно, — сказал Браунли, — я и не сомневался, что Перри Мейсон станет сражаться не вполсилы. Но я сомневаюсь, что вы заинтересуетесь делом Джулии Брэннер. В первую очередь потому, что подлинная Джулия Брэннер умерла, а вы имеете дело с самозванкой.

Мейсон покачал головой:

— Пока что из того, что вы мне рассказали, ничего не доказывает того, что молодая девушка, которую вы признали как свою внучку, в действительности является дочерью Джулии Брэннер, где бы последняя ни была. С другой стороны, я располагаю некоторыми свидетельствами, которые заставляют меня верить, что вы явились жертвой ошибки или обмана.

— Мистер Мейсон, я не намерен разглашать то, что мне известно, что вы бы тут мне ни заявляли!

— В таком случае вы не сумеете убедить меня в том, что мне не следует браться за это дело.

Браунли несколько секунд сидел с хмурым видом, что-то обдумывая. Наконец он сказал:

— Хорошо, вот что я еще сделаю, мистер Мейсон, но большего вы от меня не дождетесь.

Длинными тонкими пальцами он вытащил из кармана бумажник крокодиловой кожи, открыл его и достал какое-то письмо.

Мейсон с интересом наблюдал за тем, как старик неторопливо оторвал типографскую половину бланка, а потом, немного подумав, и подпись.

— Вы должны понимать, мистер Мейсон, — заявил Браунли, разглаживая обезображенный листок бумаги, — что когда я решил навести справки, то все это было проделано самым тщательным образом. Я располагал некоторыми неоспоримыми фактами, которые легли в основу расследования. Характер этих фактов в высшей степени конфиденциальный. Я нанял самых лучших детективов за большие деньги. Полагаю, что вы стали жертвой обмана. Лично я убежден, что женщина, представившаяся вам как миссис Джулия Брэннер, никогда не была женой моего сына. Я точно знаю, что рожденный ею ребенок не является дочерью моего покойного сына, и у меня есть основания полагать, что ваш собственный интерес к данному делу пробудился главным образом потому, что лицо, располагающее определенными сведениями, словам которого вы поверили, постаралось заинтересовать вас историей вашей будущей клиентки. Вот почему я хочу показать вам это письмо. Я не скажу вам, от кого оно, ограничусь упоминанием о том, что я считаю данный источник информации вне всяких подозрений.

Браунли протянул лист бумаги.

Мейсон стал читать:

«В результате нашего расследования мы считаем, что вправе с полной ответственностью заявить: будут предприняты попытки дискредитировать настоящую Дженис Браунли и обмануть вас. Заинтересованные в этом люди в течение нескольких месяцев разрабатывали план этой аферы, терпеливо выжидая наиболее подходящего момента для ее осуществления.

Для того чтобы добиться успеха, им придется заинтересовать этим делом какого-нибудь известного, опытного адвоката, который будет осуществлять юридическую борьбу. Чтобы убедить такого адвоката, им придется воздействовать на него через влиятельное, не вызывающее сомнений лицо. Эти люди специально ждали, когда епископ Меллори из Сиднея возьмет себе годовой отпуск. Он объявил о своем намерении провести свой отпуск в путешествиях и научных занятиях, а чтобы ему не надоедали посторонние, он держал в тайне свой маршрут. Наш детектив вошел в непосредственный контакт с этими людьми, поэтому мы можем вас предупредить, что умный самозванец выступит в качестве епископа Меллори, свяжется с каким-нибудь адвокатом, которого заранее наметит, и убедит его взять на себя данное дело. Этот лжеепископ появится только на то время, которое необходимо для «обработки» адвоката, потом он исчезнет. Мы заранее ставим вас в известность об этом на тот случай, если лжеепископ достаточно долго задержится у известных вам людей, дабы вы смогли предпринять определенные шаги для его ареста.

Во всяком случае, вы теперь знаете, что какой-то агрессивно настроенный адвокат, располагающий достаточными финансовыми ресурсами, может заняться данным делом.

Мы советуем вам проконсультироваться с вашим поверенным, чтобы не быть застигнутым врасплох и продумать линию своего поведения.

В ближайшие дни мы сообщим вам о дополнительных фактах этого дела.

Преданный вам...»

— Вне всякого сомнения, в ваших глазах это письмо имеет важное значение, — произнес Мейсон совершенно бесстрастным голосом. На его лице не дрогнул ни один мускул.

— А в ваших нет? — с удивлением спросил Браунли. Он внимательно посмотрел на Мейсона.

— Совершенно никакого.

— Я заплатил большие деньги, чтобы получить это письмо. Если бы вы знали меня лучше, мистер Мейсон, вам было бы известно, что уж если я плачу деньги, то получаю самый лучший товар. Поэтому я говорю с полной ответственностью, что лично я придаю этому сообщению огромное значение.

— Письмо могло бы и для меня иметь больший вес, если бы я его видел целиком, но вы предпочли оторвать решительно все важное, превратив его в самую обычную бумажку. Именно таковой я его и считаю.

На лице Браунли появилось раздраженное выражение.

— Если вы воображаете, что я намерен сообщить вам имя и адрес той организации, которая занимается сбором фактов для меня, вы сильно ошибаетесь.

Мейсон пожал плечами.

— Я никогда ничего не воображаю. Я всего лишь выложил на стол кое-какие карты и попросил вас сделать то же самое. Пока вы от этого воздерживаетесь.

— Больше я не сделаю ни одного шага! — твердо заявил Браунли.

Мейсон отодвинул назад свое кресло, собираясь подняться.

— Вы уходите, мистер Мейсон?

— Да. Если вы действительно сообщили мне все, что намеревались, вам абсолютно не удалось меня ни в чем убедить.

— А вам ни разу не приходилось подумать, мистер Мейсон, что вы не единственный человек, которого надо убеждать?

Мейсон, который уже стоял, опираясь обеими руками о край стола, покачал головой.

— Нет, об этом я не думал. Если говорить о целях нашей встречи, то тут я хозяин. Если вам не удастся убедить меня, что правда на вашей стороне, нам предстоит драка. В самом недалеком будущем.

— Что же, вы говорите как настоящий бизнесмен, — похвалил Браунли. — Но я все же хочу вас предупредить, что вам дан шах и мат еще до того, как вы начали игру.

— Дать или сделать шах и мат — это выражение, которое означает конец сражения. «Шахи» мне объявляли много раз, а что касается «матов», то на моем счету, к вашему сведению, еще не было ни одного.

— Тем обиднее будет, если вы получите его на сей раз. Случилось так, мистер Мейсон, что мне не угодно, чтобы имя моей внучки трепали на разных судебных процессах. Я не желаю, чтобы всякие газетные писаки концентрировали свое внимание на моих личных делах. Поэтому я собираюсь удержать вас от того, чтобы вы занялись защитой интересов, как принято выражаться, этой псевдовнучки.

В голосе Мейсона невольно прозвучало удивление.

— Вы собираетесь удержать меня от того, что я намерен сделать? — переспросил он.

— Совершенно верно.

— Это пытались сделать и раньше, — сухо произнес адвокат, — но безуспешно. Я не просто упрямый человек. Я делаю это из принципа.

В больших стального цвета глазах Браунли мелькнуло выражение холодного веселья.

— Я все это прекрасно понимаю, адвокат, но если только вы изучали мою семью, тогда вы наверняка занимались и моей особой. В таком случае вы должны были понять, что я принадлежу к породе безжалостных противников, которым опасно перебегать дорогу, тем более что к намеченной цели я иду напролом, не считаясь ни с чем и ни с кем.

— Ваши рассуждения не отличаются последовательностью, — усмехнулся Мейсон. — Сейчас вы рассуждаете о последствиях, об итогах, а минуту назад уверяли в другом, что намереваетесь удержать меня от того, чтобы я взялся за это дело.

— Так оно и есть.

Вежливо-недоверчивая улыбка Мейсона была красноречивее ответа.

— Я хочу вас удержать от необдуманного шага, — поспешил добавить Браунли, — потому что вы бизнесмен. Противная сторона не располагает достаточными материальными средствами для борьбы. Они рассчитывают на то, что им удастся заинтересовать адвоката, который имеет собственные деньги и пожелает работать в долг в ожидании хороших дивидендов. В случае, если я докажу вам, что у вас ни малейшего шанса на выигрыш, я полагаю, вы достаточно расчетливы, чтобы не ввязаться в эту авантюру.

— Знаете, мистер Браунли, я не встречал человека, который сумел бы убедить меня, что мне не удастся выиграть судебный процесс, если я за него взялся. Извините, в этих вопросах я предпочитаю сам делать выводы.

— Поймите меня правильно, мистер Мейсон. Я не такой болван, чтобы воображать, будто сумею пресечь ваши попытки установить законность притязания этой лженучки. Нет, я просто хочу сказать, что вы ровным счетом ничего не выиграете даже в том случае, если вам каким-то чудом и удастся это доказать. То, что девушка моя внучка, еще ничего не значит. Дженис уже совершеннолетняя, и я не обязан ее содержать. Единственным преимуществом того, что девушку признали бы моей внучкой, было то, что она могла надеяться что-то получить после моей смерти. Поэтому, мистер Мейсон, я, составляя завещание, по которому основная доля моего состояния переходит к внучке, мисс Дженис Браунли, я особо оговариваю в завещании, что своей внучкой считаю девушку, которая в настоящее время проживает в моем доме. Это сводит на нет вопрос о том, является ли наше родство кровным или же нет. В любом случае деньги по завещанию будут принадлежать ей. Конечно, я понимаю, что вы сможете оспаривать данное завещание. По этой причине завтра утром я официально передам три четверти моего состояния признанной мною внучке, оставив себе лишь пожизненную ренту. Четверть состояния будет передана моему внуку Филиппу Браунли.

Холодные неулыбчивые глаза Браунли с торжеством смотрели на адвоката.

— Полагаю, адвокат, теперь вы сами увидели, что этот юридический орешек вы раскусить не в силах. Мне думается, вы слишком разумный бизнесмен, чтобы пытаться биться лбом о кирпичную стену. Я хочу, чтобы вы поняли, что в моем лице вы натолкнулись на такого же безжалостного и упрямого противника, как вы сами. Повторяю, я ни перед чем не останавливаюсь, когда принимаю какое-то определенное решение. В этом, я полагаю, я сходен с вами. Но случаю было угодно, чтобы в этом деле все козырные карты оказались у меня на руках. Я приложу все усилия, чтобы использовать их как можно эффективнее. А теперь, мистер Мейсон, разрешите пожелать вам спокойной ночи и сказать вам, что знакомство с вами доставило мне огромное удовольствие.

Ренволд Браунли сжал холодными как лед пальцами широкую ладонь адвоката.

Мейсону же пришло в голову, что пальцы старика холодны как сталь.

— Дворецкий, — добавил Браунли, — проводит вас до машины.

В эту же минуту дворецкий, по всей вероятности вызванный каким-то секретным звонком, бесшумно отворил дверь библиотеки и поклонился Перри Мейсону.

Мейсон внимательно посмотрел на Браунли.

— Вы тоже адвокат, не так ли?

— Нет, но я пользуюсь советами самого лучшего юриста.

Мейсон повернулся, кивнул дворецкому и взял свой плащ и шляпу.

— Когда я закончу дело, — сказал он со спокойной уверенностью, — вы наверняка измените мнение об эрудиции и знаниях своих поверенных. Спокойной ночи, мистер Браунли.

Мейсон задержался перед входной дверью ровно столько, сколько потребовалось дворецкому, чтобы помочь адвокату надеть плащ. Дождь усилился и лил как из ведра, превратив поверхность подъездной дороги в сплошной поток воды. Под порывами ветра ветви деревьев качались в разные стороны, словно гигантские руки страшных чудовищ, молящих о помощи у надвигающегося шторма. Мейсон захлопнул дверцу машины, включил мотор и выехал из-под защищающего от дождевого потока навеса под яростные удары бури.

Он переключил двигатель на вторую скорость и на всякий случай надавил ногой на тормоз, замедляя ход перед поворотом, и тут фары машины осветили человека, прижавшегося к стене под проливным дождем.

На черном фоне дома эта фигура выглядела неестественно белой, почти фантастической: стройный молодой человек, плащ его застегнут до самого подбородка, широкополая шляпа надвинута на глаза, вода ручейками стекает на плечи и спину юноши. Он протянул руку, и адвокат, резко затормозив, остановил машину.

Молодой человек подошел к нему: Мейсон сразу же отметил страшную бледность лица, лихорадочный блеск умных глаз.

Мейсон опустил стекло машины.

— Ведь вы мистер Мейсон, адвокат? — спросил молодой человек.

— Да.

— Я Филипп Браунли. Это вам что-нибудь говорит?

— Внук Ренволда Браунли.

— Да.

— Вы хотите со мной поговорить?

— Да.

— Тогда лучше влезайте в машину, чтобы не мокнуть под дождем. Может быть, вы поедете со мной в контору?

— Нет. И мой дед не должен знать, что я с вами разговаривал. Скажите, вы с ним поссорились?

— Да.

— В чем причина?

— Я бы предпочел, чтобы вы спросили об этом у деда.

— О Джен, не так ли?

— Джен?

— Ну да, о Дженис, моей кузине.

— Вообще-то говоря, я не вправе обсуждать этот вопрос, особенно в настоящее время.

— В моем лице вы могли бы найти союзника.

— Мог бы, — согласился Мейсон.

— В конце концов, наши интересы в какой-то мере совпадают.

— Говоря так, вы имеете в виду, что, по вашему мнению, девушка, живущая в настоящее время в доме вашего деда, в действительности не является Дженис Браунли, дочерью Оскара Браунли.

— Я имел в виду только одно, — повторил Филипп, — что мог бы стать вашим союзником.

Мейсон покачал головой.

— Извините, но в настоящий момент мне не о чем с вами говорить.

— Правда ли, что дедушка хочет завещать все свое состояние Дженис, оставив себе лишь пожизненную ренту?

— Этот вопрос я тоже предпочел бы не обсуждать сейчас. Но мне хотелось бы побеседовать с вами в более подходящее время. Не пришли бы вы в контору завтра утром часам к десяти?

— Нет! Я не смогу. Неужели вы не понимаете, что случилось! Дед нанял армию детективов, чтобы отыскать Дженис. Он пообещал вознаграждение в двадцать пять тысяч тому, кто ее найдет. Дженис они не нашли, но им не захотелось упустить столь заманчивый куш, поэтому-то они и подсунули ему другую девушку. Она живет у нас уже два года. За это время она околдовала его. Он полностью подпал под ее влияние. Окончательно и бесповоротно. Физически я имею столько же прав на состояние деда, сколько и она, ничуть не меньше, даже если она и подлинная мисс Браунли. Но повторяю, она околдовала его, задурила ему мозги и добилась того, что он ей завещал практически все состояние. Она самая настоящая авантюристка, бесстыдная, ловкая и хитрая. Она не остановится ни перед чем. Она...

Филипп Браунли задохнулся от возмущения. Несколько секунд тишину нарушали лишь вой ветра да шум дождя, лупившего по крыше и стенкам машины, скрип ветвей и шелест листьев.

Мейсон, в упор глядя на молодого человека, спросил:

— И что же?

— Я прошу вас этому помешать.

— Как?

— Не знаю. Это уж ваше дело. Я просто хотел сказать, что вы можете рассчитывать на мою поддержку. Нашу договоренность надо держать в тайне. Самое главное, чтобы ничего не узнал дед.

— Можете ли вы прийти ко мне в контору?

— Нет, ему об этом сообщат.

— Откуда вам известно, что девушка, живущая в доме, не настоящая мисс Браунли?

— По тому, как она ловко втиралась к нему в доверие.

— Это не доказательство.

— Есть и другие факты.

— Послушайте, Филипп, когда вы заговорили о девушке, вы назвали ее «Джен». Так называют только девушек, которые много значат для мужчины. Поэтому я не уверен, действительно ли вы хотите помочь мне, или, наверное, помогаете Джен, пытаясь выведать у меня о моих ближайших планах. Я предложил вам сейчас поехать со мной, вы отказались. Вы не желаете встретиться со мной в офисе. Мне не верится, что дед установил за вами такой строгий надзор. Ведь любой человек, который подойдет к окну, может видеть нас из дома, видеть, что вы остановили машину и что вы разговариваете со мной.

— Господи! — вскрикнул Филипп. — Как я не подумал об этом!

Он резко повернулся и скрылся в тени кустарников. Мейсон подождал несколько секунд, затем уехал.

Он направился прямиком в контору «Юнион». Не снимая с себя мокрого плаща, он подошел к стойке и написал на бланке текст срочной телеграммы:

«Епископу Вильяму Меллори
Лайнер «Монтери»
По пути в Сидней, Австралия через Гонолулу
Важные события требуют вашего подтверждения личности женщины зпт называющей себя Джулия Брэннер зпт которая явилась ко мне в офис сегодня вечером сразу после отплытия «Монтери».

Он подписал телеграмму, уплатил за отправку и вошел в будку телефона-автомата.

Плотно закрыв за собой дверь, он назвал номер Джулии Брэннер, который она оставила ему при встрече.

Ему ответил тонкий, невыразительный женский голосок.

— Это Джулия Брэннер? — спросил адвокат.

— Нет, ее подруга Стелла Кенвуд. Вы мистер Мейсон, адвокат?

— Да.

— Одну минуточку, мистер Мейсон. С вами она будет говорить.

После тоненького голоска Стеллы Кенвуд грудной, звучный голос Джулии Брэннер заполнил собою все уголки будки, в которой от мокрой одежды Мейсона было трудно дышать.

— Что вам удалось узнать? — сразу же спросила Джулия. — Говорите быстрее.

— Ничего утешительного, — ответил Мейсон. — Браунли — человек решительный, он составил завещание, по которому большая часть его состояния перейдет к той девушке, которая в настоящее время живет в его доме и называет себя его внучкой. Он намеревается передать ей право на владение почти всем имуществом, оставив себе лишь пожизненную ренту.

— Он уже сделал официальное завещание?

— Нет, но намерен сделать это завтра утром.

— Можете ли вы что-нибудь предпринять до завтрашнего утра?

Мейсон слышал, как она шумно втянула в себя воздух, задавая этот вопрос.

— Нет, разве что доказать его некомпетентность. Только душевнобольной человек не имеет права распоряжаться своей собственностью по своему усмотрению. Но у нас есть один шанс, о котором он не подумал. Утром я вам все объясню.

Наступило молчание. До Мейсона доносилось лишь гудение провода. Потом Джулия сказала:

— Так вы все же считаете, что еще рано складывать оружие?

— Мы поговорим об этом утром.

— Вы и правда не сказали мне ничего утешительного. Думаю, мы проиграем, если только...

— Если что?

Мейсон насторожился.

— Если только я не сделаю того, что не хотела делать и приберегла на самый крайний случай.

— Что именно?

— Мне кажется, у меня есть способ убедить Ренволда Браунли. Все зависит от того, пожелает ли он сделать то, что я попрошу.

— Послушайте меня, держитесь подальше от этого человека, даже носа из дома не высовывайте. Мы поговорим с вами утром. Не в ваших силах заставить Браунли что-либо изменить. Он умен, упрям и безжалостен. Вы меня слышите?

— Да. Когда мы встретимся завтра?

Голос ее звучал как-то отчужденно.

— Завтра в десять у меня в офисе, — ответил Мейсон и повесил трубку.

Глава 7

Дождь продолжал лить, с упрямой настойчивостью стуча в окна квартиры Перри Мейсона, когда он проснулся от тревожного звонка телефона.

Нащупав выключатель возле изголовья, он включил свет, приподнялся на локте и снял трубку.

Влажный бриз, врывавшийся в открытое окно, раздувал тюлевые занавески. Они бились о мокрые жалюзи с неприятным чавкающим звуком. Адвокат зябко поежился, схватил халат и набросил на плечи, сказав в трубку традиционное «Хэлло».

Голос Пола Дрейка произнес:

— Поздравляю, Перри, думаю, тебе в ближайшие дни спать не придется!

Мейсон протер глаза и спросил охрипшим от сна голосом:

— Что случилось? Который час?

— Ровно три пятнадцать. Мне позвонил из Вилмингтона один из моих людей. Ты хотел, чтобы я занялся семейством Браунли, и я установил наблюдение за их домом. Примерно с час назад старый Браунли сел в машину и выехал. Шел сильный дождь. Мой парень следом. Это не представляло особенного труда, пока Браунли не добрался до портового района. Парень решил, что Браунли едет к себе на яхту, находившуюся неподалеку. Браунли уехал далеко вперед, парень потерял его из виду, но подумал, что ничего страшного не произошло, подъехал к тому месту, где была пришвартована яхта, и стал ждать. Браунли не показывался. Тогда парень въехал на набережную в поисках машины Браунли. На это ушло минут десять. И вдруг он увидел молодого человека, бежавшего ему навстречу, размахивая руками. Парень остановил машину. Тот подбежал и крикнул, что убит Браунли: какая-то женщина в белом непромокаемом плаще вышла из тени дома, вскочила на подножку автомобиля Браунли, выстрелила в старика пять или шесть раз и тут же скрылась. Парень был перепуган до смерти. Он хотел немедленно звонить в полицейское управление. Мой детектив довез его до будки телефона-автомата, откуда они вызвали «скорую» и полицию, хотя свидетель настаивал, что Браунли мертв вне всякого сомнения, так что помощь врачей не потребуется. После того как они позвонили, мой детектив пошел назад отыскивать машину Браунли. Они ее не нашли. Приехала полиция и тоже не обнаружила машину. Я еду туда, чтобы самому разобраться в этой чертовщине. Подумал, что ты пожелаешь тоже увидеть все сам.

— Ты уверен, убит Ренволд К. Браунли? — спросил Мейсон.

— Да.

— Это произведет сенсацию!

— Можешь ничего не говорить. Каждая газета в городе в течение двух ближайших часов приготовит экстренные выпуски!

— Где ты сейчас?

— У себя в конторе.

— Заезжай за мной. Я одеваюсь и жду тебя внизу.

Он бросил трубку, вскочил с постели, правой рукой захлопнул окно, а левой расстегнул пуговицы на пижаме. Галстук он завязывал уже в лифте, плащ натянул, пересекая вестибюль.

Он выбежал на улицу как раз в тот момент, когда машина Пола Дрейка показалась из-за угла. Воды скопилось так много, что она не успевала стекать с тротуаров, превратив всю улицу в сплошной водяной поток.

Когда Дрейк отъехал от обочины, Мейсон откинулся на подушки и спросил:

— Стреляла женщина, Пол?

— Женщина в белом плаще.

— Ну и что произошло дальше? Как все случилось?

·— Насколько мне удалось выяснить по телефону, Браунли там кого-то искал. Он замедлил ход машины почти полностью и едва тащился вдоль тротуара, когда из тени дома появилась женская фигура. По всей вероятности, эту женщину он и ждал, потому что сразу остановил машину и полностью опустил стекло. Она вскочила на подножку, подняла автоматический пистолет и выстрелила несколько раз. Прохожий видел машину, на которой она скрылась. Это был «шевроле», номер он не разобрал. Он заглянул в машину и увидел, что Браунли лежит ничком, навалившись на руль. По всей видимости, пули достигли цели. Свидетель побежал, гонимый скорее страхом, чем здравым смыслом. По его словам, он бежал минуты четыре-пять, потом увидел свет фар машины моего агента.

— Можно ли предположить, что этот прохожий перепутал направление?

— Конечно! Он до того испугался, что мог перепутать все на свете!

Наклонившись, Дрейк спросил вполголоса:

— Ты нервничаешь, Перри?

— Это не имеет значения. Не волнуйся за меня. Какие у тебя покрышки?

— Отличные. Тебя беспокоит, что я прибавил газу? Пустяки. Знаешь, я считаю, что машину заносит на поворотах, потому что задние колеса стремятся опередить или хотя бы догнать передние. На прямой им это не удается, вот они и пользуются поворотами.

Закурив, Мейсон спросил:

— Ты составил свое завещание?

— Еще нет.

— Мой совет: приходи ко мне утром, я уж напишу тебе по-дружески. Что ты еще узнал о епископе?

Дрейк усмехнулся.

— По всей вероятности, мои австралийские агенты посчитали, что я шучу или разыгрываю их, можешь назвать это как угодно. В ответ на мою телеграмму дали свою предельно короткую: «Епископы редко заикаются».

— Это не ответ на наш вопрос. Как в отношении описания внешности епископа? Это-то ты получил?

— Да, в другой телеграмме!

Дрейк, ведя машину одной рукой, порылся в своем внутреннем кармане, выудил зеленый листок телеграммы и протянул его Мейсону в тот самый момент, когда адвокат в ужасе закричал:

— Осторожнее на повороте!

Но Дрейк уже вцепился в руль обеими руками, тормоза отвратительно завизжали, машина осела на один бок. Огромная волна воды поднялась под колесами с правой стороны. Детектив резко повернул направо. На скользком асфальте машина не слушалась, ее бросало из стороны в сторону, и Мейсону оставалось только поражаться, как это они до сих пор не перевернулись. Но вот машина свернула на боковую улицу, пошла ровнее, и Дрейк, обернувшись назад, спросил:

— Где же телеграмма? Уж не выронил ли ты ее, Перри?

Мейсон вздохнул, вытянул ноги, инстинктивно поджатые под себя на страшных виражах, и сказал:

— Нет, она где-то тут, на сиденье.

Дрейк слегка снизил скорость и спросил:

— При таком свете ты сможешь читать? .

— Попробую, если только мои руки перестанут дрожать. Пол, неужели ты никогда не научишься водить машину поосторожнее?

— Да я и вел ее совершенно нормально, пока ты не отвлек меня разговорами об этой телеграмме.

Спорить с ним было бесполезно. Адвокат развернул телеграмму и прочитал:

«Епископу Меллори Вильяму пятьдесят пять лет тчк Пять футов шесть дюймов зпт сто семьдесят пять тчк Серые глаза тчк Постоянно курит трубку тчк Взял годовой отпуск и предупредил зпт что проведет его в Штатах тчк Более точной информацией не располагаем».

Мейсон сложил телеграмму.

— Ну и что ты думаешь об этом? — спросил Дрейк.

Мейсон закурил.

— Твое дело — вести машину, Пол. Я не желаю больше отвлекать твое внимание. Мы поговорим с тобой, приехав на место происшествия.

Он откинулся на спинку сиденья, так поднял воротник плаща, чтобы не касаться его шеей, опустил голову и сильно затянулся сигаретой.

— Но ведь это описание подходит для твоего епископа, верно? — спросил Дрейк.

Мейсон ничего не ответил.

Дрейк хмыкнул и сосредоточил все внимание на дороге. Дождь барабанил по крыше, окна внутри запотели, снаружи сбегали струйки воды, дворники не успевали расчищать переднее стекло. Их монотонное постукивание дополняло звуки непогоды. Мокрая лента асфальта терялась в пелене дождя. Наконец фары машины Дрейка осветили эмблему яхт-клуба и надпись: «Частная стоянка».

К ним подбежал человек в резиновом плаще, по которому струйками стекала вода.

Он не разбирал дороги, брызги разлетались во все стороны.

— Это Гарри, — сказал Дрейк.

Мейсон кивнул.

— Хэлло, Гарри. Какие новости?

Агент сунул голову в открытое окно машины. Вода с его шляпы закапала на колени Дрейку. Тот возмутился:

— Сними шляпу, безмозглое чучело. Садись на заднее сиденье, если хочешь поговорить. Я не принимаю душа по ночам.

Агент сел в машину.

— Теперь слушайте, — заговорил он низким таинственным голосом, каким обычно сообщают особо важные новости, — понимайте как знаете, лично мне все это кажется каким-то сумасшествием. Я дежурил около дома Браунли, как вы велели. Дождь как осатанел. Я решил, что это самое обычное поручение. Мне не верилось, что миллионеру вздумается гулять в такую ненастную погоду. Я закрыл окна в машине и устроился поудобнее. Примерно в половине второго подъехало такси. В доме зажегся свет. Я услышал голоса, потом такси уехало, в доме прибавилось света. А минут через пятнадцать в гараже зажглась лампочка. Потом ворота распахнулись, и я увидел свет фар. Мне удалось разглядеть, кто сидел за рулем, когда машина проезжала мимо. Это был сам Браунли.

— Все это время шел дождь? — спросил Пол Дрейк.

— Лил как из ведра.

— Браунли выехал без шофера? — уточнил Мейсон.

— Да, совершенно один.

— Рассказывай дальше, — попросил Мейсон.

— Я поехал следом за Браунли, почти не включая огней. Ехать было трудно. Я не решался приблизиться к его машине вплотную, и к тому времени, когда мы добрались сюда, он оторвался от меня на большое расстояние. Я решил, что он направляется к себе на яхту, поэтому, когда он свернул вправо и повел себя так, словно заметил меня и старается сбросить с хвоста, я поспешил прямиком к яхт-клубу. Подождал минут десять, и, когда его машина не появилась, я начал искать ее поблизости. Уезжать я никуда не уезжал. Я ругал себя самыми последними словами, ломал себе голову, куда могла провалиться проклятущая машина. Я поочередно объехал все ближайшие перекрестки, добрался до двери клуба, повернул назад, когда увидел человека, бежавшего по лужам и размахивающего руками. Я остановился. Парень был в таком возбужденном состоянии, что не сразу смог заговорить.

— Ты узнал его имя, Дрейк?

— Конечно. Даже записал. Его зовут Гордоном Викслером.

— Это он рассказал вам о стрельбе? — спросил Мейсон.

— Да.

— Что конкретно он сказал? — сразу же заинтересовался Дрейк.

— Обожди одну минуточку.

Мейсон поднял руку.

— Это, конечно, очень важно, но меня больше интересует, что этот Гордон Викслер там делал? Мне это кажется весьма подозрительным.

— О'кей, — ответил агент. — Я проверил его биографию. Он яхтсмен, прибыл из Каталины. Его задержал шторм, и он позвонил своему слуге-филиппинцу, чтобы тот встретил его с машиной. Слуге, очевидно, не понравилась дождливая погода, он решил не спешить. Машина не приходила. Разъяренный Викслер отправился пешком на ближайшую стоянку такси. Я попросил показать водительские права и другие документы, сообщить название яхты. Полиция тоже проверила эти сведения.

— О'кей!

Мейсон кивнул.

— Ладно, рассказывай нам остальное.

— Викслер мне сказал, что он увидел большой двухместный крытый автомобиль, медленно ехавший по дороге, как будто сидевший за рулем человек кого-то высматривал. Тут появилась женщина в белом плаще и помахала рукой, машина остановилась. Женщина вскочила на подножку, по всей вероятности, поговорила с водителем и, указав ему какое-то направление, почти сразу же спрыгнула с нее и скрылась в тени дома. Машина проехала дальше. Викслер видел, как она свернула в боковую улочку, поехала по ней до следующей улицы, повернула назад и чуть быстрее возвратилась по прежнему маршруту. Викслер решил попросить подвезти его до места и вышел на середину улицы. Машина продолжала ехать очень медленно, со скоростью десять — пятнадцать миль в час. Снова в свете фар появилась женщина и замахала руками. Викслер побежал, его отделяло от машины ярдов пятнадцать. Женщина вскочила на подножку, и тут Викслер увидел вспышки и услышал грохот выстрелов. Он не может с уверенностью сказать сколько — пять или шесть, ему показалось, что пять. Женщина соскочила с подножки и побежала к подъездной железнодорожной линии, где дорога подходит к самым докам. Растерявшийся от неожиданности Викслер подождал с минуту, потом бросился к автомобилю. Он увидел светлый седан, ему показалось, что это был «шевроле», но он не уверен, и еще ему показалось, что за рулем сидела женщина в светлом плаще, но и тут он тоже колеблется. Так или иначе, машина исчезла, а дождь смыл ее следы. Викслер подошел к автомобилю. Водитель привалился к левой дверце, наружу полностью вывесилась его рука и голова, с которых по дверке машины стекала кровь, образуя лужицу на подножке. Викслер говорит, что узнал его — это был Ренволд К. Браунли — и что он был нашпигован свинцом, как подстреленная куропатка, так что сомневаться в его смерти не приходилось.

— Как он узнал, что это Браунли? — поинтересовался Мейсон.

— Я тоже задал ему этот вопрос. Понимаете, этот парень яхтсмен, как и Браунли. Несколько раз они встречались на обедах в яхт-клубе, ну и потом Викслер неоднократно видел Браунли в районе клуба. Он божится, что не мог ошибиться, что это был Ренволд К. Браунли. Дождь не прекращался ни на минуту, но во время стрельбы он чуть ослабел, подсветка яхт-клуба давала какой-то свет, не говоря об огнях самого автомобиля.

— Что произошло потом?

— Викслер побежал искать будку телефона-автомата и за какой-нибудь помощью. Думаю, он страшно перепугался. Побежал вдоль бульвара, потом свернул на автостраду, пустился по ней, запутался в боковых улочках, потерял ориентацию, решил вернуться назад и тут увидел свет фар моей машины. Он уверяет, что прошло не больше пяти минут. Я посадил его в машину, он дрожал, его било как в лихорадке, а нервничал он до такой степени, что не сразу смог заговорить. Он попробовал объяснить, где все произошло, и окончательно запутался. Мы кружили в районе яхт-клуба, и мне уже стало казаться, что Викслер свихнулся или накурился опиума, вот ему и померещилось черт знает что. Но, с другой стороны, я сам ехал следом за Ренволдом Браунли и знал, что старик должен быть где-то поблизости. Ну а этот Викслер стал орать, что надо вызвать полицию, и тут я сообразил, что представителям закона может не понравиться, что я сразу же не позвонил в полицию. Поэтому я поехал к телефонной будке, и мы позвонили.

— Ну а дальше? — спросил Мейсон.

— Приехала полиция, записали то, что мы им рассказали, и...

— Ты не сказал, что следил за Браунли, полагаю, такой глупости ты не сделал, — перебил его Дрейк.

— Нет, разумеется!

По тону ответа было ясно, что агент обиделся на вопрос своего шефа.

— Я заявил, что проезжал мимо в поисках приятеля, который был на яхте. Сказал, что занимаюсь его делом о разводе.

— Они не стали уточнять, кого именно ты ждешь или как зовут твоего клиента?

— Пока нет. Еще спросят. Тогда они были слишком заняты. Я сказал, что это женщина.

— Полиция нашла машину?

— Нет. Но вот что самое интересное: они решили, да и я так решил, что сам Викслер запутался и просто не сумел отыскать правильной дороги к месту происшествия. Позднее один из полицейских, обследуя с фонарем асфальт, обнаружил размытые дождем красные пятна примерно там, где, по словам Викслера, произошла трагедия. Они обыскали каждый дюйм земли на этом участке и нашли патрон от автоматического пистолета тридцать второго калибра. Дождь к этому времени немного ослабел, а полицейским удалось проследить розоватый след на поверхности тротуара. Дорога неровная, в ней много выбоин. Ну а дождь, разумеется, смыл кровь с подножки машины, поэтому на асфальте образовались эти розовые лужицы, которые не успели окончательно исчезнуть. След вел к одному из доков, полиция решила, что автомобиль свалился в воду.

— Где этот док? — спросил Мейсон.

— Поезжайте дальше, — предложил агент, — я вам покажу. Я ожидал вас в этом месте потому, что мы так договорились. А сейчас поезжайте прямо, я скажу, где свернуть.

Они проехали несколько сот ярдов, потом агент скомандовал:

— Теперь направо.

Как только Дрейк свернул, он наткнулся на цепочку стоящих автомобилей. Несколько прожекторов освещали площадку дока. Луч одного из них был направлен на воду. На краю причала стояла спасательная машина, оборудованная подъемным мотором и стрелой. На барабаны медленно наворачивался туго натянутый канат, уходивший куда-то под воду. Было ясно, что из воды что-то поднимают.

Дрейк проехал в машине подальше, остановился, вышел и бросил агенту на ходу:

— Найди-ка местечко, где ее поставить. Пошли, Перри.

Они зашагали к причалу, не глядя под ноги, грязные брызги разлетались у них из-под ног. Холодный дождь бил им в лицо. Мейсон и Дрейк присоединились к небольшой группе людей, сгрудившихся у края причала. Все так напряженно всматривались в воду, что не заметили их прихода.

Мейсон заглянул за край причала. Канат, натянутый, как тетива на луке, терялся в чернильно-темной воде, чернота которой подчеркивалась еще и отблесками лучей прожекторов. Отблеск пробивался сквозь насыщенный дождевыми каплями окружающий воздух и придавал напряженным лицам зрителей мертвенную бледность. Лебедка спасательной машины двигалась с ровным стуком, по широкой водной глади расходились ровные водяные круги, только иногда, когда канат заедало и он начинал судорожно двигаться, вода разбрызгивалась вокруг фонтаном.

Кто-то пронзительно крикнул:

— Она идет.

Мимо Мейсона пробежал фотограф и направил объектив аппарата на воду. Яркая вспышка света на секунду ослепила адвоката, и в тот самый момент из воды показался верх большой крытой машины.

Собравшиеся на причале заговорили разом. Резкий окрик полицейского перекрыл шум голосов:

— Не поднимайте выше машину, пока мы не подцепим ее вторым краном. Она полна воды и, не дай Бог, снова сорвется вниз.

Люди в рабочих комбинезонах с перемазанными мазутом лицами, блестевшими в свете прожекторов, начали орудовать краном.

Невдалеке ритмично чихал движок. Вперед вытянулась стрела подъемного крана. Участились вспышки фотоаппаратов.

Снова раздалась команда:

— Вытаскивайте дальше!

Подъем происходил очень медленно, но вот вся машина показалась из воды. Правая дверца была широко распахнута. Человек, руководящий подъемом, распорядился:

— Поднимем ее выше, и ставьте на грузовик.

Это было проделано гораздо быстрее и не столь напряженно. Машина, обхваченная еще одним канатом, проплыла над головой собравшихся и повисла над причалом.

Перед тем как ее окончательно спустить, полицейский в форме огородил канатом место на набережной.

Мейсон протолкался к ограждению и, приподнявшись на цыпочки, заглянул через плечо полицейского, мокрый резиновый плащ которого неприятно задел его подбородок. Другой полицейский исследовал внутренность машины, и Перри услышал, как он крикнул:

— А вот и пистолет автоматический тридцать второго калибра.

Другой полицейский крикнул:

— На сиденье следы крови, но машина пустая!

Они распорядились:

— Удалите всех посторонних с набережной. Никому нельзя здесь находиться, если у него нет специального распоряжения полиции.

Подъезжали новые машины с полицейскими. К Мейсону подошел верзила полицейский в форме и довольно благодушно проворчал:

— Иди-ка, приятель, дальше своей дорогой. Завтра ты обо всем прочитаешь в газете, и не придется мокнуть под дождем.

Мейсон не стал спорить и отошел в дальний конец причала. Проходя мимо Пола Дрейка, он шепнул:

— Попробуй-ка пустить в ход свой значок, Пол. Может, тебе удастся что-нибудь узнать. Я обожду тебя в машине.

Адвокат, подняв воротник плаща, нашел машину Дрейка и, стряхнув с одежды всю воду, которую смог, залез в нее. В такое ненастье она показалась ему настоящим раем.

Минут через пять появился мрачный Дрейк:

— Безнадежно. Они ищут тело. По-видимому, оно выскользнуло из машины. Возьми в боковом кармане бутылку виски.

Адвокат обрадовался:

— Великий Боже! Все трупы на свете могут обождать. Почему ты раньше не сказал мне про виски!

Он вытащил бутылку, отвинтил пробку и протянул бутылку Дрейку.

— Честь и хвала запасливому хозяину!

Дрейк сделал три больших глотка, потом возвратил бутылку Мейсону, который, в свою очередь, поднес ее к губам и опустил только тогда, когда услышал агента Дрейка.

— Хлебни виски, — предложил Дрейк, — а то простудишься.

Гарри не стал отказываться.

Мейсон повернулся к Дрейку.

— Помог тебе значок, Пол? Удалось что-то узнать?

— Они рассмеялись мне в лицо, — ответил Дрейк, — а какой-то настырный полицейский пытался узнать, почему меня интересует машина Браунли, кого я представляю и сколько времени я уже здесь нахожусь, что мне известно и от кого я узнал, что здесь произошло. Одним словом, я посчитал за самое правильное уйти подобру-поздорову. Как твои успехи, Гарри? Удалось еще что-нибудь узнать? — спросил он своего агента.

Гарри обтер ладонью губы, довольно крякнул и произнес:

— Я опасался показаться слишком настойчивым, поэтому просто толкался поблизости и прислушивался к разговорам. Узнал, что это действительно машина Браунли. Когда машина свалилась в воду, мотор был включен, а ручной дроссель широко раскрыт.

— Ручной дроссель? — переспросил Мейсон.

— Совершенно верно. Они нашли пистолет и обнаружили пули, застрявшие в подушке переднего сиденья. Пришли к заключению, что дверца машины распахнулась в момент погружения в воду и тело выскользнуло из кабины. Они послали за водолазами и собираются прочесать дно залива.

— Есть что-нибудь новое о женщине в белом плаще?

— Нет, о ней ничего не известно, — ответил Гарри, — но у них есть пистолет. Они надеются по номеру выяснить личность владельца. И потом, может быть, когда будет получена дополнительная информация, найдут тело Браунли. Водитель того такси, по-видимому, передал Браунли какое-то сообщение. Это привело его в страшное возбуждение. Оно показалось ему настолько важным, что заставило его выехать в дождь в два часа ночи, в полном одиночестве, без шофера. А старик был не таким человеком, чтобы терять равновесие по пустякам.

Дрейк кивнул.

— Полностью с тобой согласен, давайте допьем эту бутылку, а?

Мейсон покачал головой.

— Стыдись, Пол! Ты же за рулем. Бутылку допьем мы с Гарри, тебе не полагается!

Глава 8

Первые слабые лучи утреннего солнца превратили улицы в сказочные, заполненные дождем каньоны. Перри Мейсон поставил машину напротив трехэтажного, недавно оштукатуренного дома, на котором красовалась надпись: «Сансет Арма», меблированные квартиры. Вест-Вичвуд, 214».

Мейсон уже ставшим привычным движением поднял воротник плаща и вышел под проливной непрекращающийся мелкий дождик.

Ни в одном окне по фасаду здания не было видно света, но Мейсону удалось все же заметить свет, скрытый тюлевыми занавесами, в окнах третьего этажа с тыльной стороны дома. Он подошел к входу, подергал ручку входной двери, она была на запоре. Но старый замок легко поддался под лезвием перочинного ножа адвоката. Нажав на замок, Мейсон отвел назад задвижку, и с тихим щелчком дверь отворилась.

Стряхнув воду с плаща и шляпы, адвокат стал подниматься по лестнице. При каждом его шаге из ботинок с чавканьем выливалась вода.

На третьем этаже было так тихо, что Мейсон ясно расслышал чей-то храп за одной из дверей, дробный стук дождя по крыше, вой ветра, бушующего у стен здания.

Мейсон прошел вдоль коридора и осторожно постучался в дверь, из-под которой пробивалась едва видная

полоска золотистого света. Женский голос, показавший-
ся ему слабым и напуганным, спросил:

— Что такое?

— Сообщение от мисс Брэннер, — ответил адвокат.

На несколько секунд воцарилась тишина. Женщина
решала вопрос: принимать ли это заявление на веру или
нет. Затем последовали шаркающие шаги, задвижка отошла назад. Очень худая особа, одетая в халат и домашние туфли, с бигуди в волосах, открыла дверь и посмотрела на Мейсона испуганными глазами. Ее лицо без кос-
метики выглядело нездоровым.

— Разрешите войти?

Она стояла в дверях, ничего не говоря, в страшном
волнении, уставившись на Мейсона. Не надо было быть
большим психологом, чтобы разобраться, к какому типу
женщин она относилась.

Мейсон засмеялся и сказал:

— В конце-то концов, понимаете, я не могу прокри-
чать мое сообщение так, чтобы его услышали жильцы
дома. А стены здесь очень тонкие.

Женщина сказала тихим, невыразительным голосом:

— Входите.

— Я хотел бы знать, — продолжал Мейсон, входя в
комнату, — та ли вы женщина, которой мне поручено
передать сообщение.

— Если это сообщение от Джулии Брэннер, — ответила женщина, — тогда оно для меня. Я Стелла Кенвуд.

— Так. Вы давно знакомы с миссис Брэннер, не
так ли?

— Да.

— Вам кое-что известно о ее прошлом?

— Решительно все.

— А точнее, с какого времени?

— С тех пор как она приехала в Штаты.

— Ну, а о ее жизни в Австралии вы что-нибудь знаете?

— Кое-что. Почему вы меня спрашиваете об этом?

— Потому что я пытаюсь защитить миссис Брэннер,
и я хотел бы, чтобы вы помогли мне. Поэтому так важно установить, насколько хорошо вы ее знаете.

— Если она с вами что-то передала для меня, — сказала Стелла Кенвуд, стараясь справиться с волнением, —

вы можете мне это сообщить, думаю, нет никакой необходимости продолжать задавать вопросы.

Адвокат покачал головой.

— К сожалению, положение весьма сложное. Видите ли, я боюсь, что Джулия попала в беду.

Стелла с шумом втянула в себя воздух, поперхнулась, упала в кресло и едва смогла вымолвить:

— Как? Почему?

Мейсон быстро осмотрел комнату. Это была типичная однокомнатная квартирка, слева находилась встроенная кровать, которая, откинутая к стене, превращалась в зеркало. Сейчас адвокат видел именно продольное зеркало. Это говорило о том, что либо на постели еще не спали, либо ее убрали до того, как отворить дверь Мейсону. Но на это требовалось все же более того времени, что он стоял за дверью.

Квартира обогревалась газовой печкой в форме обычного, покрытого алюминиевой краской радиатора, только без клапана.

В комнате было очень тепло, даже душно. Придя с улицы, Мейсон особенно остро почувствовал, как трудно дышать в комнате, какой здесь затхлый воздух. Влажно, как в ванной, подумал он, даже окна и зеркало запотели.

— Радиатор работает даже ночью? — спросил адвокат.

Женщина ничего не ответила, только посмотрела на него выцветшими голубыми глазами, в которых вновь отразилось ее волнение. Ей, решил Мейсон, около пятидесяти. Жизнь не была к ней особенно добра, на удар она привыкла подставлять другую щеку, всем своим поведением показывая полную покорность.

— Когда миссис Брэннер ушла отсюда? — продолжал расспрашивать ее Мейсон.

— Кто вы такой и почему вы меня об этом спрашиваете? — вспылила Стелла Кенвуд.

— Я стараюсь ее защитить.

— Это только слова.

— Это правда!

— Кто вы такой?

— Перри Мейсон.

— Адвокат, к которому она обращалась?

— Да.

— Значит, это вам я отвечала, когда вы звонили сюда по телефону?

— Да.

Она кивнула, не выразив особых эмоций.

— Где сейчас Джулия?

— Она уехала.

— Уехала сразу же после того, как я позвонил?

— Нет, не сразу.

Мейсон внимательно посмотрел ей в лицо. Стелла Кенвуд невольно отвела глаза.

— Когда она уехала?

— Примерно в четверть второго.

— Куда?

— Не знаю.

— На чем она поехала?

— На моей машине. Я отдала ей ключ от нее.

— Что это за машина?

— «Шевроле».

— Куда она поехала?

— Думаю, — сказала Стелла Кенвуд, — что нам не следует продолжать эту беседу.

Но в ее голосе не было уверенности, так что Мейсон просто ждал продолжения.

— Вы кое-что знаете, не так ли? — заговорила она после недолгой паузы. — Что-то случилось? Вы от меня скрываете? Почему? Расскажите мне все.

Мейсон продолжал нажимать на нее.

— Я расскажу вам все, но не раньше, чем выясню ваше отношение к Джулии Брэннер. Ответьте на мои вопросы. Куда Джулия уехала? Что она хочет сделать?

— Я не знаю.

— Взяла ли она с собой свой пистолет?

Стелла тихонько ахнула и прижала тонкую руку к горлу. Мейсон машинально отметил сеть голубых вен, просвечивающих через ее бледную кожу.

— Так пистолет у нее? — спросил Мейсон.

— Не знаю. Почему... Что случилось? Откуда вы знаете про ее пистолет?

— Я все расскажу. Ответьте сначала на мои вопросы. Вы оставались здесь в ожидании Джулии?

— Да.

— Почему вы не ложились спать?

— Не знаю. Я тревожилась за нее. Все надеялась, что она вот-вот вернется.

— Вам известно, почему она приехала сюда из Солт-Лейка?

— Да, конечно.

— Почему?

— Вы сами знаете. Зачем мне вам говорить об этом?

— Хочу проверить, рассказала ли она вам то же самое, что и мне.

— Если вы ее адвокат, вам должно быть известно, почему она приехала сюда.

— Вот именно.

Мейсон усмехнулся.

— Так ради чего она приехала?

— Ради своей дочери и ее замужества.

— Вы это знаете?

— Да, конечно.

— И давно?

— Что давно?

— Давно ли вам стало об этом известно?

— Ну, уже некоторое время.

— Джулия Брэннер рассказала вам о том, что она была замужем за Оскаром Браунли?

— Да, конечно.

Казалось, женщина поверила Мейсону, начав свой рассказ:

— Три года назад мы вместе жили в Солт-Лейке. Она рассказала мне все про Оскара Браунли, о том, как старый Браунли сумел отнять у нее Оскара, и о том, что она отдала дочку на воспитание чужим людям. Понимаете, у меня тоже дочка примерно того же возраста, что и девочка Джулии, поэтому я прекрасно понимала ее материнские чувства. Разница в том, что я знала, где моя дочь. Я могла ей написать и изредка видеть ее. А Джулия даже не знала, жива ли ее девочка. — Ее лицо помрачнело, она отвела глаза и глухим голосом добавила: — Два года назад моя дочь умерла, так что теперь переживания Джулии мне стали еще ближе и понятнее.

Как это тяжело не иметь возможности получить весточку от своего дорогого ребенка.

— Джулия рассказала вам, почему она не может возвратиться в Калифорнию?

— Да.

— Почему?

— Потому что ее обвиняли в убийстве человека.

— Хорошо, вернемся к самому главному. Я хочу знать, для чего Джулия послала записку Браунли, вызвав его ночью.

Стелла Кенвуд отрицательно покачала головой.

— Не знаете? — спросил Мейсон.

— Я не хочу говорить с вами о делах Джулии.

— Вы все знаете! — настаивал Мейсон. — Именно поэтому вы не ложитесь спать, дожидаетесь возвращения Джулии. Вы включили этот газовый радиатор еще до полуночи. Кровать вы даже не расстилали. Не стоит дальше упрямиться, выкладывайте правду, сейчас каждая минута дорога. В нашем распоряжении нет даже одного дня!

Стелла Кенвуд упорно отводила глаза в сторону, ее пальцы все время нервно сжимались в кулак и разжимались.

В этот момент в коридоре послышались торопливые шаги. Мейсон быстро отступил к стене влево от двери.

Дверная ручка повернулась. Дверь отворилась и тут же захлопнулась. На пороге стояла Джулия Брэннер в белом плаще, доходившем ей чуть ли не до лодыжек. Растрепанные волосы нелепо торчали из-под шляпы, свисая мокрыми прядями на плечи и спину. Она с порога заговорила громким, почти истеричным голосом:

— Великий Боже, Стелла! Мне необходимо как можно скорее уехать отсюда. Я попала в ужасное положение. Давай быстрее соберем мои вещи, отвези меня в аэропорт. Я полечу назад в Солт-Лейк. Случилось нечто до того ужасное, что я...

Она замолчала, заметив настороженное выражение лица своей подруги, быстро повернулась к двери и очутилась перед Перри Мейсоном.

— Вы? — воскликнула она.

Мейсон наклонил голову и спокойно сказал:

— Садитесь-ка, Джулия, и расскажите мне очень подробно, что произошло. Если я буду все знать, то, возможно, смогу вам помочь.

— Ничего не произошло!

Мейсон слегка повысил голос:

— Садитесь, Джулия, я хочу с вами поговорить.

— Поймите, я очень спешу. Совершенно нет времени, я не могу тратить его на разговоры с вами. Вы не сможете мне помочь, теперь слишком поздно.

— Почему?

— Теперь это не имеет значения.

Она швырнула на стол свою сумочку и стала непослушными пальцами расстегивать плащ. Мейсон подошел к столу, взял в руки ее сумочку, подержал ее в руке и спросил:

— Что стало с пистолетом, который вы всегда в ней носили?

Она удивленно спросила:

— А почему вы решили, что его нет в сумке?

Мейсон рассердился.

— Послушайте, Джулия, если вы намерены и дальше тратить время на игру в загадки, тогда знайте, что сейчас пришло время ваших похорон. Ренволд К. Браунли был застрелен сегодня ночью какой-то женщиной, одетой в белый плащ и приехавшей на машине марки «шевроле». Убежден, что полиция располагает более подробными данными об этом автомобиле. А теперь скажите прямо, хотите ли вы, чтобы я попытался защитить вас, или вы предпочтете умничать и дальше?

Джулия Брэннер посмотрела на него в упор, очевидно взвешивая все «за» и «против», а Стелла Кенвуд тихонько застонала и тут же расплакалась:

— Джулия, дорогая! Я так боялась, что ты все же когда-нибудь это сделаешь!

Мейсон, посмотрев в потемневшее не то от гнева, не то от возмущения лицо Джулии Брэннер, приказал:

— Рассказывайте!

— Почему я должна вам рассказать о том, что произошло? — спросила она с горечью.

— Потому, что только я смогу вам помочь.

— Вы пытались мне помочь, но ничего из этого не получилось, а теперь уже поздно, слишком поздно.

— Почему слишком поздно?

— Вы сами знаете, хотя я и не понимаю, каким образом...

В голосе Мейсона проступало нетерпение:

— А теперь послушайте вы обе, сейчас дорога каждая минута, а вы тут квакаете, как пара безмозглых лягушек, которые сами прыгают в сачок. Прекратите глупое притворство, переходите к делу. Повторяю, Джулия, я хочу вам помочь.

— Почему? — спросила она. — У меня нет денег, все мое состояние равняется ста пятидесяти долларам.

Стелла Кенвуд приподнялась с кресла и с готовностью сообщила:

— У меня есть двести, ты можешь их взять, Джулия.

— Сейчас забудьте о деньгах, — прервал их Мейсон. — Я действительно хочу вам помочь, Джулия, но я должен знать, что произошло. Я уверен, что вам есть что мне рассказать, и как можно подробнее. Не старайтесь обелить себя в моих глазах, это лишнее. Браунли был исключительно хладнокровным и безжалостным человеком. Он подстроил — чтобы не сказать сфабриковал — против вас обвинение в убийстве. Все эти годы оно висело у вас над головой, не давая вам спокойно жить. Он отнял у вас надежду обрести семейный покой и домашний очаг. Вам пришлось тяжким трудом зарабатывать себе на жизнь, так что вашему защитнику есть о чем рассказать присяжным, но мне необходимо знать, в чем именно вас могут обвинить. Я не могу гарантировать полнейшего успеха, но думаю, что еще не поздно что-то сделать. Так что рассказывайте все. И в первую очередь скажите: вы убили Браунли?

— Нет, не я.

— Тогда кто?

— Не знаю.

— Вы видели его ночью?

— Да.

— Где?

— У залива.

— Расскажите мне, как все это было.

Джулия покачала головой и произнесла совершенно бесцветным, усталым голосом:

— Какая разница? Вы все равно мне не поверите. И никто мне не поверит. Стелла, прекрати свои рыдания. Ну что же, надо уметь смотреть правде в глаза. Мистер Мейсон совершенно прав, пришел день моих похорон. Ты к этому делу не имеешь никакого отношения.

Мейсон потерял терпение:

— Прекратите ломать комедию, переходите к делу. Повторяю, если вам и сумеет кто-либо помочь, то только я один.

Джулия Брэннер вздохнула:

— Будь по-вашему. Раз уж вы так настаиваете. Я попыталась оказать на старика Браунли кое-какое давление.

— Какое давление?

— Когда Оскар окончил школу, старик подарил ему часы. Это была семейная реликвия, если можно так выразиться. Ренволд поставил в них какой-то особый механизм. Он очень дорожил ими. Часы были у меня на руке в тот день, когда Оскар удрал назад к своему папеньке. Старик Браунли хотел получить эти часы назад, словно это было какое-то сказочное сокровище. Я послала ему записку с шофером такси, в которой написала, что хочу переговорить с ним не дольше десяти минут и что, если он немедленно приедет в условленное место на побережье совершенно один и выслушает меня, я отдам ему эти часы.

— Вы надеялись, что он приедет?

— Я в этом не сомневалась.

— А вы не опасались, что он может позвонить в полицию и вас арестуют?

— Нет. Я написала, что часы будут спрятаны в надежном месте, что ему их не видать, если только он попробует сыграть со мной какую-нибудь шуточку.

— Ну, а дальше?

— Он приехал.

— Как он узнал, куда ему надо было ехать?

— Я нарисовала ему что-то вроде схемы, указав, где именно буду его ждать. И подчеркнула, что он должен приехать один.

— Ну, а дальше?

— Я уже сказала, что он приехал.

— Так. Ну а вы?

— Я тоже поехала в гавань, чтобы подождать его там.

— О чем вы собирались с ним говорить?

— Я думала привести ему единственный аргумент, к которому он бы прислушался: Дженис — точная копия своего отца, Оскара. И что если старик Ренволд действительно любил своего сына, он должен обеспечить ее, чтобы его внучка не нуждалась и не считала пенсы, как это пришлось делать мне. Я хотела сказать ему, что ничего не прошу для себя, пусть он только честно отнесется к единственному ребенку его сына. Ну и потом я, конечно, сказала бы, что та девушка, которая сейчас живет в его доме и называет себя его внучкой, в действительности самозванка.

— Ну, а почему для этого надо было ехать на берег залива?

— Я так захотела.

— Почему в порт?

— Это не имеет никакого отношения к этой истории. Просто так.

— Как вас понимать?

— В самом прямом смысле.

— У вас пистолет автоматический, кольт тридцать второго калибра?

— Да.

— Где он?

— Не знаю. Сегодня рано утром он исчез.

— Не сочиняйте небылиц, они вам не помогут.

— Но это правда!

— Если не вы убили Ренволда Браунли, кто мог это сделать?

— Не знаю.

— Рассказывайте все с самого начала и по порядку.

— Я встретилась с ним возле одного из яхт-клубов и сказала, чтобы он проехал круг по боковым улочкам, хотела убедиться, что он один и за ним нет слежки. Он так и сделал. Назад он ехал очень медленно по той же улице н находился от меня уже примерно в полуквартале. Тут вдруг из тени домов выскочила женщина в таком же, как у меня, белом плаще, она подбежала к машине. Естественно, Браунли затормозил. Она вскочила на подножку и выстрелила в него несколько раз.

— Что сделали вы?

— Испугалась и побежала как можно скорее к машине.

— Где стояла ваша машина?

— За домами в начале причала.

— Вы сразу же уехали?

— Нет, машина не сразу завелась. Наверное, потому что шел дождь.

— Вас кто-нибудь видел?

— Не знаю.

— Где вы взяли машину?

— Это машина Стеллы.

— И это все?

— Да, я рассказала чистую правду.

Мейсон медленно произнес:

— Возможно, это и правда, а возможно, и нет. Лично я не сомневаюсь в вашей искренности. Но ни одно жюри присяжных не поверит вашему рассказу. Если вы сделаете заявление в таком виде, вас непременно обвинят в преднамеренном убийстве, это ясно как божий день. Расстелите немедленно кровать, выключите радиатор, отворите окна, спрячьте свой плащ и ложитесь спать. Если приедет полиция, вообще ничего не говорите. Не отвечайте ни на какие вопросы, о чем бы вас ни спрашивали. Скажите, что вы не намерены ничего говорить, пока вам не даст добро ваш адвокат. Я буду вас защищать.

Джулия широко раскрыла глаза:

— Неужели вы не отказываетесь от меня, мистер Мейсон? Вы беретесь защищать меня?

— Пока да. Ну а теперь не тратьте время на пустые разговоры. Раздевайтесь и ложитесь спать. Вы, Стелла, тоже ничего не говорите. Сидите тихо и молчите. Как вы думаете, у вас это получится?

Стелла Кенвуд посмотрела на адвоката и дрожащим голосом ответила:

— Не знаю, вряд ли.

— Я тоже не уверен, что вы выдержите, — сурово произнес Мейсон. — Но вы должны попытаться. Постарайтесь молчать столько, сколько сможете. Что касается вас,

Джулия, вы не отвечайте даже на самые пустяковые вопросы и не делайте никаких заявлений.

— За меня не беспокойтесь, — ответила Джулия. — Этому искусству меня не надо учить.

Мейсон попрощался с женщинами, раскрыл дверь и вышел в коридор. За его спиной скрипнули пружины кровати. Это Джулия Брэннер, сумевшая полностью сохранить выдержку, опустила откидную кровать.

Дождь переродился в холодную морось.

На улице было уже светло, и можно было рассмотреть низко плывущие темные тучи, медленно надвигающиеся с юго-востока.

Мейсон заводил мотор, когда из-за угла улицы появилась полицейская машина и остановилась перед многоквартирным домом «Сансет Арма».

Глава 9

На следующий день ранним утром Делла Стрит была уже в офисе, когда приехал Перри Мейсон.

— Что нового? — спросил он.

Он забросил шляпу на верхушку шкафа и кивнул головой на пачку писем.

— Полагаю, вы уже знаете, что Джулия Брэннер арестована за убийство Ренволда К. Браунли?

Мейсон широко раскрыл глаза, симулируя удивление, и произнес:

— Нет, впервые слышу об этом.

— Вышли экстренные выпуски всех газет. Джулия Брэннер заявляет, что вы будете ее защищать, поэтому вы должны бы знать об этой новости.

— Нет, это для меня огромная неожиданность.

Делла Стрит укоризненно покачала головой и спросила, усмехаясь:

— Шеф, а где вы были сегодня на рассвете?

Мейсон, подмигнув, ответил:

— Я никогда не умел убедительно врать. Удрал из дома в Вичвуде примерно за шестьдесят секунд до того, как нагрянула полиция.

Делла вздохнула.

— В один прекрасный день вам так не повезет.

— Ничего страшного бы не случилось. Я имею право беседовать со своей клиенткой.

— Во всех газетах подчеркивается, что Джулия Брэннер отказывается делать какие-либо заявления и отвечать на вопросы, но зато Стелла Кенвуд, подруга, сначала было заупрямилась, а потом сделала полное признание.

— Да, — сказал Мейсон, — ничего другого от нее нельзя было ожидать.

Делла Смит встревожилась:

— А она не могла наговорить чего-нибудь такого, что навлечет на вас неприятности, шеф?

— Вряд ли. Своими показаниями она вообще никому не может доставить неприятностей. Какие еще новости?

— Вас хочет видеть Пол Дрейк, говорит, что у него есть кое-что для вас. Телеграмма, которую вы послали на борт «Монтери» епископу Меллори, не была ему доставлена, потому что такого человека на судне нет среди пассажиров лайнера.

Мейсон даже присвистнул от изумления.

Делла Стрит, глядя в свою записную книжку, продолжала:

— Поэтому я под свою ответственность отправила капитану лайнера радиограмму с просьбой подтвердить, находился ли на борту «Монтери», когда они вышли из Сиднея на север, епископ Вильям Меллори? Если да, то уточнить, есть ли он сейчас среди пассажиров лайнера под своим или вымышленным именем.

Мейсон похвалил Деллу:

— Умница. Я подумаю над твоим сообщением. А сейчас позвони Полу Дрейку и попроси его прийти сюда вместе с Гарри. Есть еще новости?

— К. Вудворд Воррен просил о встрече с вами. Он долго разговаривал со мной, сказал, что заплатит сто тысяч долларов, если только вам удастся спасти жизнь его сыну.

Мейсон покачал головой.

— Это огромные деньги! — воскликнула Делла Стрит.

— Я знаю, что это огромные деньги, — со вздохом сказал адвокат, — и все же я вынужден от них отказаться. Этот парень — испорченный человек, он негодяй,

106

думающий, что сыну миллионера все дозволено. Он привык нарушать законы. Он думает, что ему всегда все сойдет с рук. Так что ему будет полезно немного поволноваться. Я сомневаюсь, чтобы он изменился. Получилось так, что, когда он впервые натолкнулся на людей, которые стали ему противоречить, он не задумываясь схватился за оружие и принялся стрелять. Теперь он уверяет, что сожалеет о случившемся, проливает крокодиловы слезы и воображает, что все ему простят, что папенькины деньги избавят его от всех неприятностей.

— Вы бы сумели добиться для него тюремного заключения, — с уверенностью заявила Делла Стрит, — мистер Воррен большего и не просит. Вы собираетесь защищать эту Брэннер, и думаю, что гонорара за это дело не предвидится. Зачем же отказываться от такого заманчивого предложения?

— Понимаешь, в деле Брэннер есть какая-то загадка в сочетании с чисто поэтическим пониманием справедливости и правосудия. Неужели ты не видишь в нем классическую человеческую драму? Я пока еще окончательно не решил, возьмусь ли я официально за защиту Джулии Брэннер. Но я хочу использовать свой опыт и способности на восстановление справедливости. Если же я возьмусь за дело Воррена — поступлюсь своими внутренними убеждениями, совестью и спасу заносчивого мерзавца от заслуженного наказания. Папаша недалеко отстал от сынка — глупый и заносчивый индюк. Это не первая переделка, в которую попадает парень. Старик все улаживал, деньгами замазывал рты, вот сынок и докатился до настоящего преступления. Сейчас он предлагает мне самую настоящую взятку, чтобы я вытащил этого подонка из петли. Пошли они оба к черту! Вызови-ка лучше Пола Дрейка, хочу узнать, что он скажет.

Пока Делла звонила по телефону, Мейсон ходил взад и вперед по кабинету, засунув по привычке большие пальцы в проймы своего жилета и наклонив голову вперед.

Увидев, что Делла слишком медленно набирает номер телефона Дрейка, он нетерпеливо крикнул:

— Брось эту ерунду. Слава Богу, не в другой город ехать, всего лишь пробежать несколько шагов по коридору. Ты скорее дойдешь туда, чем дозвонишься до него. Почему нас не соединяют?

— Оператор с коммутатора продиктовала мне текст телеграммы, которая была получена с борта «Монтери». Минуточку, я вам сейчас ее прочитаю.

Она прижала трубку к уху и распорядилась:

— Соедините меня с Детективным агентством Пола Дрейка. Хотя нет, передайте сами мистеру Дрейку, что адвокат Перри Мейсон ждет его у себя в кабинете.

Положив трубку на рычаг, она прочитала текст телеграммы:

— «Епископ Вильям Меллори был среди пассажиров из Сиднея на север тчк Сидел за моим столом тчк Ему около пятидесяти пяти — пятидесяти семи лет зпт вес сто семьдесят пять или сто восемьдесят тчк Сейчас среди пассажиров парохода нет тчк Была проведена проверка всех пассажиров». Телеграмма подписана «Капитан Е.-Р. Йохансон».

Мейсон кивнул.

— Не сомневаюсь, что капитан самым тщательным образом проверил всех пассажиров. Он сразу понял, что дело очень важное.

— А не мог ли епископ где-то сойти с парохода? — спросила Делла.

— Нет. Я верю словам капитана Йохансона. Раз он говорит, что епископа нет на его судне, значит, его там нет и не было.

— В таком случае люди Дрейка ошиблись, решив, что видели Меллори на борту «Монтери» и что он не сошел с него.

— Если у него с собой были чемоданы, он мог...

Не договорив фразы, адвокат замолчал.

Пару секунд он в упор смотрел в лицо своей секретарше, по всей вероятности не сознавая этого, потом сказал:

— Отправь новую радиотелеграмму капитану Йохансону. Пусть он сообщит, не остались ли на палубе или в багажном отделении чемоданы с наклейками епископа Меллори.

— Вы предполагаете, что он мог пронести на судно костюм для маскировки, переоделся и незаметно покинул корабль? — с сомнением спросила Делла Стрит.

— Он явился на борт в маскараде, — рассмеялся Мейсон.

— Как это?

— По отчетам агентов, — сказал Мейсон, — у него голова была забинтована. Я был в номере в отеле сразу же после того, как его увезли в машине «Скорой помощи». Одеяло лежало на кровати, на подушке и матрасе оставались контуры человеческого тела, но нигде не было видно следов крови. Меллори, видимо, ударили по голове мешком с песком, это вызывает контузию, но не проламывает череп. Вот и ответ, почему епископ забинтовал себе голову, да еще так тщательно, что лицо было почти все закрыто.

Делла с озадаченным видом посмотрела на адвоката и сказала:

— Но, шеф, ведь люди Дрейка уже знали, как он выглядит. Какой смысл скрывать черты лица от них?

Мейсон усмехнулся.

— А ты когда-нибудь присутствовала при отплытии большого океанского судна?

— Нет, а что?

— От первой минуты до последней на палубе царит невероятная суматоха. Обалдевшие люди носятся с одурелым видом взад и вперед, на трапе не протолкаться, все кричат, матросы не знают, кому и отвечать. Мимо контролеров непрерывной вереницей проходят все новые и новые пассажиры. Представь себе на минуту, что ты детектив и что ты видела, как человек в черной одежде с белой повязкой на голове поднимается на палубу. В суматохе ты не в состоянии внимательно следить за лицами тех, кто снует мимо тебя. Бессознательно ты будешь высматривать человека с забинтованной головой в черной одежде, и, если человек, за которым ведется наблюдение, спустился по сходням в сером твидовом пальто или же в неприметном клетчатом костюме и в самой обычной фетровой шляпе, низко надвинутой на лоб, ты непременно пропустишь его мимо себя, даже не бросив на него второго взгляда. Не забывай, что времени на размышление и разглядывание пассажиров нет, ситуация меняется постоянно. В такой обстановке отца родного можно не заметить, а не то что какого-то малознакомого человека.

Делла Стрит кивнула, соглашаясь с доводами Мейсона.

— Да, я допускаю, что нечто подобное могло бы произойти, но...

Ее прервал условный стук Пола Дрейка, подошедшего к кабинету адвоката.

Делла Стрит поспешила открыть дверь. Пол Дрейк кивнул ей и сказал тягучим голосом, как будто у него была головная боль или сильная простуда:

— Доброе утро, Делла.

Следом за ним вошел Гарри.

Дрейк недовольным голосом сказал Мейсону:

— Вчера ночью ты не разрешил мне сделать последний глоток виски на дорогу, и вот результат! Можешь полюбоваться. Я совершенно болен.

Мейсон отметил его слезящиеся глаза, покрасневший нос, усмехнулся и заявил:

— Все дело в том, Пол, что ты хлебнул лишнего при первом заходе. Отсюда столь бурная реакция. А что скажете вы, Гарри? Как вы себя чувствуете?

— Превосходно. Хотя я и мои люди мокли под дождем несколько часов до вашего прибытия.

Дрейк скользнул в мягкое кресло, перекинул длинные ноги через один из подлокотников и, упершись спиной, посмотрел жалобно на Деллу Стрит, покачал головой и со вздохом сказал:

— Вот что получается, когда стараешься кому-то услужить. Измотался, простудился, заболел, работая на этого неугомонного адвоката, и какая благодарность? Никакой. Ни капли сочувствия, просто собачья жизнь. Детектив трудится день и ночь за жалкие гроши, а адвокаты гребут лопатами бешеные деньги, хотя успех их работы полностью зависит от сведений, которые собирают им детективы.

Мейсон весело подмигнул Дрейку:

— Самое страшное в простуде — последствия. У некоторых больных появляется пессимистический взгляд на жизнь. Ты бы лучше подумал, Пол, о том, как тебе повезло, что у тебя такой замечательный работодатель. Но если тебе и правда так уж необходимо сочувствие, то пусть Делла Стрит возьмет тебя за руку и даже время от времени поглаживает ее, пока ты нам будешь рассказывать, что произошло.

Неожиданно Дрейк вздрогнул, его лицо исказилось в стремлении удержаться от чихания, глаза увлажнились, правая рука нырнула в карман за носовым платком, но он не успел его достать — в кабинете раздалось оглушительное «апчхи». Справившись с приступом, детектив вытер нос и печальным голосом произнес:

— Эта особа Ситон исчезла, как сквозь землю провалилась! Всю ночь не появлялась у себя на квартире. Сегодня утром я тайком заглянул туда еще раз. Все осталось точно в таком состоянии, как при нашем последнем посещении.

Мейсон нахмурился:

— Как ты считаешь, Пол, не может она скрываться у кого-нибудь в этом же доме? В квартире какой-то приятельницы?

— Вряд ли. Ее зубная щетка и тюбик с зубной пастой остались в футлярчике на умывальнике. Она не могла выйти незаметно и купить себе новую, а если бы она позабыла взять с собой сразу, то наверняка потихоньку пробралась бы к себе домой из квартиры приятельницы.

— Тогда где же она?

Дрейк пожал плечами, его лицо опять исказилось в гримасе, и он поспешно зажал нос платком, а пальцами второй руки стал тереть переносицу. Так прошло несколько минут, потом напряжение ослабло, и с очередным вздохом Дрейк сказал:

— Ну что за подлость, Перри. И как не жаловаться на жизнь? Ведь каждый раз, если я успеваю поднести платок к носу, я не могу чихнуть. А если я чихаю, то не доношу платка до носа, даже не успеваю вытащить его из кармана. А вот нечто весьма странное, Перри. Около дома мы обнаружили еще двоих людей, также занимающихся слежкой.

— Полиция?

— Нет, вряд ли. Мои парни определили, что это частные детективы.

— Почему ты считаешь, что они следят за мисс Ситон?

— С полной уверенностью сказать не могу, но похоже на то. Один из них болтался на ее этаже. Не исключено, что он даже побывал в ее квартире. Чего ты хочешь узнать от Гарри?

Мейсон повернулся к Гарри Каултеру.

— Скажите, Браунли прямиком отправился на пристань вчера ночью?

— Да.

— И вы ехали следом?

— Угу.

— Какие-нибудь другие машины не проезжали мимо вас в том же направлении?

Гарри на секунду задумался.

— Да, как раз перед тем, как нам выехать на побережье, мимо пронесся большой крытый желтый автомобиль, причем он несся с бешеной скоростью. Возможно, до этого проезжали и другие машины, только я на них не обратил внимания. Следить за старым Браунли в такую дождливую погоду было совсем не просто! Но этот желтый автомобиль совершенно не считался ни с погодой, ни с состоянием дороги. Он обогнал нас уже после того, как мы миновали землечерпалку.

— Другими словами, когда вы уже достигли района гавани?

— Верно.

— Сколько людей сидело в машине, один или двое?

— Полагаю, что один. И, кажется, машина была марки «кадиллак». Но я не вполне уверен.

Мейсон медленно произнес:

— Пол, надо проверить все машины в гараже Браунли. Не найдется ли среди них желтого, подходящего под это описание «кадиллака». Ну и потом попробуй узнать у слуг, не заметили ли они какой-нибудь необычной возни после того, как Браунли уехал из дома и...

— Одну минуточку! — прервал его Гарри. Он сильно наморщил лоб. — Я думаю, что должен вот еще о чем рассказать.

Мейсон повернулся к нему:

— Выкладывай!

— Внизу у самого яхт-клуба стояло несколько машин. У всех был такой вид, как будто они находились там с незапамятных времен. Вы же знаете, как поступают богачи, когда отправляются в морское путешествие. Ставят машину на стоянку, запирают ее на замок и оставляют до самого возвращения. В клубе имеется несколько гаражей, но они...

— Да, я это знаю, — прервал его Мейсон. — Ну и что же?

— Так вот, когда я кружил по территории гавани в поисках машины Браунли, то обратил внимание на то, что под дождем мокло пять-шесть таких «забытых» машин. Я ужасно злился, что позволил Браунли провести меня, поэтому внимательно присматривался ко всем автомобилям. Понимаете, я вовсе не намеревался их запомнить, а хотел лишь убедиться, что среди них нет автомобиля Браунли. Когда я убеждался в этом, ехал дальше. И вот теперь я припоминаю, что одна из этих машин был большой желтый «кадиллак». Возможно, тот самый, который промчался мимо меня. Конечно, утверждать наверняка не могу, потому что дождь лил как из ведра, так что я толком-то и не разглядел проезжающую машину. Я увидел огни фар в зеркале заднего обзора, потом нас окатило огромной волной грязной воды, и машина с грохотом пролетела мимо. Я смог лишь разглядеть задние огни, в дождливую погоду ничего больше не увидишь.

Пол Дрейк чихнул, на этот раз успев вытащить свой носовой платок, и произнес довольным голосом:

— Впервые точно определил, когда буду чихать! Это уже большая победа. И где это я так простудился?

— Ты не мог простудиться сегодня ночью, — проворчал Мейсон. — Почему что простуда так скоро не проявляется.

— Да, я знаю. По твоему мнению, возможно, у меня вовсе и не простуда. Ты уподобляешься тем морским волкам, которые разгуливают с трубками в зубах по палубе океанского лайнера и уверяют позеленевших пассажиров, что на свете не существует такого явления, как «морская болезнь», все это плод фантазии.

— В нормальных условиях я не стал бы тебе этого говорить, Пол...

— В нормальных условиях и я не стал бы тебе этого говорить, Перри. Но поскольку ты оказался таким толстокожим и даже не выказал мне сожаления, я тоже не стану деликатничать. Ты пытаешься узнавать подробности быта Браунли, интересуешься желтыми «кадиллаками», но скоро ты убедишься, что топчешься на одном месте. Это тот случай, когда полиция практически уличила твоего клиента, ухватила его за жабры, и, если ты будешь продолжать работать в том же духе, тебя тоже прижмут. Да еще как!

— Что ты имеешь в виду?

— Только то, что я сказал. Полиция не дремала все это время, да и ты сам кое-где наследил. Твоя деятельность не прошла незамеченной. Полиция может доказать, что Браунли предупредил тебя, что он собирается составить завещание, которое оставит твою клиентку на бобах. Они смогут проследить тебя до Вестерн-Юнион-офиса, откуда ты посылал телеграмму на борт «Монтери» и пользовался платным телефоном. Они могут доказать, что ты звонил Джулии Брэннер на квартиру к Стелле Кенвуд. После того, как ты позвонил Джулии, она взяла такси, чтобы водитель доставил письмо Ренволду Браунли. Старик прочел письмо и решил немедленно ехать в гавань. Во всяком случае, многие видели, что Браунли был страшно возбужден.

— Таксист вручил письмо непосредственно самому Браунли? — спросил Мейсон.

— Нет, его внуку. Филипп отнес письмо наверх. Старый Браунли спал.

— Филипп видел, как он читал письмо?

— Да. Дед даже сказал ему о том, что он получит часы Оскара у Джулии Брэннер.

— Продолжаем рассуждать. Полиция приходит к заключению, что Джулия уговорила Браунли поехать в гавань. Она его там встретила, вскочила на подножку автомобиля и разрядила в него свой кольт. Пистолет она уронила, сама же пустилась наутек. Ее сообщник, находившийся с ней в сговоре, сел в машину и подогнал ее к пирсу, возле которого стояла другая машина. Я говорю о машине Браунли, как ты понимаешь. Этот человек поколдовал со скоростью, открыл дроссель, стоя на подножке, потом соскочил с нее, а машина сорвалась с набережной в воду.

— Насколько мне известно, машина стояла на низкой скорости, когда ее вытащили из воды. Это так? — спросил Мейсон.

Дрейк, вытиравший в этот момент нос, невнятно пробурчал:

— Ну, так.

— Там нашли пистолет Джулии Брэннер, — подхватил Каултер.

— У нее имеется разрешение на ношение оружия, выданное в Солт-Лейк-Сити, — добавил Дрейк, громко чихнув. — Более того, полиция обнаружила отпечатки ее пальцев на окошечке машины с левой стороны. Понимаешь, Браунли ехал с закрытыми окнами из-за сильного дождя. Когда Джулия появилась, он опустил стекло, чтобы поговорить с ней, но опустил не до самого конца. Она встала на подножку, схватилась одной рукой за стекло, и в результате на внутренней стороне окна остался превосходный отпечаток ее пальцев. Полиция успела поднять машину до того, как вода смыла все следы.

Мейсон нахмурился.

— Можно ли допустить, что она оставила свои следы на стекле до того, как Браунли проехал в гавань?

— Нет даже одного шанса на миллион, — ответил Дрейк. — Это все теневая сторона, Перри. Я сейчас расскажу тебе о единственной светлой полосочке: вполне вероятно, что девушка, живущая в его доме, совсем не внучка Ренволда К. Браунли.

Мейсон оживился.

— У тебя имеются какие-нибудь факты?

— Разумеется, я кое-что откопал, — все так же ворчливо ответил Дрейк. — Я, конечно, не в состоянии полностью оценить их, но вот факты. После смерти Оскара Браунли его отец захотел отыскать свою внучку, поэтому он поручил детективу Джексону Ивсу разыскать внучку. Возможно, что Ивс по собственной инициативе явился к Браунли и заявил, что он сумеет найти девушку. Мне не удалось точно выяснить, как это было. Ты сам понимаешь, что с моей стороны было бы весьма некорректно вламываться в чужое детективное агентство, да и вообще не принято дурно отзываться о покойниках. Поговаривают, что старик Браунли обещал уплатить двадцать пять тысяч долларов, если Ивс сумеет отыскать ему внучку. Ты понимаешь? Двадцать пять тысяч плюс надежда кое-что урвать из того наследства, которое может получить девушка. Противопоставь это профессиональной этике Ивса. Заманчиво? Тебе не придется заглядывать в справочники в поисках ответа. Вот и все, что я хотел сказать про Ивса. Думаю, сначала он и правда пытался разыскать внучку Ренволда К. Браунли. Он добрался даже до Австралии, но и там наткнулся на непроницаемую стену молчания. Итак, на ставке находились двадцать пять тысяч долларов, а это слишком большая сумма, чтобы Джексон Ивс от нее отказался только потому, что он никак не может представить человеку подходящую внучку. Ты прекрасно понимаешь, что практически единственный способ разоблачить самозванку — это поставить рядом с ней настоящую дочь Оскара Браунли. Ивс достаточно долго прорабатывал такую вероятность, чтобы убедиться, что таковую девушку не найти... Конечно, старый Браунли пожелал иметь доказательства, прежде чем он заплатит обещанную сумму. Но в то же время ему самому страстно хотелось поверить тому, что это его родная внучка. Ему хотелось не сомневаться. Ну, а девушка и Ивс хотели его убедить. Короче, их желания совпадали, и не нашлось никого другого, кто стал бы им возражать. Все равно как если бы адвокат стал защищать своего клиента перед судьей при отсутствии свидетелей или обвинителя с другой стороны.

Мейсон задумчиво произнес:

— Так ты предполагаешь, что Ивс договорился с девушкой о том, что она поделится с ним тем наследством, которое должно остаться ей от деда?

Дрейк пожал плечами.

— Конечно, в этом нет сомнения. Не воображай, что Ивс упустил бы такую прекрасную возможность.

— Он умер?

— Да.

Мейсон задумчиво произнес:

— Знаешь, Пол, один бы он такую аферу не провернул. Нет, в этом деле наверняка участвовал кто-нибудь еще. Думаю, что после смерти Ивса остался какой-то человек, который ждет «причитающуюся ему долю состояния».

Дрейк несколько раз кивнул головой.

— Логично, но, к сожалению, это всего лишь предположение, я не могу ничего доказать.

— Ну и потом, не исключено, что есть еще кто-то, кто заинтересован в этом деле и тоже намеревается вмешаться, чтобы урвать кусок от сладкого пирога, — задумчиво добавил Мейсон.

— Это уже не так очевидно, но, возможно, ты окажешься прав! Это дело — самая благодатная почва для шантажиста. Надо сказать, что ни старик Браунли, ни Джексон Ивс не принадлежали к категории разинь и глупцов. Например, ни в одной из газет не было сообщения, когда девушка перебралась в дом деда. Без лишнего шума приехала к нему и стала там жить, позднее Браунли весьма буднично объявил, что девушка его внучка. И уж некоторое время спустя в отделе великосветской хроники стали появляться заметки о том, как она проводит время на Палм-Спрингс или в других модных местах, где собирается золотая молодежь.

Мейсон медленно наклонил голову.

— Она где сейчас? В доме деда?

— Нет, она уехала из дома сегодня утром и перебралась в отель «Санта-дель-Риос». Ты понимаешь, что такое юное существо не желает оставаться в доме после подобной трагедии.

— Это она так говорит! — заметил Мейсон.

— Да, это она так говорит, — подтвердил Пол Дрейк.

— Можно предположить, — продолжал развивать свою мысль адвокат, — она перебралась в отель и потому, что там гораздо легче встречаться и переговариваться по телефону с теми людьми, которые очень заинтересованы в том, чтобы ее не замешали в дело об убийстве Браунли.

Дрейк чихнул, вытер нос и сказал:

— Я установил за ней наблюдение.

— Превосходно!

Мейсон принялся расхаживать по кабинету, на его лбу резко обозначились продольные складки. Пару раз он с сомнением качал головой, потом остановился посреди комнаты, широко расставив ноги и уставившись невидящими глазами на детектива.

— Это нас никуда не приведет, — произнес он наконец. — Понимаешь, Пол, это такая сеть, которая изловит всю мелкую рыбешку, но свободно пропустит крупную.

— О чем ты?

— Если она находится в отеле и какой-то человек намеревается повидаться с ней, то этот человек либо детектив, либо он из тех людей, с которыми был связан Ивс при жизни. Иными словами, ему известны методы работы сотрудников детективного агентства. Он уверен, что за девицей установлено наблюдение. Ну и он изобретет нечто такое, чтобы слежка не принесла нам никаких результатов. Хотя бы в отношении его самого.

— Так все напрасно? — разочарованно протянул Пол Дрейк. — Ну, черт побери, что же делать дальше?

Мейсон вздохнул:

— Ничего. Нам не удастся связаться с интересующим нас человеком, пытаясь обнаружить оставленные им сзади следы.

Он повернулся к Делле Стрит и спросил:

— Делла, не могла бы ты достать тюбик краски для волос, который придаст им красновато-рыжий оттенок?

— А зачем?

Мейсон усмехнулся:

— Ты могла бы войти в квартиру мисс Ситон, как если бы она принадлежала тебе, упаковать чемоданы и перебраться с ними в гостиницу?

Дрейк насторожился:

— Мне кажется, это весьма опасно...

Мейсон, продолжая говорить монотонным тихим голосом человека, выражающего вслух свои мысли, уверенно прервал детектива:

— Опасно проникновение в жилище без разрешения владельцев, взлом замка, мошенничество и еще кое-какие вещи, если только удастся доказать преступные намерения этого человека. Если же они этого доказать не сумеют, тогда ничего особенно страшного в таких действиях нет.

— Но что ты этим выиграешь? — спросил Дрейк.

— Если те парни, которым поручено наблюдение за домом, наняты человеком, заинтересованным в получении доли наследства, полагающейся Ивсу, то им не может быть ничего известно о Дженис Ситон, помимо словесного портрета, а это сводится к изящной фигуре и рыжим волосам. Как только они заметят женщину, более или менее отвечающую этим приметам, которая выйдет из квартиры мисс Ситон, они станут действовать по теории, что два и два всегда четыре, и не предложат ей пройти с ними в полицию для подтверждения ее личности.

Гарри Каултер беспокойно заерзал на стуле:

— Нельзя заранее сказать, каковы их намерения, Мейсон. С одной стороны, вроде бы вы и правы, но...

Он замолчал, не договорив фразы, и ограничился тем, что пожал плечами.

Делла Стрит подошла к стенному шкафу, чтобы достать из него свое пальто и шляпу.

— Мне потребуется часа два, шеф, чтобы выкрасить волосы и уложить их, — сказала она деловито и вышла.

Мейсон кивнул. А Дрейк и Гарри, не скрывая своего восхищения, молча посмотрели ей вслед.

Глава 10

Мейсон в ожидании стоял перед зданием отеля и с хмурым видом посматривал на свои ручные часы. Он закурил сигару и нервно зашагал огромными шагами вдоль узкой полосы тротуара. Когда сигара была до половины выкурена, из-за угла вынырнуло такси с небольшим чемоданчиком, прикрепленным к багажнику ремнями.

Мейсон бросил взгляд на машину, выбросил недокуренную сигару в мусорный ящик; он убедился, что из такси вылезает Делла Стрит, темные волосы которой стали рыжевато-медного цвета.

Мейсон повернулся, вошел в вестибюль, успокоительно кивнул клерку, дежурившему за стойкой, и сообщил:

— Благодарю вас, ключ у меня.

Поднялся на лифте на одиннадцатый этаж и отомкнул дверь номера 1028. Заперев дверь, он придвинул к ней стул, влез на него и прижался к находившемуся сверху продольному стеклу, чтобы увидеть вход в номер 1027, расположенный напротив.

Через несколько минут раздались звук открывающегося лифта, быстрые шаги по коридору и легкое попискивание ручки чемодана. По коридору шла Делла Стрит, впереди шагал портье, неся в обеих руках ее багаж.

Портье остановился перед дверью номера и сказал:

— Вот ваша комната, которую вы забронировали. Если она вам не понравится, мы ее обменяем.

— Я не сомневаюсь, что номер мне понравится, — сказала Делла Стрит. — Мне рассказывали о вашем отеле. Здесь когда-то останавливалась моя приятельница.

Портье открыл дверь и отступил в сторону, пропуская вперед Деллу, сам зашел следом и внес чемоданы. Минутой позже появился носильщик с большим чемоданом.

Мейсон оперся обеими руками о раму окошечка, прижавшись для удобства всем телом к стене. Он видел, как портье и носильщик вышли из номера в коридор с довольными улыбками на физиономиях, осторожно прикрыв за собой дверь.

Последовало долгое утомительное ожидание. Мейсон переминался с ноги на ногу, меняя позицию тела, курил сигары, раздавливая окурки там же наверху о раму.

Но вот снова хлопнула дверь лифта, и адвокат напряженно прислушался, превратившись в неподвижное изваяние. В коридоре раздались быстрые шаги. По ковровой дорожке шагал высокий мужчина. В его, казалось бы, ровной походке угадывалось что-то скрытое, он, казалось, не шел, а крался, хотя и не старался потише ставить ноги.

Человек постоял перед дверью Мейсона, поднял руку, собираясь постучать, потом прищурил глаза, всматриваясь в номер на дверях, потом круто повернулся и постучал в дверь 1027.

Делла Стрит спросила:

— Кто там?

— Электрик, проверить проводку.

Делла Стрит отворила дверь. Человек, не говоря ни слова, вошел в комнату.

Дверь за ним закрылась излишне шумно.

Мейсон докурил сигарету и взглянул на часы.

Секунды, тикая, превращались в минуты.

Минут через пять Мейсон закурил было новую сигару, но, сделав пару затяжек, отбросил ее: из номера напротив до него донесся какой-то приглушенный удар, напоминающий падение тяжелого предмета.

Мейсон соскочил на пол, стул при этом отъехал на середину комнаты, посланный туда сильным толчком руки, распахнул дверь в коридор, тремя быстрыми шагами пересек его и нажал на ручку двери номера 1027.

Дверь была заперта.

Мейсон, действуя с поистине кошачьей ловкостью, отошел назад, пригнул плечо и с разбегу навалился всем своим весом на створку двери. Дерево затрещало, замок не выдержал натиска, дверь расщепилась и открылась, повиснув на петлях.

Мейсон ворвался в комнату.

В глаза ему бросились пара отчаянно брыкающихся женских ножек и широкие плечи мужчины, склонившегося над тоненькой сопротивляющейся фигуркой. На полу валялись сорванные простыни с дивана-кровати, на котором боролась пара, мужчина прижимал толстое одеяло к лицу Деллы Стрит, заглушая ее крики, и медленно душил ее. Он вскочил на ноги, повернулся лицом к Мейсону, голос у него был яростный, хриплый, когда он громко крикнул:

— Назад!

Рука мужчины метнулась в задний карман брюк.

— Ни с места! — предупредил он Мейсона.

Но Мейсон уже бросился на помощь Делле.

Делла Стрит избавилась от одеяла. Высокий мужчина выхватил сине-черный пистолет. Мейсон, находящийся от него в каком-то десятке футов, взглянул в страшное темное отверстие, которым заканчивался револьвер тридцать восьмого калибра. Человек ощерился, как дикий зверь, расправил плечи, как будто ожидал сильной отдачи от своего оружия.

Мейсон посмотрел на Деллу Стрит.

— Тебе больно, бедняжка?

— Поднимите руки вверх! — приказал человек с револьвером. — Повернитесь лицом к стене. Живее! Руки держите как можно выше и...

Делла Стрит, изогнувшись, присела и неожиданно бросилась вперед. Мужчина отпрыгнул в сторону, но недостаточно быстро: она успела вцепиться в его руку, державшую оружие. Мейсон двумя прыжками настиг его и, оказавшись рядом, сильно ударил его правой рукой под челюсть.

Длинный качнулся назад. Делла Стрит, пытавшаяся отнять револьвер, поскользнулась и упала лицом вперед, ухитрившись все же выбить оружие. Мужчина удержался на ногах, схватил за спинку стул, намереваясь обрушить его на голову адвоката.

Делла Стрит быстро схватила револьвер и закричала:
— Не спускайте с него глаз, шеф! Он убийца!

Мейсон замер на месте, сделав вид, что сейчас бросится на противника. Тот, размахивая стулом, как пращой, ожидал удобного момента, чтобы нанести с его помощью сокрушительный удар, в полной уверенности, что Мейсон сейчас подскочит к нему. Он быстро сообразил, что его обманули, однако, приготовившись к ответному прыжку, он уже не мог удержаться в равновесии. Отбросив стул, он сам метнулся навстречу Мейсону, уже не имея времени правильно рассчитать длину прыжка. Мейсон резко отбросил левой рукой мужчину в сторону и одновременно сильно ударил правой по его носу. Он почувствовал, как хрящ переносицы хрустнул у него под кулаком, противник отшатнулся и упал на колени.

Он пытался что-то сказать, но слова вылетели в форме нечленораздельного бормотания сквозь кровавое липкое месиво, в которое были превращены его губы и нос.

Мейсон схватил противника за воротник, рывком поставил его на ноги, повернул кругом, пинком колена кинул на диван, где он только что боролся с Деллой Стрит. Руки адвоката быстро и ловко ощупали его одежду. Оружия не было.

— Ол-райт, приятель, — сказал он, — давай рассказывай!

Мужчина яростно посмотрел на Мейсона, из его горла вырвалось страшное клокотание, он потянулся к карману, вытащил носовой платок, на секунду приложил его к изуродованному носу, чтобы тут же отнять его совершенно промокшим в крови.

Делла Стрит вышла из ванной с намоченным полотенцем. Мейсон протянул его мужчине и попросил Деллу:

— Принеси холодной воды.

Она принесла. Мейсон намочил еще одно полотенце и приложил его сзади, к шее своего противника, чтобы остановить кровотечение.

Мужчина произнес глухим голосом, с явным трудом выговаривая слова:

— Ты сломал мне нос.

— Черт побери, а что, по-вашему, я пытался сделать. Не поцеловать же вас? Вам еще чертовски повезло, я мог сломать вам шею.

— Я добьюсь того, что тебя за это арестуют! — прокричал мужчина.

Мейсон расхохотался.

— Брось хорохориться. Сначала ты сам будешь обвинен в нападении на женщину с намерением ее убить. Что он сделал, Делла?

Делла Стрит лишь усилием воли держала себя в руках:

— Он сразу же накинулся на меня, шеф, а когда я попыталась вызвать вас свистком, он повалил меня на кровать, прижал, сорвал с постели одеяло и пытался меня задушить. Совершенно определенно, он хотел меня убить.

Человек застонал, прижимая к лицу мокрое полотенце.

Мейсон с ненавистью сказал:

— Мне следовало бы размозжить тебе голову, негодяй! Теперь же, черт побери, я так испортил тебе рожу, что епископ Меллори не сумеет распознать в тебе того человека, который ударил его по голове.

Непонятное бормотание донеслось из-под мокрого полотенца.

Мейсон чертыхнулся.

— От такого собеседника многого не услышишь. Давай-ка проверим, с какой птицей мы имеем дело.

Он совершенно хладнокровно вывернул содержимое карманов человека. Тот сделал попытку оттолкнуть адвоката прочь и потянулся было к его горлу.

— Неужели тебе еще мало? — Мейсон разозлился.

Он легко ударил противника в солнечное сплетение кулаком, и тот затих.

Как только он прекратил сопротивление, Мейсон вытащил содержимое карманов и разложил на столе, громко называя все Делле Стрит. Появились: бумажник, футляр для ключей, нож, часы, дубинка, пачка сигарет, авторучка, карандаш и отдельный ключ, прикрепленный к кожаному футлярчику.

— Перепиши-ка все это, Делла, — сказал Мейсон, — а теперь проверим документы.

Человек лежал совершенно неподвижно на диване. Только прерывистое дыхание, хрипло вырывающееся из-под полотенца, указывало, что он жив.

Делла Стрит твердо заявила:

— В моих глазах он самый обычный наемный убийца. Он пытался меня задушить, только вы ему помешали.

— Ол-райт, Делла, но и у убийц есть имена. Думаю, когда мы выясним, кто он, мы будем знать куда больше, чем в настоящий момент!

Делла нервно рассмеялась, открывая бумажник.

— У меня дрожат руки. Господи, шеф, как я напугалась!

— Ничего, теперь мы запрем его в клетке. Убежден, что именно он ударил епископа по голове. Его запрячут за решетку, хотя бы за то, что он носит в кармане вот эту дубинку.

— Ага, вот водительские права, — сказала Делла Стрит, — на имя Питера Сэкса. Адрес — номер 691, Риплей-Билдинг.

— О'кей! Что еще?

— А это деловые карточки. Стейт-Байд-Детектив-агентство. Объединение. А тут лицензия, выданная частному детективу Питеру Сэксу.

Мейсон присвистнул.

— Хорош «частный детектив»!

— Здесь есть еще и другие бумаги. Они вас интересуют?

— Конечно. Все до одной.

— Тут сто долларов в двадцатидолларовых бумажках. А это — телеграмма, адресованная епископу Меллори Вильяму на пароход «Монтери». Прочитать?

— Читай.

124

— «Чарльз В. Ситон погиб шесть месяцев назад в автомобильной катастрофе тчк Я занимаюсь его финансовыми делами тчк Отправляю вам важное письмо по адресу Метсон-компани зпт Сан-Франциско». Подписано: *Джаспер Пелтон, адвокат*».

— Вот теперь мы сдвинулись с мертвой точки, — воскликнул Мейсон. — Что еще, Делла?

— Вот длинное письмо от Джаспера Пелтона, адвоката в Бриджвилле, Айдахо. Оно адресовано епископу Вильяму Меллори, пассажиру «Монтери», через Метсон-компани, Сан-Франциско.

«Дорогой епископ, в качестве поверенного, занимающегося делами мистера Чарльза В. Ситона, я получил радиограмму, которую вы послали мистеру Ситону, прося его связаться с вами сразу же после вашего приезда в Сан-Франциско.

Миссис Ситон умерла около двух лет назад, мистер Чарльз В. Ситон остался вдвоем с дочерью Дженис. Шесть месяцев назад мистер Ситон получил смертельные травмы при автомобильной катастрофе и умер через сутки. Его дочь Дженис не отходила от него до самого последнего часа. По профессии она дипломированная медсестра. Я сообщаю вам об этом с такими подробностями, потому что в тот промежуток времени, когда он приходил в сознание, мистер Ситон несомненно хотел передать для вас нечто важное. Перед смертью он несколько раз повторил: «Епископ Меллори. Скажи ему... не хочу... читал в газетах...»

Я сообщил вам все слова, которые я сумел разобрать и записать. К несчастью, Ситон был до того слаб, что выговаривал все крайне невнятно, так что по большей мере у него получалось какое-то невнятное бормотание. Очевидно, он это сознавал и сделал несколько отчаянных попыток сказать одни и те же слова. И все же ему это так и не удалось сделать, он умер, ничего не объяснив. Лично я ничего не понял.

Я прилежно обыскал все Соединенные Штаты, надеясь, что епископ Меллори сумеет пролить свет на то, что Мистер Чарльз Ситон старался сообщить перед смертью. Я обнаружил одного епископа Меллори в Нью-Йорке, второго в Кентукки. Ни один из них не смог припомнить мистера Ситона, хотя оба согласились, что когда-то мистер Ситон мог сталкиваться с ними по тому или иному делу, но они забыли про него, поскольку епископам приходится сталкиваться с огромным числом самых разнообразных людей.

Одно время мистер Ситон владел значительным состоянием, но в последние два года его финансовые дела пришли в полнейший упадок, так что после того, как будут выплачены все его долги по займам, налоги и прочие обязательства, сомнительно, чтобы многое осталось у его дочери, которая в настоящее время находится где-то в Лос-Анджелесе.

У меня нет ее теперешнего адреса, но я намереваюсь связаться с ней через ее друзей и попрошу ее списаться с вами.

Если вам случится побывать в Лос-Анджелесе, вы сможете разыскать ее, воспользовавшись тем фактом, что она дипломированная медсестра.

Я сообщаю вам все эти подробности потому, что был личным другом покойного Чарльза В. Ситона, а также членом Братского общества, в работе которого он принимал активное участие. Я бы очень хотел, чтобы его дочь Дженис получила более или менее значительную часть состояния отца, так что, если вы можете в какой-то мере способствовать этому, я прошу вас связаться с мисс Ситон или со мной».

— Это все? — спросил Мейсон.

— Все, если не считать весьма неразборчивого почерка и подписи. Одни завитки и крючки.

— Ну что же, Делла, как я уже говорил, ситуация начинает проясняться. Это были как раз те бумаги, которые они...

Он не успел закончить, как его прервал голос возле двери:

— Что здесь происходит?

Мейсон повернулся и увидел почтенного вида немолодого джентльмена: небольшие совершенно белые усики ярко выделялись на фоне розовощекого цветущего лица, глаза были холодными, настороженными. По внешнему виду этого человека можно было принять за банкира, если бы не какая-то скрытая угроза, исходившая не то от его глаз, не то от голоса, не то от всей его фигуры.

Мейсон спросил:

— Какова ваша роль в этой истории? Почему вы здесь?

— Я Виктор Стоктон, — ответил незнакомец. — Вам это что-нибудь говорит?

— Нет, — ответил Мейсон.

— Вы также мне совершенно неизвестны.

При звуке голоса Стоктона Сэкс, лежавший на диване, с трудом приподнялся и сел, потом отнял окровавленное полотенце от лица.

Холодные серые глаза скользнули с Мейсона на Сэкса.

— Это он так тебя разукрасил, Пит? — спросил джентльмен.

Сэкс попытался что-то ответить, но его распухшие губы в сочетании с разбитым носом сделали его слова совершенно непонятными.

Стоктон снова повернулся к Мейсону.

— Этот человек — мой партнер, — заявил он. — Я работаю вместе с ним по данному делу. Я не знаю, кто вы такой, но я непременно узнаю.

Мейсон, держа руки по швам, ровным голосом отчеканил:

— Ваш приятель Питер Сэкс забрался в комнату епископа Меллори в отеле «Ригал» и выкрал оттуда некоторые бумаги. Скажите, вы были его партнером в этой операции?

Глаза Стоктона оставались холодными, он вроде бы даже не сморгнул, но Мейсону показалось, что они затянулись какой-то пленкой.

— Располагаете доказательствами? — спросил он.

Мейсон усмехнулся.

— Вы попали в самую точку, я располагаю доказательствами.

Внезапно Сэкс приподнялся на диване, встал и попытался вырвать письмо из рук Деллы, но Мейсон схватил его за плечо и толкнул обратно на диван. Стоктон тоже шагнул вперед, рука его потянулась к заднему брючному карману.

Мейсон почувствовал, как Делла Стрит на секунду прижалась к нему всем телом и вложила в его правую руку холодную сталь пистолета тридцать восьмого калибра, которым недавно угрожал воинственный частный детектив.

Мейсон выбросил руку вперед.

Увидев оружие, Стоктон сразу же замер на месте, по всей вероятности понимая, что с Мейсоном шутки плохи.

Адвокат громко произнес:

— Делла, позвони-ка в полицию и скажи им...

Детектив с разбитой физиономией моментально опустил ноги с дивана на пол.

Стоктон кивнул головой.

Сэкс, качаясь из стороны в сторону, проскочил мимо него и исчез в коридоре, нарушая его тишину своими запинающимися, но все же очень быстрыми шагами. Что касается Стоктона, то он не спешил. С нарочитой медлительностью повернулся на каблуках и неторопливо вышел из номера, осторожно прикрыв за собой дверь.

Мейсон сразу же повернулся к Делле:

— Он тебя не покалечил?

Она улыбнулась ему, покачала головой, потом ощупала себе горло кончиками пальцев.

— Этот верзила пытался меня задушить. Но я так извивалась, что он не мог никак ухватиться за шею. Тогда он нажал мне на живот коленом и замотал голову одеялом. Еще называет себя детективом. Он же настоящий убийца, шеф!

— Он понял, что ты пробовала дать мне сигнал? — спросил Мейсон.

— Вряд ли. Я хотела воспользоваться свистком, когда наше свидание стало уж очень неприятным. Послушайте, шеф, он же совершенно потерял голову. Вы видели выражение ужаса и отчаяния в его глазах? Он чего-то смертельно боится, вот и идет напропалую, как загнанная в угол крыса!

Мейсон, соглашаясь, кивнул.

— Да, он напуган.

— Чем?

— Дженис Ситон — подлинная внучка Ренволда Браунли. Эти так называемые детективы участвовали в афере с подменой девушки, теперь они вынуждены сделать все, чтобы обман не раскрылся. Раз Браунли умер, они рассчитывали содрать обещанную долю наследства с мнимой внучки, причем эта доля наверняка солидная, она даст им не только независимое, но даже обеспеченное существование. На весы брошено, с одной стороны, богатство, а с другой — тюремное заключение.

— Но в таком случае в их интересах было убить Браунли?

— Существуют и другие люди, кровно заинтересованные в его смерти, Делла, — ответил адвокат.

Он вздохнул.

— Моя задача — доказать, кто из них действительно убил его.

— Что будем делать с этими вещами?

— Дай-ка их сюда.

— Вы хотите оставить их у себя?

— Конечно, я сохраню их в качестве вещественных доказательств.

— А это не будет считаться мошенничеством? В бумажнике находятся деньги. Он может написать заявление...

Мейсон сердито прервал ее:

— Пусть идет ко всем чертям! В нужный момент я вручу эти вещи Джиму Поли, детективу при отеле «Ригал», и он возбудит против этих красавцев уголовное дело, обвинив их в том, что они влезли в номер Меллори и ограбили его.

— Господи, как вы разделали физиономию этого Сэкса!

Делла засмеялась.

— Очень сожалею, что удовольствовался только этим, он заслуживал большего.

Подойдя к телефону, Мейсон позвонил в агентство Дрейка, нахмурился, когда ему сказали, что Дрейк отправился в турецкие бани, и попросил секретаршу Дрейка:

— Соберите самый подробный материал о частном детективе Питере Сэксе. Он принял Деллу Стрит за мисс

Ситон и пытался ее убить. Сразу же поручите своим агентам заняться этим вопросом.

Он положил на место трубку.

— О'кей, девочка, — обратился он к Делле Стрит, — возвращайся-ка теперь к нам в офис. Кстати, рыжий цвет тебе очень идет.

— Спасибо, шеф, приму к сведению. А вы куда?

Он покачал головой.

— Поеду в отель «Санта-дель-Риос» для интервью с мнимой внучкой Ренволда К. Браунли.

Глава 11

Мейсон вложил двадцатидолларовую купюру в ладонь телефонистки, сидевшей на коммутаторе в отеле «Санта-дель-Риос».

— Я прошу только одного, — пояснил он, — соедините меня с ней. После этого я уже сам все устрою.

— Мне даны совершенно определенные указания, — попробовала протестовать девушка. — Ее осадили газетные репортеры, она не желает никого видеть.

— Она уклоняется от подобной известности?

— Как будто. Она поражена горем, не может прийти в себя от случившегося.

— Да, переполнена горем, — насмешливо повторил Мейсон, — потому что стала наследницей нескольких миллионов и в скором времени наложит на них лапки.

— Вы из газеты? — поинтересовалась телефонистка.

Мейсон покачал головой.

— Кто же тогда?

— Для вас я Санта-Клаус.

Она вздохнула, ее пальчики сжали двадцатидолларовую бумажку.

— Если я кивну головой, — сказала она, — пройдите в кабину номер два. Значит, я ее вызвала к телефону. Большего я сделать не могу.

— А большего и не требуется. Какой у нее номер?

— Она занимает люкс «А» на третьем этаже.

— О'кей!

С этими словами Мейсон отошел от стойки. Быстрые пальчики телефонистки порхали над проводами коммутатора. Иногда она что-то говорила в трубку, прикрепленную таким образом у нее под подбородком, что мембрана находилась в нескольких дюймах от ее рта. Наконец она повернулась к Мейсону и кивнула головой. Мейсон вошел в кабину и поднял трубку.

Женский вкрадчивый голос ответил:

— Дженис Браунли слушает. В чем дело?

Мейсон спокойно заговорил:

— Я мистер Мейсон, нахожусь здесь, в отеле. Полагаю, нам с вами следует обсудить, какие меры следует предпринять для того, чтобы не позволить газетным репортерам изводить вас. Получилось так, что вы сейчас стали самой сенсационной темой дня, им приказано получить у вас интервью, и, если мы не объединим наши усилия, боюсь, что они от вас не отстанут.

Голос ответил:

— Это было бы прекрасно, мистер Мейсон. Заранее благодарю вас за вашу помощь.

— Могу ли я к вам подняться?

— Да. Подойдите к номеру двести девять и постучитесь в дверь. Я впущу вас через него. К люксу «А» не подходите. Мне кажется, он находится под наблюдением репортеров.

Мейсон поблагодарил собеседницу, повесил трубку, поднялся на лифте на третий этаж, нашел номер 209 и постучал в дверь. Ее отворила привлекательная молодая особа в зеленой атласной пижаме, подарила ему соблазнительную улыбку и затворила за ним дверь. Потом она повела его через коридорчики мимо двух ванных комнат и трех трафаретно обставленных гостиничных спален в угловой номер люкс, расположенный в самом конце крыла, где роскошная обстановка и толстенные ковры составляли красивую рамку для этой избалованной девицы.

Она кивнула в сторону кресла и спросила:

— Что скажете в отношении сигары и стаканчика шотландского виски с содовой?

— Благодарю вас, — ответил Мейсон.

Пока она выбирала сигары и наливала виски из хрустального графина, бросала в него кубики льда и разбавляла содовой, Мейсон внимательно разглядывал девушку, стараясь составить о ней точное представление.

— Вы не знаете никаких новостей? — спросила она у него. — Уже нашли тело дедушки?

— Нет еще. Представляю, каким шоком явилась для вас его смерть.

— Да, это настоящий кошмар.

Она закрыла глаза рукой, украшенной множеством дорогих колец.

— Можете ли вы припомнить что-то из своего раннего детства? — спросил он ее.

Он уселся поудобнее в кресле.

— Ну конечно.

Она быстро убрала руку от глаз и посмотрела на него с внимательной настороженностью.

— Я слышал, что вы были приемным ребенком.

— А в чем, собственно, дело? — спросила она уже без всякой любезности.

Мейсону показалось, что мускулы у нее напряглись, как будто она сжала все свои чувства в кулак.

— Вы сказали, что хотите видеть меня в отношении тех мер, которые надо принять, чтобы не допустить сюда газетных репортеров?

Мейсон кивнул и беспечно сказал:

— Совершенно верно. Это предлог, который предложил мне использовать Пит, чтобы обмануть бдительность девушки-телефонистки. Я был уверен, что он вас предупредил в этом отношении.

— Пит? — переспросила она, приподнимая брови.

— Ну да, — ответил Мейсон.

Он выпустил вверх струйку сизого дыма.

— Я не понимаю, о ком вы говорите.

Мейсон нетерпеливо нахмурился.

— Послушайте, я не могу потратить весь день на такую ерунду. Пит Сэкс и Виктор Стоктон велели мне связаться с вами. Пит посоветовал мне не представляться по телефону, потому что он опасался, что кто-то может подслушать наш разговор. Вот почему я и заговорил о том, что нам надо совместными усилиями постараться не подпускать к вам газетных репортеров, и он должен был вас предупредить, чтобы вы без помех пригласили меня к себе. Поэтому, когда вы так охотно предложили мне подняться к вам наверх, я решил, что все в порядке и что вы все знаете.

Она внимательно рассматривала секунд десять розовый лак на своих ногтях, прежде чем спросить:

— Кто вы такой?

Мейсон ответил:

— Послушайте, не могло же так случиться, что Пит водил за нос нас обоих, как вы считаете? Ведь вы приехали сюда на «Монтери» вместе с епископом Меллори, не так ли?

Она кивнула, собралась было что-то сказать, но в последнюю минуту передумала.

Мейсон услышал, как тихонько за его спиной звякнула отодвигаемая задвижка, но побоялся повернуть голову.

— Скажите мне прежде всего, кто вы такой? — снова повторила девушка, причем на этот раз голос ее звучал гораздо увереннее.

Человек, стоявший в дверях, ответил:

— Его имя Перри Мейсон. Он адвокат, представляющий пару шантажистов, которые пытаются превратить огромное состояние в разменную монету.

Мейсон медленно повернулся и встретился взглядом со стальными глазами Виктора Стоктона.

— Так, — произнес он, — все ясно.

— Адвокат? — воскликнула Дженис Браунли.

Она вскочила с кресла. В голосе ее слышался неподдельный ужас.

— Да, что вы ему сказали?

— Ничего.

Стоктон удовлетворенно кивнул и сказал Мейсону:

— Нам с вами пора потолковать.

Мейсон покачал головой.

— Я буду говорить с вами лишь тогда, когда вы будете находиться на месте для свидетелей и давать свои показания под присягой.

Стоктон, не дожидаясь приглашения, подошел к креслу, опустился в него и распорядился:

— Дженис, налейте мне виски.

Его внимательные глаза ни на минуту не отрывались от лица Мейсона.

Дженис Браунли дрожащими руками налила полный стакан виски и стала добавлять в него кусочки льда, подхватывая их серебряными щипцами.

Стоктон откинулся на спинку кресла и насмешливо обратился к Мейсону:

— Не будьте таким уверенным. Получен ордер на ваш арест.

— На мой арест?

Стоктон кивнул.

— Мошенничество, нападение с огнестрельным оружием и ограбление, — произнес он многозначительно.

Мейсон внимательно посмотрел на физиономию Стоктона, прицениваясь к нему.

— Из-за Сэкса?

— Да, из-за Сэкса. Вам не удастся от этого отвертеться и выйти сухим из воды.

Перри Мейсон расхохотался против воли.

— Черта лысого вам удастся. Вы еще ничего не поняли. К вашему сведению, у меня было намерение не поднимать шума и не привлекать этого негодяя к уголовной ответственности, но, коли вы решили действовать вопреки здравому смыслу, надеясь напугать меня смехотворными обвинениями, мы посмотрим, чего вы этим добьетесь. Сэкс собирался совершить преднамеренное убийство. Он наставил на меня пистолет, а я, обороняясь, разбил ему нос и отнял у него оружие. Так что пока он отделался сущими пустяками.

Стоктон повернулся к Дженис и резко прикрикнул:

— Достаточно льда!

Потом его холодные глаза снова уставились в лицо Мейсону.

— Послушайте, я детектив. Пит работает на меня. Вот уже более трех недель, как нам стало известно, что будет предпринята попытка вытянуть большие деньги у Браунли. Я не знал, как именно это будет осуществлено, но предполагал, что попробуют воспользоваться услугами какого-нибудь адвоката. Ловкий адвокат сначала обезопасит себя, явившись открыто к старику Браунли, а потом вынудит Дженис пойти на компромисс. Простак первым делом направился бы к Дженис и тем самым мог бы легко быть уличенным в шантаже. Но в любом случае речь шла о вымогательстве, поэтому я задался целью предостеречь этот удар. Я предупредил старого Браунли и сообщил Дженис, чего ей следует ожидать. Мы затаились и ждали вашего появления. Потом вы попробовали спутать наши карты, убив старика. Потише, не кипятитесь. Я же не утверждаю, что это сделали вы сами, но вы знаете, кто это сделал, и я тоже это знаю. Должен сказать, что сложилась непонятная ситуация, даже своеобразная: имеется завещание, по завещанию состояние Ренволда Браунли должно перейти к внучке, а в документе не оговорено, что под внучкой он признает девушку, которая в настоящий момент проживает в его доме, хотя это всем известно.

Дженис Браунли молча протянула ему бокал с виски. Стоктон поднес его к губам и подул на него, отгоняя кубики льда к краям.

— Так что же? — спросил Мейсон.

Стоктон усмехнулся:

— Вы хотите сказать, что если вы откажетесь от данного дела, то Пит Сэкс должен забрать свое заявление, обвиняющее вас во всех правонарушениях, которые я только что перечислил. Но я вас знаю, вы воспользуетесь этим, чтобы убедить окружного прокурора в том, что мы вынудили его таскать для вас каштаны из огня. Так вот, мистер Мейсон, вам надо придумать что-нибудь поумнее, в эту ловушку я не попадусь.

— Продолжайте, я вас внимательно слушаю, — сказал Мейсон.

Стоктон заговорил гораздо тише и медленнее, очевидно тщательно взвешивая каждое слово:

— Возможно, с точки зрения дела было бы и правда для Дженис лучше пойти на какой-то компромисс. Практически невозможно доказать факт ее родства с Браунли, но, с другой стороны, точно так же нельзя доказать, что это не так.

— Вы имеете в виду нечто конкретное? — спросил Мейсон.

— А вы?

— Нет.

— Никакого предложения о компромиссе?

— Никакого.

Стоктон сказал:

— В таком случае ол-райт, мы будем брать с боем буквально каждый дюйм. Никаких компромиссов. Совершенно очевидно, что вы великолепно подходите для той роли, для которой вас наняли, а раз так, то вас ожидает сильнейший удар под челюсть. Он научит вас в будущем осмотрительней выбирать себе клиентов. Если бы вы сидели тихо у себя в конторе и занимались своими немудреными делами, вас бы никто не трогал. Но вы не хотите этого делать. Вы всюду суете свой нос, представляя себя детективом, непомерно умничаете. Сейчас вы угодили в весьма неприятное положение, и я считаю, что вы должны быть наказаны за собственную неосмотрительность и ошибки. Джулия Брэннер придумала бредовый план, который, как и следовало ожидать, провалился. Она застрелила Браунли, чтобы помешать ему составить официальное завещание, которое окончательно развеяло бы по ветру ее план. Возможно, у нее что-нибудь и получилось бы, если бы Викслер не предвидел всего заранее. Сейчас можно с уверенностью сказать, что Джулия Брэннер будет осуждена и наказана за убийство. Девушка, которую она выставляет своей дочерью, будет осуждена как соучастница преступления, ну а вас лишат адвокатского звания и осудят за насилие с применением оружия, мошенничество и ограбление. После этого вы можете представить, как члены жюри посмотрят на то, чтобы разделить вашим клиентам часть состояния Браунли. И не вздумайте хлопать дверью, когда будете уходить.

Мейсон рассмеялся.

— У меня вообще нет привычки хлопать дверью. Это крайне невоспитанно. И кстати, Дженис, где находились вы в то время, когда был убит ваш дед?

Стоктон поставил свой бокал, его лицо заметно побагровело.

— Так вот что вы задумали, Мейсон?

— Я просто задал вопрос.

— Вы задаете слишком много вопросов. Ну, а если вам так уж хочется знать: у Дженис имеется превосходное алиби. Она была со мной.

С лица Мейсона не сходила улыбка.

— Послушайте, разве это не удивительно? Дженис — незаконно подсунутая старому Браунли «внучка». Ей грозит полное разоблачение, вы в отчаянии, вам остается одно: похитить пистолет Джулии Брэннер, подделать ее подпись под запиской и ликвидировать старика...

— Вы так думаете? — прервал его Стоктон. — Слабым местом в вашей схеме является то, что водитель такси знает, что записку посылала сама Джулия. На стекле машины Браунли полиция обнаружила отпечатки пальцев Джулии Брэннер, как раз в том месте, где она вцепилась в окно, стреляя в Ренволда Браунли. Убийство совершено из пистолета Джулии Брэннер, и мокрую одежду все той же Джулии Брэннер полиция обнаружила в квартире при обыске до того, как она успела лечь в постель.

— В добавление ко всему, — вмешалась Дженис Браунли, — имели еще...

— Держитесь подальше от этого, Дженис! — прикрикнул на нее Стоктон, не сводя глаз с адвоката. — Говорю я один.

— Да, — насмешливо повторил Мейсон, — он обеспечивает вам алиби, Дженис. Он уверяет, что вы находились с ним, когда было совершено убийство, так что вы не могли убить своего деда, вы же клянетесь, что он неотлучно находился при вас, так что он тоже не мог совершить убийство.

Стоктон усмехнулся:

— И не забудьте еще мою жену. Она была с нами, и служащие нотариальной конторы могут засвидетельствовать то же самое.

Стоктон допил свой бокал. Его усмешка, медленная, неестественная, была удивительно злой.

— Я вам рассказал достаточно подробно, что вас ожидает. Это все, что вы можете получить от нас.

— Чего вы хотите? — спросил Мейсон.

— Ничего.

— Что вы предлагаете?

Стоктон подмигнул ему и ответил:

— Мы не делаем никаких предложений. И, более того, отныне и впредь вы будете настолько заняты вопросом самозащиты, что вам будет не до шантажирования.

Мейсон насмешливо произнес:

— Вы предполагаете, что после того, как Пит Сэкс вломился в номер епископа Меллори, ударил его по голове дубинкой и украл частные бумаги епископа, окружной прокурор посчитает уголовными действия человека, представляющего интересы епископа?

Стоктон покачал головой.

— Не глупите. Вы прекрасно знаете, что вы подстроили ловушку Питу, точно так же, как это известно мне. Вам был нужен ключ.

В голосе Мейсона послышалось непритворное удивление.

— Ключ?

Стоктон кивнул.

— Какой ключ?

— Тот самый, который вы получили, — угрюмо сказал Стоктон. — Не прикидывайтесь. Я знаю все.

— Я получил связку ключей.

— Точно так же, как сто долларов наличными и кое-какие другие вещи. Но нужен-то вам был ключ.

Теперь лицо Мейсона ничего не выражало. Стоктон с минуту смотрел на него, потом сказал:

— Говорю вам, не изображайте из себя оскорбленную невинность. Впрочем, может быть, вы и правда не в курсе дела. Черт побери, каким образом, по-вашему, мы узнали про план Джулии Брэннер? Мы вышли на Джулию еще до того, как она приехала в Калифорнию. Она посчитала Пита торпедой, которая должна смести все с пути, и она нам здорово подыграла. Она предложила Питу убрать Браунли до того, как он успеет составить свое завещание. Она наняла человека, который должен был играть роль епископа Меллори ровно столько, сколько потребовалось бы для того, чтобы утвердить Дженис Ситон в качестве настоящей внучки старого Браунли. Епископ был самозванцем, тщательно отрепетировавшим ту роль, которая ему была поручена. Джулия Брэннер могла бы обмануть старика, возможно, ей удалось бы выманить что-нибудь у Дженис, если бы она не выболтала решительно все Питу. Она воображала, что Пит станет ее правой рукой. Она собиралась подыскать опытного адвоката, сведущего в судебной борьбе, рассказать ему трогательную историю своей жизни и орга-

138

низовать встречу с епископом Меллори. Следующим шагом было свидание с Браунли. Если бы Браунли во избежание скандала и газетной шумихи согласился дать ей солидный куш, она успокоилась бы. А он заупрямился, Джулия решила убрать его с дороги, а Пит был выбран в качестве исполнителя. Она вручила Питу ключ от своей квартиры и обещала ему двадцать пять процентов того, что она выручит из этой аферы. Кстати, чтобы вы поняли, насколько вы доверчивы и наивны, добавлю, Джулия Брэннер решила встретиться со стариком Браунли за вашей спиной после того, как вам удастся растопить лед. Она намеревалась заключить с ним соглашение и оставить вас с носом, ну а если бы старик оказался ей не по зубам, тогда она принялась бы за внучку. Ну а вы и в этом случае ничего бы не получили. Возможно, у нее что-нибудь бы и вышло, но Питер был в курсе всех ее планов. Он предупредил нас о готовящейся афере. После убийства Ренволда Браунли совершенно ясно: вы вынуждены стараться вытащить ее из трясины, чтобы спасти самого себя. В первую очередь нам нужно было отобрать ключ Пита, потому что этот ключ подтверждает его показания. Вы подстроили ловушку Питу, заманили его в номер, где избили его и отняли у него вещественные доказательства. Вы не знали, что у него есть важные улики против Джулии Брэннер. Так что теперь вы сами видите, что получилось из этой затеи.

Мейсон поднялся с кресла.

Стоктон поставил на стол пустой стакан, шагнул навстречу адвокату и сказал:

— И больше сюда не приходите, слышите?

Мейсон произнес, насмешливо глядя в лицо Стоктону:

— Вашему помощнику я всего лишь расквасил нос, как видно, ему показалось этого мало. Ну так знайте, я не успокоюсь до тех пор, пока не выведу всех вас троих на чистую воду. И еще: я никогда не бросаю своих слов на ветер.

Лицо Стоктона покраснело, пальцы его непроизвольно сжались в кулаки, в голосе послышались визгливые нотки, он впервые вышел из себя.

— Вы, кажется, позабыли, что похитили некоторые бумаги, которые тоже являются вещественными доказательствами по данному делу. А когда Пит попробовал отнять их у вас, вы набросились на него, пригрозили пистолетом. Если только вы осмелитесь и дальше вставлять мне палки в колеса, я добьюсь того, что вас будут судить не только за пособничество шайке мошенников, но и за укрывательство убийцы.

— Не пугайте меня! Я-то не из пугливых, — рассмеялся адвокат.

Он подошел к двери, однако на пороге задержался, чтобы спросить:

— Какую же долю тех денег, которые достанутся молодой особе, вы рассчитываете урвать? Мне крайне любопытно узнать, во что обходится лишение наследства настоящего родственника в пользу самозванца.

Стоктон сжал руки в кулаки и завопил истошным голосом:

— Идите к черту! Сейчас вам надо позаботиться о том, как спасти собственную шкуру, Мейсон! Когда вас запрут в Сан-Квентине, напишите мне оттуда, возможно, я и отвечу на все ваши дурацкие вопросы.

Мейсон не спеша вышел из комнаты, спустился на лифте в вестибюль и дошел до половины подъездной дороги, когда кто-то внезапно схватил его за рукав. Адвокат обернулся, перед ним стоял Филипп Браунли.

— Хэлло, — воскликнул Мейсон, — ну а вы-то что здесь делаете?

Браунли угрюмо ответил:

— Слежу за Дженис.

— Боитесь, как бы с ней чего-нибудь не случилось?

Молодой человек энергично покачал головой.

— Нет, что вы! Мистер Мейсон, я хочу с вами поговорить.

— В чем же дело? Говорите!

— Только не здесь.

— А где?

— Моя машина стоит за углом. Я видел, как вы вошли в отель, но вы меня не заметили. Я дожидался, когда вы выйдете. Пойдемте в мою машину и поговорим.

Мейсон усмехнулся.

— Мне не нравится здешний климат. Человек по имени Стоктон ведет умную игру, с ним шутки плохи. Вы знаете Стоктона?

Филипп медленно произнес:

— Это он помог Дженис убить дедушку.

Глаза Мейсона впились в лицо молодого человека.

— Это что? Пустая болтовня? Или у вас есть факты?

— Я говорю то, что знаю наверняка.

— Где ваша машина?

— Вон там.

— Пойдемте!

Браунли распахнул дверцу большого серого автомобиля и скользнул на место водителя. Мейсон уселся рядом с ним и захлопнул дверцу.

— Это ваша машина?

— Да.

— Так что вы хотите мне рассказать про Дженис?

Под глазами Браунли проступили темные круги, лицо побледнело и сильно осунулось.

Он закурил сигарету, его рука заметно дрожала, но, когда он заговорил, голос звучал уверенно:

— Я видел записку, которую таксист доставил вчера вечером, точнее, сегодня утром, деду.

— Что вы с ней сделали?

— Отнес наверх.

— Он спал?

— Нет. Он лег в постель, но еще не заснул, а читал книжку.

— Ну и дальше?

— Он прочитал записку и страшно разволновался, сразу же оделся, мне велел пойти распорядиться, чтобы приготовили его машину, потому что он поедет в порт встретиться с Джулией Брэннер, сказал, что Джулия обещала отдать ему назад часы Оскара, если только он приедет совсем один и незаметно для посторонних поднимется на борт яхты, где они смогут спокойно поговорить.

— Он вам все это сам сказал?

— Да.

— Что вы сделали?

— Посоветовал ему не ездить.

— Почему?

— Подумал, что это западня.

Мейсон прищурил глаза:

— Вы опасались, что его кто-то попытается убить?

— Нет, конечно! Но я боялся, что они постараются каким-то образом скомпрометировать деда, заставят сделать какие-то заявления.

Мейсон кивнул. Пару минут длилось молчание, потом адвокат сказал:

— Продолжайте. Рассказывайте все, не упускайте никакой мелочи, а я буду слушать.

— Я сам пошел в гараж и открыл ворота, чтобы дед мог вывести машину. Когда он спустился вниз, я стал его упрашивать позволить мне повести автомобиль. Ночь была ненастная, дождь. Ну а дедушка водит... водил машину не очень-то хорошо. К тому же в темноте он плохо видел.

— Он не разрешил вам поехать с ним?

— Нет. Сказал, что должен ехать один, что Джулия в своем письме настаивает на этом. Иначе она не отдаст ему часы.

— Где эта записка?

— По-моему, дедушка сунул ее себе в карман пальто.

— Продолжайте... Нет, одну минуточку. Он вам сказал, что едет к себе на яхту?

— Так я понял его слова. Джулия хотела встретиться с ним на борту яхты.

— Дальше!

— Когда он выехал из гаража, я вернулся домой. Там меня встретила полностью одетая Дженис. Она ждала меня. Она сказала, что услышала шум в холле и подумала, что что-то произошло, и захотела узнать...

— Обождите, не торопитесь, — прервал его Мейсон. — Как она была одета? В вечернее платье или...

— Нет, на ней был спортивный костюм.

— Продолжайте.

— Она хотела узнать, что случилось, и я рассказал ей про записку Джулии. Она страшно рассердилась на меня за то, что я позволил дедушке поехать одному. Раскричалась, что мне следовало его уговорить, остановить, не пускать...

— Продолжайте.

— Я обозвал ее сумасшедшей, должна же она понимать, что я не мог запереть его в комнате на ключ или связать по рукам и ногам. Я ушел к себе в комнату наверх, Дженис пошла следом за мной, но не прошло и двух минут, как она осторожно открыла дверь своей комнаты и на цыпочках спустилась вниз. Я прокрался на площадку и посмотрел на лестницу. Я был прав: совершенно неслышно, стараясь не скрипеть ступеньками, она спускалась вниз, на ней был надет плащ.

— Какого цвета?

— Светло-желтый, непромокаемый. Нынче все женщины ходят в таких.

Мейсон достал сигару и закурил.

— Продолжайте.

— Так она спускалась вниз, не зная, что я крадусь следом.

— Вы тоже старались не производить никакого шума?

— Да, конечно.

— Дальше.

— Она пошла в гараж и села в свою машину.

— Какую?

— Светло-желтый «кадиллак».

Мейсон откинулся на подушки сиденья.

— Вы видели, как она уехала?

— Да.

— Сколько прошло времени после того, как уехал ваш дед?

— Да минуты две-три.

— Что же сделали вы?

— Подождал, пока она не выехала из гаража, потом помчался к своей машине и завел ее. Света я не включал, чтобы не привлекать внимания. Ну и поехал следом.

— Вы видели ее машину?

— Да.

— Вы сказали ей, что дедушка поехал на яхту для встречи с Джулией?

— Да.

— И она тоже поехала в порт?

— Не знаю. Именно об этом-то я и хотел вам рассказать.

— Но мне показалось, что вы сказали, что отправились следом за ней?

— Я сделал все, что смог...

— Рассказывайте дальше, мне хотелось бы услышать от вас как можно подробнее рассказ о том, что случилось дальше. Но не тяните. Это очень важно.

— Она неслась как безумная, а дождь лил как из ведра. Передо мной нависла водяная стена, свет я не зажигал, опасался, что она меня заметит, так что мне было...

— Это все можно опустить. Вы поехали следом, так?

— Да.

— Куда она поехала?

— По Фигаро до Пятьдесят второй улицы. Свернула и поставила машину.

— На Фигаро или на Пятьдесят второй?

— На Пятьдесят второй.

— Ну а вы что сделали?

— Поставил свою машину тоже у обочины, но на Фигаро-стрит, выключил мотор и выскочил.

— Конечно, это по пути к порту, — задумчиво произнес Мейсон.

Филипп кивнул.

— Продолжайте, что вы замолчали?

— Она шла передо мной по дождю. Точнее сказать, она бежала.

— Вы ее видели?

— Да. Ее светло-желтый плащ выделялся в темноте четким пятном. Я бежал бесшумно, что было сил, ну я, конечно, бегаю быстрее ее. Ее плащ был для меня превосходным указателем, я не тратил времени на то, чтобы искать направление, но, конечно, я не могу сказать, что видел ее очень четко.

— Все ясно. Куда она шла?

— Она прошла четыре квартала.

— Прошла четыре квартала? — оторопело переспросил Мейсон.

— Да.

— Почему же она не поехала дальше?

— Не знаю.

— Подведем итог. Вы говорите, что она выехала из дома на светло-желтой автомашине марки «кадиллак» и оставила его на Пятьдесят второй улице подле Фигаро-стрит, после чего она шагала под проливным дождем целых четыре квартала?

— Большую часть пути она бежала.

— Мне безразлично, шла она тихо или бежала. Важно то, что она оставила свою машину и пошла пешком.

— Да.

— Куда она шла?

— Она вошла в небольшой жилой дом. В нем, на мой взгляд, не более восьми отдельных квартир.

— В доме горел свет?

— Да. Свет был в окнах второго этажа справа и сбоку. Здание двухэтажное, занавески были опущены, но я видел свет, а иногда сквозь оконные занавески мелькали силуэты людей.

— Вы хотите сказать, что стояли там?

— Да.

— Сколько времени?

— Пока не рассвело.

Мейсон тихонько присвистнул.

— Я обошел весь дом кругом, по надписям на почтовых ящиках выяснил, что в нем живут в квартире, расположенной по фасаду, мистер и миссис Виктор Стоктон; Джерри Френсу или Полю Монтрозе принадлежит боковая квартира, окна которой тоже были освещены.

— И вы оставались там до самого рассвета?

— Да.

— Ну и что было потом?

— Когда рассвело, мне пришлось отойти подальше от дома. Я спрятался так, чтобы из подъезда другого дома видеть не только фасадную часть дома, но и двор тоже.

— К тому времени дождь уже прекратился?

— Да, стал ослабевать.

— Что было потом?

— Из подъезда дома вышли Дженис и невысокий коренастый тип в фетровой шляпе, они торопливо прошли по тротуару к Пятьдесят второй улице, но было настолько светло, что я не осмелился приближаться к ним очень близко. Я вынужден был следить за ними издалека. Конечно, был еще не настоящий солнечный свет, а всего лишь серенький рассвет.

— На Дженис был все тот же светло-желтый плащ?

— Да, конечно.

— Что она сделала?

— Они вместе с этим типом уселись в ее машину и поехали назад к центру города. Я побежал к своей машине, но к тому времени, когда я добрался до нее, завел и выехал из-за угла Фигаро-стрит на Пятьдесят вторую, они уехали так далеко, что я их не видел. Я нажал на газ и сумел их нагнать. Я поднял воротник своего пальто, чтобы они не узнали меня, и включил фары, чтобы они не могли рассмотреть, как выглядит машина.

— Но после того, как вы включили фары, они сообразили, что вы их преследуете?

— По-видимому, да. Да, конечно. Но они не снизили скорость и не пытались оторваться от меня.

— Были ли на дороге другие машины?

— Не очень много. По-моему, я проехал мимо одной. Но я не особенно уверен, потому что следил за Дженис.

— Что она делала?

— Она поехала прямиком к отелю, они с этим типом вышли из машины. Здесь я как следует его рассмотрел: у него серые глаза, седые усы, он в очках и...

— Вы лишь раз видели его?

— Да. Он сейчас здесь, наверху. Вошел в отель минут пятнадцать — двадцать назад.

— Тот же самый человек?

— Да.

— Вы уверены?

— Да.

— Послушайте, — медленно произнес Мейсон, — в этом жилом доме имелся запасной выход сзади?

— Да.

— Вы следили за ним, когда наблюдали за домом.

— Да. Именно это-то я и хочу сказать. Я наблюдал за фасадом, и только. Когда рассвело и я смог рассмотреть окрестность, я выбрал такое место, откуда можно было видеть оба выхода, парадный и черный, но я это сделал всего лишь за несколько минут до того, как они вышли.

— Когда Дженис пришла туда, свет горел в обеих квартирах?

— Да.

— Вы не уходили никуда, все время вели наблюдение?

— Да.

— Они могли войти в парадную дверь, а выйти через заднюю, потом возвратиться, воспользовавшись черным ходом, в любой час перед рассветом, не так ли?

— Да, конечно, она могла это сделать.

— Вы думаете, что она именно так и поступила?

Филипп Браунли кивнул.

— Почему вы так уверенно говорите об этом?

— Дженис была в отчаянии. Ее загнали в угол. Она самозванка. Ее должны были разоблачить и отправить в тюрьму.

Мейсон задумчиво произнес:

— Все это мне представляется бессмысленным.

Филипп нетерпеливо возразил:

— Я вовсе не утверждаю, что вижу в этом какой-то смысл. Я просто рассказываю о том, как все это было.

Мейсон несколько секунд с хмурым видом разглядывал кончик своей сигареты, потом медленно отворил дверцу машины.

— Вы кому-нибудь об этом рассказывали? — спросил он.

— Нет, а нужно?

Мейсон кивнул.

— Да, будет лучше, если вы обо всем расскажете окружному прокурору.

— Каким образом я с ним свяжусь?

— Не беспокойтесь. — Мейсон невесело рассмеялся. — Они сами вас разыщут. — Вышел и захлопнул за собой дверцу машины.

Глава 12

Мейсон с озабоченным видом сидел в комнате для посетителей и рассматривал сквозь металлическую сетку Джулию Брэннер, сидевшую прямо против него.

Надзирательница стояла в углу комнаты с тюремной стороны. Справа от Мейсона за перегородкой, находившейся между Мейсоном и дверью, дежурили два офицера. Сзади располагалась еще одна небольшая комнатушка, в которой хранился буквально целый арсенал всевозможного оружия, дробовиков и слезоточивых бомб.

Мейсон пытался заставить Джулию Брэннер смотреть ему в глаза, но она упорно смотрела в сторону.

Наконец он сказал:

— Джулия, посмотрите мне на руку, нет, не на эту, а на другую. Сейчас я ее как бы случайно раскрою, на ладони кое-что лежит. Посмотрите на этот предмет и скажите мне, видели ли вы его раньше?

Мейсон взглянул на надзирательницу, потом краешком глаза проверил, чем заняты полицейские офицеры, и медленно разжал правую руку.

У Джулии Брэннер стал такой вид, будто бы рука адвоката притягивала ее к себе.

С той же медлительностью Мейсон снова сжал кулак и тихонечко стукнул им по столу: со стороны казалось, что он подчеркивает какие-то свои слова.

— Что это? — спросил он.

— Ключ.

— Ваш ключ?

— Что вы имеете в виду?

— Человек по имени Сэкс, частный детектив, собирается официально заявить полиции, что этот ключ дали ему вы.

— Это ложь! Я не знаю никакого Сэкса, и я не...

— Обождите минуточку, не горячитесь, — остановил ее Мейсон. — Не так громко, и возьмите себя в руки. Возможно, вы его не знали под именем Сэкс, ну и, разумеется, у вас и в мыслях не было, что он детектив. Это высокий широкоплечий малый лет сорока двух, глаза у него серые, черты лица правильные. Впрочем, у него были правильные черты лица. — Мейсон усмехнулся. — Сейчас они утратили былую красоту.

— Нет, — ответила Джулия.

Она прижала ладонь ко рту.

— Я никогда его не видела, я его не знаю.

— Уберите руку от губ и прекратите запираться. Это ключ от вашей квартиры?

— У меня нет никакой квартиры.

— Вы прекрасно понимаете, что я имею в виду: квартиру, в которой вы жили вместе со Стеллой Кенвуд.

— Нет, — ответила она едва слышным голосом, — я не думаю, что это тот ключ. Это подтасовка фактов.

— Почему вы послали записку Ренволду Браунли, прося в ней приехать его в порт?

— Я ничего подобного не делала.

— И не пытайтесь говорить такие идиотские вещи! Полиция легко докажет, что вы лжете. Существует водитель такси.

— Я больше ничего не желаю вам говорить! — внезапно заявила Джулия. — Она с негодованием поджала губы. — Раз так вышло, я понесу наказание и...

— Не глупите, Джулия! Я верю вам и пытаюсь помочь. А вот вы ведете со мной нечестную игру. Возможно, мне удастся вытащить вас из этой ямы, в которую вы угодили, но я должен совершенно точно знать, что произошло. В противном случае я уподоблюсь борцу, выходящему на ринг с завязанными глазами. Вам вовсе нет нужды рассказывать об этом всем и каждому, но я обязан знать все до мелочей.

Она покачала головой.

— Я изо всех сил стараюсь помочь вам, в благодарность же вы ставите меня в самое дурацкое положение.

— Откажитесь от моего дела, мистер Мейсон. Отойдите в сторону. Полагаю, что для вас это самое правильное.

— Благодарю за совет, только вы с ним сильно опоздали. Я вместе с вами так глубоко увяз, что теперь один не сумею выбраться, и вы это прекрасно понимаете. Я не знаю, что именно из того, что я слышал, является правдой. Возможно, вы и не намеревались запутать меня. Но сейчас все поздно. Если я сейчас попробую умыть руки и отойти в сторону, меня либо осудят как вашего пособника, либо лишат адвокатского звания, что, как вы понимаете, меня совершенно не устраивает. Мне кажется, вы именно этого и добивались! Так далеко заманить меня, чтобы я не смог отказаться от дела. Естественно, я не мог идти проторенными путями, повел довольно рискованную игру и не сразу осознал, в какой трясине сам оказался. А теперь я должен сначала вытащить вас из нее, только это и спасет меня самого.

Джулия продолжала плотно сжимать губы, глаза у нее были опущены.

— Послушайте, — продолжал Мейсон, — версия такова! Вы нашли человека, который согласился сыграть роль епископа Меллори, в задачу которого входило уговорить меня взяться за данное дело. После этого вы намеревались сорвать большой куш и исчезнуть. Так вот, где-то существует настоящий епископ Меллори. Вы можете быть, а можете и не быть настоящей Джулией Брэннер, Дженис Ситон может быть и может не быть вашей настоящей дочерью, и она может быть, а может и не быть внучкой Ренволда Браунли. В вашем деле есть такие вещи, которые выглядят не очень-то приятно и попахивают весьма отвратительно, а вдобавок произошло еще и убийство, которое надо объяснить...

Джулия прервала его, вскочив на ноги, повернулась к надзирательнице и крикнула:

— Пусть он уходит! Не разрешайте ему разговаривать со мной!

Надзирательница бросилась к ней, один из офицеров выхватил револьвер, оттянул задвижку на двери перегородки и двинулся к Перри Мейсону.

Мейсон хладнокровно опустил ключ себе в карман и поднялся со стула.

— В чем дело? — грозно спросил офицер.

Мейсон пожал плечами.

— Ничего не понимаю. Нервы, по всей вероятности.

Надзирательница увела Джулию из комнаты.

Мейсон нетерпеливо расхаживал взад и вперед по кабинету. Обеспокоенная его видом Делла Стрит сидела на своем стуле за своим столом, перед ней лежал раскрытый блокнот.

Посвежевший, распаренный Пол Дрейк, только что вернувшийся из турецких бань, развалился в своем любимом кресле. Его простуда исчезла, лишь изредка он чихал.

— Сначала скажи мне, что знаешь ты, — попросил Мейсон детектива, — а потом я расскажу, что стало известно мне.

Дрейк вздохнул.

— Ненормальное дело, Перри, с какой стороны на него ни взглянуть... Я бы хотел, чтобы ты от него отказался. Джулия Брэннер — дрянь. Нет никакого сомнения в том, что старика ухлопала она. К этой истории примешивается масса побочных фактов, но, как мне кажется, от них мало толку, потому что...

— Что за побочные факты?

— Дженис Браунли взяла свою машину из гаража примерно через пять минут после того, как уехал старик, а следом за ней отправился и молодой Браунли. Пара детективов, Виктор Стоктон и Питер Сэкс, занимались данным делом по поручению Дженис Браунли и, возможно, старика, дальше Дженис...

— Подожди минуточку, — прервал его Мейсон, — мы с тобой ломали голову, кто станет наследником доли Джексона Ивса. Разве ты не считаешь, что именно эти два детектива больше всего подходят на эту роль? Ты сам мне говорил, что Ивс заграбастал двадцать пять тысяч долларов за то, что предоставил Ренволду Браунли внучку. Можно не сомневаться, что существовала договоренность о том, что ему причитается определенная доля в том наследстве, которое девушка получит в недалеком будущем.

Дрейк мрачно покачал головой.

— Это ничего тебе не даст, Перри. Допустим, что действительно должен был войти в долю Ивс, а Стоктон и Сэкс унаследовали его «права на наследство». Это тебе не поможет, потому что Джулия Брэннер и сама не знает, где ее дочь, как не мог разыскать ее Ивс. Поэтому она решила сказать свое слово и сорвать крупный куш, но только не в одиночку, а явно связавшись с бандой аферистов. Окружной прокурор работает над версией, к которой он пришел с подачи чьей-то информации, будто Джулия Брэннер решила подождать, пока епископ Меллори не получит годовой отпуск, когда его трудно будет отыскать, подобрала человека, который, назвавшись епископом Меллори, вступил в контакт с адвокатом и преподнес ему трогательную историю Джулии Брэннер. Она избрала тебя, Мейсон, после того, как ты был соответствующим образом обработан, тебе предоставили возможность вытащить им из огня все каштаны. Ты это сделал, но у нее не хватило терпения спокойно этого дождаться, и Джулия Брэннер застрелила Браунли, чтобы он не нарушил ее планы. Не забывай, что она его ненавидела всеми фибрами своей души, кажется, такими словами теперь принято выражать свою ненависть. Лично я считаю, что у этой особы не все дома. Она столько думала о мести, что в конце концов это стало у нее навязчивой идеей, она явно помешалась. Причем в ее возрасте в силу физиологических причин всегда трудно предугадать, в какую форму выльется ее неуравновешенность.

— Итак, я допускаю, что эти два детектива, мягко выражаясь, довольно неблаговидно воспользовались тем, что им стало известно. Из них двоих Сэкс всего лишь недалекий верзила, наделенный большой физической силой, зато Стоктон умен и опасен, как сам дьявол. Ты не должен об этом забывать. Он изворотлив и беспринципен. Сэкс, действуя по указке Стоктона, вошел в контакт с Джулией, наговорил ей с три короба вранья о том, что он не человек, а торпеда, готовая уничтожить всех и все, что ему будет приказано. Причем так ловко, что все концы будут прочно упрятаны в воду. Джулия проглотила эту приманку, даже не заметив крючка. Вот история, которую я услышал от одного газетчика. Я считаю, что Джексон Ивс сначала использовал Сэкса для того, чтобы тот попробовал выяснить у Джулии все то, что ей было известно, а позднее, когда Ивс умер, Сэкс привлек Стоктона к этой афере.

— Одно не понимаю, почему такое доверие к тому, что говорит Пит Сэкс? Почему он не может лгать? — спросил Мейсон. — Если ему и правда светит большой куш из того наследства, которое достанется внучке Браунли, точнее, его мнимой внучке, то не естественно ли предположить, что он из кожи вылезет вон, лишь бы очернить и оболгать Джулию, которая может спутать им все карты.

Дрейк пожал плечами.

— Разумеется, он способен на все, но окружной прокурор считает, что он говорит правду. Возможно, тебе бы и удалось поколебать присяжных в отношении правдивости показаний Сэкса, но надо считаться с тем, что сделает с тобой наш уважаемый окружной прокурор до того, как ты поставишь Сэкса перед жюри!

— Тебе известно что-нибудь о том, куда в ту ночь ездила Дженис Браунли? — спросил Мейсон.

— У нее железное алиби.

— Действительно железное или же оно таким кажется?

— Оно выглядит железным, и мне думается, что это действительно так. Виктор Стоктон уже доложил окружному прокурору, что Дженис позвонила ему по телефону о том, что, по ее мнению, дедушка намеревается заключить какую-то сделку с Джулией Брэннер, поэтому она желает с ним, со Стоктоном, немедленно посоветоваться. Стоктон предложил приехать к ней, она ответила, что полностью одета, так что скорее сама доберется до него. Стоктон согласился. Он живет на Пятьдесят второй улице. Я тебе говорил, что это не человек, а настоящая лисица. Когда приехала Дженис, в комнате была жена Стоктона. Этого ему показалось мало. Он прошел к соседям, поднял с постели живущего там нотариуса и заставил его прийти к ним.

— Нотариус все время находился с ними?

— Да.

— В одной комнате с Дженис и Стоктоном?

— Я так понял.

Мейсон покачал головой и сказал:

— Пол, мне это не нравится.

— Еще бы!

— Если епископ Меллори был настоящим...

Его прервала Делла Стрит:

— Шеф, от капитана Йохансона с «Монтери» получена еще одна телеграмма. Он сообщает, что обнаружена пара чемоданов с отметками епископа Меллори, который якобы занимал каюту двести одиннадцать. Но в каюте двести одиннадцать находятся люди, которые совершенно не подходят под описание Вильяма Меллори и клянутся, что они никогда не слышали такого имени. В чемоданах находилось несколько метров бинтов, черная одежда священнослужителя с белым воротником и черные ботинки. Эти чемоданы были принесены в каюту двести одиннадцать вместе с другим багажом, который действительно принадлежал этим пассажирам.

Мейсон выпрямился за своим столом, что-то выстукивая на его крышке кончиками длинных пальцев.

— И это тоже не имеет смысла, — произнес он через несколько минут. — Допустим, что епископ Меллори — обманщик и самозванец. Тогда где же настоящий? С другой стороны, если это был настоящий епископ, тогда для чего потребовалось затевать всю эту историю, а потом таинственно исчезать?

Дрейк пожал плечами.

— У меня есть еще один факт в отношении епископа. Я имею в виду сведения, полученные мною от Джима Поли из отеля «Ригал». Еще до того как епископ Меллори привлек мое внимание и мы стали заниматься его особой, к Меллори приходил посетитель. Его имя Эдгар Кассиди. Поли его знает. Он поднялся к епископу в номер и пробыл там с полчаса.

Мейсон очень заинтересовался.

— Пол, это тот шанс, которого мы столько времени ждем. Человек, знающий епископа, мог бы нам сказать...

— Да нет, не радуйся преждевременно! — прервал его Пол Дрейк. — Ложная тревога. Я сразу же направил своих людей к Кассиди. Он объяснил, что его друг из Сиднея прислал ему письмо о том, что епископ Меллори — замечательный человек, что он собирается заехать в Лос-Анджелес и остановиться в отеле «Ригал». Он попросил Кассиди сделать для епископа все, что в его силах. Кассиди — увлекающийся яхтсмен, у него очаровательная яхта «Атина». На ней он охотится на рыбу-меч. Он решил, что епископу будет интересно вместе с ним выйти в море. Вот он и приехал к нему в «Ригал». Познакомиться. Так что он нам ничем не сумеет помочь. Кассиди сказал, что его приятель предупреждал его, что епископ — отчаянный рыболов, но при встрече с ним Кассиди этого не почувствовал. Его предложение было отвергнуто, епископ даже не был с ним особенно любезен, так что Кассиди ушел от него с неприятным чувством.

— Ты говоришь, что Кассиди — страстный яхтсмен? Узнай-ка, не знает ли Кассиди Викслера. Когда начинаешь задумываться об этом деле, то рассказ Викслера о том, как он под проливным дождем в столь поздний час гулял по побережью, кажется не слишком-то правдоподобным.

Дрейк вытащил из кармана записную книжку, сделал в ней пометку и с готовностью обещал:

— Хорошо, я это сделаю.

— Кстати, как мне кажется, было бы неплохо, если бы Поли не стал ничего рассказывать окружному прокурору или его людям про Кассиди. Я сомневаюсь, чтобы их заинтересовали его показания, потому что все это лишь слухи и личные заключения, но я не хотел бы, чтобы газеты ухватились за эту историю.

Дрейк кивнул.

— Не беспокойся, Перри, об этом я уже успел позаботиться. Поли — мой добрый приятель, ну а немного лести делает его податливым как воск. Каково твое мнение о Филиппе Браунли? Мы так и не выяснили, где он находился в то время, когда было совершено убийство деда. Его машины сегодня утром не было в гараже.

— Я с ним разговаривал, — сказал Мейсон. — Он собирается встретиться с окружным прокурором. Его показания ни в коей мере не могут навредить Дженис Браунли, но я по-прежнему считаю, что с ее алиби дело не совсем чисто. И Стоктону не верю!

— Да. Стоктон не дурак, именно поэтому не связывайся с ним, Перри, до тех пор, пока в этом не будет необходимости.

Мейсон запустил руку к себе в карман и выудил из него ключ, который протянул Дрейку.

— Мне уже пришлось... Я хочу сказать, я с ним уже столкнулся. Я увяз в этой истории по самые уши, Пол. Этот ключ может подходить к квартире в доме двести четырнадцать Вест-Вичвуда. Я хочу, чтобы ты проверил, так ли это. Причем как можно скорее. И сразу же возвращайся к себе в контору, где я смогу связаться с тобой по телефону.

Дрейк подозрительно осмотрел ключ.

— Каким образом ты ухитрился раздобыть ключ от квартиры Джулии Брэннер, Перри?

Делла Стрит ахнула.

— Постойте, шеф, это не тот ли ключ, который...

Увидев предостерегающий взгляд адвоката, она замолчала на полуфразе. Мейсон покачал головой и сказал:

— Я отправляюсь в прокуратуру. Эти чересчур умные детективы хотят что-то мне приписать, и это мне не нравится. Надо внести полную ясность и в этот вопрос.

Дрейк предупредил его:

— Ох, Перри, на мой взгляд, это самое неподходящее время для твоего визита к окружному прокурору.

— Так уж?

Адвокат усмехнулся.

— Ты считаешь, что завтра будет более подходящее время?

И он захлопнул за собой дверь.

Глава 13

Гамильтон Бюргер, окружной прокурор, всем своим видом напоминал огромного, неповоротливого медведя. У него были широченные плечи, грудь колесом. Сразу было видно, что человек он решительный и страшно упрямый.

При разговоре он постоянно жестикулировал, и его сильные руки зачастую бывали куда выразительней, чем сами слова.

Он посмотрел через стол на Перри Мейсона и сказал:

— Неожиданное удовольствие.

По его голосу было слышно, что он на самом деле удивлен, но ничуть не обрадован.

Мейсон сказал:

— Я хочу поговорить с вами о деле Джулии Брэннер.

— Что вас интересует?

— Моя собственная позиция.

— Как это?

— Я хочу знать, как вы рассматриваете мои действия в данном деле.

— Не знаю.

— Сегодня мне сказали, что вы собираетесь выдать ордер на мой арест.

Бюргер посмотрел ему прямо в глаза и ответил:

— Думаю, что это так, Перри.

— Когда?

— Не раньше чем я произведу тщательное расследование.

— Какое мне предъявляется обвинение?

— Нападение и побои, похищение имущества и тайный сговор.

— Хотите услышать мои объяснения?

— Вы не должны ничего объяснять, — ответил ему Бюргер. — Я прекрасно осведомлен обо всем, что произошло. Вы установили наблюдение за квартирой Дженис Ситон. Вам хотелось отыскать ее любой ценой. За ней следила также пара детективов. Она появилась у себя в доме и сразу же перебралась в отель. Противная сторона попала туда первой. Вас это не устраивало, вы ворвались к ней и попробовали выбросить оттуда детектива, применив физическую силу. Разбили человеку нос, похитили его вещественные доказательства против Джулии Брэннер, его партнеру пригрозили оружием, а девушку увезли куда-то и спрятали. Возможно, вы и считаете, что любые методы хороши для того, чтобы выиграть дело, но лично я считаю, что это верный способ угодить в тюрьму.

— Хотите послушать факты? — спросил с невозмутимым видом Мейсон.

Бюргер с минуту внимательно разглядывал адвоката, потом сказал:

— Знаете, Перри, я всегда вас очень уважал, но я не сомневался, что в один прекрасный день ваши методы доведут вас до крупных неприятностей. На этот раз вам не удастся выйти сухим из воды. До сих пор вам всегда чертовски везло, постепенно вы перестали считаться со всякими нормами и действуете по-партизански, не боясь возмездия. И вот получилось так, что больше закрывать глаза на ваши безобразия я не имею права. Могу сказать одно — я не собираюсь привлекать вас к ответственности и не буду ничего сообщать в газеты до тех пор, пока не разберусь полностью во всех обстоятельствах дела. Но я не стану скрывать и того, что, по моему мнению, вашей карьере на этом пришел конец, а это настоящий позор для нашего округа.

— Ничего, зато все мерзавцы и негодяи, которые пока еще не перевелись в нашем округе, вздохнут спокойно, не боясь, что я буду выводить их на чистую воду перед судом.

Мейсон усмехнулся.

Гамильтон Бюргер сердито посмотрел на него и чуть повысил голос:

— Вы же прекрасно знаете, что я ужасно боюсь привлечь к ответственности невиновного человека. Я должен быть абсолютно уверен в его вине, прежде чем направить дело в суд. И я прекрасно помню, что на вашем счету множество дел, когда вам удалось раздобыть такие улики, которые помогли уличить преступника и оправдать невиновного. И все же это не дает вам права преступать этические границы. Вы не желаете сидеть в своем офисе и практиковать в качестве защитника, как делают все другие адвокаты. Вы упрямы, сами выезжаете на место преступления, выискиваете какие-то особые улики, подменяя работу детектива, прибегаете к таким методам, которые правильнее назвать если и не противозаконными, то не совсем законными.

— Закончили? — спросил Мейсон.

— Нет. Я даже не начинал.

— В таком случае я вынужден вас прервать, чтобы кое-что сообщить вам.

— Перри, мне кажется, вы все переводите на личную почву, но вы не правы. Я не забыл, конечно, что в суде вы выступаете против меня. Несколько раз благодаря вашим стараниям я попадал в весьма дурацкое положение и становился посмешищем в глазах присутствующих. Если бы вы заранее пришли в прокуратуру и сообщили мне о фактах, которые имеются у вас, все выглядело бы иначе. Но вы предпочитаете преподносить сюрпризы мне неожиданно в суде. Что ж, это ваше право. Я за это на вас не в обиде, потому что в конечном счете вы всегда действуете в интересах правосудия.

— Спасибо и на том.

— Теперь обстоятельства сложились не в вашу пользу, и я должен привлечь вас к судебной ответственности. Я исполню свой долг. Не считайте, что я затаил на вас зло и теперь стремлюсь с вами рассчитаться за прежние обиды, ничего подобного. Фактически вы мне очень даже нравитесь, но раньше или позднее должны были обжечься. Вы из того анекдота про кувшин, который повадился по воду ходить, ему на роду написано там сложить свою голову. Поэтому я хочу, чтобы вы поняли, что я предупреждаю вас совершенно серьезно, что все сказанное вами сейчас может быть использовано против вас. И будет использовано. В нашей беседе нет ничего конфиденциального.

— Ол-райт, — сказал Мейсон, — пара ловких частных детективов заявляется к вам и рассказывает кучу всяких небылиц, вы хватаетесь за все это, даже не дав мне возможности объяснить вам мою позицию. Через некоторое время вы обвиняете меня в том, что я не рассказал вам о тех фактах, которыми располагаю!

— Вышло так, — перебил его Бюргер, — что один из этих ловких частных детективов, как вы их окрестили, располагает весьма убедительными материалами, обвиняющими мисс Ситон в преступных замыслах. Он связался со мной по этому поводу и действовал в соответствии с моими указаниями.

— Все это очень хорошо, Бюргер, но вы на собственном опыте должны были бы уже понять, что зачастую подобные свидетельства, которые в ваших глазах выглядят и убедительными, и достоверными, разлетаются, как мыльные пузыри, во все стороны под напором тех фактов, которыми располагает защита.

— Ладно, излагайте ваши факты.

— Пожалуйста, кое-что я вам действительно расскажу. Вы были правы, утверждая, что я разыскиваю Дженис Ситон, но я ее, к сожалению, не нашел. Я очень хотел ее найти, а также выяснить, кто были те двое людей, которые болтались вокруг ее дома, терпеливо ожидая ее возвращения. Это не были ни ваши, ни мои люди. Я подумал, что они лично не знакомы с Дженис Ситон, располагают всего лишь описанием ее внешности. Самой примечательной ее чертой являются темно-рыжие волосы. Поэтому я попросил Деллу Стрит, мою секретаршу, выкрасить волосы в рыжий цвет, показаться возле квартиры мисс Ситон, выйти из дома с багажом и перебраться в другой отель, где я заранее заказал два номера на одном этаже, чтобы я мог следить за дверью Деллы. Ей я дал указания впустить к себе тех людей, которые к ней явятся, и постараться выяснить, кто они такие и зачем пришли. Если же она увидит, что ей грозит какая-то опасность, она должна была дать мне сигнал свистком. Делла прибыла в отель с чемоданами. Некто Сэкс буквально через пять минут проник к ней в номер под каким-то предлогом. Мы договорились, что Делла оставит дверь открытой. Сэкс запер ее на ключ. Естественно, что я встревожился. Вскоре я услышал странный шум, который был похож на шум борьбы. Я выбил дверь и успел как раз вовремя: помешал Сэксу убить Деллу Стрит. Он пытался задушить ее подушкой. Сэкс выхватил пистолет и направил на меня. Пистолет у него выбили из рук, после чего я ударил его и разбил ему нос.

На лице Бюргера было написано удивление.

— Так это была не Дженис Ситон?

— Это была моя секретарша Делла Стрит.

— Сэкс заявляет, что он располагает множеством данных, уличающих ее в мошенничестве. Например, он говорит, что стремился вызвать полицию, но она набросилась на него. Что он пытался доставить ее в полицию, но вы помешали ему это сделать.

— Говорить можно все что угодно, в особенности если тебя охотно слушают. Сэкс душил ее самым настоящим образом в тот момент, когда я ворвался в комнату, он пытался обернуть ее одеялом и простыней, чтобы она не вырвалась. Это вам о чем-то говорит?

Окружной прокурор кивнул.

— Весьма о многом.

Мейсон поднялся с места.

— Но это не объясняет другое.

— Например?..

— Я вовсе не желаю предварительно знакомить вас с теми материалами, которыми располагает обвинение против миссис Брэннер, но мне точно известно, что Сэкс познакомился с ней давно, отрекомендовался членом одной мошеннической шайки, готовой решительно на все. Джулия Брэннер обещала ему огромное вознаграждение за то, чтобы он убил Браунли. Она дала ему ключ от своей квартиры. Этот ключ является вещественным доказательством. Он подтверждает рассказ Сэкса. Когда вы его избили, вы изъяли все из его карманов. Перри, вы не имели права это делать при любых обстоятельствах. Среди прочего вы забрали и ключ от квартиры Джулии Брэннер. Отдайте его. Он мне нужен.

— У меня сейчас нет ключа.

— Где же он?

— Я предоставлю его вам немного позднее. Скажите, располагаете ли вы чем-то другим, помимо рассказа этих двух детективов, чтобы считать, что вам все «доподлинно известно».

— Да, располагаю. Но когда вы возвратите мне ключ и он окажется не тем ключом, у меня не будет ничего, кроме вашего слова, что это тот ключ, который вы отняли у Сэкса. Ваше положение усугубляется еще и потому, что Сэкс клянется, что он приходил к Джулии Брэннер где-то около трех часов дня и воспользовался этим ключом, чтобы проникнуть в ее квартиру, с ним вместе был и Виктор Стоктон, который подтверждает все, что показал Сэкс.

— Зачем Сэкс входил в квартиру Джулии Брэннер?

Бюргер покачал головой.

— Это часть моего обвинительного заключения, я не намерен знакомить вас с этим материалом преждевременно. Я хочу незамедлительно назначить предварительное расследование по делу Брэннер. Если вы желаете сотрудничать со мной, чтобы добиться самого тщательного и объективного разбора всех обстоятельств данной истории, вы можете присутствовать в суде завтра в десять часов утра, мы начнем допрос свидетелей. Если вы это сделаете, я не буду применять никаких санкций против вас или распоряжаться в отношении ордера на ваш арест до окончания расследования. Надеюсь, мне станет больше известно об истинной позиции всех, проходящих по делу.

— Зачем вы так торопите события? — с возмущением спросил Мейсон.

Бюргер пожал плечами.

— Я имею право потребовать куда больше времени для расследования.

Бюргер курил сигарету и молчал.

— Должен ли я понять, — не скрывая возмущения, продолжал Мейсон, — что, если я не соглашусь с началом предварительного слушания дела завтра утром, вы потребуете моего ареста?

— Нет, — ответил Бюргер, — я не хочу, чтобы вы это расценивали таким образом. Я вовсе не стараюсь нажать на вас. Нет, это не в моих правилах. Я просто говорю вам, что хочу как можно скрупулезнее расследовать все обстоятельства данного дела до того, как такой ордер будет выдан. Я предлагаю вам участвовать в проведении объективного расследования. Если вы не желаете воспользоваться моим предложением, я проведу расследование самостоятельно.

— И незамедлительно заполните требование на получение ордера на мой арест?

— Нет, это будет целиком зависеть от результатов расследования, — с непроницаемым видом ответил Бюргер.

Мейсон внимательно посмотрел на окружного прокурора и с горечью заключил:

— Ничего не скажешь, честно вы со мной поступаете. Появляется пара частных детективов, о которых вы никогда прежде не слышали, рассказывают вам всякие небылицы про меня, потому что они кровно заинтересованы в том, чтобы отстранить меня от участия в данном процессе, и вы заглатываете эту приманку, уверяя, что действуете исключительно в интересах правосудия. Я говорю вам о том, что этот негодяй пытался задушить Деллу, будучи уверенным, что это мисс Ситон. Вы совершенно равнодушно обещаете «провести разбирательство», даже не задумываясь над тем, почему он пытался ее убить. Вас куда больше взволновал рассказанный вам инцидент о разбитом носе этого самого Сэкса, чем то, что мисс Стрит едва не погибла от руки вашего «основного свидетеля».

Бюргер слегка вспыхнул, но ответил вполне хладнокровно:

— В вашей интерпретации это звучит весьма неприглядно, но вы необъективны.

— Теперь уже я «необъективен»!

— Все дело в том, что, напав на Сэкса, вы отняли у него вещественные доказательства, обличающие вашу клиентку, с помощью которых я рассчитывал добиться ее признания. Конечно, это могло быть всего лишь совпадением, но факт остается фактом, что эти детективы располагали такими вещественными доказательствами, которые ставили мисс Ситон в затруднительное положение. Вы столкнулись с ними, разбили одному из них нос и забрали у него эти вещи. Не стоит просить меня, чтобы я поверил вам на слово, что вы действовали непреднамеренно.

— Оригинально же вы рассуждаете, советник! — Мейсон вышел из себя. — Два незнакомых вам типа заявляют, что у них имеются вещественные доказательства против Джулии Брэннер. Вы, ничего не проверяя, тут же заявляете, что так оно и есть. А если хорошенько вдуматься, разве подобный ключ можно считать настоящей уликой, а? Раздобыть ключ от любой квартиры, что может быть проще? Дайте мне двадцать четыре часа, и я раздобуду вам ключ от вашей собственной квартиры.

Бюргер поджал губы.

— Вы передергиваете факты, Перри. Возможно, что ключ сам по себе ничего не доказывает, если бы он оценивался сам по себе. Но ведь это не так. Ключ просто является одним из звеньев в цепи доказательств о намерении вашей клиентки убить человека. Вы можете сколько угодно кричать о том, что ключ — слабое доказательство вины Джулии Брэннер, но это вовсе не объясняет, почему вы напали на моего свидетеля и отобрали у него ключ. Ваш поступок заставляет меня предположить, что вы посчитали данный ключ настолько важным, что не побоялись применить физическую силу и...

— Я уже слышал вашу версию, — прервал его Мейсон, — сколько бы вы ни твердили мне о своей беспристрастности, я убежден в том, что вы ухватились за показания этих проходимцев, чтобы отомстить мне за свои прошлые промахи. И теперь идете напролом и не даете мне возможности опровергнуть обвинение авантюристов.

— Вы снова все передергиваете! — загремел выведенный из себя Бюргер. — Я сразу же сказал вам, что намерен провести объективное расследование и, пока не приду к определенному решению, ничего не стану предпринимать. Эти люди настаивают на вашем аресте...

— ...потому что видят во мне опасного противника.

Бюргер сделал вид, что не слышит слов Мейсона.

— Я не сомневаюсь, что в газеты попадет история о том, как вы избили одного из них, пригрозили оружием второму и отняли у него материалы, которые присяжные заседатели могли бы посчитать исключительно важными.

— В газеты может попасть и другой материал.

Мейсон усмехнулся.

— О том, как один легковерный окружной прокурор развесил уши и...

— Довольно! — Гамильтон Бюргер протестующе встал. — Я уже сказал вам, что собираюсь сделать, и я выполню свое намерение. Мое решение окончательное. Вы можете принять мое предложение или нет, воля ваша.

Мейсон отодвинул назад свой стул, встал и сказал:

— Разрешите мне позвонить вам по телефону немного позднее?

— Я считаю, что мы можем сейчас принять решение по данному вопросу.

— Я позвоню вам в течение десяти минут.

— Хорошо.

Мейсон не протянул ему руки на прощание. Он поспешно вышел из кабинета, вошел в будку телефона-автомата, находящуюся в холле, и позвонил в контору Пола Дрейка.

Услышав голос Пола, он спросил:

— Проверил ключ?

— Да. Подходит.

— Ты уверен?

— Полностью. Я отворил и наружную, и внутреннюю дверь из прихожей в квартиру. Как это отразится на тебе, Перри?

— Не знаю, Пол. Эти мерзавцы загипнотизировали Бюргера. Ключ от квартиры Джулии Брэннер был вещественным доказательством против нее. Весьма слабое доказательство, пока он не оказался у меня в руках. Теперь же он приобрел колоссальное значение, и кто мне поверит, что я понятия не имел, что это за ключ. Ладно, увидимся.

Он опустил трубку, вернулся назад в кабинет прокурора и сказал секретарше:

— Пожалуйста, передайте мистеру Бюргеру, что адвокат Перри Мейсон согласен провести предварительное слушание дела Джулии Брэннер завтра в десять часов утра. Мы против всякого бюрократизма и волокиты.

Глава 14

Судья Нокс кивнул Джорджу Шумейкеру, одному из наиболее искусных в проведении судебных заседаний помощников окружного прокурора.

— Можете подождать, — сказал он, — с допросом свидетелей по делу «Народ против Джулии Брэннер», с условием со стороны защиты, что свидетели сейчас будут допрашиваться с обоюдного согласия и что защита имеет право отложить на некоторое время любой вопрос.

— Условие принимается.

Шумейкер распорядился:

— Вызовите Карла Смита.

Вперед выступил коренастый мужчина в форме водителя такси, с глупым видом поднял вверх руки, смутился, опустил их по швам. Его привели к присяге, после чего он поднялся на место для свидетелей.

— Ваше имя Карл Смит, и вы работаете в настоящее время водителем такси и были на линии пятого числа этого месяца?

— Да.

— Знаете ли вы обвиняемую Джулию Брэннер?

Шофер посмотрел на Джулию Брэннер, которая сидела с поджатыми губами совершенно неподвижно чуть позади Перри Мейсона.

— Да.

— Когда вы увидели ее впервые?

— Пятого числа примерно в час ночи. Она по телефону вызвала такси, на вызов отправили меня. Она вручила мне письмо, адресованное Ренволду К. Браунли, и велела доставить его в особняк Браунли. Я тогда сказал ей, что время слишком позднее для таких поручений, но она ответила, что все ол-райт, мистер Браунли будет рад получить ее записку.

— Что-нибудь еще?

— Больше она ничего не говорила. Я взял письмо. Когда я позвонил в звонок у парадного входа особняка Браунли, дверь мне открыл молодой человек. Я отдал ему письмо. Он сказал, что сразу же передаст его мистеру Браунли. Я спросил, кто он такой, и он ответил...

— Минуточку, — прервал его Мейсон, — я возражаю против пересказа разговора между этими двумя людьми на том основании, что он не имеет прямого отношения к разбираемому делу.

— Возражение принято, — сказал судья.

Шумейкер с победоносной улыбкой повернулся лицом к залу и произнес:

— Если Филипп Браунли находится в зале, просим его подняться.

Филипп Браунли в синем саржевом костюме выглядел бледным и изможденным.

— Видели ли вы когда-нибудь этого человека? — обратился Шумейкер к шоферу.

— Да. Это тот человек, которому я отдал письмо, — ответил таксист.

— Это все.

Мейсон махнул рукой.

— Вопросов не имею.

— Филипп Браунли, будьте любезны подняться на место для свидетелей.

Молодой человек выступил вперед и был приведен к присяге.

— Вы знакомы с Карлом Смитом, свидетелем, который только что давал показания?

— Да.

— Видели ли вы его ночью пятого числа?

— Да.

— Передал ли он вам что-нибудь?

— Да.

— Что именно?

— Письмо, адресованное моему деду мистеру Ренволду К. Браунли.

— Что вы с ним сделали?

— Немедленно отнес его дедушке.

— Он уже спал?

— Он лежал и читал в постели. Это было его привычкой.

— Распечатал ли он письмо в вашем присутствии?

— Да.

166

— Вы сами видели письмо?

— Я его не читал, но дедушка мне сказал, что в нем написано.

— Что же он вам сказал?

Мейсон покачал головой.

— Ваша честь, я возражаю на том основании, что это не настоящее доказательство, а всего лишь пересказ чужих слов.

Судья Нокс согласился:

— Я поддерживаю возражение защиты.

— Что, — хмурясь, спросил Шумейкер, — ваш дед сделал или сказал сразу же после получения письма?

— Возражаю на том же основании, — заявил Мейсон.

— Я не приму никаких заявлений в отношении того, что было написано, — вынес решение судья Нокс, — но я приму любые заявления, которые может сделать мистер Браунли в отношении того, что он намеревался сделать или куда он собирался поехать.

Филипп Браунли сказал тихим голосом:

— Дедушка сказал, что ему необходимо немедленно поехать в Лос-Анджелесскую гавань для встречи с Джулией Брэннер. Из его слов я понял, что их встреча должна состояться на борту его яхты.

— Сказал ли он что-нибудь еще? — спросил Шумейкер.

— Да, он сказал, что эта чертовка долгие годы держала у себя часы его сына, а теперь она намеревается с ними расстаться.

Мейсон поднялся.

— Возражаю против данного показания: оно является пересказом чужих слов, не имеет прямого отношения к разбираемому делу. Но в то же время является попыткой показать содержание письменного документа.

— Возражение принято. Последняя часть будет вычеркнута из протокола.

— Что сделал ваш дед? — спросил Шумейкер.

— Он оделся, пошел к своей машине и выехал из гаража приблизительно в два часа ночи.

— Вы знакомы с мистером Мейсоном, адвокатом, который представляет обвиняемую?

— Да.

— Видели ли вы его в тот самый вечер, точнее, вечером четвертого числа?

— Да, приблизительно в одиннадцать часов, между одиннадцатью и двенадцатью.

— Вы с ним разговаривали?

— Да.

— Обсуждал ли он с вами завещание вашего деда?

— В известном смысле да.

Мейсон заявил:

— Ваша честь, я возражаю против попытки запротоколировать данный разговор до того, как был доказан состав преступления.

Шумейкер стал объяснять:

— Ваша честь, в данный момент я не намерен углубляться в детали этого разговора. Позднее я собираюсь доказать, что Перри Мейсон узнал вечером четвертого числа, что Ренволд Браунли намеревается утром пятого числа составить документ, по которому большая часть его состояния передается его внучке Дженис Браунли, что Мейсон передал эту информацию своей клиентке, и именно это и явилось мотивом для убийства. Однако я сейчас не вхожу во все подробности. Вы можете приступить к перекрестному допросу, мистер Мейсон.

Мейсон повернулся к Филиппу Браунли.

— Вы ожидали меня, когда я вышел из дома вашего деда?

— Да.

— Сколько времени вы меня ожидали?

— Всего несколько минут.

— Вы знали, когда я вышел из комнаты, в которой состоялась наша беседа с мистером Браунли, и пошел к своей машине, не так ли?

— Да, я слышал, как вы вышли из комнаты.

— И тогда вы выскочили из дома и стали поджидать меня на подъездной дороге, это верно?

— Да.

— Но ваша одежда промокла насквозь. Шел сильный дождь, но не настолько сильный, чтобы за несколько минут промочить вашу одежду насквозь. Где вы меня ожидали? Каким образом вы это объясните?

Филипп Браунли опустил голову и ничего не сказал.

168

— Отвечайте на вопрос! — приказал судья.

— Мне нечего сказать, — заявил Филипп Браунли.

— Разве не правда, — продолжал Мейсон, — что вы стояли продолжительное время под дождем до того, как я вышел из дома? Разве не факт, что вы могли расслышать многое, если не все, из того, что было сказано во время моего разговора с вашим дедом? Разве вы не подслушивали под одним из окон гостиной?

Браунли заколебался.

— Отвечайте на вопрос! — сказал Мейсон. — И не вздумайте лгать!

— Да, — очень тихо ответил Браунли. — Я действительно стоял под окном библиотеки и старался услышать, о чем у вас идет речь. Все мне не удалось услышать, но кое-что я разобрал.

— Таким образом, вы знали, что ваш дед намеревается составить утром эти документы, по которым большая часть его состояния переходит в руки девушки, которая живет в его доме как Дженис Браунли?

— Да, — подтвердил Филипп Браунли.

— Таким образом, раз уж речь зашла о мотивах, у вас тоже имелся мотив убить своего деда. Иными словами, его смерть была вам выгодна. Раз он умер до того, как официальное завещание было оформлено, вы наследуете половину состояния деда, конечно, при условии, что Дженис Браунли является подлинной внучкой Ренволда Браунли. А если можно было бы доказать, что она вовсе не его внучка, тогда к вам бы перешло все его состояние. Это верно?

Шумейкер вскочил с места.

— Ваша честь, — закричал он, — я возражаю! Вопрос спорный, не относящийся к делу. Это неправильный перекрестный допрос. Требует у свидетеля его выводов по юридической части.

— Я задал этот вопрос только для того, — сказал Мейсон, — чтобы доказать пристрастность свидетеля.

— Мне думается, — сказал судья Нокс, — что в такой форме вопрос защитника является спорным, поскольку он действительно требует выводов от свидетеля. Если вы желаете все это доказать, вам придется спросить у свидетеля, что именно из разговора было им услышано, выводы же предоставьте сделать суду.

Мейсон пожал плечами и ответил:

— У меня нет больше вопросов к свидетелю.

Шумейкер поколебался, видимо не зная, стоит ли ему еще о чем-то спросить Филиппа Браунли и не даст ли это повод Мейсону возобновить перекрестный допрос, покачал головой и объявил:

— Свидетель может вернуться на место. Вызовите Гордона Викслера.

Гордон Викслер, человек лет сорока пяти, с костлявым лицом, одетый в серый рабочий костюм, поднялся на место для свидетелей и показал, что его зовут Гордоном Викслером, что он яхтсмен, владелец яхты «Решительная», в ту ночь плавал в Каталину на своей яхте. Вернулся оттуда под проливным дождем и позвонил из клуба своему слуге-филиппинцу, чтобы тот встретил его на машине. После этого он занялся всякими делами, связанными с пришвартованием яхты и установкой ее на якоре, чтобы на следующий день без задержки она была полностью готова к выходу в открытое море. Слуга-филиппинец так и не появился, хотя он прождал его больше часа. В это время до него долетел гул автомобильного мотора в районе здания клуба. Он пошел туда проверить, за ним ли пришла машина, решив, что слуга мог сбиться с пути при такой скверной видимости и если учесть, что до этого он всего лишь раз был в яхт-клубе.

Викслер пошел навстречу свету фар автомобиля. Ему бросилось в глаза, что машина едет очень медленно. И тут какая-то женщина, одетая в белый плащ, вышла из тени дома сбоку от дороги, машина остановилась. Женщина поднялась на подножку, о чем-то поговорила с водителем, соскочила на землю, а машина поехала все так же медленно дальше по дороге и почти достигла того места, где в это время находился сам Викслер, свернула в боковую улочку, ведущую к параллельной дороге, чуть ускорила ход и, описав круг, вернулась назад. Машина была почти у того места, где останавливалась, когда из тени вновь возникла женская фигура в белом плаще и вскочила на подножку автомобиля. К этому времени Викслер уже не сомневался, что его слуга-филиппинец по какой-то причине за ним не приехал, поэтому он решил попросить владельца неизвестной машины довезти его хотя бы до ближайшей стоянки такси. Викслер ускорил шаги, точнее, побежал к автомобилю. И в этот момент увидел несколько вспышек и услышал звуки пистолетных выстрелов. Ему показалось, что их было пять, но, возможно, и шесть. Женщина в белом плаще соскочила с подножки и побежала в боковую улицу.

Автомобиль марки «шевроле», стоящий на перекрестке дорог, сорвался с места, сделал крутой поворот и умчался на огромной скорости. Викслер побежал к другому автомобилю. Человек лежал на руле, его голова и левая рука свесились в открытое окошечко машины. Кровь из ран стекала по дверце, собираясь в лужицу на левой подножке. Викслер узнал его. Этот человек был Ренволд К. Браунли. Он был мертв. Викслер встречался с Браунли несколько раз, так что ошибка в этом отношении исключается.

Далее Викслер показал, что он страшно перепугался и растерялся, побежал по дождю, не соображая, что делает.

Неожиданно он наткнулся на машину, за рулем которой сидел человек, которого он не знал. Позднее он выяснил, что это Гарри Каултер, частный детектив. Вместе с ним Викслер стал искать машину Браунли, но они так и не смогли ее найти. Они позвонили в полицию. Вскоре в порт прибыла полиция и продолжила поиски. По мнению Викслера, стрельба происходила примерно в два часа сорок пять минут. В полицию он позвонил где-то в три десять или три пятнадцать минут.

Шумейкер предоставил свидетеля Мейсону для перекрестного допроса.

— Вы были страшно перепуганы? — спросил адвокат.

— Да, сэр. Ужасно. Все произошло так неожиданно, что я совершенно растерялся.

— Почему вы не сели в машину Браунли и не отвезли его в ближайшую больницу?

— Откровенно признаться, я даже об этом не подумал. Когда я увидел, как из дверцы вывешиваются рука и голова человека, и узнал в нем Ренволда Браунли, я буквально утратил способность соображать. Теперь-то мне ясно, что я должен был сделать.

— Вы были сильно расстроены и растеряны уже до того, как узнали Браунли, не так ли? Тот факт, что женщина в светлом плаще чуть ли не у вас на глазах выпускает в упор несколько пуль в водителя машины, вывел вас из равновесия?

— Да, сэр, естественно. Неужели вас это удивляет?

— Нет, это вполне естественная реакция.

Мейсон сцепил кончики пальцев и уставился на них.

— Дождь шел? — спросил он.

— Да.

— Сильный?

— Ну, это уже был не такой страшный ливень, как незадолго до этого. Дождь ослабел, но совсем не прекращался ни на минуту.

— Все это произошло неподалеку от яхт-клуба, членом которого вы являетесь?

— Да.

— Территория клуба отделена от шоссе забором?

— Да.

— Уличные фонари имеются?

— Нет.

— Луна светила?

— Нет, сэр, шел дождь.

— И звезд не было видно?

— Нет, сэр. Я понимаю, куда вы клоните, мистер Мейсон. Света было достаточно, чтобы я мог разглядеть то, о чем здесь рассказывают.

— Каков источник света?

— Перед зданием яхт-клуба стоит мачта, на которой установлено прожекторное освещение причалов и места для стоянки автомобилей членов яхт-клуба.

— На каком расстоянии находятся прожекторы от того места, где произошло убийство Ренволда Браунли?

— В трехстах или четырехстах футах.

— Так что дорога была ярко освещена?

— Нет, сэр, я этого не говорил.

— Но все же дорога освещена?

— Да, кое-какой свет имеется.

— Достаточный, чтобы вы могли отчетливо рассмотреть все предметы?

— Поймите, мистер Мейсон, — вдруг довольно враждебно заговорил Викслер, как это случается с людьми, которых заранее предупреждают, чтобы они отвечали осторожно, стараясь избежать многочисленных ловушек, — на этой женщине был белый плащ, который сделал ее весьма заметной, как только она вышла из тени. На дороге было темно, это верно, но, когда женщина поднялась на подножку автомашины, освещения оказалось вполне достаточно, чтобы я разглядел ее очертания. Разумеется, я не мог разглядеть ее лица и не берусь ее опознать, но что я видел, то я видел.

— Таким образом, — все так же спокойно продолжал Мейсон, — ваша идентификация преступницы основывается на том факте, что она была в белом плаще, не так ли?

— Да.

— Откуда вы знаете, что плащ был белым?

— Я видел его.

— Не мог ли он быть светло-розовым? — спросил Мейсон.

— Нет.

— Или чуть голубоватым?

— Нет.

— Нет?

Мейсон внезапно поднял глаза от кончиков своих пальцев, чтобы внимательно посмотреть в глаза свидетелю.

— Можете ли вы присягнуть, что плащ не был светло-желтым?

Свидетель колебался, потом сказал:

— Нет, плащ не был светло-желтым.

— В нем не было никакой желтизны?

— Никакой, сэр.

Мейсон медленно произнес:

— Вы понимаете, что имеется разница между чисто-белым, желтоватым и кремоватым?

— Да, сэр, конечно.

— И иной раз даже при дневном свете трудно отличить один от другого?

— Не особенно. Если я вижу настоящий белый, я его сразу узнаю. На женщине был белый плащ.

— Например, этот кусочек картона, — спросил Мейсон, вытягивая из кармана небольшой прямоугольничек, — он белый или желтый, на ваш взгляд?

— Белый.

Тогда Мейсон вытащил второй прямоугольничек из другого кармана, на этот раз снежно-белого цвета, приставил его к первому и спросил:

— Ну а этот?

По залу пробежал шепот.

Викслер поспешил заявить:

— Это было ошибкой с моей стороны, мистер Мейсон. Первый кусочек картона был с желтизной. Он мне показался белым, потому что вы держали его на фоне своего черного костюма.

Мейсон заметил как бы мимоходом с таким видом, как будто старался помочь свидетелю внести ясность в его показания:

— И если бы кусочек материала от второго плаща был показан на фоне чисто-белой стены, это помогло бы вам заметить в нем примесь желтизны точно так, как эта белая карточка помогла вам точно установить окраску первой, не так ли?

— Вероятно, — поддакнул Викслер, утратив на секунду осторожность. Впрочем, он сразу же спохватился, опустил глаза и отчаянно затряс головой: — Нет, сэр. То есть мне кажется, что был белый плащ.

— Но он мог быть и слегка желтым? — спросил Мейсон.

Он помахал двумя картонками, которые высоко поднял над головой, чтобы напомнить свидетелю о его недавней ошибке.

Викслер беспомощно посмотрел на помощника окружного прокурора, на настороженные, лишенные сочувствия лица присутствующих в зале, низко опустил голову и пробормотал еле слышным голосом нерадивого ученика:

— Да, этот плащ мог быть светло-желтого цвета.

Мейсон медленно поднялся на ноги, всем своим видом показывая, что вот теперь начинается основной допрос. Впившись глазами в смущенного свидетеля, он спросил:

— Откуда вы знаете, что Браунли был мертв?

— Я это понял, взглянув на него.

— Вы в этом абсолютно уверены?

— Да, сэр.

— Но ведь вы были в это время страшно напуганы?

— Ну и что же?

— Вы едва соображали, что делаете?

— Э... да.

— Вы пощупали пульс Браунли?

— Нет, сэр.

— А видеть вы его могли лишь при отраженном свете фар автомобиля?

— Да, сэр.

— Вы когда-нибудь изучали медицину?

— Нет, сэр.

— Сколько мертвых людей вы повидали за свою жизнь? Имеется в виду до того, как они были уложены в гроб?

Поколебавшись, Викслер ответил:

— Четверых.

— Кто-нибудь из них умер насильственной смертью?

— Нет, сэр.

— Таким образом, это была ваша первая встреча с человеком, в которого стреляли из пистолета?

— Да, сэр.

— И, однако же, вы присягаете, что этот человек был мертв, хотя вы даже не попытались проверить, так ли это на самом деле?

— Ну, если он и не был мертв, то определенно умирал. Кровь хлестала из всех ран.

— Так, так, возможно, умирал, а вовсе не умер?

— Допускаю.

— И, объявляя, что он «умирал», вы не основываете свои заявления ни на каких специальных медицинских познаниях, ни на прошлом опыте общения с людьми, умирающими от огнестрельных ранений?

— Для этого не надо обладать какими-то особыми познаниями!

— Неужели? Скажите, в вашем присутствии хотя бы один человек умер от огнестрельных ран?

— Нет, сэр.

— Полагаю, вам доводилось слышать о том, что иногда люди, получившие серьезные ранения, поправляются и даже не остаются калеками?

— Ну да, я слышал о таких вещах.

— Скажите, вы и теперь намереваетесь присягнуть, что этот человек умирал?

— Понимаете, я подумал, что он умирает.

— Скажите, как бы вы отнеслись к врачу, который бросил бы один-единственный взгляд на раненого человека при тусклом свете автомобильных фар, затем отвернулся от него и заявил, что этот человек или уже умер, или умирает, так что ему уже ничем не поможешь?

Викслер опустил голову.

— Вам бы понравился такой врач?

— Нет, сэр.

— Очевидно, вы ожидали бы, что вызванный вами врач пощупает пульс раненого, выслушает его сердце стетоскопом, поднесет на худой конец зеркальце к его губам. Ну и так далее?

— Да, сэр.

— Однако вы, увидев впервые человека, получившего пулевые ранения, берете на себя смелость сразу утверждать то, для чего опытному врачу, видавшему на своем веку множество аналогичных случаев, нужно произвести тщательную проверку. Почему вы так уверены в непогрешимости своих выводов?

— Нет, сэр, я в этом совершенно не уверен.

— Иными словами, вы не знаете, действительно ли этот человек умер?

— Не знаю.

— Или умирал?

— Я только знаю, что в него стреляли.

— Совершенно верно, — согласился Мейсон, — и это единственное, что вам известно?

— Понимаете, он свесился бесформенной неподвижной массой на сиденье, вся голова и одежда у него были в крови, вот я и подумал, что он...

— Теперь только в этом вы и можете присягнуть. Вы слышали звук выстрелов, подбежали к машине, увидели окровавленного человека, остальное вам неизвестно.

— Да, так все и было.

— Вы не знаете наверняка, умер ли он или нет?

— Не знаю.

— Знаете ли вы, что он умирал?

— Не знаю.

— Вы даже не можете сказать, каков был характер полученных им ран, то есть были ли они поверхностными или проникающими, с повреждением внутренних органов или нет?

— Нет, откуда мне знать? Я ведь его не осматривал.

— У меня больше нет вопросов, — сказал Мейсон.

— У меня тоже, — сказал Шумейкер после недолгого раздумья.

— Вызывайте следующего свидетеля, — распорядился судья Нокс.

Шумейкер вызвал полицейского офицера, который поехал по телефонному вызову в порт.

Было подробно рассказано о том, как производились поиски на всей территории, как машина Браунли не была обнаружена и как, наконец, обнаружили кровавые следы на асфальте, которые привели их на набережную. О том, как нашли автомобиль в заливе и подняли наверх. Это действительно был автомобиль Ренволда К. Браунли. Что он был включен на малую скорость с ручным тормозом; проведенные позднее эксперименты показали, что в этом случае он мог передвигаться со скоростью 12,8 мили в час. О том, что на полу машины были найдены кольт тридцать второго калибра и несколько пустых гильз. Что из внутренней обшивки машины были извлечены две пули, одна из которых совершенно определенно не попала в жертву, на второй же имеются следы человеческой крови.

После этого судья Нокс объявил, что время показывает половину первого, что пора сделать перерыв, судебное заседание будет возобновлено в два часа.

Мейсон, Делла Стрит и Пол Дрейк отправились перекусить в маленький ресторанчик на Норд-Бродвее, где, как они знали, им удастся получить отдельную кабинку.

— Каково твое мнение, Пол? — спросил Мейсон.

— Насколько я понял, ты собираешься дать бой по вопросу о составе преступления?

— Да, я с самого начала делал на это ставку, надеясь, что это у меня получится, но я не был уверен, что Викслер мне подыграет. Я очень боялся, что он упрется на том, что Браунли был мертв. Ну а теперь, я надеюсь, мне удастся кое-чего добиться в этом деле. Хотя бы отсрочки.

Дрейк кивнул.

— Я восхищался тем, как ты здорово ведешь перекрестный допрос, Перри. Под конец Викслер настолько перетрусил, что Шумейкер не осмелился задать ему дополнительные вопросы.

— Не будет ли защита абсолютно технической? — спросила Делла Стрит. — Вернее, теоретической?

— Я понимаю, что ты имеешь в виду. Ты совершенно права, вся моя защита будет основана на положениях существующего закона. Однако ничего противозаконного в этом нет. Многих людей вешали за якобы совершенное ими убийство на основании косвенных улик. Позднее выяснялось, что предполагаемая жертва их преступления живет и здравствует, на ее жизнь никто и не покушался. Именно это и послужило основанием для введения некоторых дополнительных статей в законе, касающихся состава преступления. Состав преступления, или, по-латыни, корпус деликти, означает труп жертвы. Для того чтобы предъявить обвинение в убийстве, прокурор должен доказать, что в результате противозаконных действий Джулии Брэннер наступила смерть Ренволда Браунли, что именно она его убила. Как я понимаю, обвинение вознамерилось перешагнуть через барьер состава преступления, основываясь целиком на показаниях Викслера о том, что Браунли был мертв. Фактически же они не в состоянии доказать факт его смерти. И если только они не поостерегутся, я подловлю их.

— Что вы имеете в виду? — допытывалась Делла Стрит.

— Это какое-то на редкость бестолковое преступление. Женщина, кто бы она ни была, выпускает несколько пуль из автоматического пистолета, после чего удирает. Далее, свидетели показывают, что она скрылась в своей собственной машине, идущей на огромной скорости. Кто-то отправил машину Браунли в залив. Этот «кто-то» не может быть человеком, стрелявшим в Ренволда. Понимаете, этого не могла сделать женщина в белом плаще, потому что свидетель обвинения совершенно четко показывает, что женщина побежала с места преступления со всех ног, стараясь как можно скорее оказаться вне опасности. Не верится, чтобы у нее был сообщник, притаившийся где-то неподалеку, пока она стреляла, чтобы позднее выйти из укрытия и довести машину до воды. Вы сами понимаете, насколько это опасно. Единственное другое объяснение заключается в том, что, когда Викслер заглянул в машину, Браунли был без сознания, но через несколько минут он немного пришел в себя. Ему удалось включить мотор, но двигался он практически вслепую под проливным дождем, запутался в переплетении поворотов и свалился через край причала.

Дрейк внимательно слушал Мейсона.

— Дальше. Если будет выяснено после того, как найдут тело Браунли, что он утонул, уже никого не будет интересовать то, что он мог бы погибнуть от кровотечения вследствие пулевых ранений через тридцать минут или через тридцать секунд после того, как свалился в воду. Ну, а тот факт, что он утонул, что именно это явилось окончательной причиной его смерти, а вовсе не огнестрельные раны, какими бы серьезными они ни были, означает, что Джулия Брэннер не может быть осуждена за убийство. Это вопрос теории, как выразилась ты, Делла, но он в свое время был узаконен.

Делла Стрит, неподвижно сидевшая над своей кофейной чашкой, сказала с хмурым видом:

— Послушайте, шеф, во всех ваших прошлых процессах вы защищали невиновных людей, несправедливо заподозренных в тех или иных преступлениях. Вам удавалось добиться эффектного конца, доказав, что версии обвинения в корне неправильны и основаны на неверных предположениях. Присутствовавшие в зале зрители были на вашей стороне. В настоящее время вы пользуетесь вполне заслуженной репутацией самого честного адвоката и превосходного детектива. Но в ту минуту, когда вы прибегнете к стандартной практике рядового защитника по уголовным делам, вы настроите против себя общественность. Если вы с большим искусством добьетесь освобождения Джулии Брэннер, прибегнув вот к таким техническим уловкам, у всех сложится мнение, что вы заинтересованы, если не выразиться больше, в этом убийстве. Вы потеряете всеобщее уважение.

Мейсон тяжело вздохнул:

— По-моему, Делла, ты не поняла самой простой вещи: на этот раз я фактически спасаю собственную шкуру. Тебе бы давно следовало это понять. Во всех прошлых делах лично ко мне никто не мог придраться. На этот раз я увяз по самое горло. Я не сомневаюсь, что на место для свидетелей вызовут Пита Сэкса. Он покажет под присягой, что Джулия Брэннер поручила ему убить Ренволда Браунли и дала ему ключ от квартиры, после чего заявит, что я подстроил ему ловушку и отнял у него ключ. Ты представляешь, какое это произведет впечатление! Ключ вообще не имел бы никакого значения, если бы случайно я не забрал его себе, но после того, как он оказался у меня, прокурор считает его самым важным вещественным доказательством в данном деле. И окружной прокурор наверняка постарается это подчеркнуть, чтобы коллегия адвокатов сделала соответствующие выводы. Как бы Гамильтон Бюргер ни клялся в своем беспристрастии, я-то понимаю, что давно являюсь в его глазах врагом номер один, которого надо убрать с дороги любой ценой.

— Ну а если вы обыграете этот вопрос с составом преступления, разве они не вызовут Сэкса для дачи показаний? — спросила Делла.

— В том-то и дело, что нет. Именно по этим соображениям я избрал такой метод защиты. Если мне удастся приостановить дело из-за отсутствия состава преступления, я временно вызволю Джулию Брэннер. Дело будет отложено, пока не найдут труп Браунли. Сэкс так и не получит возможности выступить со своей историей, ну а ключ потеряет важное значение. Когда же тело будет найдено, я не сомневаюсь, что мне удастся доказать, что Браунли фактически утонул, а не умер от ран. И если после этого окружной прокурор попытается привлечь меня к ответственности, это будет выглядеть как попытка отомстить мне за очередное поражение. Нет, Делла, как говорится, не до жиру, быть бы живу, я должен любой ценой побить их по вопросу состава преступления. Ну а после того как будет одержана эта временная победа, у нас появится дополнительное время, чтобы раздобыть недостающую в деле информацию, которая поможет нам сделать следующий шаг.

Пол Дрейк согласно кивнул.

— Я приостановил остальную работу, все мои агенты брошены на данное дело, но, к сожалению, пока не удалось найти решительно ничего такого, что можно было бы использовать. Я проследил Меллори с того момента, как он выехал пароходом из Сан-Франциско, и до его появления в Лос-Анджелесе. В Сан-Франциско он останавливался в «Палас-отеле», прибыл туда непосредственно с парохода, и, если верить показаниям служанки отеля, это именно тот человек, с которым ты вел переговоры, Перри.

— Епископ, по моему мнению, является центральной фигурой в данной истории, тем основным ключом, который помог бы мне разрешить загадку. Почему он явился ко мне? Почему исчез? Если он тот человек, за которого себя выдавал, почему скрывается? Если же он подставная фигура, то почему не повел игру до конца, не привел еще каких-то доказательств, к примеру, не позвонил мне по телефону, что вынужден уехать с каким-то тайным заданием? Имелись десятки способов продолжить свой обман, однако он сразу же вышел из игры. Этот проклятый кавардак сводит меня с ума, потому что я твердо знаю, что любое самое бессмысленное действие на самом деле чем-то обосновано, только я не могу во всем этом разобраться, сложить все воедино. Каждый раз, когда я куда-то устремляюсь, я натыкаюсь на каменную стену. И почему так ведет себя Джулия Брэннер? Почему она не желает со мной говорить? Неужели она не видит, не сознает, что не только сама забрасывает себе петлю на шею, но и ставит меня в немыслимое положение!

— Видимо, она виновата, потому и отказывается говорить с вами! — сердито заключила Делла.

— А я вот совсем не уверен, что это так. — Мейсон покачал головой. — Та теория преступления, которую разработало обвинение, мне не представляется особенно логичной. Нет, она выгораживает другого, сама же невиновна.

— Выброси это из головы, Перри. Объясни мне, ну как и кому удалось бы пришить ей убийство Браунли? Как удалось сфабриковать такие улики, а? Она написала записку Браунли, так? Когда они отыщут его труп, в кармане пальто найдется и ее записка. Она будет написана ее почерком. Это конец. Она убедила его приехать в порт. В этом отношении нет и доли процента сомнения. Она хотела его смерти не только ради своей дочери, но и потому, что ненавидела его. И потом, кто мог забрать ее пистолет таким образом, что она не знала об этом? Кто мог отправиться на то место, куда по ее указанию поехал Браунли, одеться точно так, как была одета Джулия Брэннер, и приехать на марке той же машины, на которой приехала Джулия?

Не забывай, что Джулия Брэннер написала записку уже после того, как ты ей сказал, что задумал старый Браунли. Следовательно, весь ее план вызвать Браунли в район порта был придуман после твоего звонка. Ну а любому человеку, который задумал бы подстроить против нее ложное обвинение, нужно было бы начать уже после того, как была написана эта записка. У него, или у нее, для этого просто не было бы времени. Нет, Перри, повторяю: это невозможно.

Мейсон взглянул на часы.

— Ну, ладно, сейчас мы возвратимся в зал суда и посмотрим, как сложатся обстоятельства. Можно сказать, что пока все идет вполне удовлетворительно.

— Если только Пит Сэкс выйдет на свидетельское место и покажет под присягой, что ты подстроил ему ловушку и отнял у него ключ, все последующее не будет иметь особого значения. Общественное мнение несомненно повернется против тебя. Тебе необходимо помешать ему давать показания, Перри, на основании отсутствия состава преступления или любым другим способом.

Мейсон пожал плечами.

Делла Стрит заговорила вкрадчивым голосом:

— Послушайте, шеф, почему вы не хотите вызвать меня на место для свидетелей, чтобы я сама рассказала, как все было. Постарайтесь сделать это сразу же после выступления Сэкса. Не сомневайтесь, я сумею вывести его на чистую воду. Я так подробно и убедительно расскажу, что он собирался сделать со мной, что все присутствующие захотят его линчевать. Ну, а если Шумейкер попытается запутать меня во время перекрестного допроса, то ему от меня достанется за укрывательство бандита и убийцы!

Мейсон сжал ее руку и сказал:

— Умница! Я знаю, что могу рассчитывать на тебя.

Когда они выходили из ресторана, Дрейк тихонько прошептал Мейсону:

— Ты не должен этого делать, Перри. Со стороны можно будет подумать, что вы с ней вдвоем задумали оклеветать Сэкса. Делла заманила его к себе в номер и пыталась обольстить. Делла окажется в таком двусмысленном положении, что потом...

— Ты воображаешь, что сказал мне что-то новое, Пол? Я все прекрасно понимаю. Только не надо Делле ничего говорить.

— Нет. Я даже имени ее не буду упоминать.

Делла Стрит сразу насторожилась.

— О чем это вы там шушукаетесь? Можно подумать, что обсуждаете какое-то непристойное дельце. Идемте, иначе мы опоздаем в суд!

Глава 15

Шумейкер вызывал свидетелей на возвышение в быстрой последовательности, вероятно считая, что выиграл дело. Теперь он стремился сохранить за собой свой успех.

Эксперт по баллистике показал, что пули, найденные в машине, были выпущены из автоматического пистолета тридцать второго калибра. Продавец из оружейной мастерской в Солт-Лейке подтвердил записью в регистрационном журнале, что Джулия Брэннер приобрела автоматический пистолет у них в магазине. Полицейский офицер из того же Солт-Лейка показал, что Джулия Брэннер имела разрешение на ношение оружия, и назвал номер, соответствующий номеру пистолета, найденного в машине

Браунли. Эксперт по отпечаткам пальцев показал, что после того, как машину подняли из воды, она была обсушена. На верхнем крае стекла левой дверцы был найден четкий след пальцев, который оказался отпечатком среднего пальца левой руки Джулии Брэннер.

Шумейкер поднялся во весь рост и трагическим голосом заявил:

— Вызовите Питера Сэкса.

Сэкс, нос и щеки которого были полностью скрыты под бинтом и лейкопластырем, вышел вперед и был приведен к присяге.

— Знаете ли вы обвиняемую Джулию Брэннер? — спросил Шумейкер.

— Да.

Голос Сэкса звучал очень глухо.

— Знаете ли вы Перри Мейсона, адвоката, который защищает интересы Джулии Брэннер?

— Да.

— Когда вы разговаривали с Джулией Брэннер, кто-нибудь присутствовал при вашем разговоре?

— Да. Мистер Стоктон.

— Больше никого?

— Никого.

— Где состоялась ваша встреча?

— В Юнайтед-аэропорт в Вирбенке.

— Ваша профессия?

— Я частный детектив.

— До этого вы переписывались с обвиняемой по данному делу?

— Да, сэр.

— Во время этого разговора представились ли вы Джулии Брэннер человеком определенного типа?

— Да, сэр, я сказал, что я из воровской шайки, и хвастал теми убийствами, которые я якобы совершил за деньги.

— Когда именно состоялась беседа, о которой вы сейчас рассказываете и на которой присутствовал мистер Стоктон?

— Четвертого числа этого месяца.

— В котором часу?

— Около девяти часов утра.

— Что было сказано и кем?

Мейсон поднялся с места.

— Ваша честь, совершенно ясно, что обвинение сейчас пытается связать мою подзащитную с делом об убийстве, однако обвинение до сих пор не установило, что убийство имело место. Я возражаю против данного вопроса потому, что он не может быть принят судом, не относится к делу и несуществен. Никаких требуемых оснований не было представлено. Обвинение не посчитало необходимым доказать состав преступления, а без этого бессмысленно проводить подобные допросы.

Шумейкер не дал ему продолжать:

— Мы вовсе не обязаны это доказывать так, как в суде высшей инстанции. Это же всего лишь предварительное следствие. В наши обязанности входит лишь доказать, что преступление было совершено...

— Вот и докажите, — перебил его Мейсон.

Шумейкер сделал вид, что не слышит его:

— ...и что есть все основания предполагать, что Джулия Брэннер к нему причастна.

Мейсон покачал головой.

— Не мне вам говорить, что ни в одном суде нельзя выяснять обстоятельства убийства, не доказав в первую очередь состав преступления. Сейчас получается, согласно теории обвинения, что кто-то, но не обвиняемая, должен был перегнать автомобиль Ренволда Браунли с того места, где произошла стрельба, до пристани. Моя подзащитная уехала, если мы должны верить мистеру Викслеру. Скажите, не резонно ли предположить, что мистер Браунли сам пришел в себя и включил мотор, но сбился с дороги во время дождя и свалился в воду, сорвавшись с причала? В этом случае он умер не от огнестрельных ран, а утонул. А для того чтобы доказать убийство, обвинение обязано доказать, вне всяких сомнений, что смерть мистера Браунли явилась прямым результатом полученных им пулевых ранений.

— Ничего подобного! — агрессивно перебил его Шумейкер. — Ваша честь, если заявление советника правильно и мистер Браунли действительно утонул, то ведь в воду-то он свалился в результате противозаконных действий обвиняемой, и именно из-за того, что она в него стреляла и таким образом лишила его возможности нормально вести машину.

Мейсон усмехнулся.

— В том-то и дело, что мы не доказали, что ее выстрелы «лишили его возможности вести нормально машину». Вы не доказали, сколько пуль попало в него, были ли эти ранения серьезными или же непроникающими поверхностными ранениями мягких тканей. Пистолет был небольшого калибра, так что вполне возможно, что пули не повредили жизненно важные органы. Более того, если Ренволд Браунли утонул и если ни моя подзащитная и никто из ее сообщников не направил его машину в воду через ограждение пристани, Джулия Брэннер определенно не может быть обвинена в его убийстве. В то самое мгновение, когда вы согласитесь с тем, что к Браунли вернулось сознание и что он самостоятельно съехал с пристани и сорвался в воду, вы сами приведете убедительнейший довод против собственной версии, и ваша аргументация будет более убедительной того, что я могу сказать. Вообще-то в ваших выступлениях неоднократно мелькало сомнение в правильности тех свидетельств, которые вы привели.

Лицо Шумейкера вспыхнуло.

— Это, — заорал он, — попытка воспрепятствовать правосудию всякими формальностями, которые...

— Одну минуточку, — прервал его судья Нокс. — Суд уже раздумывал над данным делом после того, как заметил исключительно искусный допрос свидетеля Викслера советником защиты. Действительно, обвинение пока не внесло никакой ясности в вопрос о причине смерти. Более того, пока еще нельзя с полной достоверностью заявлять, что Ренволд К. Браунли умер. Вроде бы логично предположить, что он находился в машине в тот момент, когда она сорвалась с причала и упала в воду, но мы не располагаем никакими доказательствами, что все обстояло таким образом. Я согласен, что при предварительном слушании дела вовсе не требуется такой тщательности и бесспорности любых доказательств, как в суде высшей инстанции, но зато я не забываю и о том, что, если я отложу слушание данного дела из-за отсутствия состава преступления в настоящий момент, от этого никто не пострадает. Обвиняемая может быть снова арестована, когда тело Ренволда Браунли будет обнаружено. Полагаю, вы должны согласиться, мистер помощник окружного прокурора, что вы сами едва ли согласились бы судить эту женщину за убийство в суде следующей инстанции, пока не будет найдено тело ее предполагаемой жертвы?

— Дело вовсе не в этом, — ответил Шумейкер.

Он с трудом сдерживал свое раздражение.

— Это всего лишь предварительное слушание. Мы хотим, чтобы вопрос об обвиняемой был окончательно решен. Доказательства должны быть сформулированы таким образом, чтобы не оставалось никаких сомнений в позиции обвинения. Имеются еще и другие причины, почему мы так стремимся, чтобы показания этих двух свидетелей были выслушаны в присутствии публики...

Он поперхнулся, испуганно посмотрел на Мейсона и добавил скороговоркой:

— То есть я хотел сказать, в присутствии суда.

Мейсон пожал плечами.

— Советника подвел язык, выдал его тайные замыслы. Ну конечно же, он думает о публике и работает на нее!

Нокс нахмурился.

— Достаточно, мистер Мейсон. Воздержитесь в будущем от подобных замечаний, ограничивайтесь лишь обсуждением данного вопроса.

Он искоса посмотрел на Мейсона и тут же отвел глаза, скрывая улыбку.

Шумейкер, пришедший в такое негодование, что на минуту утратил дар речи, несколько секунд собирался с мыслями, очевидно не зная, какими доводами подействовать на судью.

Судья Нокс уже подвел итог.

— Я намерен отложить слушание дела до десяти часов завтрашнего утра, — заявил он. — За это время обе стороны могут еще раз обдумать свои позиции. Учитывая, что в настоящее время состав преступления не доказан, формально я ограничусь лишь вопросом о том, было ли совершено преступление. Но я склонен расценить данную ситуацию несколько шире еще и потому, что, если слушание дела будет отложено, такая отсрочка не явится препятствием для последующего привлечения обвиняемой к ответственности.

Шумейкер сделал последнюю попытку:

— Ваша честь, неужели вы считаете, что представленные нами доказательства недостаточны для возбуждения дела о нападении с применением оружия?

Судья Нокс спросил с улыбкой:

— Должен ли я понимать, что прокуратура сняла с Джулии Брэннер обвинение в убийстве, заменив его обвинением в нападении с применением оружия?

— Нет, — закричал Шумейкер. — Мы не собираемся обвинять ее в вооруженном нападении, а только в убийстве. Она виновата, вне всякого сомнения...

Только тут, оценив все значение своего неосторожного заявления, он замолчал, не закончив фразы, и с растерянным видом сел на место.

Улыбка судьи Нокса превратилась в недовольную улыбку.

— Как мне кажется, советник, ваши собственные слова наилучшим образом характеризуют предвзятость занятой вами позиции. Суд делает перерыв до десяти часов утра завтрашнего дня. Обвиняемая, разумеется, остается в камере предварительного заключения у шерифа.

Перри Мейсон бросил взгляд через плечо на Пола Дрейка. Детектив вытирал носовым платком вспотевший лоб.

Мейсон и сам испустил вздох облегчения, видя, что судья Нокс поднялся с места.

Повернувшись к Джулии Брэннер, Мейсон произнес:

— Джулия, будьте добры, скажите мне...

Она сжала губы в тонкую линию, покачала головой, поднялась с места и кивнула помощнику шерифа, который ждал, чтобы отвести ее в тюрьму.

Глава 16

Делла Стрит сжала пальчиками правую руку, крепко державшую руль, и сказала:

— Шеф, неужели я ничего не могу сделать для вас? Может быть, мне пойти и самой поговорить с окружным прокурором?

Мейсон покачал головой, не отводя глаз от дороги.

— Не могу ли я принять удар на себя? Ведь я могу заявить, что это была моя инициатива забрать ключ и прочие вещи Сэкса.

— Нет, Делла. — Мейсон засмеялся. — Бюргер охотится на меня. Он, конечно, клянется и божится, что не помнит зла, но ты же великолепно понимаешь, что он спит и видит, как отомстить мне за прошлые поражения и за все те щелчки по носу, которые я ему частенько давал. Естественно, он сделает все, чтобы не упустить этот прекрасный, с его точки зрения, случай.

— Шеф, вы же знаете, — сказала она, теснее прижимаясь к нему, — что я готова сделать для вас все.

Мейсон, держа руль одной левой рукой, правой слегка обнял Деллу за плечи и нежно сказал:

— Ты хорошая девочка, Делла, но в данном случае ты ничего не можешь сделать. Мы просто должны это пережить.

Тяжело вздохнув, Делла продолжала:

— Знаете, Перри, я все никак не могу понять, каким образом было совершено убийство. Теория окружного прокурора мне тоже не кажется убедительной.

— Джулия могла выпустить в него пистолетную очередь в припадке ярости, но в этом случае они должны были бы сначала поспорить. Я убежден, что она не вызвала его в порт с целью убийства. Это исключается. Потому что противном случае она не оставила бы за собой такую кучу следов.

— Тогда чего ради она вызвала его туда?

— К сожалению, этого я не могу тебе сказать, по всей вероятности, это имеет непосредственное отношение к нашему заикающемуся епископу, к исчезнувшей неизвестно куда Дженис Ситон и, возможно, еще к некоторым неизвестным фактам.

— Так вы полагаете, что Джулия не собиралась убивать Ренволда Браунли, когда вышла из квартиры?

— Исключается!

— Тогда почему же?.. Вы же сами мне рассказывали, что, когда вы заявились туда ранним утром, Стелла Кенвуд явно не спала всю ночь и все ее поведение говорило о том, что она знала, что Джулия Брэннер задумала нечто рискованное, что это может закончиться очень плохо.

— Черт побери!

Мейсон так резко нажал на тормоза, что машину занесло вбок. Он с трудом справился с управлением, выключил мотор и посмотрел на Деллу широко раскрытыми глазами.

— Господи, как же это я раньше не подумал об этом?

— О чем вы говорите, шеф? Вы имеете в виду...

— Помолчи минуточку.

Он замер за рулем, поток машин скользил мимо. Несколько раз Мейсон кивнул головой, с чем-то соглашаясь. Наконец заговорил:

— Делла, это настолько дикое предположение, что с первого взгляда оно вообще кажется лишенным смысла, но потом ты убедишься, что только так можно объяснить все до единого факта в деле. А потом, наоборот, все покажется настолько явным и очевидным, что ты удивишься, как раньше-то это нам не пришло в голову. Скажи, у тебя с собой принадлежности для стенографирования?

Она раскрыла сумочку и кивнула.

Мейсон включил мотор.

— Поехали, нам предстоит много работать.

Он доехал до перекрестка и свернул направо на проспект, который привел их к многоквартирному дому в Вичвуде, где жила Стелла Кенвуд. Нетерпеливо позвонив в звонок, он с трудом дождался ответного зуммера, показывающего, что предохранитель на входной двери освобожден.

— Идем, Делла, поднимемся вместе. Когда мы войдем в ее комнату, вытаскивай свой блокнот и начинай фиксировать решительно каждое слово, которое будет сказано, ничему не удивляйся и не теряй голову, что бы ни произошло.

Они поднялись вверх по лестнице и прошли по коридору до квартиры Стеллы Кенвуд. Мейсон постучал в дверь. Стелла открыла и уставилась в лицо адвоката широко раскрытыми беспокойными глазами, поморгала ресницами и заговорила тонким невыразительным голосом, удивительно гармонирующим с ее увядшей физиономией:

— Ох, это вы?

С легким поклоном Мейсон представил:

— Это моя секретарша, мисс Стрит.

— Входите, прошу вас. Я видела ее в суде сегодня. Что это значит, мистер Мейсон? Уж не собираетесь ли вы получить от меня какие-нибудь улики против Джулии?

Заговорил Мейсон:

— Садитесь, миссис Кенвуд. Я хочу задать вам несколько вопросов.

— Да, пожалуйста, — сказала она совершенно бесцветным голосом. — Что вас интересует?

Мейсон наклонился к ней:

— Я хочу, чтобы вы подготовились к удару. Ваша дочь попала в дорожно-транспортное происшествие.

Рот у нее раскрылся, глаза чуть не вылезли из орбит.

— Моя дочь? — спросила она.

— Да.

— Но у меня нет дочери, она умерла. Умерла два года назад.

Мейсон покачал головой.

— Очень сожалею, но все вышло наружу. Она умирает и просит вас к ней приехать. Она сделала полное признание.

Женщина выпрямилась, ее белесые усталые глаза смотрели прямо на адвоката, бледное лицо казалось апатичным и потерянным.

— Я была уверена, что нечто в этом роде непременно случится. Где она?

— Наденьте шляпку, — распорядился Мейсон, — мы сейчас к ней поедем. Как давно вы задумали эту подмену, Стелла?

— Не знаю, — ответила она тем же бесцветным голосом, — наверное, с тех пор, как Джулия рассказала мне о своей дочери. Я сразу поняла, какой прекрасный шанс разбогатеть имеется тут для моей дочки.

— И тогда вы связались с мистером Сэксом?

— Да, он был детективом в Солт-Лейке.

— А здесь он действовал через Джексона Ивса?

— Да. Но, ради Бога, расскажите мне, как произошел несчастный случай с моей дочкой?

— Столкновение на перекрестке. Поехали, нам надо торопиться, чтобы успеть застать ее в живых.

Стелла застегнула на себе поношенный старый жакет с протертыми локтями.

Мейсон повернулся к Делле Стрит:

— Позвони окружному прокурору Бюргеру и попроси его приехать в приемную больницы «Доброго Самаритянина», прочитай ему запись этого разговора по телефону, и пусть он спешит туда, не считаясь ни с чем.

Тревожный голос Стеллы Кенвуд прервал его:

— Но он не станет чинить моей девочке неприятностей? Раз уж теперь все известно, он не будет приставать к ней с вопросами?

— Вряд ли. Если вы все сами расскажете. Поехали, время не ждет!

Он оставил Деллу Стрит в квартире звонить по телефону, сам же повел Стеллу Кенвуд вниз и усадил в свою машину.

Заведя мотор, он деловито посоветовал:

— Полагаю, что вам следует сделать полное признание окружному прокурору, чтобы он действительно не приставал к вашей дочери.

— Неужели нет никакой надежды? — спросила она дрожащим голосом.

— Совершенно никакой.

— Великий Боже, это возмездие, — простонала она. — Я пошла на все, надеясь принести ей счастье, и, хотя все шло как нельзя лучше, в душе я все время ждала часа расплаты. Я не сомневалась, что все мои прекрасные планы принесут ей горе и несчастье. А потом, когда я поняла, что нас должны разоблачить...

Мотор взревел, машина сорвалась с места.

— Да, — подбодрил он женщину, — когда стало казаться, что вы накануне разоблачения?.. Что тогда?

Она достала из сумочки платок и уже ничего не говорила, а только тихо плакала. Мейсон решил не задавать больше никаких вопросов.

Время от времени поглядывая на свои часы, он гнал машину на предельной скорости. Но вот и больница «Доброго Самаритянина». Остановившись перед самым входом, адвокат помог Стелле Кенвуд вылезти из машины и повел ее, держа под руку, в большую приемную.

Навстречу им поднялся Гамильтон Бюргер, на лице которого было такое озадаченное выражение, что Мейсон с трудом удержался от смеха. За столиком в углу сидел человек, держа наготове карандаш и блокнот для стенографирования.

Он не пошевелился и не поднял головы, когда они вошли.

Перри Мейсон сказал:

— Стелла, вы знакомы с окружным прокурором?

— Да, он допрашивал меня в тот день, когда они забрали Джулию в тюрьму.

Мейсон повернулся к окружному прокурору:

— Мистер Бюргер, это конец. Дочь Стеллы Кенвуд умирает. Поэтому она хочет покончить со всеми предварительными формальностями как можно скорее. А потом пойти к дочери. Она готова ответить на все ваши вопросы, лишь бы это было побыстрее. Полагаю, мы сумеем сэкономить время, если я сам перескажу вам то основное, что мне сообщила дочь миссис Кенвуд. Стелла вам подтвердит историю и дополнит, если в этом будет необходимость, после чего вы разрешите ей пройти к дочери. У Стеллы Кенвуд была дочь, приблизительно того же возраста, что и дочь Джулии Брэннер. В Солт-Лейке Джулия Брэннер жила в одной квартире со Стеллой Кенвуд и поведала ей историю своего неудачного замужества. Стелла сразу же сообразила, какая поразительная, сказочная жизнь открывается перед внучкой миллионера, и подумала, что ее дочь вполне могла бы занять это место, если бы только удалось убедить Браунли, что она его внучка. Стелла Кенвуд посоветовалась с Питером Сэксом, который в то время был в Солт-Лейке частным детективом. Сэкс связался с Джексоном Ивсом. Полагаю, это имя вам знакомо? Поскольку Стелла вызнала у Джулии мельчайшие подробности ее брака с Оскаром, им удалось обмануть Ренволда Браунли. И таким образом родная дочь Стеллы Кенвуд превратилась в Дженис Браунли. Джулия об этом ничего не знала. В качестве Дженис мисс Кенвуд очаровала старого Браунли, стала его любимицей, должна была унаследовать практически все его состояние. Потом она отправилась в Австралию, из Сиднея возвращалась на «Монтери», путешествуя, разумеется, под именем Дженис Браунли, дочери известного сына миллионера Ренволда К. Браунли, Оскара Браунли. На этом же пароходе в силу случайного стечения обстоятельств плыл также епископ Вильям Меллори. Епископ ничего не забыл. Он задавал кое-какие вопросы, и девушка запаниковала, поняв, что ее ответы вызвали у епископа Меллори подозрения. Она телеграфировала матери. Стелла обратилась к Сэксу, который теперь жил уже в Лос-Анджелесе. Стелла стремилась, чтобы Джулия ничего не узнала про обман. Понимаете, им удалось убедить Ренволда Браунли постараться избежать большой шумихи, когда девушка переберется жить в дом к «своему деду», потому что она создание скромное, застенчивое и так далее. Так что все было сделано крайне тихо. Сэкс, разумеется, переполошился, как бы Вильям Меллори прямиком не отправился к Браунли. Но епископ не хотел действовать без тщательной проверки. Он тоже отправил несколько телеграмм, убедился, что девушка, которую он встретил на борту «Монтери», самозванка, после чего вызвал Джулию Брэннер для встречи с ним в Лос-Анджелесе. Епископ Меллори разыскал и Дженис Ситон, настоящую внучку Ренволда Браунли. Из письма, полученного от нотариуса, который занимался финансовыми делами умершего приемного отца Дженис, епископ Меллори узнал, что он больше не обязан хранить в тайне, как он обещал, что Дженис не родная дочь Ситонов. Более того, епископ получил известие о том, что перед своей кончиной мистер Ситон понял, что те финансовые аферы, в которые он был вовлечен в последние годы, фактически полностью разорили его, что девушка остается без каких-либо средств к существованию, и тогда умирающий Ситон попытался сообщить епископу, чтобы тот открыл правду, кто такая в действительности Дженис. Мистер Ситон был настолько плох, что не мог четко и ясно объяснить свою просьбу присутствующим при его кончине людям, но он сказал достаточно для епископа. Меллори во всем разобрался и решил немедленно принять соответствующие меры. Когда появилась Джулия, Стелла безумно перепугалась. Она немедленно связалась с Сэксом. Сэкс тут же решил попробовать убить подлинную внучку, ибо, по его мнению, это был самый простой и самый радикальный способ справиться с надвигающейся опасностью. Все так, миссис Кенвуд?

Она кивнула головой и тихо сказала:

— Да, правильно, насколько мне известно. Про епископа вы больше знаете, чем я. Пожалуйста, заканчивайте с этой историей побыстрее.

— Они оба буквально головы потеряли, — продолжал Мейсон. — Сэкс был готов пойти на любую меру, вплоть до убийства, а тут еще Джулия Брэннер подлила масла в огонь, сообщив Стелле, что она намеревается написать письмо Ренволду Браунли и убедить его встретиться с ней в порту, где она покажет ему его настоящую внучку. Понимаете, Дженис Ситон является точной копией своего отца, Оскара Браунли. Днем Джулия видела Дженис и не сомневалась, что, как только старый Браунли посмотрит на девушку, он сразу же распознает семейное сходство. Было у нее верное средство выманить Браунли на такое свидание — часы Оскара Браунли, которые когда-то подарил ему отец. Ренволд Браунли страшно хотел получить их назад. Стелла сознавала, что это будет концом всех ее планов, полным крахом. Обман будет немедленно обнаружен. Полагаю, что она не беспокоилась за себя, но ее страшила возможность того, что ее дочь попадет в тюрьму. Короче говоря, она была в отчаянии. И самое первое, что она сделала, это похитила пистолет Джулии из ее сумочки, потом предложила Джулии воспользоваться ее машиной «шевроле», сама же не то одолжила у кого-то, не то взяла напрокат точно такую же. Джулия носила белый плащ, Стелла оделась точно так же. Она помчалась в порт и фактически обогнала Джулию, но ее план чуть ли не развеялся в пыль, когда Джулия неожиданно показалась перед машиной Браунли. Джулия вскочила на подножку автомобиля Ренволда Браунли для того, чтобы попросить его объехать квартал и убедиться, что за ним нет слежки. Именно тут Джулия и оставила на стекле его машины след своего пальца. Однако Стелла не потеряла полностью надежду. Как я уже сказал, Джулия хотела, чтобы Браунли очень медленно объехал кругом район порта, чтобы у нее была возможность проверить, не повис ли у него кто-нибудь на хвосте. Стелла знала об этом, поэтому пошла на риск. Она спряталась неподалеку от того места, где Джулия встретила Браунли, а когда он, описав круг, возвращался назад, она выскочила из тени и стала махать руками. Разумеется, Браунли остановился. Стелла вскочила на подножку его машины, сделала пять или шесть выстрелов из автоматического пистолета Джулии, бросила его внутрь машины, соскочила на землю и убежала к тому месту, где она спрятала свой «шевроле». Тем временем Джулия, услышав выстрелы, безумно перепугалась и тоже помчалась к своей машине, но ей не сразу удалось ее завести. Стелла первой возвратилась домой, разделась и стала ждать приятельницу. Джулия была настолько возбуждена и растерянна, что она не поехала прямиком на квартиру, а немного покружила по городу, собираясь с мыслями и стараясь успокоиться.

Мейсон повернулся к Стелле Кенвуд и спросил:

— Это правда?

— Да, — ответила та. Она низко опустила голову. — Именно так все и было.

— И тот ключ, который находился у Сэкса, был действительно ключом от вашей квартиры, но только дала его ему Стелла, а не Джулия. Это так, Стелла?

— Вы правы, бесспорно. Однако моей дочери ничего не известно о том, что Браунли застрелила я. Об этом вообще никто ничего не знает. Я бы, разумеется, сказала Питу Сэксу о том, что собиралась сделать, но мне не удалось до него дозвониться. Когда я узнала о намерении Джулии, я просто не могла примириться с мыслью о том, что моя девочка окажется в тюрьме. Я вовсе не хотела свалить это преступление на Джулию. Сначала у меня ничего подобного и в мыслях не было. Мне понадобился пистолет, вот я и взяла пистолет Джулии у нее из сумочки. Но каким образом моя дочь могла все это рассказать вам, мистер Мейсон? Я была уверена, что она сама ничего не знает.

Мейсон вздохнул.

— Я очень сожалею, Стелла, но мне пришлось таким жестоким способом заставить вас сделать признание. У меня не было иного выхода.

— Что именно сообщила вам моя дочь?

— Ничего.

— Значит, она не...

Мейсон покачал головой.

— Нет, Стелла, никакой дорожной аварии не произошло. Ваша дочь жива и здорова. Повторяю, у меня не было иной возможности исправить причиненное вами зло. Ничего другого я не мог придумать.

Стелла Кенвуд устало свалилась в кресло, закрыла лицо руками и разрыдалась.

— Это возмездие, — еще раз повторила она, — я чувствовала, что мне все равно не удалось бы скрыть правды, рано или поздно, но она вышла бы наружу. Я очень бы хотела, чтобы вы, джентльмены, хоть на минуту встали на мое место и поняли бы, какими мотивами я руководствовалась. Жизнь у меня всегда была трудной, безрадостной. Я боролась за счастье своего единственного ребенка. Лично для себя я ничего не хотела и ничего не получила. А тут у меня на глазах в полном смысле слова пропадала такая блестящая возможность. Джулия не хотела позволить Браунли получить внучку, а Браунли этого страстно желал, вот я ему ее и подарила. И вдруг совершенно неожиданно появился епископ, и Пит Сэкс сказал мне, что нам всем грозит тюрьма. Поверьте, лично меня это не испугало. Но тюрьма для моей дочери... Я очень хочу умереть. Делайте то, что находите нужным, пусть закон лишит меня постылой жизни, только, прошу вас, не будьте слишком строги к моей девочке. Она все это сделала потому, что так велела ей ее мать!

В комнату вошла медсестра и обратилась к Гамильтону Бюргеру:

— Мистер Бюргер, вам звонят из прокуратуры и настаивают, чтобы вы подошли к телефону.

— Только не сейчас! — ответил Бюргер.

Он не спускал глаз со Стеллы Кенвуд.

— Скажите им, что меня нельзя прерывать. Есть еще несколько моментов, которые я хотел бы выяснить, прежде чем...

Но сестра не уходила.

— Они велели мне предупредить вас, что это крайне важно, что это новое обстоятельство в деле Браунли.

Бюргер задумчиво свел брови.

— Я могу принести аппарат сюда, — предложила медсестра.

Бюргер кивнул ей и снова повернулся к Стелле Кенвуд:

— Вы согласны сделать письменное признание, Стелла?

— Почему нет? — ответила она совершенно равнодушно. — Все равно я уже все вам рассказала и почувствовала значительное облегчение. Я очень жестокая женщина, но я не хочу, чтобы моя дочь пострадала из-за моего упрямства.

Сестра внесла настольный телефон, воткнула вилку в розетку и протянула трубку Гамильтону Бюргеру.

— Алло? — произнес тот.

Он сразу же нахмурился, слушая сообщение своего собеседника.

Несколько раз он бросал на Перри Мейсона многозначительные взгляды, потом распорядился:

— Оставьте все так, как есть. Ничего не трогайте. Разыщите Филиппа Браунли и Дженис Браунли, пусть они произведут опознание. Но все это будет уже после того, как я сам приеду. Не забудьте о стенографистке. Принимайтесь за дело. Я задержусь здесь еще минут на десять — пятнадцать.

Бюргер положил трубку, заметил вопросительно приподнятые брови Мейсона, кивнул и сказал:

— Да, нашли тело Ренволда Браунли, несколько минут назад.

Стелла Кенвуд, сидевшая в прежней позе с низко опущенной головой, очевидно, не слышала их разговора.

Глава 17

Стрелка спидометра на машине Мейсона застыла около цифры семьдесят миль в час.

Делла Стрит, сидевшая рядом с адвокатом, прикурила сигарету от электрозажигалки и предложила Мейсону.

— Нет, Делла, спасибо, — отказался тот. — Я покурю с удовольствием после того, как вылезу из машины.

Пол Дрейк, сидевший на заднем сиденье, пронзительно закричал:

— Осторожнее, Перри! Впереди крутой поворот!

Мейсон огрызнулся:

— Когда ты сидел за рулем, то ты на этом самом повороте сотворил черт знает что и посчитал это крайне забавным. Теперь, когда за рулем я, нервы твои разгулялись, как у истеричной барышни.

Машина сильно накренилась, сделала крутой вираж, но благополучно вышла на прямую. Дрейк вздохнул с облегчением и выпустил из рук спинку переднего сиденья, в которую он машинально вцепился.

Делла Стрит выпустила струйку дыма в раскрытое окошко и спросила:

— Они уже выяснили в конечном итоге, утонул Браунли или умер от полученных ран?

— Даже если и выяснили, то помалкивают, — ответил Мейсон. — Вскрытие надо будет произвести по всем правилам, чтобы не осталось никакого сомнения. Ты понимаешь, как это важно для нас?

— Тем более что мы уже их предупредили, как это важно! — подчеркнула последние слова Делла. — Если он утонул, они не смогут предъявить Стелле Кенвуд обвинение в убийстве. Что они могут ей сделать?

— Привлечь к ответственности за вооруженное нападение с намерением совершить убийство. Однако, учитывая то, что обвинение оскандалилось со своей версией в первый раз, громко обвиняя во всех смертных грехах Джулию Брэннер, им сейчас будет нелегко убедить в чем-либо присяжных заседателей. Бюргер это понимает не хуже меня, думаю, что на этот раз он спешить не станет, обязательно соберет все неопровержимые доказательства, а потом уже назначит слушание дела.

— Ну, а если Браунли умер от полученных ран? — допытывалась Делла Стрит.

— Тогда это будет самое обычное дело о предумышленном убийстве, если не считать того, что обвинению придется доказать, каким образом машина попала на пристань, сошла с дороги и свалилась в воду. А это будет крайне сложно, потому что, независимо от судмедэкспертизы, если Бюргер заикнется о том, что Браунли сам сумел завести машину и проехал в ней до самого берега, ни один член жюри не поверит, что он был мертв в то мгновение, когда она свалилась через ограждение. И потом, публика будет симпатизировать Стелле Кенвуд, попомни мое слово!

— Остается предположить, что, если Браунли умер от пуль, кто-то другой вел его машину до пристани и направил ее в воду. И этот кто-то должен быть соучастником Стеллы Кенвуд. Конечно, — продолжала Делла Стрит, — Браунли мог прийти в себя и включить мотор. Сознание у него было затуманено, поэтому он легко мог спутать дамбу с автострадой. Через несколько минут он умер, а мотор продолжал работать, тело надавило на ножной дроссель, и...

Мейсон рассмеялся.

— Все это, разумеется, могло произойти, но теперь окружного прокурора никакие версии не спасут. Он должен точно установить, что в действительности произошло, и убедительно доказать это присяжным.

Дрейк завопил:

— Бога ради, Делла, перестань с ним разговаривать, иначе он нас всех или опрокинет в кювет, или мы врежемся в какую-нибудь машину. Этот грузовик каким-то чудом не задел нас. Кстати, Делла, машина Браунли свалилась в воду из-за ручного дросселя. Ты прекрасный секретарь, но не пытайся стать еще и детективом. У женщин совсем не тот тип ума, который требуется детективу. Самое же главное, не отвлекай внимание Мейсона. Ты добьешься того, что мы все превратимся в трупы.

— На радость Гамильтону Бюргеру! — расхохотался Перри Мейсон. Делла тоже рассмеялась.

— Я вижу, ты еще не совсем здоров, Пол. Твоя простуда превратила тебя в невыносимого зануду. И не воображай, что из тебя получился неплохой детектив только потому, что ты мужчина.

— Я другое имел в виду, — объяснил Дрейк. — Сейчас мне не хочется начинать спор по этому поводу. Но чтобы быть детективом, надо в первую очередь помнить тысячи мельчайших подробностей и автоматически подгонять любую теорию под имеющиеся факты. Делла только что доказала свою полнейшую непригодность для такого рода работы, упустив из виду ручной дроссель.

Мейсон усмехнулся.

— Не спорь с ним, Делла. Он простужен, он переполнен антибиотиками, лихорадкой и эгоизмом.

Делла Стрит замолчала, упорно думая о чем-то своем. Дрейк закрыл глаза, Мейсон сосредоточился на дороге и прибавил скорость.

— Бюргер распорядился, чтобы для опознания тела вызвали одновременно и Филиппа Браунли и Дженис? — неожиданно спросила Делла.

Мейсон кивнул.

— Зачем?

— Мы узнаем обо всем подробнее, когда приедем на место. Понимаешь, Пол, у меня не изменилась моя первоначальная точка зрения. Я убежден, что мы не сумеем по-настоящему разрешить эту загадку до тех пор, пока не разыщем нашего заикающегося епископа. Скажи, Гарри Каултер там будет?

— Да. Он получил мою «молнию» и должен прибыть туда немного раньше нас.

— Я хочу, чтобы он повнимательнее посмотрел на машину Дженис Браунли. У нее «кадиллак» желтого цвета. Пусть он к нему приглядится, не увидит ли он в нем какие-то особенности, по которым можно его отличить.

Дрейк кивнул.

Мейсон значительно снизил скорость: они были уже в районе гавани, где днем было тесно и многолюдно.

— Алиби Дженис Браунли не вызывает никакого сомнения, — напомнил Дрейк. — Поль Монтроза — человек безупречной репутации. Он нотариус, работает в конторе по продаже недвижимости. Он поклялся, что Стоктон вытащил его из кровати и заставил выйти к гостям.

— Почему он это сделал? — спросил Мейсон. Он перевел машину на вторую скорость.

— Потому, что Стоктон хотел, чтобы какое-то незаинтересованное лицо подтвердило его слова.

— Но при этом же присутствовала жена? — заметила Делла.

— Одной жены ему показалось мало, — устало отпарировал Дрейк. — Жена для суда не свидетель.

— И это, — уточнил Мейсон, — произошло до того, как приехала Дженис?

— Да, минут за пять до ее появления, как утверждает Монтроза.

— Ну что же, посмотрим, что нам удастся еще разузнать, — проворчал Мейсон, поворачивая направо.

— Эй, посмотрите-ка, тут уйма машин!

201

— В основном фотографы из отделов последних новостей, — сказал Дрейк. — Притормози-ка, Перри, этот полицейский явно собирается нас остановить.

К ним подошел полицейский. Отдав честь, он миролюбиво заявил:

— На пирс нельзя, ребята.

Пока Мейсон раздумывал, Дрейк, обладающий изворотливым умом детектива, привыкшего находить выходы из самых неожиданных ситуаций, часто возникающих в связи с нежеланием полиции пропускать посторонних на место происшествия, показал на Деллу Стрит и беззастенчиво солгал:

— Мы должны туда попасть. Это Дженис Браунли. Окружной прокурор Бюргер вызвал ее и велел ей приехать как можно скорее, чтобы опознать тело дедушки.

— Это другое дело. У меня имеются указания на этот счет, только я почему-то решил, что она уже приехала.

Дрейк покачал головой и произнес с постной миной:

— Поехали, Перри. Держитесь, Дженис, все это скоро кончится.

Делла Стрит весьма правдоподобно прижала к глазам носовой платочек. Офицер, взяв под козырек, шагнул в сторону.

— Полагаешь, что Гарри Каултеру тоже удалось проникнуть через заслон? — спросил Мейсон Дрейка.

— Я в этом не сомневаюсь. Возможно, он не смог проехать сюда на машине, но парень он изворотливый, наверняка придумал какой-нибудь предлог и обманул полицию. Как правило, все эти блюстители порядка отличаются невероятной тупостью, облапошить их легче легкого. Болваны.

— Посмотри-ка, Пол, вон стоит «кадиллак» желтого цвета. Я поставлю мою машину рядом, сдается мне, что это автомобиль Дженис. Надо на него хорошенько посмотреть.

Он подъехал вплотную к желтому «кадиллаку». Дрейк вылез из машины, совершенно открыто подошел к «кадиллаку», открыл дверцу, взял в руки водительское удостоверение и крикнул:

— О'кей, Перри, это машина Дженис.

— Возможно, у нее есть какие-то отличительные особенности, которые мог заметить Каултер, скажем, какая-то вмятина или... Хэлло! А что это? — Перри указал пальцем на большую вмятину на левом переднем крыле машины. — Вмятина свежая! — сказал он с уверенностью.

— Такую вмятину можно получить, когда загоняешь машину в узкую щель между двумя другими на стоянке, — заметил Дрейк, подходя к адвокату.

Делла Стрит, занявшаяся осмотром кожаной обивки внутри машины, возбужденно крикнула:

— Шеф, подойдите-ка сюда!

Они подбежали к ней. Она указала на несколько красно-бурых пятен на глубокой, обитой кожей полочке, находящейся позади переднего сиденья.

Пару секунд все трое молча разглядывали эти пятна, потом Дрейк сказал:

— У тебя острые глаза, Делла. Практически пятна почти невидимы на фоне этой темно-коричневой кожи.

Делла усмехнулась.

— Всего лишь женская наблюдательность, Пол. Ни один мужчина не обратил бы на них внимания, потому что мужчины неряхи и грязнули.

— Именно по этой причине эти пятна остались незамеченными! — воскликнул адвокат.

— Ты полагаешь, что Дженис могла быть на берегу, погрузить труп своего деда в «кадиллак» и...

— Сомнительно.

Мейсон покачал головой.

— Давайте-ка поскорее сматываться отсюда. Эти кровавые пятна являются уликой, их не заметили, проглядели. Если только кто-то узнает, что мы ими заинтересовались, они будут уничтожены прежде, чем мы докажем их причастность к делу.

— Но что они доказывают? — спросила Делла.

— Подумаем над этим позднее.

Они прошли по дамбе футов двадцать к тому месту, где стояла машина «Скорой помощи». Толпа молодчиков с фотоаппаратами и электровспышками окружила тесным кольцом Филиппа Браунли и Дженис Браунли.

Гамильтон Бюргер кивнул Перри Мейсону.

— Это труп Ренволда Браунли? — спросил у него адвокат.

— Да. Тело, очевидно, выскользнуло из машины, прибой принес его назад под дамбу.

— Так он утонул или умер от огнестрельных ран? — спросил Мейсон.

Бюргер покачал головой.

— Не можете сказать или не хотите?

— Сейчас я не стану делать никаких заявлений.

Мейсон взглянул на санитарную машину.

— Можно взглянуть на тело?

— Нет, Перри. Джулия Брэннер непричастна к данной истории, ну а Стеллу Кенвуд вы ведь не представляете, не так ли?

— Боже упаси, нет. С меня вполне достаточно одного клиента в деле.

Дрейк прошептал на ухо Мейсону:

— А вот и Гарри Каултер. Я сейчас направлю его к желтому «кадиллаку», авось он там что-нибудь откопает.

Бюргер отошел в сторону.

Мейсон предупредил Дрейка:

— Только пусть он осматривает машину издали, Пол. Сейчас главное, чтобы они не узнали, что она нас заинтересовала. Я займусь этими кровяными пятнами в первую очередь. Надо найти объяснение их появлению на обивке машины, потом уж можно приниматься за остальные дела.

Как только Дрейк отошел, к Мейсону поспешил Филипп Браунли, уже издали спрашивая:

— Ужасно, не правда ли?

— Не более ужасно, чем было с самого начала, как мне кажется.

Браунли-младший вздрогнул.

— Понимаете, после того как тело дедушки было найдено в таком виде, вся эта трагедия стала какой-то более явной и близкой. Я затрудняюсь объяснить свои чувства, но произошедшее утратило абстрактность, если так можно выразиться.

— Вы видели тело?

— Да, конечно, мне пришлось его опознать.

— Как он был одет?

— Точно так, как выехал ночью из дома.

— Полицейские проверили карманы его пальто? Были ли найдены какие-нибудь документы?

— Да, там были бумаги, все сильно размокшие. Их забрала полиция.

— Вам их не показывали?

— Нет, в отношении всех бумаг полиция держалась особенно настороженно. Скажите мне, мистер Мейсон, во время перекрестного допроса вы заявили, что, если дедушка не оставил официального завещания, если не будет доказано, что Дженис является его внучкой, тогда я унаследую все состояние деда? Так гласит закон?

Мейсон, все так же прямо глядя ему в глаза, ответил:

— Филипп, вам бы очень хотелось лишить Дженис ее доли, не правда ли?

— Я просто спрашиваю вас, что по этому поводу говорится в законе. Ну а мои чувства по отношению к ней вам известны. Она авантюристка.

— Думаю, что вам лучше проконсультироваться с каким-нибудь другим адвокатом. Я не хочу иметь вас своим клиентом.

— Почему?

Мейсон пожал плечами.

— Может случиться так, что я займу противоположную позицию.

— Вы собираетесь представлять интересы Дженис?

— Дженис не одна на свете!

— Вы говорите загадками, не пойму, что вы имеете в виду.

— Подумайте сами, догадаться не так уж трудно.

Сирена на санитарной машине потребовала освободить проезжую часть дороги. Машина, урча, медленно сдвинулась с места, затем, по мере того как толпа раздвигалась, поехала быстрее и быстрее.

Дрейк подошел к Перри Мейсону, кивая головой, чтобы привлечь его внимание.

Адвокат подошел к нему.

— Гарри говорит, что «кадиллак» похож на ту машину, — сообщил детектив, — но он не заметил на нем никаких отличительных особенностей и поэтому не может присягнуть в суде, что эта та самая машина. Он говорит, что если это и не она, то точно такая. Ее копия.

— И она стояла неподалеку от того места, где находится яхта Ренволда Браунли?

— Да.

Мейсон одной рукой взял Дрейка за рукав, второй указал в ту сторону, где на якорях стояло несколько яхт.

— Посмотри-ка внимательно, вон та яхта зовется «Атиной», не так ли?

Дрейк, сощурив глаза, поглядел по направлению залива.

— Вроде бы да, Перри.

Вмешалась Делла Стрит:

— Да, вон там «Атина».

— Это яхта, принадлежащая Кассиди, который навещал епископа Меллори?

Дрейк кивнул.

— Мы с Деллой поедем сейчас по разным делам, Пол. Мне бы хотелось, чтобы ты с Гарри тем временем порыскал на борту яхты.

— Для чего?

— Поищите там все то, что вы сумеете найти.

Мейсон рассмеялся.

— А ты не думаешь, что нас туда не пустят? — спросил Пол Дрейк. — Это же частная яхта! Стоянка тоже личная. Там наверняка имеется сторож.

Мейсон раздраженно ответил:

— Черт побери, Пол, неужели мне тебя учить, как возглавлять детективное бюро? Ты же знаешь все эти приемы гораздо лучше меня.

— Учить меня излишне. Это верно. Меня интересует только одно: как далеко мы можем зайти? Насколько важно, чтобы мы попали на борт этой яхты?

Мейсон, щуря глаза на солнце, отражающемся от голубой воды залива, произнес:

— Пол, это не каприз с моей стороны. Мне кажется, что это чертовски важно. Так что постарайтесь проникнуть на «Атину» любыми средствами!

— Больше мне никаких указаний от тебя не требуется, — фыркнул Дрейк. — Пошли, Гарри.

Мейсон махнул рукой Делле.

— Поехали, у нас с тобой много дел.

— Каких, шеф?

— Нам надо объездить все городские больницы и проверить больных, которые туда поступили за последние дни. Поспешим. Это очень важно.

Делла Стрит вышла из будки телефона-автомата с целым списком имен.

— Вот список тех, кого доставила «скорая», шеф. И мне сразу же сообщили их состояние. Номера третий, четвертый и десятый умерли. Личность всех троих установлена. Номер два единственный, который до сих пор не пришел в себя и остался неопознанным.

Мейсон взял у нее список, кивнул и сказал:

— Ну что же, поехали туда.

Он включил зажигание, завел мотор и повел машину на большой скорости назад в Лос-Анджелес.

— Шеф, я так и не поняла, что именно, по вашим расчетам, Пол Дрейк должен найти на борту «Атины»?

— Откровенно говоря, я и сам не знаю.

— Но почему же мы не подождали, пока они оттуда вернутся?

— Потому что, дорогая, у меня появилась новая теория относительно данного преступления, которая, на мой взгляд, является более достоверной, и мне не терпится это проверить.

— Что за теория?

— Я скажу тебе, как только мы проверим первое звено. Понимаешь, расследуя преступление, приходится создавать много теорий. Некоторые из них сразу же рассыпаются, другие оказываются надежными и просто требуют доказательств. Если ты желаешь завоевать себе репутацию опытного, серьезного адвоката, ты не должен разглашать все свои черновые версии, пока они еще не выкристаллизовались окончательно.

В глазах Деллы сквозила неприкрытая нежность, когда она изучала его профиль.

— Вы и правда считаете, что вам еще нужно создавать для себя подобную репутацию, шеф?

— А как же!

Остальную часть пути они молчали. Наконец Мейсон остановился перед больницей. Они вместе вошли в приемное отделение.

Мейсон обратился к дежурной сестре:

— Мы бы хотели посмотреть на человека, который был доставлен сюда по поводу травмы черепа пятого утром.

— К нему не пускают посетителей.

— Я полагаю, что мы сможем установить его личность.

— Прекрасно. В таком случае один из вас пройдет с интерном в палату. Больной до сих пор не пришел в сознание. Вы должны дать слово соблюдать абсолютное молчание.

— Мы все отлично понимаем.

Сестра нажала на звонок, через минуту появился интерн в белом халате.

— Отведите, пожалуйста, этих людей в палату двести тридцать шесть, — распорядилась сестра. — Вопрос идентификации. Они дали слово молчать.

Мейсон и Делла Стрит прошли по длинному коридору в большую палату. В самом углу стояла койка, отгороженная от остального помещения ширмой. Интерн отвернул вбок одну из ее створок. Делла Стрит тихонько ахнула, схватившись рукой за горло.

Мейсон внимательно посмотрел на неподвижную фигуру, потом кивнул интерну, который тут же задвинул ширму.

Адвокат достал из кармана пачку денег.

— Проследите за тем, чтобы этому человеку было оказано величайшее внимание, — сказал он. — Переведите его в отдельную палату, созовите консилиум врачей, если это необходимо, приставьте к нему постоянную сиделку. Впрочем, вы сами лучше знаете, что надо сделать. Не стесняйтесь в средствах.

— Так вы его знаете? — спросил интерн.

— Да, это епископ Вильям Меллори из Сиднея в Австралии.

Глава 18

Мейсон сидел во вращающемся кресле, откинувшись на спинку и положив ноги на крышку своего письменного стола. Он курил, с его лица не сходила довольная улыбка.

Делла Стрит, сидевшая в непринужденной позе на уголке стола, видя это, подмигнула ему и шутливо спросила:

— Ол-райт, человек-загадка, может, вы все-таки поделитесь со своей верной секретаршей своими соображениями? Поскольку ваша версия выдержала проверку и оказалась логически правильной, пора сорвать с нее завесу таинственности и рассказать мне, в чем она заключалась. Откуда такая скрытность? Каким образом вы угадали, что епископ Меллори в больнице, и что, как вы надеетесь, Пол Дрейк должен найти на «Атине»?

Несколько секунд Мейсон с большим вниманием разглядывал извилистую струйку дыма своей сигары, затем заговорил тихим, задумчивым голосом:

— Джулия не собиралась убивать Ренволда Браунли, но зато она очень хотела, чтобы он приехал на берег залива. Поэтому можно смело утверждать, что она ожидала от него чего-то особенного, какого-то поступка, когда он там появится. Причем этот поступок был настолько важным, что какой-то другой человек не побоялся пойти на убийство Браунли, лишь бы помешать ему это выполнить. Мне кажется, в нашем распоряжении всего лишь один ответ, единственный логический вывод. Дженис Ситон настолько похожа на своего отца, что в ту самую минуту, когда Ренволд Браунли увидел бы ее, он понял бы, что она является его настоящей внучкой, а поскольку у Оскара других детей не было, то проживающая в его доме девушка, вне всякого сомнения, самозванка, которую следует немедленно передать в руки правосудия. Вполне естественно, что, когда Стелла узнала, что Джулия Брэннер располагает каким-то способом заставить Браунли приехать в гавань, где по плану Джулии он встретится со своей настоящей внучкой, внешность которой является безошибочным доказательством ее происхождения, Стелла поняла: им всем грозит разоблачение. Она и правда не переживала за себя. Все, что она сделала, было результатом ее слепой материнской любви. Полагаю, что психически она не вполне уравновешенна. Ну и потом со счетов нельзя сбрасывать несомненное давление пары авантюристов, в руки которых она попалась благодаря собственной неосмотрительности. У нее был плащ, очень похожий на плащ, в котором ходила Джулия Брэннер. По всей вероятности, это было случайным совпадением, потому что Стелла не предполагала, что ее кто-нибудь увидит, но она с самого начала надумала убить Ренволда К. Браунли из пистолета Джулии. Поэтому она дала свою машину Джулии и тут же наняла себе другую. Теперь давай посмотрим на это дело с другого конца. Джулия, очевидно, знала, что возмужавшая Дженис Ситон стала точной копией Оскара Браунли. Это было то неоспоримое доказательство, о котором никто не подумал. Но каким образом Джулия могла это знать? Единственный логичный ответ таков: очевидно, она видела Дженис, приехав сюда из Солт-Лейк-Сити. Поскольку один только епископ Меллори знал о местонахождении подлинной Дженис Браунли, отсюда следует, что Меллори, встретившийся с нею, устроил встречу матери и дочери еще до того, как Джулия Брэннер приехала ко мне в офис, а люди Дрейка заняли свои посты по наблюдению за Меллори в «Ригал-отеле». Дальше, Джулия хотела, чтобы Ренволд приехал в гавань, потому что решила отвести его к дочери, дабы тот воочию убедился в существовании кровного родства между ним и Дженис. Логично предположить, что для большей убедительности Джулия намеревалась не только представить ему Дженис, но также познакомить с епископом Меллори. Отсюда вывод: епископ должен был находиться тоже где-то поблизости на берегу. Однако Меллори знал, что за ним ведется слежка, не сомневался, что поскольку уже была предпринята попытка убить его, то, очевидно, ее повторят. Более того, те люди, с которыми он боролся, убили бы и Дженис Ситон, если бы им удалось ее выследить. Поэтому епископ отправился совершенно открыто в гавань ночью. Он использовал «Монтери» для исчезновения. Он мог бы применить с десяток других отправных моментов или промежуточных трамплинов для того, чтобы стать человеком-невидимкой. Ну а «Монтери» он избрал потому, что судно было удобно расположено. Поэтому, как ты понимаешь, он должен был подготовить рядом место, где можно было бы спрятаться после побега без особых хлопот. Ну а в тот же день чуть раньше его навестил, как известно, Кассиди, владелец яхты «Атина». Не естественно ли, что епископ Меллори и Дженис Ситон ожидали появления Джулии с Ренволдом Браунли на борту «Атины»? Епископ был действительно достаточно сообразителен, чтобы не сомневаться, что авантюристы убьют Дженис, если только им предоставится возможность это сделать. Именно поэтому Джулия настаивала, чтобы Ренволд Браунли приехал непременно один. Она должна была встретить его в таком месте, откуда им будет близко дойти до «Атины», но все же достаточно удаленном от места укрытия девушки. И таком, чтобы их враги не смогли догадаться, где она прячется, если Ренволд Браунли случайно проговорится, куда он едет. Теперь обрати внимание на странное хитросплетение событий, которые так перемешались, что совсем не просто добраться до истины. Решившись убить Браунли, Стелла Кенвуд начала самостоятельно действовать. Она уверяет, что ее дочь об этом ничего не знала, потому что ей не хотелось вмешивать девушку в такое страшное преступление. С ее стороны это было материнской жертвой. Филипп Браунли разговаривал со своим дедом перед тем, как тот отправился в гавань. Ренволд Браунли рассказал Филиппу в общих чертах о содержании записки и сказал, что он едет в гавань для встречи с Джулией Брэннер на борту какой-то яхты. Филипп Браунли не понял его достаточно ясно, но слова «берег» и «яхта» навели его на мысль о яхте его деда, стоящей на причале неподалеку от яхт-клуба. Филипп совершенно искренне сообщил лже-Дженис, что Ренволд отправился на встречу с Джулией на свою яхту. И девушка позвонила по телефону Виктору Стоктону, который, очевидно, немедленно принял все меры для того, чтобы убить Ренволда Браунли и чтобы обеспечить Дженис стопроцентное алиби. Ведь она была бы в первую очередь заподозрена в убийстве Ренволда Браунли.

— Но для чего Стоктон заблаговременно беспокоится об алиби?

Мейсон помолчал, выжидательно глядя в лицо Деллы, которая, чуть ахнув, пробормотала:

— Потому что он наперед знает, что таковое ему потребуется.

— Совершенно верно. Иными словами, в ту самую минуту, когда Виктор Стоктон принял столь хитроумные меры для обеспечения Дженис алиби, он уже знал, что это алиби будет ей нужно. А это доказывает, что он знал, что Ренволд Браунли будет убит. А ведь ему ничего не было известно о намерениях Стеллы Кенвуд, ибо та не хотела, чтобы ее дочь хотя бы косвенно оказалась замешанной в этом деле. Ты понимаешь ход моих мыслей? Да, Стоктон разработал собственный великолепный план убийства Браунли. Дженис должна была приехать к нему домой, куда были поспешно «согнаны» гости, дабы те смогли позднее засвидетельствовать присутствие девушки на вечеринке. Свою машину она должна была оставить в четырех кварталах от его дома. Очень может быть, что она и не знала, что задумал Стоктон! Сообщник Стоктона мог позднее взять машину Дженис, поехать на ней в гавань и затаиться в ожидании Ренволда. Ренволд узнал бы машину Дженис. Он ей всецело доверял и не заподозрил бы ничего плохого и без колебаний подошел бы к желтому «кадиллаку». Убить хотели не только его, но и Джулию Брэннер. Полагаю, ты догадалась, что в машину Дженис сел Питер Сэкс, как только она из нее вышла. Он помчался к яхте Браунли с четким указанием разделаться с Ренволдом и с Джулией. Стоктон получил информацию от Дженис, а та — от Филиппа, который твердо решил, что его дед поехал к себе на яхту, а не куда-то в другое место. И это внесло путаницу в их планы. В момент убийства Джулия Брэннер ждет на берегу, когда Ренволд Браунли медленно объедет вокруг нескольких кварталов, чтобы убедиться, что за ним нет слежки. Там же находится Стелла, первой прибывшая на место встречи с твердым намерением убить Браунли. Ну и, наконец, Питер Сэкс сидит в «кадиллаке» перед яхтой Ренволда Браунли. Что касается епископа Меллори и Дженис, то они ожидали Джулию и Браунли на борту яхты «Атина», которая стояла на якоре в акватории яхт-клуба. Звуки выстрелов Стеллы ясно расслышали и Сэкс, и епископ. Оба сообразили, что означают эти выстрелы. Гарри Каултер вел машину, шум мотора и стук дождя по крыше не позволили ему расслышать выстрелы. У епископа не было машины. Поэтому он просто побежал к месту стрельбы. Сэкс поехал на «кадиллаке». Естественно, он прибыл первым. Увидев, что произошло, и, возможно, успев проверить состояние Браунли, он установил, что тот еще жив. Он пересел в машину Браунли, включил мотор, подогнал ее к ближайшему пирсу, оставил ее на небольшой скорости и открыл ручной дроссель. После этого бегом вернулся в «кадиллак» Дженис и уже собрался ускользнуть на нем, как увидел бегущего навстречу епископа. Сэкс узнал Меллори, направил на него машину и наехал на него. Не сомневаясь, что убил его. Ему не хотелось, чтобы епископа нашли в этом месте, поэтому он погрузил его в «кадиллак», отвез на окраину Лос-Анджелеса и бросил на дороге, предварительно вытащив документы, чтобы Меллори не сразу смогли опознать.

Рассказ Мейсона прервал отдаленный стук Пола Дрейка в дверь из коридора.

— Ол-райт, Делла, — сказал адвокат, — давай узнаем, что обнаружил Пол.

Делла пошла к двери, но на полдороге обернулась, чтобы спросить:

— Но все же почему Джулия Брэннер так упорно отказывалась говорить и почему Дженис Ситон...

— Потому что Джулия Брэннер была уверена, что молчание епископа и Дженис объясняется какими-то крайне важными причинами. Она бы ничего и не сказала до тех пор, пока не выяснила бы, каково их положение. Епископ Меллори отвез Дженис Ситон на борт яхты и не велел с нее сходить до тех пор, пока она не получит от него указаний. Возможно, девушка предполагала, что пока не удалось уговорить Ренволда Браунли приехать на эту встречу. Если только я не утратил способность соображать, она даже ничего не знает об убийстве Ренволда Браунли.

Делла Стрит открыла дверь.

Очень возбужденный Дрейк буквально влетел в кабинет, крича с порога:

— Вы никогда не догадаетесь, что мы обнаружили на борту этой яхты, Перри. Ни за какие деньги. Мы нашли там...

Его прервала Делла Стрит:

— ...нашли Дженис Ситон, все еще ожидающую возвращения епископа Меллори. Она даже не знала, что Ренволд Браунли был убит.

Дрейк уставился на нее с открытым от удивления ртом:

— Черт побери, откуда ты знаешь?

Делла Стрит незаметно подмигнула Мейсону.

— Элементарно, мой дорогой Ватсон, элементарно. Мой женский ум привел меня к подобному выводу на основании фактов, имеющихся в данном деле.

Дрейк опустился на ближайший стул.

— Вот это да! — только и смог он пробормотать.

213

Глава 19

Часы как раз показывали двенадцать часов следующего дня, когда Мейсон опустил трубку на рычаг, сообщив Делле Стрит:

— Следствием установлено, что Ренволд Браунли в конечном счете утонул.

— Ну и что же теперь будет?

— Таким образом, Стеллу Кенвуд можно обвинять только в нападении с огнестрельным оружием. А вот Питер Сэкс и Виктор Стоктон вряд ли отвертятся от обвинения в преднамеренном убийстве. Вскрытие показывает, что Браунли мог бы погибнуть от потери крови, поскольку одна из пуль повредила ему артерию, если бы ему вовремя не была оказана медицинская помощь, но получилось так, что он утонул.

— Удастся ли окружному прокурору доказать существование сговора между Питером Сэксом и Виктором Стоктоном?

Мейсон усмехнулся:

— Это уже его забота. Я не прокурор и не отвечаю за его дела, но мне думается, что это не будет трудно. Стоктон выдал себя тем, что подготовил столь надуманное алиби для Дженис до того, как у него официально были основания предполагать, что Браунли будет убит.

— Полагаю, — медленно произнесла Делла Стрит, — что впредь Гамильтон Бюргер не станет так охотно соглашаться на ваш арест, как вы полагаете?

Мейсон громко рассмеялся:

— Если хочешь знать, Бюргер сегодня вечером приглашал меня в ресторан, хочет «обсудить данное дело». Помнит, по всей вероятности, что я ему тогда сказал в отношении материала в газету об излишне доверчивом прокуроре. Теперь, когда епископ Меллори пришел в сознание и будет жив, у Бюргера в руках великолепный материал. Я сегодня ездил утром в больницу навестить епископа. Меллори заметил желтый «кадиллак» вовремя и посторонился, но водитель специально направил машину на него. Больше, конечно, он ничего не запомнил, но со свежей вмятиной на левом крыле и с кровяными пятнами на заднем сиденье у Бюргера превосходные косвенные обстоятельства. Ну и помимо всего эти люди трусы. Они набрасываются друг на друга, сваливают один на другого всю вину, когда дело доходит до разоблачения. Если же окружной прокурор сумеет внушить Сэксу, что Стоктон нарочно подставил его под удар, чтобы самому выйти сухим из воды, Сэкс из кожи вылезет вон, чтобы доказать, что он был всего лишь исполнителем, а руководил-то всем Стоктон.

— Все прекрасно сходится, шеф, — медленно произнесла Делла Стрит, — но одна вещь все еще продолжает меня удивлять. Если Меллори настоящий епископ, а не подставное лицо, откуда это заикание?

Мейсон усмехнулся.

— Я и сам все время об этом думал, поэтому не постеснялся спросить об этом у Меллори сегодня утром. Он мне объяснил, как это получилось. Мальчиком он страдал от сильного заикания. Он стал лечиться и полностью изжил эту привычку, но каждый раз, когда он сильно волнуется, заикание к нему возвращается. Как только он увидел на судне Дженис Браунли и понял, что она самозванка, он безумно расстроился, не зная, как поступить. Данное им в свое время слово сохранить тайну мешало ему разоблачить важное преступление. Он все еще не оправился от этого потрясения, когда явился ко мне в офис.

Джексон, клерк Мейсона, отворил дверь из внешнего бюро. Делла Стрит посмотрела на него и спросила со смехом:

— Великий Боже, чем вы так шокированы, Джексон?

Тот отвечал дрожащим голосом:

— Женщина спросила меня, не буду ли я возражать, если она закурит. Я кивнул, протянул ей портсигар, она поблагодарила и сказала, что у нее имеется собственное курево. И вытащила толстенную черную сигару, отрезала кончик и закурила!

— Женщина — сигару? — воскликнула Делла Стрит.

Джексон кивнул.

— Сколько ей лет? — с любопытством спросил Мейсон.

— Около семидесяти, она прочно уселась во внешнем помещении нашего бюро, хладнокровно заявив, что она будет сидеть там до тех пор, пока ее не примет мистер

Мейсон. И, судя по ее виду, она способна сделать именно то, что грозится. Сидит и пускает струйки дыма из своей огромной сигары. Знаете, это как-то деморализует.

— Она не говорила, по какому вопросу желает со мной проконсультироваться? — поинтересовался Мейсон.

— Она смотрит на меня так, — возмущенно заявил Джексон, — как будто я какое-то ничтожество.

— Но все же она сказала вам или нет, чего ради она желает меня видеть? — нетерпеливо спросил Мейсон.

— Говорит, что в отношении девушки, увлекающейся азартными играми. Больше она мне ничего не сообщила.

Мейсон кивнул и хмыкнул.

— Давайте-ка посмотрим на нее, Джексон! Во всяком случае, это надо сделать хотя бы для того, чтобы восстановить спокойствие во внешнем бюро.

— Да, сэр, — с достоинством ответил Джексон.

Он повернулся и пошел назад в приемную с видом чистюли, который волей обстоятельств вынужден приблизиться к чему-то очень грязному и противному.

Мейсон и Делла Стрит прыснули от смеха. Они все еще смеялись, когда Джексон вновь отворил двери, пропуская перед собой седовласую женщину с холодными серыми глазами.

Эта женщина вынула изо рта черную сигару, чтобы произнести:

— Закройте за собой поплотнее входную дверь, молодой человек, когда выйдете отсюда.

Серые глаза с холодноватым юмором воззрились на Перри Мейсона и его привлекательную секретаршу.

— Продолжайте, вам надо высмеяться. Я с удовольствием к вам присоединюсь, но сначала мне необходимо поговорить с вами о крайне важном деле, мистер Мейсон. Я очень люблю сигары и терпеть не могу чванливых молодых клерков, которые считают себя кладезем ума!

ДЕЛО О ФАЛЬШИВОМ ГЛАЗЕ

THE CASE OF THE COUNTERFEIT EYE

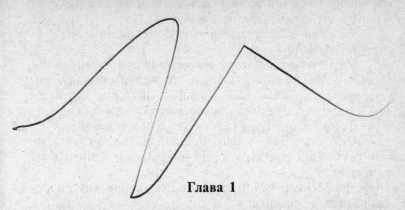

Глава 1

Перри Мейсон подставил спину горячим лучам утреннего солнца, которое освещало его кабинет, и хмурым взглядом окинул стопку писем, ожидающих ответа.

— Как я ненавижу эту конторскую рутину! — сказал он.

Делла Стрит, его секретарь, немного удивленно посмотрела на него и примирительно улыбнулась.

— Мне кажется, — сказала она, — что, покончив с одним делом об убийстве, вы готовы заняться другим.

— Не обязательно делом об убийстве, — ответил он. — Но хорошая драка в суде мне тоже нравится. Я люблю драматические дела, связанные с убийствами, когда обвинение неожиданно взрывает подо мной бомбу, а я, взлетая в воздух, уже думаю о том, как бы мне приземлиться на ноги... Что это за парень со стеклянным глазом?

— Мистер Питер Брунольд, — ответила Делла. — Он ждет вас в приемной. Я говорила ему, что вы, возможно, передадите его дело помощнику. Но он сказал, что расскажет все либо лично вам, либо никому.

— Что он собой представляет?

— Ему лет сорок, черные курчавые волосы, вид несколько необычный, как у человека, который много страдал. Чем-то похож на поэта. В выражении лица есть что-то странное, чересчур эмоциональное. Вам он явно понравится, но с таким типом хлопот будет немало. Если вас интересует мое мнение, то мне кажется, он из тех, кто способен на убийство в состоянии возбуждения, если его вынудят к тому обстоятельства.

— Ты сразу заметила, что у него стеклянный глаз? — спросил Мейсон.

— Не могу так сказать, — ответила она, покачав головой. — Мне всегда казалось, что я смогу обнаружить у человека искусственный глаз, но с мистером Брунольдом я ошиблась и ничего особенного не заметила.

— Что он тебе успел рассказать о своем глазе?

— Он сказал, что у него полный набор искусственных глаз: один для утра, один для вечера, один, налитый кровью...

Перри Мейсон хлопнул ладонью по столу. Его собственные глаза засверкали.

— Убери отсюда почту, Делла, — распорядился он, — и впусти человека со стеклянным глазом.

Делла Стрит улыбнулась и молча вышла из кабинета в приемную, где обычно ждали те, кто хотел поговорить с Перри Мейсоном лично. Минуту спустя дверь отворилась.

— Мистер Питер Брунольд! — объявила Делла, стоя в дверях, стройная и прямая.

Брунольд пересек кабинет и протянул руку Перри Мейсону.

— Благодарю вас за то, что вы лично принимаете меня, — сказал он.

Юрист поднялся, пожал протянутую руку и с любопытством посмотрел посетителю в глаза.

— Который из них? — спросил Брунольд. — Вы угадали?

Мейсон отрицательно покачал головой. Брунольд улыбнулся и, усевшись в кресло, наклонился к Мейсону.

— Я знаю, что вы человек занятой, и сразу перейду к делу. Вашему секретарю я сообщил свое имя, адрес, профессию и все прочее, поэтому не буду повторяться. Начну сразу о деле, чтобы не отнимать у вас время. Знаете ли вы что-либо о стеклянных глазах?

Перри Мейсон покачал головой.

— Хорошо. Кое-что я вам расскажу. Изготовление стеклянных глаз — искусство. На все Соединенные Штаты наберется едва ли тридцать — сорок человек, которые занимаются этим делом. Хороший стеклянный глаз трудно отличить от настоящего, если глазная впадина не повреждена.

Мейсон, наблюдавший за ним, сказал:

— У вас движутся оба глаза.

— Конечно. Потому что у меня не повреждена глазная впадина и сохранено девяносто процентов естественного движения. В различное время, — продолжал он, — человеческие глаза различны. Днем зрачки меньше, чем ночью. Иногда глаза наливаются кровью. Это случается по многим причинам. Например, от долгой езды на автомобиле, от недосыпания или от выпивки. У меня лично — от выпивки. Я вдаюсь в такие подробности потому, что вы мой юрист, а своему юристу я должен говорить правду, иначе видал бы я вас в гробу. О моем фальшивом глазе никто не знает, даже лучшие друзья. У меня полдюжины искусственных глаз — дубликаты. На все случаи жизни. Есть у меня и глаз, налитый кровью. Я ношу его вечером, когда иду куда-нибудь выпить.

Юрист кивнул:

— Продолжайте.

— Кто-то украл мой глаз и подложил другой.

— Откуда вы знаете?

Брунольд фыркнул:

— Откуда я знаю? А как вы узнаете, что украли вашего дога или мерина, а вам взамен оставили дворняжку или кобылу?

Он достал из кармана небольшой футляр, открыл его и показал Мейсону четыре глаза.

— Вы всегда носите их с собой? — с любопытством спросил Мейсон.

— Нет. Иногда я ношу лишний глаз в жилетном кармане, у этого кармана подкладка из замши, чтобы глаз не поцарапался. Если куда-нибудь еду, то держу футляр в саквояже; когда я дома, он лежит в шкафу.

Он вытащил один глаз и протянул его юристу. Мейсон осторожно взял и осмотрел его.

— Чистая работа, — заметил он.

— Отвратительная работа, — резко возразил Брунольд. — Зрачок неправильной формы. Цвет радужной оболочки очень бледен, а прожилки слишком красные. В глазу, налитом кровью, они чуть желтее. А теперь возьмите вот этот, и вы увидите, что он качественнее, это хороший глаз. Конечно, это не глаз, налитый кровью, как предыдущий, но он изготовлен настоящим специалистом. Краски лучше. Зрачок правильный.

Мейсон внимательно осмотрел оба глаза и задумчиво кивнул.

— Значит, это не ваш глаз? — спросил он, указывая на глаз, который посетитель протянул ему первым.

— Нет.

— Где вы нашли его?

— В этом кожаном футляре.

— Вы хотите сказать, — проговорил Перри Мейсон, — что человек, укравший ваш налитый кровью глаз из футляра, подложил вместо него вот этот?

— Совершенно верно.

— А зачем, по-вашему, это было сделано?

— Вот это я и хочу узнать. За этим я и пришел сюда.

Брови юриста поползли вверх.

— Вы хотите найти причину здесь?

— Мне кажется, — понизил голос Брунольд, — что кто-то заинтересован в том, чтобы навлечь на меня беду.

— Что вы имеете в виду?

— Глаз — это индивидуальный признак. Искусственный глаз тем более. У очень немногих людей одинаковый цвет глаз. Кроме того, каждый искусственный глаз — это шедевр. Постарайтесь понять, что я имею в виду. Десяток художников нарисуют, предположим, дерево. В каждом случае оно будет выглядеть как дерево, но по определенным признакам вы узнаете, какой художник изобразил именно то, а не иное дерево.

— Продолжайте, — сказал юрист.

— Зачем некто украл мой глаз и подсунул другой? Не может ли этот некто совершить преступление — кражу или убийство — и оставить мой глаз на месте преступления? Как доказать полиции, что я там не был?

— Вы думаете, что полиция сможет опознать ваш глаз?

— Уверен. Любой эксперт может определить мастера. Полиция найдет этого человека и спросит у него, для кого он его сделал. И тот, конечно, ответит: «Я сделал его для Пита Брунольда, 3902, Вашингтон-стрит».

Юрист внимательно посмотрел на него.

— И вы думаете, — медленно спросил он, — что ваш глаз будет оставлен на месте убийства?

Питер Брунольд с минуту колебался, потом кивнул.

— И вы хотите воспользоваться моей помощью?

Брунольд снова кивнул.

— Убийство, в котором вы не замешаны, или... замешаны?

— Я невиновен.

— Откуда мне знать?

— Вы должны верить мне на слово.

— И что я, по-вашему, должен делать?

— Я жду от вас рекомендаций. Как мне вести себя? Вы опытный юрист по уголовным делам. Вам известны методы полиции. Вы знаете, как работает суд.

Перри Мейсон откинулся на спинку своего большого вращающегося кресла.

— Убийство уже совершено? — спросил он. — Или его собираются совершить?

— Я не знаю.

— Хорошо, — сказал Мейсон. — Вы готовы заплатить полторы тысячи долларов за то, чтобы избежать этой ловушки?

— Это зависит от того, насколько чистой будет ваша работа, — медленно произнес Брунольд.

— Я думаю, что работа будет чистой, — ответил Мейсон. — Более чем просто чистой — совершенной.

— Я не думаю, что может существовать совершенное решение, — покачал головой Брунольд. — Я все время думаю об этом, сегодня я не спал полночи, пытаясь найти выход из положения. Но увы... Глаз будет идентифицирован, если полиция пойдет тем путем, о котором я сказал. Понимаете, вопрос не в том, чтобы доказать мою невиновность, когда полиция опознает глаз, а в том, чтобы исключить самую потребность в такой идентификации.

— Думаю, что понял вас, — сказал Мейсон.

Брунольд достал из бумажника пятнадцать сотенных банкнот и бросил на стол.

223

— Вот баксы. Теперь объясните фокус.

Мейсон вернул Брунольду налитый кровью глаз, другой положил себе в карман. Собрал и сложил деньги.

— Если полиция найдет ваш глаз первым, — медленно сказал он, — его опознают так, как вы сказали. Если найдут первым другой глаз, его тоже попытаются опознать. Если другой глаз найдут вторым, также попытаются опознать его. Если ваш глаз найдут третьим, его будут опознавать, как и два первых.

Брунольд заморгал.

— Повторите еще раз, — сказал он.

— Если вы немного подумаете, то поймете, что я прав. Вся беда в том, что ваш глаз слишком хорошо сделан. Это произведение искусства. Вы это знаете, так как хорошо знакомы с предметом. Полиция с этим знакома мало, и надо, чтобы что-то другое привлекло ее внимание.

Лицо Брунольда неожиданно оживилось.

— Вы имеете в виду, — спросил он, — что вы?.. — Он не договорил и умолк.

Мейсон кивнул:

— Да, именно это я имел в виду. Поэтому и попросил тысячу пятьсот долларов. В связи с этим делом у меня будут издержки.

— Возможно, я мог бы сберечь... — начал было Брунольд, но Мейсон перебил его:

— Вы не знаете одной важной вещи в этом деле.

Брунольд в восторге схватил Мейсона за руку.

— Да ты умница! — воскликнул он. — Ты умен, как сам дьявол! Эта мысль так и не пришла мне в голову, хоть я и думал об этом всю ночь.

— Мой секретарь знает ваш адрес? — спросил Мейсон.

— Да. 3902, Вашингтон-стрит. В этом же доме у меня и нечто вроде мастерской, разные приспособления — кольца для поршней, прокладки, ну и так далее. Кое-что насчет машин.

— Вы сами владелец или работаете на кого-то?

— Сам. Мне надоело работать на других. Я долго работал продавцом, болтался по поездам, испортил себе желудок скверной едой и сделал немало денег для хитрых парнишек, которые сидели дома и были владельцами предприятий. — Он прищурил стеклянный глаз. — В 1911 году я попал в катастрофу, — продолжал он. — Видите, до сих пор остался шрам на голове. Больше двух недель я валялся в госпитале и еще целый месяц не знал, кто я, — потерял память. В общем, это дорого обошлось мне. Именно тогда я потерял глаз.

Мейсон с сочувствием кивнул:

— Хорошо, Брунольд. Если что-нибудь произойдет, сообщите мне. В случае моего отсутствия передайте все, что хотели сказать мне, Делле Стрит, моему секретарю. Я полностью доверяю ей, она в курсе всех моих дел.

— И умеет держать язык за зубами?

Мейсон улыбнулся:

— Даже пытка не вырвет у нее ни слова.

— А деньги?

— Никаких шансов.

— А лесть? А любовники? Она женщина, и очень привлекательная.

Мейсон хмуро покачал головой:

— Беспокойтесь о своих делах, а я уж буду заботиться о моих.

Брунольд кивнул и направился к двери, через которую вошел.

— Прошу вас выйти через другую дверь, — сказал Мейсон. — Она ведет прямо в коридор...

Он оборвал фразу, так как зазвонил внутренний телефон. Мейсон взял трубку и услышал голос Деллы Стрит:

— Здесь мисс Берта Маклейн, шеф. Вместе со своим младшим братом Гарри. Они немного возбуждены, Берта отказывается рассказывать мне о своем деле. Выглядят многообещающе. Вы примете их?

— Хорошо, через минуту проведи их в мой кабинет, — ответил он и положил трубку.

Брунольд стоял возле двери.

— Я забыл в приемной шляпу. Придется зайти туда. — Открыв дверь в комнату для клиентов, он удивленно воскликнул: — Хэлло, Гарри, какого дьявола ты здесь делаешь?

Четырьмя большими шагами Мейсон пересек кабинет и за плечи отстранил Брунольда от двери.

— Подождите здесь, — резко сказал он. — Это вам не клуб, а кабинет юриста. И я не хочу, чтобы вы видели моих клиентов, а они видели вас. — Он выглянул за дверь и обратился к Делле: — Делла, принеси шляпу этого человека.

Когда Делла пришла со шляпой, Мейсон сделал ей знак закрыть дверь.

— Кто это был? — спросил он Брунольда.

— Молодой Маклейн.

— Вы с ним знакомы?

— Немного.

— Знаете, зачем он пришел сюда?

— Нет.

— А знали, что он собирается сюда?

— Нет.

— А почему вы побледнели, когда увидели его?

— Я побледнел?

— Да.

— Вероятно, это вам просто показалось. У меня нет никаких дел с молодым Маклейном.

Мейсон положил руки ему на плечи.

— Хорошо, — сказал он. — Можете идти, но... черт побери, да вы весь дрожите!

— Это нервное, — пробормотал Брунольд, направляясь к двери в коридор. — У меня, правда, нет общих дел с этим парнем, но его вид натолкнул меня на некоторые размышления...

С этими словами от покинул кабинет.

Перри Мейсон повернулся к Делле:

— Позови Пола Дрейка. Пусть эти двое подождут, пока я поговорю с Полом. Скажи ему, чтобы прошел через коридор.

Дверь за Деллой закрылась, и Мейсон услышал, как она сказала:

— Мистер Мейсон занят. Он просит вас подождать несколько минут.

Мейсон закурил сигарету и задумчиво прошелся по кабинету. В дверь постучали. Мейсон открыл ее и впустил высокого мужчину с блестящими глазами и чуть насмешливой улыбкой.

— Входи, Пол, — сказал он, — и полюбуйся на эту штуку.

Юрист достал из кармана стеклянный глаз, оставленный ему Брунольдом, и протянул его Дрейку. Детектив с любопытством стал разглядывать необычный предмет.

— Пол, ты что-нибудь знаешь о стеклянных глазах?

— Не слишком много.

— Ну так скоро узнаешь больше.

— Хорошо.

— Поезжай в отель «Балтимор», сними комнату и найди по адресной книге какого-нибудь торговца стеклянными глазами. Позвони ему, скажи, что приехал из другого города и хочешь купить полдюжины глаз, налитых кровью, таких же, как образец, который ты ему пришлешь. Назовись вымышленным именем. Скажи, что только начинаешь заниматься этим делом. У торговца в запасе куча глаз. Они не так хороши, как те, что делают специалисты по особому заказу. Разница, видимо, такая же, как между костюмом, сшитым у портного и купленным в магазине готового платья. Но торговец подберет дубликаты кровавого глаза.

— Почему ты называешь его кровавым? — спросил Пол.

— Глаз, на котором видны сосуды. Их делают из красного стекла. Они постараются сделать все как следует, если ты произведешь впечатление перспективного покупателя. Попытайся убедить их, что ты начинающий делец из другого города.

— И сколько они стоят?

— Не знаю, вероятно, десять — двенадцать долларов за штуку.

— И ты не хочешь, чтобы я прямо пошел к торговцу и поговорил с ним лично?

— Нет. Я не хочу, чтобы он знал, как ты выглядишь. Зарегистрируйся в отеле под чужим именем, и это же имя можешь сообщить торговцу. Старайся реже показываться на глаза, не давай на чай слишком много или слишком мало. Держись как самый обычный постоялец, чтобы никто тебя потом не вспомнил.

— Ты считаешь, что за мной будут следить?

— Вероятно.

— И я не должен нарушать законы?

— Ни в коем случае, Пол.

— Хорошо. Когда приступать?

— Сейчас же.

Дрейк сунул глаз в карман, кивнул и вышел из кабинета.

Взяв трубку внутреннего телефона, Мейсон сказал:

— Все в порядке, Делла. Пусть зайдут Маклейны.

Глава 2

Берта Маклейн что-то тихо сказала молодому человеку, который вошел вместе с ней. Тот покачал головой, что-то пробормотал в ответ и повернулся к Мейсону.

Мейсон указал им на кресла.

— Вы мисс Берта Маклейн? — спросил он.

Она кивнула и представила молодого человека:

— Это мой брат Гарри.

Мейсон подождал, пока клиенты сядут, а потом приветливо обратился к ним:

— Что привело вас ко мне?

Девушка некоторое время смотрела на него, потом спросила:

— Кто этот мужчина, который только что вышел отсюда?

Мейсон поднял брови.

— А я думал, что вы знаете его, — ответил он. — Я слышал, как он что-то вам сказал.

— Он говорил не со мной, а с Гарри.

— Тогда Гарри может сообщить вам, кто он.

— Гарри не хочет отвечать. Он говорит, что это не мое дело. Поэтому я спрашиваю у вас.

Юрист покачал головой и улыбнулся:

— И из-за этого вы хотели видеть меня?

— Мне нужно знать, кто этот человек.

Перри перестал улыбаться:

— У меня юридическая контора, а не справочное бюро.

На мгновение в ее глазах вспыхнула злость, но она сдержалась.

— Возможно, вы правы. Если бы кто-нибудь пришел ко мне в контору и стал задавать такие вопросы, я бы...

— Вы бы что? — спросил Мейсон.

Она засмеялась:

— Возможно, я солгала бы и сказала, что не знаю.

Мейсон открыл коробку с сигаретами и протянул ей. Мгновение она колебалась, но все же взяла сигарету, уверенно постучала ею о ноготь большого пальца и наклонилась прикурить от спички, которую зажег Мейсон. Глубоко затянулась. Он протянул сигареты Гарри, но тот молча отказался. Закурив сам, Мейсон выжидательно посмотрел на девушку.

— Гарри попал в беду, — сказала она.

Помрачневший Гарри заерзал в кресле.

— Расскажи ему, Гарри, — попросила сестра.

— Расскажи ты! — так же невнятно и негромко, как и прежде, ответил брат.

— Вы слышали о Хартли Бассете? — обратилась она к адвокату.

— Кажется, слышал это имя по радио. Что-то насчет проката автомобилей?

— Да. Он дает на прокат автомобили — тексты рекламных объявлений звучат по радио, а кроме того, занимается делами, о которых по радио не объявляют. Он скупает краденые драгоценности и к тому же контрабандист.

Юрист удивленно поднял брови и хотел было что-то сказать, но вместо этого пыхнул сигаретой.

— У тебя нет доказательств, — негромко заметил Гарри.

— Ты сам мне сказал.

— Ну, я только предполагаю...

— Нет, Гарри. Это правда. Ты у него работал и знаешь о его делах.

— А что за беда у Гарри? — спросил Мейсон.

— Он растратил больше трех тысяч долларов этого Хартли Бассета.

Адвокат посмотрел на Гарри. Тот на мгновение поднял глаза, но тотчас снова опустил их и произнес еле слышно:

— Я собираюсь вернуть ему деньги.

— Мистер Бассет знает об этом?

— Теперь знает.

229

— Когда он узнал об этом?

— Вчера.

— Когда была совершена растрата? — Мейсон повернулся к Гарри. — Как давно это произошло? Вы взяли всю сумму сразу или брали частями? На что вы потратили деньги?

Гарри выжидательно посмотрел на сестру. Она сказала:

— Он брал деньги четыре раза — почти по тысяче долларов каждый раз.

— Каким образом это ему удавалось?

— Он подменял настоящие расписки поддельными.

Юрист нахмурился:

— Не понимаю, как это можно было совершать растраты, если были приняты документы о сделках.

Гарри чуть повысил голос, впервые с тех пор, как появился в кабинете Мейсона, и обратился к сестре:

— Не стоит входить во все детали, Берта. Скажи только, что ты хотела бы сделать.

— Итак, что вы хотите от меня? — спросил Мейсон.

— Я хочу, чтобы вы вернули деньги Бассету. Вернее, устройте так, чтобы я смогла вернуть деньги.

— Все?

— Разумеется. Пока я могу дать чуть больше полутора тысяч долларов, а остальные выплачу в рассрочку.

— Вы работаете? — спросил Мейсон.

— Да.

— Где?

Она покраснела:

— Я не считаю нужным говорить об этом.

— Как угодно.

— Мы можем обсудить это позже, если потребуется. Я работаю секретарем у видного бизнесмена.

— Какое у вас жалованье?

— Это вам необходимо?

— Да.

— Зачем?

— Чтобы знать, на какой гонорар я могу рассчитывать.

— Получаю не так много, если учесть работу, которую я выполняю.

— И все же?

— Сорок долларов в неделю.

— Кто еще на вашем иждивении?

— Мама.

— Живет с вами?

— Нет, в Денвере.

— И много вы ей посылаете?

— Семьдесят долларов в месяц.

— Вы ее единственная опора?

— Да.

— А как насчет Гарри?

— Он не в состоянии ей помогать.

— Но ведь он работает, вернее работал, у Бассета?

— Да.

— Сколько вы получали, Гарри? — обратился к нему Мейсон.

— Я не мог помогать матери из тех денег, которые получал, — ответил Гарри.

— Сколько вы получали?

— Сто долларов в месяц.

— Мужчине нужно больше, чем женщине, — заметила Берта.

— И долго вы работали у Бассета?

— Шесть месяцев.

Мейсон внимательно рассматривал молодого человека.

— Если подсчитать, то получится, что вы имели по семьсот пятьдесят долларов в месяц. Не так ли?

Гарри от удивления шире раскрыл глаза:

— Я не говорил этого. Семьсот пятьдесят долларов! Старый Бассет никому не дает прилично заработать. Он платил мне сто долларов в месяц и еще ненавидел в придачу.

— Пока вы работали, вы растратили около четырех тысяч долларов, — сказал Мейсон. — Прибавьте ваше жалованье за это время, и вы получите семьсот пятьдесят долларов в месяц.

— Вы не должны так говорить, — пробормотал Гарри и снова погрузился в молчание.

— Вы посылали деньги матери? — спросил Мейсон.

— Нет, — ответила за брата Берта. — Деньги ушли неизвестно куда.

Мейсон снова обратился к Гарри:

— На что вы потратили деньги?

— Их нет.

— Я хочу знать, куда вы девали деньги.

— Я сказал, что их нет. Зачем вам это знать?

— Если вы хотите, чтобы я вам помог, я должен знать, на что истрачены деньги.

— Как же, поможете вы...

Мейсон тяжело и медленно опустил на стол кулак, подчеркивая этим жестом смысл своих слов:

— Если вы думаете, что я буду заниматься вашим делом, не зная всех деталей, то вы оба просто ненормальные! Поищите себе другого юриста!

— Он кому-то отдал деньги, — сказала Берта.

— Женщине? — спросил Мейсон.

— Нет, — покраснев, чуть ли не гордо ответил Гарри. — Я не плачу женщинам, они готовы мне платить.

— Кому же вы отдали деньги?

— Отдал одному человеку, чтобы он их вложил в дело.

— Кто он?

— Я не могу сказать.

— И все же вам придется это сделать.

— Не скажу. Я не хочу быть доносчиком. Сестра уже пыталась заставить меня донести. Не выйдет. Я лучше пойду в тюрьму и останусь там до смерти.

Берта повернулась к брату.

— Гарри, — умоляюще попросила она. — Скажи, это тот человек, который был здесь? Он говорил с тобой, стоя в дверях.

— Нет, — вызывающе ответил Гарри. — Я только один раз встречал эту птицу.

— Где ты видел его?

— Не твое дело.

— Как его зовут?

— Оставь меня в покое.

Берта повернулась к Перри Мейсону:

— У него есть сообщник, который вымогал деньги и помогал устраивать все так, чтобы Гарри не поймали.

— Как Гарри доставал деньги? — спросил Мейсон.

— Бассет занимается ростовщичеством. К нему неохотно шли, лишь крайняя нужда толкала людей на это.

Когда они возвращали деньги, Бассет рвал их расписки. Иногда деньги получал Гарри, тогда он отдавал расписки должникам. Но в некоторых случаях он брал деньги себе, а Бассету подкладывал вексель с поддельной подписью, ведь тот не мог помнить обо всех делах.

— Как он узнал об этом? — спросил Мейсон.

— Мистер Бассет случайно встретил в гольф-клубе человека, который погасил вексель, и спросил его о деньгах, а тот ответил, что выплатил все четыре месяца назад. И предъявил расписку с надписью «Погашено». Так Бассет и узнал.

— Почему вы думаете, что у Гарри был сообщник?

— Он сам мне признался. Я думаю, что они играли в азартные игры.

— Какие?

— Разные — покер, рулетка, скачки, лотереи. В основном скачки и лотереи.

— Если бы старый дурак немного подождал, я вернул бы ему все деньги, — заявил Гарри.

Перри Мейсон повернулся к Берте и очень внимательно посмотрел на нее.

— Тысяча пятьсот долларов — это все ваши сбережения?

— Это все, что у меня имеется в банке.

— Вы отложили их из своего жалованья?

— Да.

— И еще посылаете матери семьдесят долларов в месяц?

— Да.

— И вы хотите заплатить за Гарри, чтобы его не засадили в тюрьму?

— Да, это убьет мать.

— Насколько я понял, вы собираетесь выплачивать долг из вашего жалованья?

— Да.

— Гарри остался без работы, и вам придется его содержать, — сказал Мейсон.

— Не беспокойтесь обо мне, — сказал Гарри. — Я буду работать и выплачу сестре все до единого цента. Ей не придется выплачивать долг из своей зарплаты. Я все верну меньше чем за месяц.

— Откуда вы возьмете деньги?

— Мне их вернут. Я вложу их в дело. Не может быть, чтобы мне всегда не везло.

— Другими словами, вы намерены продолжать игру?

— Я не сказал этого.

— Какие вложения вы имели в виду?

— Я не хочу говорить вам об этом. Вы только должны уладить дело с Бассетом. А с сестрой я все улажу сам.

— Хорошо, — сказал Мейсон. — Я дам вам совет: не платите Бассету ни цента.

— Но я же взял у него деньги.

— Не платите ему ни единой монеты.

— Он дал мне срок до завтрашнего вечера, а потом обещал передать дело окружному прокурору, — сказал Гарри таким тоном, словно адвокат мог недооценить ситуацию.

— Тюрьма — лучшее место для вас, молодой человек, — сказал Мейсон.

Берта широко раскрыла глаза.

— Я очень давно работаю юристом, — продолжал Мейсон, — и встречал подобных типов. Их первое преступление всегда маленькое. Кто-то покроет это из жалости, принесет жертву. Ставлю десять против одного, что сестре уже приходилось делать вам добро, Гарри.

— Кому какое дело до этого? И кем, черт побери, вы себя воображаете?! — вспыхнул Гарри.

Перри Мейсон внимательно смотрел Берте в лицо:

— Так это его первое преступление?

— Я оплатила один или два чека, — медленно ответила она.

— Верно! Ваш брат катится вниз, а вы его покрываете, и он знает, что вы и впредь будете заступаться за него. Он начал с подделки чеков, а когда все стало вам известно, то клялся, что больше это не повторится. Он много чего говорил. Он найдет работу. Сделает то и это. Говорить легко. Болтовня — единственная монета, которой он расплачивался с кем бы то ни было и за что бы то ни было. Он и себя самого гипнотизирует и верит, что сделает то, о чем говорит. Но у него на это духу не хватает. Да и вообще он не намерен работать. Намерен тянуть из вас деньги на «большую игру». Схватит куш и набьет полные карманы денег.

234

Он из тех парней, которые мнят себя крупными личностями, а на деле он не в состоянии покончить с грязными делами и по-настоящему взяться за работу. Когда попадает в очередной переплет, начинает жалеть себя и хочет, чтобы кто-то выслушал его жалобы, а если ему мало-мальски повезет, тут же начинает пыжиться и покровительствовать всем своим друзьям. Потом снова получает по носу, приползает и, уткнувшись вам в колени, хлюпает, хнычет о своих бедах, а вы гладите его по головке и обещаете защитить и выручить.

Единственное, что здесь требуется, — это заставить молодого человека жить своим умом. Слишком долго он опирался на женщин. Он младший брат. И вы вели сражения вместо него. Я полагаю, что ваш отец умер и вы платили за обучение Гарри?

— Я отдала его в бизнес-колледж. Мне хотелось, чтобы он стал бухгалтером. Это все, что я могла сделать. Иногда я ругаю себя. Я думаю, что надо было попытаться дать ему лучшее образование. Но после смерти отца у меня на руках оставалась мать и...

Гарри Маклейн вскочил.

— Пошли, сестричка, — сказал он. — Парню, который привык хватать большие гонорары, легко сидеть в кресле и читать лекции. Нечего его слушать.

— Напротив, вы должны меня дослушать, — сказал Мейсон. Он встал и указал юнцу на стул. — Сядьте и слушайте.

Гарри уставился на него с мрачной враждебностью, но Мейсон шагнул к нему, и Маклейн опустился на стул. Мейсон повернулся к Берте.

— Вы хотели получить совет, — сказал он, — я даю вам его. Вы не сможете покрыть растрату так, чтобы Бассет не привлек вашего брата к ответственности. Кроме того, вы не сможете жить сами и помогать матери, содержать брата и еще выплачивать деньги Бассету. Я попытаюсь взять этого молодого человека на поруки, но он должен будет все рассказать. Он скажет суду, кто взял у него деньги и куда вложил их. Это приучит его не полагаться на сердобольную сестру, а самому отвечать за себя. Пусть самостоятельно встанет на ноги, он же мужчина.

— Но поймите же, я верну все деньги мистеру Бассету, — умоляюще сказала Берта. — Все до единого цента. И это независимо от того, попадет ли брат в тюрьму.

— Сколько вам лет? — спросил Мейсон.

— Двадцать семь.

— А вашему брату?

— Двадцать два.

— Почему вы должны платить за его растрату?

— Потому что он мой брат. И потом, надо считаться с матерью. Поймите же, мама нездорова, она немолода, и Гарри — ее отрада.

— Ее любимчик?

— Конечно. Он же мужчина. Единственный мужчина в семье, с тех пор как умер отец.

— Понимаю. Вы не можете сказать об этом матери?

— Боже мой, конечно нет! Это убьет ее. Она думает, что Гарри — бизнесмен, правая рука мистера Бассета, а Бассет — один из самых крупных финансистов в городе.

Мейсон побарабанил пальцами по столу:

— И вы готовы заплатить деньги независимо от того, возбудит Бассет дело или нет?

— Да.

Мейсон повернулся к Гарри.

— Молодой человек, — сказал он ему. — Вы тут говорили, что вам не везет. Когда вы сегодня придете домой, встаньте на колени и поблагодарите Бога, что у вас старая и больная мать. Потому что я против своего желания все же попытаюсь спасти вас. Но учтите, с этого часа я буду наблюдать за вашим поведением и попытаюсь вселить в вас мужское начало.

Он подвинул к себе телефон.

— Делла, соедини меня с Хартли Бассетом. Автомобили напрокат. У вас будут неприятности с Бассетом, — обратился он к Берте. — Этот тип вытрясет из вас все, включая и душу.

— Не беспокойтесь насчет Бассета, — сказал Гарри. — Мы сделаем ему предложение, и он примет его.

— Что вы болтаете? Кто это мы и что за предложение? — презрительно спросил Мейсон.

— Ну, мы — это я и сестра.

236

— Хорошо, — кивнул Мейсон, — но почему вы думаете, что Бассет примет ваше предложение?

— Примет. На него окажут давление.

— Кто?

— Кое-кто из его дома, кто дружески относится ко мне.

— Но у такого типа, как вы, не может быть надежных друзей, — заметил Мейсон. — Бесхарактерные люди вроде вас не обзаводятся настоящими друзьями, которые готовы вступиться за них.

— Это вы так думаете, — напыжился Гарри. — И ошибаетесь. Вы убедитесь, что есть человек, который может заставить Бассета сделать что угодно, и этот человек заступится за меня. Сделайте Бассету предложение и не обращайте внимания на то, что он скажет. Вероятно, он с ходу откажется, но не пройдет и часа, как он позвонит вам и даст согласие.

Перри Мейсон удивленно посмотрел на Гарри:

— Уж не миссис ли Бассет ваш друг?

Молодой Маклейн покраснел и собирался ответить, но в это время позвонил телефон, и Мейсон взял трубку:

— Хэлло! Бассет? Мистер Хартли Бассет? Хорошо. С вами говорит Перри Мейсон, адвокат. У меня есть к вам дело. Вы можете приехать ко мне в контору? Хорошо, я приеду к вам. Вечером? Да, я могу... Ваша контора находится в вашем же доме? Я приеду в половине девятого. Так вы знаете, в чем дело? Отлично, в восемь тридцать.

— Откуда Бассет знает, что вы у меня? — спросил он у Гарри.

— Это я сказал ему.

— Ты ему об этом рассказал?! — воскликнула Берта.

— Да, — ответил Гарри. — Он грозил, что засадит меня в тюрьму и тому подобное, а я подумал, что хорошо бы его припугнуть. Сказал, что мой адвокат — Перри Мейсон и пусть он позаботится о себе, иначе как бы Мейсон его самого не засадил в тюрьму.

Перри Мейсон смотрел на Гарри с безмолвным негодованием. Берта подошла к нему и положила руку ему на плечо.

— Большое вам спасибо, — сказала она. — Помните, что я все сделаю, чтобы быстрее расплатиться с Бассетом.

— Я сделаю все, что смогу, — вздохнул Мейсон.

Он написал на бумажке номер телефона и протянул его Берте:

— Вот мой домашний телефон. Вы можете позвонить мне домой, если произойдет нечто важное, а вы не застанете меня в конторе. Я думаю, что ваш брат все вам расскажет. Когда он это сделает, пожалуйста, уведомите меня.

— Вы имеете в виду его сообщника?

— Да.

— Не выйдет, — заявил Гарри, успевший обрести уверенность в себе.

Берта сделала вид, что не слышит.

— Сколько мы вам должны заплатить? — спросила она.

— Забудьте об этом, — улыбнулся Мейсон. — Человек, который был здесь перед вами, заплатил мне достаточно. В том числе и за вас.

Глава 3

Особая дверь, на которой значилось: «Бассет. Авто. Финансы», находилась справа от другой двери, с медной табличкой: «Резиденция Хартли Бассета. Торговцам и адвокатам вход воспрещен».

Перри Мейсон толкнул дверь, ведущую в контору, и вошел. В приемной никого не было. Дверь с надписью «Частные апартаменты» находилась в конце коридора. Над кнопкой электрического звонка было написано: «Позвоните и сядьте».

Перри Мейсон позвонил.

Дверь открылась почти мгновенно. На пороге стоял высокий мужчина с впалой грудью, седыми усами и побелевшими висками. Глаза у мужчины были светло-серые, а точечные зрачки почему-то производили гипнотическое впечатление. Он внимательно посмотрел на Мейсона, потом взглянул на часы:

— Вы пунктуальны, минута в минуту.

Перри Мейсон молча поклонился и последовал за Бассетом в скромно и просто обставленную комнату.

— Не сюда, — сказал Бассет. — Здесь я получаю деньги и не хочу, чтобы все выглядело слишком богато. Идемте в другое помещение, где я заключаю крупные сделки.

Он открыл дверь, и они вошли в роскошно обставленный кабинет. Из-за стены доносился стук пишущей машинки.

— Вечерняя работа? — спросил Мейсон.

— Обычно приходится часа два работать и вечером. Так уж получается у людей, которые имеют собственное дело.

Он указал на кресло, и Мейсон сел.

— Вы хотели меня видеть в связи с Гарри Маклейном? — спросил Бассет.

Юрист кивнул, а Бассет нажал кнопку. Стук машинки в соседней комнате стих; в дверях появился мужчина лет сорока пяти, узкоплечий, с серыми глазами, которые по-совиному глядели из очков в роговой оправе.

— Артур, — спросил Бассет, — сколько там числится за Гарри Маклейном?

— Три тысячи девятьсот сорок два доллара шестьдесят четыре цента, — ответил Артур хриплым голосом без всякого выражения.

— И что я буду за это иметь? — спросил Бассет. — Один процент в месяц?

— Один процент в месяц со дня растраты, — подтвердил Артур.

— Это все, — сказал Бассет.

Артур вышел, и вскоре снова послышался стук пишущей машинки. Хартли Бассет улыбнулся Перри Мейсону и сказал:

— Срок до второй половины завтрашнего дня.

Мейсон достал из портсигара сигарету. Бассет вынул из жилетного кармана сигару. Некоторое время они курили молча. Наконец Мейсон нарушил молчание.

— Я не вижу причин, — сказал он, — почему бы нам с вами не договориться.

— Я тоже, — согласился Бассет.

— Я не знаю подробностей этого дела, — продолжал Мейсон. — Но буду действовать исходя из предположения, что Маклейн растратил деньги.

— Он признался в этом.

— Не спорю. Будем считать, что деньги растратил он.

— И этой точки зрения вы будете придерживаться и в суде?

— Я не делаю никаких заключений заранее, — сказал Мейсон. — Если мои клиенты хотят, они могут это сделать сами.

— Продолжайте, — сказал Бассет.

— Вы хотите вернуть свои деньги?

— Естественно.

— Маклейн ими не воспользовался.

— У него был сообщник.

— Вы знаете, кто он?

— Нет, но очень хотел бы знать.

— Почему?

— Потому что деньги у сообщника.

— Что заставляет вас так думать?

— Я уверен в этом.

— Так почему бы ему не вернуть их вам?

— Я не знаю всех причин. Одна из них состоит в том, что сообщник — азартный игрок. Если вы глубже вникнете в это дело, то убедитесь, что за спиной Гарри Маклейна стоит еще чья-то фигура. Этот тип знает, что, если вернуть деньги, которые присвоил Гарри, у них не останется оборотного капитала. А игроку надо иметь на что играть. Нельзя сказать, что я стал бы осуждать их, если они выйдут сухими из воды. Но они не выйдут. Во всяком случае, не на мои деньги. Либо расплатятся, либо попадут в тюрьму.

— Я постараюсь вам помочь, если вы не будете подавать в суд.

— Я знаю, чего хотите вы и чего хочу я. Мне нужны мои деньги.

— Вы полагаете, что они у Маклейна?

— Нет, я думаю, что они у сообщника.

— А не думаете ли вы, что, если бы Маклейн мог, он давно бы их забрал?

— Нет, — ответил Бассет. — Деньги они украли, чтобы вместе играть, и часть из них проиграли. Хотят играть дальше, а сестра Маклейна хочет заплатить за него, чтобы его не посадили в тюрьму. В результате у них останутся какие-то деньги на игру.

— Ну и что? — спросил Мейсон.

— У нее нет таких денег. Насколько я знаю, в наличии имеется всего около полутора тысяч долларов. А у сообщника Маклейна осталось не менее двух тысяч. Я возьму деньги у нее, а потом найду сообщника и отберу остальное.

— Предположим, что это не сработает.

— Сработает.

— Я могу предложить вам полторы тысячи и по тридцать долларов ежемесячно. Меня уполномочила на это сестра Маклейна.

— Ее деньги? — спросил Бассет.

— Да.

— Все?

— Да.

— И парень не против?

— Нет.

— Я возьму полторы тысячи и по сто долларов в месяц.

Мейсон вспыхнул было, но сдержался: сделал короткий вдох и выпустил дым сигареты. Произнес без особого выражения:

— Она не может так много платить. У нее на руках больная мать, и ей не хватит на жизнь.

— Я не заинтересован в том, чтобы получать деньги малыми дозами. Сто долларов ежемесячно обеспечат сравнительно скорую выплату. Гарри Маклейн тем временем может найти работу. И причинить убытки новому хозяину.

— Что значит «причинить убытки новому хозяину»? — поинтересовался Мейсон. — Что вы этим хотите сказать?

— Что он придумает, как облапошить работодателя и за счет этого возместить мой ущерб.

— Значит, вы толкаете его на воровство?

— Разумеется, нет. Я просто предполагаю, что он так поступит. Меня он обворовал. Я потерпел ущерб. Пусть его потерпит и еще кто-то.

— И вы в таком случае окажетесь соучастником растраты, а, Бассет?

— Мне нужны мои деньги, — холодно сказал Бассет. — И меня не касается, как они будут добыты. Против меня нет никаких улик, а моральная сторона меня не волнует.

— Это я понял, — ответил Мейсон.

— Прекрасно. Значит, мы достигли взаимопонимания. Меня не интересует моральная сторона вашей профессии, а вы не должны судить мою мораль. Я просто хочу, чтобы мои деньги вернулись ко мне. Вы пришли договориться со мной. Так вот, если сестра не хочет, чтобы парень сел в тюрьму, пусть принимает мои условия.

— Эти условия не подходят.

Бассет пожал плечами:

— У вас есть время до завтра.

Раздался стук в дверь, и, не дожидаясь ответа, в комнату вошла женщина лет сорока. Она улыбнулась Мейсону и обратилась к Бассету:

— Можно мне поучаствовать в этом, Хартли?

Бассет остался сидеть. Он выпустил клуб дыма, не меняя выражения лица.

— Моя жена, — пояснил он адвокату.

Мейсон встал и слегка поклонился:

— Очень рад познакомиться, миссис Бассет.

Она с опаской посмотрела на мужа:

— Можно я кое-что скажу насчет этого дела, Хартли?

— Зачем?

— Затем, что я заинтересована.

— В чем именно?

— В том, что ты намерен предпринять.

— Ты хочешь сказать, что тебя интересует Гарри Маклейн?

— Нет. Я интересуюсь этим делом по другой причине.

— А именно?

— Я не хочу, чтобы ты был чересчур жесток по отношению к этой девушке.

— Думаю, что я в этом сам разберусь.

— Можно мне участвовать в вашем разговоре?

— Нет! — холодно и безжалостно отрезал Бассет.

Наступило молчание. Бассет ничем не пытался смягчить свой отказ. Его жена немного поколебалась, а затем пошла к выходу. Но вышла она не в ту дверь, в которую вошла, а в другую, ведущую в соседний кабинет; минутой позже стало слышно, как хлопнула дверь в приемную.

— Нет необходимости продолжать нашу беседу, Мейсон, — сказал Бассет. — Мы отлично поняли друг друга. Доброй ночи.

Перри Мейсон подошел к двери, открыл ее и не оборачиваясь сказал:

— Доброй ночи и до свидания.

Он вышел на улицу и направился к своему двухместному лимузину. Открыв дверцу, он увидел, что в машине кто-то сидит.

— Скорее закройте дверь и поезжайте за угол! — Это был голос миссис Бассет.

Мейсон в нерешительности помедлил, но любопытство взяло верх. Он сел за руль, проехал один квартал, остановился, погасил фары и выключил мотор. Миссис Бассет положила руку ему на рукав:

— Сделайте, пожалуйста, как он требует.

— То, что он требует, по-человечески невозможно.

— Нет, это не так, — возразила она. — Я слишком хорошо знаю его. Он может выжать кровь из камня, но никогда не потребует чего-нибудь невозможного.

— У девушки на руках больная мать.

— Но есть же всякие благотворительные организации, — сказала миссис Бассет. — В цивилизованном обществе люди не умирают с голоду.

— Вы считаете, что девушка должна жить на шестьдесят долларов в месяц, не посылая ни цента матери, и все для того, чтобы выплатить долг вашему мужу? — резко сказал Мейсон.

— Нет, не для того, чтобы выплатить ему долг, а для того, чтобы удержать его от того, что он намерен сделать, если ему не вернут долг.

— А, так вы забрались в мою машину, чтобы сказать мне это?

— Я хочу кое-что узнать у вас. Я лишь случайно заговорила про эти деньги.

— Если вам нужна консультация, приходите ко мне в контору.

— Я не могу к вам прийти. Я никуда не хожу: за мной все время следят.

— Не говорите глупостей, — сказал Мейсон. — Кто за вами следит?

— Мой муж, конечно.

— Вы хотите сказать, что не смогли бы в случае нужды пойти к юристу?

— Конечно нет.

— Кто может вам помешать?

— Он.

— Как же он это сделает?

— Не знаю, но... Он совершенно безжалостен. Он убьет меня, если я пойду ему наперекор.

Мейсон, сдвинув брови, немного подумал и сказал:

— Так о чем же вы хотели у меня узнать?

— О двоемужестве.

— Ну так что?

— Я замужем за Хартли Бассетом.

— Это я уже знаю.

— И хочу уйти от него.

— Ну и уходите.

— Есть другой мужчина, который хочет, чтобы я жила с ним.

— Отлично.

— Я хочу выйти за него.

— Разведитесь с Бассетом и выходите замуж за этого человека.

— Но я уже однажды это сделала.

— Что-то я вас не понимаю. Вы хотите сказать, что прошли брачную церемонию, не разведясь с Бассетом?

— Да.

— А этот мужчина знал, что вы замужем за Бассетом? И он согласился принять участие в двоемужестве?

— Мы хотим сделать так, чтобы это не было двоемужеством.

— Вы должны быстро развестись, — сказал Перри Мейсон.

— А Бассет узнает про это?

— Да.

— В таком случае развод невозможен.

— Тогда вы не можете быть замужем.

— То есть как это? Я ведь в настоящее время замужем. Вопрос только в том, какое замужество законное, а какое нет.

— Вы должны были совершить лжесвидетельство, чтобы получить лицензию на брак.

— Предположим, что я так и сделала. И что тогда?

Мейсон помолчал и покосился на ее профиль:

— Кстати, вы говорили что-то насчет слежки. Вы, вероятно, заметили автомобиль, который припарковался позади нас?

— Что вы сказали? — воскликнула она. — Конечно нет! — Она повернулась и посмотрела в заднее стекло. — Боже мой! Это Джеймс!

— Кто этот Джеймс?

— Шофер моего мужа.

— И это машина вашего мужа?

— Да, одна из них.

— Вы думаете, что шофер следит за вами?

— Несомненно. Я думала, что незаметно ускользнула, но вышло не так.

— Что вы теперь намерены делать? Выйти?

— Нет. Поезжайте вокруг квартала и подвезите меня к дому.

— Кажется, этот парень заметил, что его слежка обнаружена.

— Здесь я ничего не могу сделать. Пожалуйста, поезжайте, как я просила. Только побыстрее.

Мейсон погнал машину вокруг квартала. Преследователь не отставал. Адвокат остановился у дома Бассета и открыл дверцу.

— Если вам нужна моя помощь, я войду с вами, — предложил он.

— Нет-нет, — испуганно ответила женщина.

Из тени вышла фигура и остановилась возле машины. Это был Хартли Бассет.

— А у вас, оказывается, свидание с моей женой, — сказал он.

Мейсон вышел из машины, обошел ее сзади и остановился прямо напротив Бассета.

— Нет, — ответил он. — В данном случае вы ошибаетесь.

— Тогда моя жена назначила вам деловую встречу. О чем же она пыталась проконсультироваться у вас?

Мейсон пошире расставил ноги:

— Причина, по которой я вышел из машины и стою здесь, имеет отношение к вашему проклятому делу.

Машина, следовавшая за ними, подъехала и остановилась неподалеку у бровки тротуара. Из нее вышел высокий худой мужчина и, ступая мягко, по-кошачьи, направился было к Мейсону, но, услышав голос адвоката, вернулся назад, достал что-то из кармана на дверце машины и поспешил зайти к Мейсону в тыл. Свет фар упал на гаечный ключ у него в руке.

Адвокат развернулся лицом к обоим.

— Ну, птички, — угрожающе произнес Мейсон, — что затеяли?

Бассет взглянул на высокого мужчину:

— Это все, Джеймс.

Мейсон поглядел на обоих и проговорил медленно:

— Вы правы, это и в самом деле все.

Он вернулся к своей машине, сел за руль и включил зажигание. Парочка наблюдала за тем, как он уезжает, — темные силуэты в свете фар припаркованной машины.

Адвокат свернул в проулок и на большой скорости выехал к Главному бульвару.

Он поставил машину на стоянку поблизости от аптеки, подошел к телефонной будке, набрал номер и, услышав встревоженный голос Берты Маклейн, сказал:

— Не выгорело.

— Он не дал согласия?

— Не в этом дело.

— Чего он хочет?

— Он требует невозможного.

— Чего именно?

— Невозможного.

— Мне-то вы можете сказать или нет?

— Он хочет, чтобы вы платили по сто долларов в месяц.

— Но я же не могу!

— Это я ему и сказал. Я даже поведал ему о вашей матери, но он считает, что ей помогут благотворительные организации.

— О, но я же не могу пойти на это!

— Я сказал ему и это. Выслушайте меня. Вы должны заставить Гарри сказать, куда он дел деньги и кто его сообщник.

— Но Гарри не соглашается.

— Тогда пусть садится с тюрьму.

— Где вы сейчас?

— В аптеке.

— Возле дома Бассета?

— Да.

— Вернитесь и скажите Бассету, что я согласна. Месяц или два я в состоянии платить, а там Гарри начнет работать. Продам кое-что из вещей.

— Я не собираюсь говорить Бассету ничего подобного.

— Но я не хочу, чтобы Гарри попал в тюрьму.

— Подождите до завтра и предоставьте действовать другому адвокату.

— Вы хотите сказать, что отказываетесь вести дело?

— Да, — ответил Мейсон, — если вы намерены принимать подобные предложения. Если вас не устраивает моя работа, ищите себе другого адвоката. И не спорьте со мной по телефону. Подумайте как следует, а позже перезвоните мне.

Он повесил трубку.

Глава 4

Перри Мейсон, развалясь в кресле, читал новейшие работы по психологии, не обращая внимания на то, что часы только что пробили полночь. Зазвонил телефон, он снял трубку и сказал:

— Мейсон слушает.

Услышав женский голос, он не сразу понял, кто звонит.

— Приезжайте немедленно. Я ухожу от мужа. Он совершил жестокое нападение. Здесь опасно. Мой сын хочет убить его и...

— Кто говорит? — перебил Мейсон.

— Сильвия Бассет — жена Хартли Бассета.

— Что вам от меня нужно?

— Приезжайте сюда как можно скорее.

— Подождите до утра, — ответил юрист.

— Нет-нет. Вы не поняли. Здесь серьезно ранена одна женщина.

— Что с ней?

— Ее ударили по голове.

— Кто?

— Мой муж.

— А где он?

— Он сел в машину и уехал. Как только он вернется, мой сын Дик убьет его. А я не смогу помешать ему. Мне нужно, чтобы вы объяснили Дику, что защитите мои интересы. Что ему нельзя действовать так.

— Где вы находитесь?

— Дома.

— Можете прислать своего сына ко мне?

— Он не поедет, он в бешенстве, а я не могу успокоить его.

— Может быть, вызвать полицию и пригрозить ему?

— Нет.

— Почему?

— Его могут арестовать, а я не хочу этого. Но есть еще одна вещь, которая меня смущает. Может быть, вы приедете? Я не могу объяснить по телефону, но речь идет о жизни и смерти. Это...

— Я приеду, — перебил ее Мейсон. — Присматривайте за Диком до моего приезда.

Он повесил трубку, оделся и через полторы минуты вывел свою машину.

Миссис Бассет встретила его в дверях своего дома.

— Пожалуйста, сюда, — пригласила она, — и поскорее поговорите с Диком.

Мейсон вошел в приемную, и почти тотчас отворилась дверь из соседнего кабинета и быстро вошел стройный молодой человек лет двадцати двух.

— Послушай, ма, — сказал он, обращаясь к матери, — мне надоело ждать...

Увидев Мейсона, он замолчал.

— Дик, — сказала она, — я хочу, чтобы ты поговорил с Перри Мейсоном, он юрист. Это Дик, мой сын.

Дик, широко открыв карие глаза, смотрел на Мейсона. Лицо его было мертвенно-бледным, чувственные, красиво очерченные губы сжались в прямую линию. Мейсон дружелюбно протянул ему руку.

— Рад познакомиться с вами, Бассет, — сказал он.

Дик секунду помедлил, глядя на протянутую руку адвоката, переложил что-то из правой ладони в левую и сделал шаг вперед.

Небольшой предмет упал на пол. Дик пожал Мейсону руку и спросил:

— Вы представляете интересы мамы?

Мейсон кивнул.

— Она прошла через ад, — заговорил Дик. — Я терпел достаточно долго. Сегодня вечером я... — Он вдруг умолк, заметив, что Мейсон смотрит на предмет, упавший на ковер.

— Патрон? — спросил Мейсон.

Парень нагнулся было за ним, но Мейсон опередил его. Это действительно был патрон от пистолета тридцать восьмого калибра.

— Зачем вам нужны такие штуки?

— Это мое дело, — ответил Дик.

Прежде чем парень успел увернуться, Мейсон рывком вытащил из кармана его левую руку. В ней была зажата обойма. Одного патрона в ней не хватало.

— Где пистолет? — спросил Мейсон.

— Не трогайте меня, — вспыхнул Бассет. — Вы не имеете права...

Мейсон схватил его в охапку и, крепко держа одной рукой за плечи, стал обыскивать. Дик попытался вырваться, но Мейсон уже достал из правого кармана его пиджака незаряженный пистолет. Он понюхал дуло.

— Пахнет, как будто из него только что стреляли, — сказал он.

Дик Бассет, бледный как полотно, молча смотрел на него.

Миссис Бассет неожиданно резко шагнула вперед и ухватилась за пистолет.

— А я-то искала его. Пожалуйста, дайте его мне.

— Зачем? — спросил Мейсон, не выпуская пистолета из рук.

— Он мне нужен.

— Чей это пистолет?

— Я не знаю.

— Где вы его взяли? — обратился Мейсон к Дику Бассету.

Тот продолжал молчать. Мейсон покачал головой и мягко отстранил руку Сильвии Бассет.

— Полагаю, что будет безопаснее, если он будет находиться у меня. Теперь расскажите, что случилось.

— Дик, покажи ему, — сказала миссис Бассет.

Дик отодвинул японскую ширму, отгораживающую угол комнаты. Широкобедрая женщина с рыжими волосами склонилась над кем-то, лежащим на кушетке. Она не повернулась на шум отодвигаемой ширмы, лишь проговорила:

— Я думаю, что минут через пять все будет в порядке. Это врач?

Мейсон подошел поближе, чтобы рассмотреть, за кем ухаживает рыжая женщина.

На кушетке лежала брюнетка лет двадцати в черном костюме. Блузка была расстегнута и обнажала белую грудь и шею. В изголовье кушетки лежали мокрые полотенца, стоял флакон нюхательной соли и маленькая бутылка бренди. Рыжая растирала женщине запястья.

— Кто она? — спросил Мейсон.

— Моя невестка, — ответила миссис Бассет, — жена Дика. Но об этом никто не знает. Она здесь под девичьей фамилией.

Дик подошел поближе, но по-прежнему молчал. Перри Мейсон заметил синяк на голове у женщины.

— Что здесь произошло? — спросил он.

— Мой муж ударил ее.

— За что?

— Не знаю. Он ударил ее, а потом убежал. Его машина стояла перед домом. Он вскочил в нее и уехал.

— Шофер был с ним?

— Нет, он уехал один.

— Вы видели его?

— Да.

— Где вы были в этот момент?

— Я стояла у окна и видела, как он уехал.

— Вы узнали его машину?

— Да. Это был «паккард».

— С ним были какие-нибудь вещи?

— Нет.

Молодая женщина пошевелилась и застонала.

— Она очнулась, — сказала рыжая.

Перри Мейсон наклонился. Миссис Бассет подошла к изголовью кушетки, пригладила влажные волосы девушки, коснулась пальцами ее опущенных век.

— Хейзл, дорогая, ты слышишь меня? — спросила она.

Губы девушки дрогнули, приоткрывшиеся темные глаза смотрели без выражения. Она дернулась, застонала и повернулась на бок.

— Ей еще плохо, но все обойдется, — сказала рыжая, кивнув Сильвии Бассет и с любопытством глядя на Мейсона.

Тот обратился к миссис Бассет.

— Хотите, чтобы я занялся этим делом? — спросил он.

— Но как?

— Хотите, чтобы я сделал все, как нахожу лучшим?

— Да.

Перри Мейсон подошел к телефону и снял трубку:

— Соедините меня с полицией... Алло! Полиция? Это Ричард Бассет, Франклин-стрит, 9682. Здесь произошло несчастье. Мой отец напился и ударил женщину... Да, мой отец. Мы хотим, чтобы его арестовали. Он безумен, и мы не знаем, что еще может прийти ему в голову. Пожалуйста, пришлите офицеров... Да, лучше радиофицированную машину, только скорее, а то он может кого-нибудь убить.

Перри Мейсон положил трубку и повернулся к Сильвии Бассет.

— Вам лучше держаться в стороне, — сказал он. Затем обратился к молодому Бассету: — Вам придется взять инициативу в свои руки. Ведь вы на стороне матери и против отца?

— Конечно, — ответила за сына миссис Бассет. — Но по ходу дела выяснится, что Хартли не отец Дика.

251

— То есть?

— Дик мой сын от первого брака.

— Давно вы замужем за Бассетом?

— Пять лет.

— Пять лет мучений, — жестко сказал Дик.

Женщина на кушетке снова застонала. Она пробормотала что-то неразборчивое, а затем попыталась подняться.

— Где я? — произнесла она.

— Все в порядке, Хейзл, — ответила Сильвия Бассет. — Не беспокойся. Все хорошо. Мы пригласили сюда адвоката. И скоро приедет полиция.

Женщина закрыла глаза вздохнула и сказала:

— Дайте подумать... дайте мне подумать.

Сильвия Бассет подошла к Мейсону и вполголоса попросила:

— Отдайте мне пистолет. Я не хочу, чтобы он оставался у вас.

— Почему?

— Надо спрятать его.

— Вам не положено иметь оружие, — предупредил Мейсон.

— Пистолет не мой.

— А если его найдет полиция?

— Его не найдут, если вы отдадите его мне. Ну, пожалуйста!

Мейсон достал из кармана пистолет и протянул его Сильвии. Она положила его в глубокий вырез платья и придержала рукой.

— Вы не должны держать его при себе, — сказал Мейсон. — Если хотите его спрятать, то сделайте это побыстрее.

— Подождите, — ответила она. — Вы не понимаете. Я позабочусь...

Дик Бассет подошел к молодой девушке.

— Слава Богу! — воскликнул он.

Она открыла глаза. Дик поцеловал ее, а она обняла его, и они вполголоса стали переговариваться. Через минуту или две Дик мягко отвел ее руки и повернулся к присутствующим.

— Это не Хартли ударил ее, — объявил он.

— Может быть, она бредит? — высказала предположение Сильвия Бассет. — Я вышла вместе с ней в приемную и знаю, что Хартли был там один.

— Это был не Хартли, — возбужденно сказал Дик. — Хейзл не удалось с ним поговорить. Она постучала в дверь кабинета. Никто не ответил. Она вошла. Там никого не было. Она прошла через кабинет и постучала в дверь соседней комнаты. Отец открыл дверь. Кроме него, в комнате был какой-то мужчина. Он стоял к ней спиной, и его лица она не видела. Отец сказал, что он занят, и закрыл дверь. Хейзл прождала минут десять. Затем дверь открылась, и из комнаты вышел мужчина и выключил свет. Пройдя через кабинет, он обернулся и увидел ее. Его лицо было закрыто маской, но сквозь вырезы она видела, как блестит его глаз. Один глаз! Другая глазница была пуста. Он подошел и ударил Хейзл, но она успела сорвать с него маску. Перед ней был одноглазый мужчина, которого раньше она никогда не видела. Он обругал ее и ударил дубинкой. Она потеряла сознание.

— Один глаз? — воскликнула Сильвия Бассет. — Дик, это ошибка!

— Только один глаз, — повторил Дик Бассет. — Это правда, Хейзл?

Молодая женщина кивнула.

— Что случилось с маской? — спросил Мейсон.

— Маска осталась у нее в руке. Это была бумажная маска — из черной бумаги.

Мейсон опустился на колено и поднял с пола лист копировальной бумаги. В нем было два отверстия для глаз. Один угол оторван.

— Это она, — сказала молодая женщина. Она с трудом села на кушетке, потом встала. — Я видела его лицо.

Рыжая подошла к ней и снова уложила — легко, словно куклу.

— О Боже! — простонала молодая женщина.

— Все в порядке? — наклонившись к ней, спросил Мейсон.

Она болезненно улыбнулась:

— Думаю, да. У меня просто закружилась голова, когда я встала, но теперь все хорошо.

— У того мужчины был один глаз? — спросил Мейсон.

— Да, — ответила она немного окрепшим голосом.

— Нет, нет! — воскликнула Сильвия Бассет, чуть не рыдая.

— Пусть она говорит, — жестко сказал Дик. — Не перебивай ее.

— И он ударил вас больше, чем один раз? — снова задал вопрос Мейсон.

— Кажется, да. Я не помню.

— Вы видели, как он уходил?

— Нет.

— А шума отъезжающего автомобиля вы, случайно, не слышали?

— Говорю вам, я больше ничего не помню. Он ударил меня, и все.

— Оставьте ее в покое, — попросил Дик Мейсона. — Она же не свидетель на суде.

Перри Мейсон направился в кабинет. Дойдя до двери, он хотел взяться за ручку, но передумал. Достав из кармана носовой платок, он обернул им пальцы и только после этого открыл дверь. В комнате ничего не изменилось после его визита. Он подошел к двери соседней комнаты и открыл ее с теми же предосторожностями. В комнате было темно.

— Кто знает, где здесь выключатель?

— Я, — ответила Сильвия.

Она вошла вслед за ним и включила свет. На лице ее появилось выражение ужаса. Мейсон застыл в дверях.

— Боже мой! — воскликнул Дик. — Что это?

Хартли Бассет лежал на полу лицом вниз. Сложенное одеяло частично закрывало его голову. Руки были раскинуты. Правая сжата в кулак. Пятна крови виднелись на голове и одеяле. Он лежал возле столика, на котором стояла портативная пишущая машинка, а в нее был вставлен лист бумаги, наполовину заполненный текстом.

— Осторожнее, — предупредил Мейсон, — ничего не трогайте.

Он подошел, держа руки за спиной, потом перегнулся через труп и прочитал машинописный текст.

— Записка о самоубийстве, — сказал он. — Но это не самоубийство, здесь нет оружия.

— Читайте вслух, — попросил Дик Бассет. — Что там написано?

Перри Мейсон начал читать тихо и монотонно:

«Я намерен покончить со всем этим. Я полный банкрот. Я делал деньги, но утратил уважение своих коллег. Я никогда не был способен заводить друзей и удерживать их. Теперь я обнаружил, что не в состоянии удержать уважение и любовь или даже просто дружбу своей жены. Молодой человек, который считается моим сыном и носит мое имя, люто ненавидит меня. Я внезапно осознал, что, каким бы самодостаточным ни считал себя человек, он не может жить в одиночестве. Приходит час, когда он понимает, что должен быть окружен людьми, нечто значащими для него. Я богат деньгами, но банкрот в любви. Недавно случилось такое, чего я не хочу доверить бумаге, но оно убедило меня в бесплодности усилий удержать любовь женщины, которая для меня дороже всего на свете. И я решил покончить со всем, если у меня хватит самообладания спустить курок. Если у меня хватит самообладания... Если у меня хватит самообладания...»

— У него что-то в руке, — сказал Дик.

Перри Мейсон наклонился, немного помедлил, потом разжал пальцы мертвеца.

Стеклянный глаз, немигающий, злой, смотрел на них. Миссис Бассет изумленно открыла рот.

Перри Мейсон повернулся к ней.

— Что вам напоминает этот глаз? — спросил он.

— Ни-че-го.

— Говорите, говорите. Только яснее. Что он значит для вас?

— Послушайте, — сказал Дик, выступая вперед. — Вы не смеете так разговаривать с моей матерью!

Мейсон отстранил его движением руки.

— Не вмешивайтесь, — сказал он. — Так что он вам напоминает!

— Ничего! — повторила Сильвия, на этот раз уже с напором.

Мейсон направился к двери:

— Полагаю, что больше нет необходимости в моих услугах.

— Не уходите, не уходите! — умоляюще ухватилась за его рукав Сильвия Бассет. — Пожалуйста!

— А вы скажете мне правду?

— Скажу, — ответила она, — но только не здесь и не теперь.

Дик двинулся к мертвому.

— Я хочу знать, — сказал он, — что...

Но Перри Мейсон взял его за плечи, повернул кругом и выставил за дверь.

— Выключите свет, миссис Бассет, — сказал он.

Она выключила и сказала:

— Ох, я уронила носовой платок. Это имеет значение?

— Вы и сами знаете, что имеет. Возьмите ваш платок и выходите.

Она какое-то время шарила кругом. Перри Мейсон нетерпеливо ждал, стоя в дверях. Она подошла к нему.

— Нашла, — задыхаясь, произнесла она и вцепилась Мейсону в плечо. — Вы должны защитить меня, а мы оба должны защитить Дика. Скажите...

Он вырвался, рывком захлопнул дверь и через второй кабинет прошел в приемную.

Женщина, которая раньше лежала на кушетке, теперь стояла. Лицо у нее было белое как мел. Она пыталась растянуть губы в улыбку.

— Вы знаете, что там? — спросил ее Мейсон.

— Мистер Бассет? — прошептала она.

— Да, — ответил Мейсон. — Вы разглядели мужчину, который ударил вас?

— Да.

— А он хорошо видел вас? Сможет ли узнать, если увидит снова?

— Не думаю. В комнате все же было темно. Свет падал лишь через дверь соседней комнаты именно на его лицо, но мое лицо оставалось в тени.

— Он был в этой вот маске?

— Да. В этой. Она из копировальной бумаги, не так ли?

— И вы ясно видели, что одна глазница была пустой?

— Да, и это было ужасно! Черная маска, и сквозь нее блестит только один глаз.

— Послушайте меня. Сейчас сюда явится полиция, и вам станут задавать вопросы. Вас могут даже задержать как свидетеля. Хотите помочь Дику?

— Да, конечно.

— Хорошо. Я хочу проделать одну штуку, прежде чем полиция доберется до вас. Вы в состоянии сесть в машину?

— Да, я уже полностью пришла в себя.

— Умеете водить машину?

— Да.

Он достал из кармана ключи зажигания, протянул ей и подошел к телефону.

— Перед домом стоит мой двухместный автомобиль, — бросил он через плечо. — Садитесь и поезжайте. Моя контора находится в Сентрал-Ютилитиз-Билдинг. Возле конторы вас встретит моя секретарша.

Не дожидаясь ответа, он снял трубку и, набрав номер, стал ждать, пока Делла Стрит подойдет к телефону.

— Да? — проговорила она сонным голосом.

— Это Перри Мейсон. Ты можешь быстро одеться, взять такси и приехать в контору?

— Могу, — ответила Делла. — Если вы не введете это в обыкновение.

— Ну-ну, это не мой стиль работы. Так подъезжай к конторе как можно скорее. Там тебя будет ждать женщина по имени... — Он спросил все так же через плечо: — Как зовут эту девушку?

— Хейзл Фенвик, — ответил Дик.

— Хейзл Фенвик, — повторил Мейсон. — Отведи ее в контору. Последи, чтобы она не впала в истерику. Будь приветлива. Дай немного виски, только не напои ее. Поболтайте. Главное, не отпускай ее до моего возвращения.

— А когда вы вернетесь?

— Скоро, — ответил он. — Здесь пара копов задаст мне несколько вопросов.

— Что случилось? — спросила Делла.

— Это ты узнаешь, если тебе удастся разговорить девушку.

— Хорошо, шеф. Вы закажете мне такси?

— Да.

Он повесил трубку, но сейчас же снял ее и заказал такси для Деллы.

— Кто еще знает об этом? — спросил он Сильвию Бассет.

— О чем?

Мейсон кивнул на кабинет.

— Никто. Вы же первым обнаружили тело.

— Я не про то. Кому еще известна история с молодой женщиной? Например, кому-то из слуг?

— Мистеру Коулмару.

— Это парень в очках, которого я видел сегодня у вашего мужа?

— Да.

— Как он узнал об этом?

— Он увидел, что кто-то выбежал из дома. Это его заинтересовало, и он пришел посмотреть и узнать, что случилось.

— Что вы ему сказали?

— Я сказала, чтобы он шел в свою комнату и оставался там.

— Он видел молодую женщину на кушетке?

— Нет, я не дала ему взглянуть на нее. Он очень любопытствовал. Пытался подойти посмотреть, кто там лежит. Этот человек — завзятый сплетник и готов сделать все, чтобы досадить мне. Он на стороне моего мужа.

— Куда он пошел?

— Вероятно, в свою комнату.

— Вы знаете, где его комната? — спросил Мейсон у Дика.

— Да.

— Покажите мне.

Дик вопросительно посмотрел на мать. Мейсон схватил его за плечи.

— Быстрее, ради Бога! — раздраженно сказал он. — Полиция будет здесь с минуты на минуту. Пошли. Мы можем пройти этим путем?

— Нет, — ответил Дик. — Он живет в другой части дома. Надо пройти через другой вход.

Они спустились на крыльцо, вошли в дом через другую дверь, поднялись на один пролет по лестнице, миновали коридор, и Дик Бассет, указывавший дорогу, отступил в сторону перед закрытой дверью, из-под которой пробивалась полоска света.

Мейсон взял Дика за руку повыше локтя.

— Хорошо, — сказал он. — Теперь возвращайся к матери и выгони эту рыжую. Да заодно и поболтайте обо всем с матерью.

— Что вы имеете в виду?

— Ты сам знаешь, вы должны договориться насчет этого пистолета.

— Какого пистолета?

— Не прикидывайся, я говорю о том, что был у тебя в кармане.

— А меня спросят про него?

— Могут спросить. Из него стреляли. Во что ты стрелял из него?

Дик облизал губы:

— Сегодня не стрелял, это было вчера.

— Во что?

— В консервную банку.

— Сколько выстрелов?

— Один.

— Почему только один?

— Потому что я сразу попал в банку, и моя репутация была восстановлена.

— Зачем ты стрелял в банку?

— Чтобы показать, что я умею стрелять.

— Кому?

— Моей жене. Она смеялась надо мной.

— И ты все время носил оружие с собой?

— Да.

— Почему?

— Потому что Хартли Бассет был жесток с матерью. Я знал, что рано или поздно придется ему пригрозить.

— Разрешение на оружие есть?

— Нет.

— Кто еще видел, что ты стрелял, кроме твоей жены?

— Никто. Она была единственной свидетельницей.

— Иди и договорись с матерью, что рассказывать.

Мейсон собирался было постучать, но, помедлив, просто повернул ручку и распахнул дверь. Лысый узкоплечий мужчина, которого он видел в офисе у Бассета, уставился на него со злостью сквозь большие очки. Узнав Мейсона, он сильно удивился.

— Вечером вы видели меня у Бассета, — сказал ему Мейсон. — Я Перри Мейсон, адвокат. А вы Коулмар?

На лице Коулмара вновь вспыхнуло раздражение.

— Адвокатам разрешается не стучать? — спросил он.

Мейсон оглядел стол, заметил листок бумаги с карандашной записью своего телефона. Этот листок он утром дал Берте Маклейн.

— Что это такое? — спросил он.

— Это вас касается?

— Да.

— Я подобрал это в коридоре.

— Когда?

— Только что.

— Где именно?

— В начале лестницы, справа от комнаты миссис Бассет, если вам необходимо знать. Но я не понимаю, какое право...

— Забудьте об этом, — перебил его Мейсон, пряча листок к себе в карман. — Вы будете свидетелем. Я юрист и в состоянии оказать вам помощь.

— Помощь мне?

— Да.

Брови Коулмара удивленно поползли вверх.

— Бог мой! Чему это я свидетель и в чем будет заключаться ваша помощь?

— Несколько минут назад вы видели женщину на кушетке в комнате возле кабинета мистера Бассета.

— Не могу сказать вам, была ли это женщина или мужчина. Во всяком случае, кто-то там лежал. Сначала я подумал, что это мужчина, но перед кушеткой стояла Эдит Брайт, а миссис Бассет очень старалась, чтобы я не подошел близко. Она попросту меня оттолкнула. Если это вас интересует, то имейте в виду, что завтра утром я обо всем сообщу мистеру Бассету. Миссис Бассет не имеет права распоряжаться в конторе, а я имею.

Она не должна была выпроваживать меня. И оказывать на меня давление!

— Значит, она одолела вас? — с нескрываемым сарказмом спросил Мейсон.

— Вы не знаете эту Брайт, — возразил Коулмар. — Она сильна, как бык, и сделает все, что прикажет ей миссис Бассет.

— И вы ушли?

— Да, сэр.

— Когда вы возвращались к себе, вы видели кого-нибудь на улице?

Коулмар выпрямился с той степенью достоинства, какую позволяла его сутулость, приобретенная за конторским столом.

— Да, — вызывающе ответил он.

Что-то в его тоне заставило Мейсона насторожиться.

— Послушайте Коулмар, — сказал Мейсон. — Вы узнали этого человека?

— А это не ваше дело. Об этом я скажу мистеру Бассету. Не хочу показаться неуважительным, однако я не знаю о ваших отношениях с миссис Бассет и не пойму, по какому праву вы ворвались ко мне без стука и задаете вопросы. Вы сказали, что я свидетель. Но свидетель чего?

Однако Мейсон оставил его вопрос без ответа. Он услышал вой сирены, понял, что прибыла полицейская машина, и, выбежав из комнаты, бросился к Бассетам.

Дик и его мать вполголоса о чем-то разговаривали и, когда вошел Мейсон, с виноватым видом отпрянули друг от друга.

— Приехали копы, — объявил он. — Не говорите им ничего о ваших плохих отношениях с Бассетом. В данных обстоятельствах это ни к чему хорошему не приведет. Вы поняли меня?

— Я поняла, — медленно ответила Сильвия.

За дверью послышались шаги, а затем раздался стук в дверь. Сильвия открыла, и два широкоплечих полисмена вошли в комнату.

— Что здесь случилось? — спросил один из них.

— Мой муж только что покончил с собой, — ответила миссис Бассет.

— Но нам по радио сообщили об этом иначе.

— Простите, но мой сын был расстроен и поэтому неправильно выразился. Он даже толком не знал, что случилось.

— Но что же случилось?

Она двинулась к двери.

— А откуда вы знаете, что это самоубийство? — спросил второй офицер.

— Вы можете прочесть записку, которую он оставил в пишущей машинке.

Они вошли в комнату, где лежал труп. Один из них зажег фонарь и обвел комнату лучом света. Второй нашел выключатель, нажал кнопку и остановился, созерцая сцену, открывшуюся при электрическом освещении.

— Когда вы обнаружили его? — спросил он.

— Минут пять назад, — вступил в разговор Перри Мейсон.

— Кто вы такой, приятель? — обратился к нему полицейский.

— Это Перри Мейсон, адвокат, — ответил второй офицер, узнавший Мейсона.

Перри Мейсон поклонился.

— Что вы здесь делаете? — снова задал вопрос первый.

— Жду вас, чтобы соблюсти формальности, связанные с самоубийством, — ответил Мейсон, — и поэтому могу обсуждать дела миссис Бассет...

— Как вы оказались здесь?

— Я пришел по делу к мистеру Бассету.

— Что за дело?

— Ничего особенного. Речь идет о молодом человеке, работавшем у мистера Бассета. Между ними произошло недоразумение, и я хотел примирить их.

— Гм! — хмыкнул полицейский, не отводя взгляда от трупа.

— Кто-нибудь слышал пистолетный выстрел? — спросил офицер.

Никто не ответил.

— Очевидно, было использовано одеяло, чтобы заглушить звук, — сказал офицер. — Вот и пистолет.

Мейсон взглянул на то место, на которое полицейский указывал пальцем. На полу возле трупа лежал кольт тридцать восьмого калибра, очень похожий на тот, который был у молодого Бассета. Полицейский нагнулся над трупом и, взявшись за угол одеяла, приподнял его.

— Да здесь под одеялом еще один! За каким чертом ему понадобились два пистолета?

Второй офицер оттеснил зрителей к двери.

— Выйдите отсюда, — сказал он. — Позвольте мне воспользоваться телефоном. Надо позвонить в отдел убийств.

Мейсон посмотрел на Сильвию Бассет.

— Два пистолета, — сказал он.

Она не ответила. Губы ее побелели, в глазах застыл ужас.

Глава 5

Свидетели тесной группой сидели в приемной. Сотрудники отдела по расследованию убийств работали в комнате, где лежал труп.

Перри Мейсон наклонился к Сильвии Бассет.

— Зачем вы подложили пистолет? — прошептал он.

— Вы считаете, что будут неприятности? — беспокойно спросила она.

— Конечно, — ответил он. — Зачем вы это сделали?

— Потому что не может быть самоубийства без оружия, — ответила она. — Я не думала, что там уже есть один. Вы же *знаете,* что мы ничего не могли увидеть, когда были в комнате. Мы не трогали одеяло и...

— Но *зачем* вы положили его туда?

— Я хотела, чтобы это выглядело как самоубийство. Ведь если нет оружия, значит, это не самоубийство.

— Не пытайтесь убедить себя, что это не было убийством, — мрачно сказал Мейсон. — Нельзя было оставлять пистолет Дика.

— Я знаю, — быстро сказала она, — но все будет хорошо. Мы с Диком это обсудили. Мы скажем, что Хартли позаимствовал пистолет у Дика и уже около недели носил его с собой, а Дик с тех пор его в глаза не видел.

— Но он же не заряжен, — сказал Мейсон. — Нельзя же застрелиться из незаряженного пистолета...

— Но я вставила туда обойму, прежде чем подложить его.

— Ту обойму, которую я отобрал у Дика?

— Да.

— Вы когда-нибудь слышали, что полиция исследует пули, если они выпущены из определенного оружия?

— Нет. Разве они это делают?

— А вы знаете, что полиция может снять с оружия отпечатки пальцев, и тогда обнаружит отпечатки ваши, Дика и мои?

— Боже мой! Я не знала!

— Или вы самая умная женщина, каких я когда-либо встречал, или набитая дура, — сказал Мейсон.

— Но я же ничего не знаю о полицейских штуках.

— Послушайте, — сказал Мейсон, испытующе глядя на нее. — Вы думали, что Хартли Бассет выходил из дома, или вы знали, что в это время он был мертв?

— Конечно, думала, что он выходил. Я же говорила вам, что видела его... Мне показалось, что это был он...

— Эта девушка — ваша невестка?

— Да, она замужем за Диком. Но вы не должны никому говорить об этом.

— Почему? Что здесь особенного?

— Пожалуйста, не спрашивайте меня об этом сейчас. Я потом вам все расскажу.

— Хорошо. Вы готовы отвечать на вопросы?

— Я не знаю... Нет, я не могу отвечать.

— Почему?

— Потому что я сейчас не знаю, что говорить.

— А когда вы будете знать?

— После того как поговорю с Диком. Мне надо поговорить с ним еще раз.

— Это вы убили Хартли? — неожиданно спросил Мейсон, коснувшись указательным пальцем ее колена.

— Нет.

— Дик?

— Нет.

— Тогда зачем вам снова разговаривать с сыном?

— Потому что я боюсь, что они найдут того, кто убил... О, у меня нет сил говорить об этом. Пожалуйста, оставьте меня одну.

— Еще только один вопрос, но, ради Бога, скажите правду. Вы убили его?

— Нет.

— Вы сможете это доказать, если вас арестуют?

— Да, думаю, что смогу.

— Хорошо. Только держитесь подальше от газетчиков и полиции. Скажите, что вы слишком расстроены, чтобы отвечать на вопросы. Они будут настаивать, а вы закатите им истерику. Все время противоречьте своим же показаниям. Скажите, что вы видели мужа за час до смерти, а потом добавьте, что это было на прошлой неделе, что не помните, видели ли вы его в течение месяца. Делайте самые дикие предположения. Сообщите, что он слышал голоса, которые его предостерегали, и тому подобное. Другими словами, ведите себя как ненормальная. Визжите, кричите, смейтесь. Вы меня поняли?

— Да. Но не будет ли это опасно?

— Конечно, это опасно, но еще опаснее попасть в полицейскую ловушку. Помните, что вы невиновны и можете это доказать, если придется открыть карты. А до тех пор не придерживайтесь одних и тех же утверждений. И пусть ваши слова звучат абсурдно, словно вы пьяны или не в своем уме. Почаще вскрикивайте и смейтесь, тогда они решат, что вы им только мешаете, и сделают подкожное впрыскивание. После того как вам введут лекарство, прикиньтесь больной. Проснувшись, сделайте вид, что сознание ваше затуманено. Говорите невнятно, с трудом, то и дело закрывайте глаза и даже начинайте дремать в промежутках между словами.

Открылась дверь. Сержант Голкомб из отдела по расследованию убийств дернул головой, обращая взгляд на Мейсона.

— Вы, — только и сказал он.

Перри не спеша пошел в другую комнату.

— Что вы знаете об этом деле?

— Ничего особенного.

— Вы никогда ничего не знаете, — сказал Голкомб. — Может, сообщите, что значит это ваше «ничего особенного»?

— Я пришел сюда по делу к мистеру Бассету.

— Что это за дело?

— Оно касается счетов между Бассетом и его бывшим служащим.

— Кто такой этот бывший служащий?

— Мой клиент.

— Его имя?

— Я должен получить от него разрешение, прежде чем назвать его имя.

— Что вы застали, когда пришли сюда?

— Застал весьма волнующую сцену.

— Что именно?

— Спросите лучше у других, подробностей я не знаю. Что-то произошло между Хартли Бассетом и его сыном Диком. Что-то насчет молодой леди, которую ударили.

— Что за удар?

— Они говорили, что ее кто-то ударил.

— Кто же?

— Она не знает.

— Это как же так?

— Дело в том, что она никогда раньше не встречала этого человека.

— Где эта особа?

— Я взял на себя смелость отправить ее в такое место, где она будет чувствовать себя спокойно до утра.

— Что вы сделали?

— Я ее отправил туда, где она до утра будет в безопасности.

— Вы допустили грубое нарушение.

— Почему это?

— Разве вы не знали, что здесь произошло убийство? Перри Мейсон сделал удивленный вид:

— Боже мой, ну конечно не знал!

— Ну а теперь вы знаете.

— И кто же был убит?

Сержант Голкомб расхохотался:

— Для того, кто, как вы, сует всюду свой нос, достаточно одного взгляда, чтобы распознать убийство.

— Но Хартли покончил с собой.

— Да? — с иронией спросил сержант. — И это *вы* говорите *мне?*

— А разве нет? — спросил Мейсон.

— Нет.

— Но записка в пишущей машинке подтверждает самоубийство.

— Любой может напечатать такую записку.

— Но Бассет завернул пистолет в одеяло, чтобы не было шума.

— Чего ради?

— Чтобы не тревожить домашних.

— Чушь! Человек, который собирается покончить с собой, не будет думать об этом. А вот убийце есть смысл опасаться шума. К тому же самоубийце незачем пользоваться тремя пистолетами.

— Как, вы нашли три пистолета?! — воскликнул Мейсон.

— Три пистолета, — подтвердил Голкомб. — Один на полу, другой под одеялом, а третий в кобуре, которую Бассет носил под мышкой левой руки. Третий пистолет не был в деле. Если он хотел покончить с собой, отчего бы ему не воспользоваться собственным пистолетом и зачем раздобывать другой?

— Каким же из них он был убит?

— Здесь я задаю вопросы, — покровительственно усмехнулся сержант Голкомб.

Мейсон пожал плечами.

— Так куда вы дели бабенку, которая получила по голове?

— Я отправил ее в спокойное место.

— И где она находится?

— Если я назову вам адрес, оно перестанет быть спокойным.

— Послушайте, вы! — голосом, полным еле сдерживаемого негодования, произнес сержант. — Вы понимаете, что речь идет об убийстве?

— Да, понимаю, — ответил Перри Мейсон.

— Держу пари, что понимаете. Мы должны задать ей несколько вопросов. Она может помочь обнаружить преступника. Поэтому, братец, вы обязаны сказать мне, где она находится, да поживее. У вас единственный выход.

— В моей конторе, — ответил Мейсон.

— Зачем вы отправили ее туда?

— Я считал, что ей нужно прийти в себя. Никак не думал, что Бассета убили, я считал это самоубийством.

— И у вас там, конечно, сидит ваша дошлая секретарша?

— Естественно. Должен кто-то присмотреть за девушкой!

Сержант помрачнел:

— Тогда вас можно обвинить в том, что вы укрываете от полиции свидетеля.

Мейсон пожал плечами.

— Но если бы вы забрали ее, — сухо сказал он, — то заперли бы ее так, что никто не смог бы поговорить с ней, пока она не появилась бы на свидетельском месте в суде. Именно так вы привыкли действовать, дорогой сержант. Я всего лишь отправил ее в спокойное место, так как был уверен, что произошло самоубийство. Но поскольку вы говорите, что речь идет об убийстве, то я сообщаю вам ее местонахождение.

Кто-то негромко хихикнул. Сержант повернулся к одному из своих людей и сказал:

— Позвоните в участок и скажите, чтобы забрали девчонку из конторы Мейсона. Если нужно, пусть взломают двери. Речь идет о важном свидетеле.

— Есть ли у вас, парни, еще вопросы ко мне? — с достоинством спросил Мейсон.

— Когда вы явились сюда? — спросил сержант.

— Вскоре после полуночи. Видимо, минут двадцать первого.

— Бассет был мертв, когда вы пришли?

— Очевидно. Я был в соседней комнате и не слышал ни звука из его кабинета. Миссис Бассет зачем-то пошла туда и обнаружила труп.

— Вы сообщили в полицию?

— Мы обнаружили труп перед самым приходом полицейских. Они явились сюда в связи с нападением на мисс Фенвик.

— Кто такая мисс Фенвик?

— Молодая женщина, на которую напали.

— И она ваша клиентка?

— Нет, нет. По крайней мере, пока нет.

— Вы встречали ее раньше?

— Нет.

— Как случилось, что вы так долго разговаривали с этими людьми в приемной?

— Я пришел сюда по делу к Бассету.

— Почему же вы тянули резину, а не сразу прошли к нему?

— Потому что в связи с нападением на девушку здесь царила невероятная суматоха, и я решил, что следует уведомить полицию.

— Вы уже два раза говорили о том, что вызвали полицию, и тем не менее отправили девушку в свою контору.

Мейсон не ответил, достал сигарету и закурил.

— Так кто же все-таки вызвал полицию? — продолжал задавать вопросы сержант.

— Я.

— И вы назвали себя?

— Нет. Я говорил от имени молодого Бассета.

— Почему вы это сделали?

— Я хотел, чтобы полиция поскорее приехала. Если бы они услышали мое имя, то не стали бы торопиться, к тому же у меня не было времени на долгие переговоры.

— Ваша взяла, — вздохнул сержант. — У вас всегда ответ наготове. — Он махнул рукой по направлению к двери. — О'кей, можете идти. И если вам кажется, что вы попадете в свой офис раньше ребят из отдела, то вы большой оптимист.

— Да я не особенно тороплюсь, — сказал Мейсон.

— Вот именно что торопитесь, — возразил сержант Голкомб. — Эта ваша манера. Вы деловой человек, мистер Мейсон. Вы явились сюда по делу к мистеру Бассету. Вам не о чем было разговаривать с кем-то еще. Никто здесь вас не нанимал в качестве адвоката. Вы не знали, что мистер Бассет убит. Вы считали, что он покончил с собой. А молодой женщины, которую ударили, здесь уже нет, так что нам незачем задерживать вас и тем самым нарушать ваш сон. Можете отправляться сию минуту.

— Разрешите, я вызову такси?

— А где ваша машина?

— Я отправил на ней мисс Фенвик.

— Ну, это плохо. Мы не можем позволить, чтобы видный юрист нашего города дожидался такси. Его время слишком дорого. Один из вас, ребята, отвезет его на полицейской машине и проводит в контору без промедления. Пригласите сюда миссис Бассет. Послушаем, что она скажет.

— Для человека, который получает так мало реальных результатов, как вы, сержант, это удивительно хитрый ход, — заметил Мейсон, поклонился Голкомбу и вышел, не дожидаясь ответа.

Глава 6

Перри Мейсон отпер дверь офиса, включил свет и прошел в комнату, на двери которой была табличка: «Перри Мейсон. Адвокат. Приемная».

За столом сидела Делла Стрит и читала толстую книгу; появление шефа Делла встретила улыбкой.

— Я изучаю законы, шеф, — сказала она.

— Полиция была? — спросил Мейсон.

— Да, они немного поострили здесь.

— Они не были грубы с девушкой? — нахмурился Мейсон.

Она изумленно посмотрела на него:

— А я думала, что вы отправили ее в другое место. Здесь она не появлялась.

— Как не появлялась? — спросил Мейсон.

Делла Стрит покачала головой.

— А что ты сказала копам?

— Они острили, ну и я тоже. Я подумала, что вы узнали о предстоящем визите полиции сюда и спрятали девушку. Это дало мне возможность быть уклончивой. Я им сказала, что пришла сюда позаниматься и что мне часто приходится работать по ночам, так как вы хотите сделать из меня детектива, а настоящему детективу надо много знать.

— Ты давно здесь?

— Такси подъехало к моему дому минуты через две после того, как вы сделали вызов. Я ждала на улице. Велела ехать побыстрее. Мы домчались скоро. Я вошла, зажгла свет и предупредила швейцара, чтобы он сразу направил сюда молодую девушку, которая будет спрашивать, где ваша контора.

Перри Мейсон негромко свистнул.

— Вас спрашивал Пол Дрейк, — продолжала Делла. — Швейцар ему сказал, что я здесь. Он зашел и оставил для вас какой-то сверток.

Она положила на стол бумажный сверток, перевязанный веревкой и в нескольких местах залепленный красным сургучом.

— У тебя были хлопоты с полицией? — спросил Мейсон, доставая нож и придвигая к себе сверток.

— Нет. Я разрешила им осмотреть всю контору. Как видно, они думали, что я держу девушку у себя в рукаве.

— И тебе нелегко было их разубедить?

— Нет, они легко поддались убеждению, потому что рассудили так: если вы сообщили детективам, что девушка здесь, значит, она где угодно, только не у вас в конторе. Они и не ожидали ее найти, и это дало им лишний повод для острот.

Мейсон разрезал бумагу и достал небольшую коробочку. В ней лежало шесть стеклянных глаз, налитых кровью.

— У нас есть адрес Брунольда? — спросил он.

— Да, он зарегистрирован.

— А телефон?

— Думаю, да. Сейчас посмотрю в картотеке.

Она порылась в картотеке и достала карточку.

— Да, есть.

— Позвони ему.

Она посмотрела на часы, но Мейсон нетерпеливо произнес:

— Не обращай внимания на время. Звони.

Она сняла трубку, набрала номер и стала ждать.

— Хэлло, это мистер Брунольд? — через минуту спросила она. Получив утвердительный ответ, она протянула трубку Мейсону.

— Говорит Перри Мейсон. Я хочу, чтобы вы немедленно приехали ко мне.

— Послушайте, — мрачно ответил Брунольд, — что, у вас больше нет дел, как звонить по ночам?

— Вы заплатили полторы тысячи долларов за мое умение выпутывать людей из неприятностей. А данная неприятность больше всего касается вас. Вы должны тотчас приехать. Не хотите, можете забрать назад ваши деньги. Я буду в конторе еще десять минут. Если не станете бриться, то вполне успеете. — И, не дожидаясь ответа, он положил трубку.

Делла Стрит с любопытством следила за ним.

— Он во что-то влип? — спросила она.

— Я бы сказал, что да. Сегодня ночью убили Хартли Бассета. В руке у него был зажат глаз, налитый кровью.

— А Брунольд знает Бассета?

— Вот это я и хочу выяснить.

— Он умен. Еще утром пожаловался на пропажу глаза.

Мейсон кивнул, рассматривая шесть глаз, доставленных Полом Дрейком:

— Это требует размышления. Смотри: Гарри Маклейн работал у Бассета. Брунольд знаком с Гарри Маклейном. Где они познакомились? Случайно ли пришел сюда Маклейн или его послал Брунольд?

— А кого мы представляем? — спросила Делла.

— Во-первых, Брунольда, во-вторых — мисс Маклейн и, вероятно, миссис Бассет.

— Как было совершено убийство?

— Оно было подделано под самоубийство, но довольно неуклюже. К тому же миссис Бассет испортила дело, подложив туда пистолет. А под одеялом, которым пользовались, чтобы заглушить звук выстрела, нашли еще пистолет. Миссис Бассет говорит, что не заметила первый пистолет и, подложив другой, хотела подтвердить иллюзию самоубийства.

— Вот как?

— Да. Возможно, это бы прошло, если бы пистолет был единственным.

— Но она же оставила на нем отпечатки пальцев!

— Да, — согласился Мейсон. — Свои и мои.

— Ваши?

— Да.

— Но ваши-то как на нем оказались?

— Я забрал пистолет у ее сына Дика.

— А потом отдали ей?

— Да.

— Вот здорово, шеф! И вы считаете, что номер с отпечатками был задуман заранее?

— Точно я сказать не могу.

— Расскажите мне все подробнее, — попросила Делла Стрит.

— Ночью меня пригласила к себе миссис Бассет. Она сказала, что ее сын Дик грозит застрелить ее мужа. Когда я приехал туда, там была эта мисс Фенвик. Она лежала на кушетке без сознания. Миссис Бассет сообщила мне, что ее муж ударил девушку. У Дика Бассета был пистолет, и я отобрал его. Мать и сын объяснили, что эта Фенвик — жена Дика, но говорить об этом нельзя. Какая-то рыжая баба лет пятидесяти, вероятно служанка, прикладывала девушке к голове мокрые полотенца. Дик Бассет чрезвычайно много говорил. Придя в себя, девушка сказала, что ударил ее не Бассет, а неизвестный мужчина с одним глазом, на лице у которого была маска. Она сорвала маску и разглядела лицо нападавшего, но он ее не разглядел, так как в комнате было полутемно, свет падал через дверной проем. Ей этот человек незнаком. Он ее ударил. Маска была сделана из листа копирки с двумя отверстиями для глаз. Держалась на голове, прижатая краем шляпы. Копирка взята со стола Бассета в конторе.

Миссис Бассет говорит, что видела, как кто-то выбежал из дома и сел в машину ее мужа. Ей показалось, что это был сам Бассет. После рассказа девушки мы зашли в кабинет Хартли Бассета и нашли там его труп. Я выяснил, что один тип по имени Коулмар, этакий дохляк, настоящая мышь, вел у Бассета конторские книги, печатал на машинке и так далее. Так вот, он был на месте происшествия. Я решил с ним потолковать.

— Вы повидались с ним?

— Да. Бассет не ладил с женой. А Коулмар признает лишь одного Бассета. Когда я зашел к нему, то нашел на его столе бумагу с номером своего телефона, которую утром дал Берте Маклейн.

Он достал из кармана бумажку, развернул и положил на стол.

— Значит, Гарри мог быть там.

— Или Гарри, или Берта. Не забудь, что бумажку я дал сестре. Она могла передать ее брату или еще кому-то, кто мог отдать ее миссис Бассет. Возможно, телефон попал сразу к Коулмару. Но тогда он солгал мне. Или все они лгут. Такое уж это дело.

— Очень странно звучит история с одеялом, — сказала Делла.

— Да! — нетерпеливо воскликнул Мейсон. — Все это выглядит странно. Я хотел поговорить с мисс Фенвик, пока ее не забрали в полицию, но она исчезла.

— Этот одноглазый может оказаться Брунольдом, — сказала Делла.

— Если девушка сказала правду. Но если она не лжет, то почему не приехала сюда? И ее рассказ о маске звучит слишком подозрительно.

— Почему? Разве убийца не может действовать в маске?

— Как мог убийца зайти в маске к Бассету, да еще прихватив с собой одеяло? Как он мог в маске подойти к Бассету, завернуть пистолет в одеяло и выстрелить в него?

— Он мог подкрасться на цыпочках.

— Тогда зачем ему маска? — усмехнулся Мейсон. — И заметь себе, что пистолет легко было спрятать в одеяле. По положению тела Бассета можно полагать, что он видел человека, который застрелил его, но не ожидал нападения.

— Но ведь есть люди, которые могли зайти с одеялом в кабинет к Бассету и не вызвать у него подозрений.

— Вот тут ты попала в точку, — согласился Мейсон. — Попробуем перечислить этих людей.

— Ну, во-первых, сама миссис Бассет.

— Правильно.

— Во-вторых, Дик Бассет.

— Так.

— Ну и, возможно, девушка, которая лежала на кушетке.

Мейсон кивнул.

— А кто еще?

— Не знаю.

— И слуги. Та же рыжеволосая служанка, находившаяся около девушки. Для нее вполне естественно нести с собой одеяло. Скажем, она стелила постель, вспомнила, что надо о чем-то спросить Бассета...

Мейсон помолчал.

— Но ты упустила из виду один важный момент.

— Что вы имеете в виду?

— Это единственные люди, которые могли зайти с одеялом к Бассету, не заставив его встать, потому что он к ним привык. А человек, который вышел из кабинета, скрывал свое лицо под маской. Что она собой представляет? Она сделана из копировальной бумаги, и притом наспех, такая бумага лежит на столе у Бассета. Человек схватил ее...

— После убийства! — торжествующе воскликнула Делла.

— Верно. Мысль о маске пришла убийце позже. Все остальное было обдумано заранее. А здесь преступник стал торопиться.

— Но зачем понадобилась маска после убийства?

— Чтобы уйти неузнанным. Фенвик рассказала, что видела в кабинете Бассета какого-то мужчину, но он сидел к ней спиной. Бассет сказал ей, что занят. Она сидела в приемной и дожидалась. Человек, который находился у Бассета, знал это.

— Значит, он надел маску, чтобы уйти неузнанным?

— Похоже, что так. А почему он не ушел другим ходом? Ведь тогда ему не понадобилось бы скрывать свое лицо. Но если этот человек, которого девушка описала как одноглазого, сделал себе маску, чтобы уйти неузнанным, зачем он вырезал отверстие для отсутствующего глаза? Почему не обошелся одним?

Делла покачала головой:

— Это слишком сложно для меня. Почему вы думаете, что Бассет не ожидал нападения?

— Это видно по положению тела. К тому же у него был пистолет в наплечной кобуре, и он смог бы постоять за себя. Однако он его не вытаскивал.

— Значит, на месте преступления нашли три пистолета?

— Да, три.

— И вам неизвестно, из какого он был убит?

— Десять против одного, что это сделано из пистолета, на котором есть отпечатки моих пальцев... Пол давно был здесь?

— Минут за пятнадцать до вашего прихода.

— Наверное, он сидит в «Красном льве» и пьет с газетчиками. Попробуй позвонить туда.

— Сообщить, что ваша машина похищена?

— Рано или поздно ее вернут, — сказал Мейсон.

Делла Стрит набрала номер и проговорила сладким голосом:

— Хэлло, клиент хочет поговорить с Полом Дрейком. Он там? Попросите его, пожалуйста. Пол, это ты? Одну минуточку, шеф хочет поговорить с тобой.

Мейсон взял трубку.

— Пол, — сказал он, — возьми карандаш и запиши: Хартли Бассет — компания по прокату машин. Финансист, ростовщик и, возможно, скупщик краденого. Мне нужно узнать о нем все, что можно. Ночью он покончил с собой и оставил записку, отпечатанную на машинке. Газетчики получат его фотографии, достань их для меня. Также мне нужны сведения о миссис Бассет и ее сыне по имени Дик Бассет. Кстати, Хартли Бассет не родной отец этого парня. Мне хотелось бы знать, почему парень не носит имя настоящего отца. Теперь еще об одном. Питер Брунольд, 3902, Вашингтон-стрит. У него имеются такие же глаза, как ты достал. Нужны все данные о нем. Только чтобы работа была безупречной. Пошли толковых ребят.

— Мне нравится, что ты с такой небрежностью называешь это самоубийством, Перри. Я не знаю всех фактов, но ставлю пять против одного, что это убийство.

— Ладно, Пол, не болтай, а действуй.

Перри положил трубку, и в ту же секунду повернулась ручка двери.

На пороге стоял тяжело дышащий, потный Питер Брунольд. Он посмотрел на часы и удовлетворенно хмыкнул.

— Можете считать, что я побил все рекорды.

Он заметил на столе набор глаз и изумленно уставился на них.

— Что это такое? — спросил он.

— Посмотрите на них, — предложил Мейсон.

Брунольд внимательно рассматривал глаза.

— Хорошие глаза, — сказал он, закончив осмотр.

— А вы нашли свой? — спросил Мейсон.

Брунольд отрицательно покачал головой и уставился на Деллу Стрит. Она запахнула получше свое меховое манто, чтобы прикрыть ноги.

— А хотели бы вы заполучить его назад?

— Хотел бы.

Делла Стрит сложила искусственные глаза в коробку, приоткрыла на колене блокнот и приготовилась записывать.

— Я могу вернуть ваш глаз, — заявил Мейсон. — Или, вернее, сказать, как вы можете его получить.

— Как? — спросил Брунольд.

— Вы можете взять такси и поехать к дому Хартли Бассета, 9682, Франклин-стрит. Там вы найдете кое-кого из полиции. Скажите им, что вам кажется, будто у них есть ваш искусственный глаз и вы бы хотели его опознать. Вас проводят в комнату. Там на полу лежит Хартли Бассет с пулевой дыркой во лбу. В его правой руке что-то зажато. Полицейские разожмут пальцы Бассета, и на вас глянет налитый кровью глаз...

Слушая слова Мейсона, Брунольд достал сигареты, рука его дрожала.

— Почему вы думаете, что это мой глаз?

— Похоже, это так.

— Вот этого я и боялся, — медленно сказал Брунольд. — Кто-то украл мой глаз и оставил мне подложный. Я боялся, что сложится подобная ситуация. Это страшно! Это очень страшно!

— Вы удивлены?

— Конечно. Послушайте, уж не думаете ли вы, что я явился туда, убил этого парня и вложил ему в руку свой глаз? Я не смог бы этого сделать, даже если бы хотел. Ведь сегодня утром вы слышали от меня, что мой глаз украден, а вместо него оставлен другой.

— Вы знали Хартли Бассета? — спросил Мейсон.

— Нет, — нерешительно ответил Брунольд. — Я не знал его и никогда с ним не встречался.

— А жену его знали?

— Я... встречал ее... Да, я ее знаю.

— А парня знаете?

— Дика... э... Бассета?

— Да.

— Да, и его я знаю.

— Вы знаете Гарри Маклейна, который работал у Бассета?

— Да.

— Где вы встречались с ним? В конторе Бассета?

— Да. Один раз мы там встретились. Он был помощником секретаря и стенографистом.

— Он вас не знакомил с Бассетом?

— Нет.

— И вы никогда не видели Хартли Бассета?

— Нет... Я же сказал вам, что я никогда не видел его. Конечно, о его существовании мне было известно.

— Что вы хотите этим сказать?

Брунольд неловко заерзал.

— Послушайте, — взмолился он. — Что вы ко мне пристали? Это же не допрос третьей степени. Вы не собираетесь обвинить меня в смерти Бассета?

— Нет, конечно.

— Ладно, скажу вам правду. Я хорошо знаю его жену, очень хорошо. Встречался с ней несколько раз.

— И давно вы ее знаете?

— Не очень.

— У вас платоническая дружба или что-нибудь другое?

— Платоническая.

— Когда в последний раз виделись с ней?

— Недели две назад.

— Если она будет думать, что вы бросили ее, — напрямую заявил Мейсон, — захочет ли отомстить вам?

Брунольд едва не уронил сигарету.

— Боже мой, что вы имеете в виду?

— Только то, что сказал, Брунольд. Допустим, вы поссорились с миссис Бассет. Предположим, что ее муж совершил самоубийство. Допустим, она думает, что вы влюбились в другую женщину и хотите расстаться с ней. Допустим, что она имеет возможность представить дело

278

так, что муж вовсе не покончил с собой, а его убили. Захочет ли она, чтобы в убийстве обвинили вас?

— Зачем?

— Чтобы вы не достались другой женщине.

— Но никакой другой женщины нет.

— И она знает об этом?

— Да... То есть нет... Вы понимаете, между нами ничего не было!

— Понимаю, — сухо сказал юрист. — Когда вы познакомились с ней?

— Около года назад.

— И в последний раз вы видели ее две недели назад?

— Да.

— И с тех пор вы с ней не встречались?

— Нет.

— Когда вы обнаружили, что ваш глаз украден?

— Прошлым вечером.

— А вы не думаете, что могли забыть его где-нибудь?

— Конечно нет. Подложный глаз существует. Значит, кто-то намеренно украл мой глаз.

— А как вы думаете, зачем его украли?

— Не могу сказать.

— Вы встречали Гарри Маклейна в резиденции Бассета?

— Да, я его там видел.

— Вы знаете что-нибудь о проблеме со счетами?

— Кое-что слышал, — нерешительно ответил Брунольд.

— Что именно?

— Насчет четырех тысяч.

— Вы знаете молодую женщину по имени Хейзл Фенвик?

— Фенвик?

— Да.

— Нет.

— А Артура Коулмара?

— Да.

— И разговаривали с ним?

— Нет, только видел его.

— Шофера Бассета знаете?

— Я сказал бы, что да. Его зовут Овертон. Он высокий и смуглый. Кажется, что он никогда не улыбается. А что с ним?

— Ничего, я только хотел выяснить, знаете ли вы его.

— Да, я его знаю.

— А толстую рыжую женщину лет пятидесяти?

— Да, это Эдит Брайт.

— Какие у нее обязанности?

— Она что-то вроде экономки. Сильна, как бык.

— Но Бассета вы ни разу не видели?

— Нет.

— А другие люди знают вас?

— Какие другие?

— Те, кого вы описали?

— Н-нет. Шофер, возможно, видел меня.

— Как же так получилось, что вы их видели и знаете, а они вас нет?

— Сильвия старалась, чтобы меня никто не видел.

Мейсон наклонился и неожиданно ткнул горящим кончиком сигареты в жилет Брунольда.

— Вчера вас видел Дик Бассет.

— Где?

— У них дома.

— Он ошибся.

— Вас видел Коулмар.

— Ну, этого не могло быть.

— Почему?

— Да потому что я не бывал в той части дома.

— Что вы имеете в виду?

— Дом разделен на две части: контору и жилые комнаты. С тех пор как у Бассета обострились отношения с женой, он перебрался в контору.

— Так, значит, вы были вчера на половине жены?

— Не вчера, а позавчера.

— Но ведь, кажется, вы две недели не видели миссис Бассет?

Брунольд ничего не ответил.

— А Дик Бассет говорит, что вчера вечером поспорил с Хартли Бассетом из-за вас.

— В какое время?

— Когда вы ушли.

— Вы ошибаетесь, это совершенно невозможно.

— Почему?

— Да потому что прежде чем я ушел...

Мейсон усмехнулся, глядя прямо на него.

— Проклятие! — закричал Брунольд. — К чему вы задаете все эти вопросы?

— Просто пытаюсь собрать факты.

— Вы не смеете ловить меня на слове, как преступника. Вы не можете...

— Я не собираюсь ловить вас на слове, вы сами запутались. Вы хотели сказать, что, прежде чем вы покинули дом, Бассет был уже мертв, не так ли?

— Я не говорил, что был там вчера вечером.

— Да, — улыбнулся Мейсон. — Таких слов вы не произнесли, но смысл был именно такой.

— Вы не так меня поняли, — возразил Брунольд.

— Ты все записала, Делла? — спросил Мейсон. — И вопросы, и ответы?

Они кивнула.

Брунольд резко повернулся к ней:

— Господи помилуй! Неужели все, что я говорил, записано? Вы не имеете права! Я...

Перри Мейсон тяжело опустил руку ему на плечо.

— Что вы? — с угрозой в голосе произнес он.

Брунольд повернулся к адвокату.

— Если вы будете грубить этой молодой леди, — продолжал все так же угрожающе Мейсон, — то вылетите отсюда со скоростью пули. Сядьте спокойно, прекратите вилять и выкладывайте всю правду.

— Почему я должен вам рассказывать?

— Потому что прежде всего необходимо подумать, чем вам можно помочь. У вас есть возможность сейчас рассказать мне всю правду, иначе будет поздно.

— Мне ничего не могут сделать.

— Вы так думаете?

— Никто, кроме вас, не знает, что я был там вчера вечером.

— Миссис Бассет знает это.

— Конечно, но она не дура.

— Коулмар видел, как кто-то выбежал из дома. Он узнал этого человека. Мне он не назвал его имени. Это были вы?

Брунольд вздрогнул.

— Он узнал его?

— Он так говорит.

— Но он не мог. Я был далеко от него.

— Значит, именно вас он видел.

— Но я не думал, что он узнает меня. Он был на той стороне улицы. Клянусь, что я первый увидел его и прикрыл голову, чтобы он меня не узнал.

— Почему вы бежали?

— Я торопился.

— Почему?

— Дело в том, что Сильвия — миссис Бассет — при мне позвонила вам. Я не хотел, чтобы вы меня там застали.

— Послушайте, — спросил Мейсон, — а выдержите ли вы перекрестный допрос в полиции?

— Конечно выдержу.

— Однако моих вопросов вы долго не выдержали.

— Но полиция не собирается меня допрашивать.

— Почему?

— У них же нет сведений, что я имею какое-то отношение к Бассетам.

— Кто-то идет, — перебила их разговор Делла Стрит.

За дверным стеклом мелькнула тень. Ручка двери повернулась, дверь открылась, и на пороге возник сержант Голкомб с двумя полицейскими. Голкомб сделал шаг вперед.

— Питер Брунольд? — спросил он.

— Да, — вызывающе ответил тот, — а в чем дело?

Сержант положил одну руку Брунольду на плечо, а другой рукой отвернул полу своей куртки и показал золотой значок.

— Ничего особенного, — грубо сказал он, — кроме того, что вы арестованы по обвинению в убийстве Хартли Бассета. Предупреждаю, что все, сказанное вами, может быть использовано против вас.

Он повернулся к Перри Мейсону с презрительной улыбкой.

— Простите, что я прервал вашу беседу, Мейсон, — сказал он, — но после разговоров с вами люди имеют скверную манеру исчезать. Поэтому я предпочитаю забрать мистера Брунольда, прежде чем он надумает переменить климат.

— Не извиняйтесь, сержант, — ответил Мейсон. — Заходите в другой раз.

— Если окружной прокурор думает об этом свидетеле то же, что и я, то зайду непременно.

— Буду рад видеть вас в любое время, сержант.

Брунольд повернулся к Мейсону.

— Послушайте, адвокат... — начал он.

— Прекратите болтовню, — оборвал его сержант.

— Я имею право разговаривать со своим адвокатом, — сказал Брунольд.

— Нет, сперва в тюрьму, а там вы с ним наговоритесь.

Двое полисменов схватили Брунольда за руки и потащили к двери. Он пытался вырваться, ему надели наручники.

Дверь громко захлопнулась.

Голкомб, остававшийся в комнате, обратил на Мейсона огненный взор.

Мейсон зевнул, вежливо прикрыв рот рукой.

— Извините меня, сержант. Сегодня был ужасный день.

Голкомб повернулся, распахнул дверь и, стоя на пороге, заявил:

— При всей вашей изворотливости ничего у вас не вышло. — И хлопнул дверью.

Мейсон весело подмигнул Делле:

— Как ты насчет того, чтобы заглянуть в ночной клуб?

Она посмотрела на себя в зеркало:

— Если я там сниму манто, то меня арестуют. Вы же торопили меня, и я не успела как следует одеться. Манто прикрывает полное неприличие.

— Ну, тогда отправляйся домой. Хоть одного из нас не посадят в тюрьму.

В ее глазах мелькнуло беспокойство.

— Шеф, вы опасаетесь, что он может посадить вас?

Мейсон пожал плечами и открыл перед ней дверь:

— Никто не знает, что может сделать сержант Голкомб. Он удивительно вездесущ.

Глава 7

Мейсон, отдохнувший и свежевыбритый, наклонился над столом Деллы Стрит:

— Как ты себя чувствуешь?

— Как миллион долларов, — ответила она. — Я просматривала газеты с отчетами об убийстве Бассета. Но о Брунольде нет ни слова.

— Репортеры ничего о нем не знают.

— Почему?

— Потому что Голкомб не допустил их в управление полиции. Брунольд арестован и вне пределов их досягаемости.

— Вы можете что-либо сделать для него?

— Я могу прибегнуть к Хабеас Корпус, но пока не хочу этого делать, чтобы не показать своей заинтересованности. У меня нет фактов. Возможно, Брунольд замешан в этом деле. И прежде чем я добьюсь повестки в суд, полиция все из него вытянет.

— А как насчет миссис Бассет?

— Я звонил ей, когда вернулся домой.

— Вы говорили с ней?

— С ней случилась истерика после моего ухода. Голкомб ничего не мог от нее добиться. Сын вызвал врача, и тот уложил ее в постель. Врач хотел отправить ее в больницу, но она отказалась. Парень не говорит, где она, но обещал сообщить о ее местопребывании, когда это будет необходимо.

— Он так и не сказал, где она?

— Увы, нет.

— Как же Голкомб позволил ей скрыться?

— Сержант отправился за Брунольдом, а молодой Бассет воспользовался этим. Но сыщики проследили за ним. Они знают это место, хотя Дик не подозревает об этом.

— Значит, вы не сможете повидать миссис Бассет, а полиция сможет. Верно?

— Похоже, что так.

— А миссис Бассет знает об аресте Брунольда?

— Видимо, нет.

— Когда ей станет известно об этом?

— В свое время, когда она придет в себя. Я просил молодого Бассета сказать матери, чтобы она позвонила мне.

— И она звонила?

— Нет.

— А вы сумеете связаться с ней?

— Не знаю, стоит ли это делать. Полиция следит за ней, и если я попытаюсь это проделать, то дам в руки хороший козырь против себя.

— Почему?

— Потому что на пистолете есть мои отпечатки.

Делла сделала остро отточенным карандашом пометку на уголке блокнота.

— Странное какое-то убийство, — сказала она. — У нас никогда не было ни подобного дела, ни такого предварительного гонорара, какой заплатил Брунольд.

Мейсон кивнул.

— Хотел бы я знать, — сказал он, — где я могу увидеть Берту Маклейн. Она не оставила нам адрес?

— Нет, только телефон Гарри. И то лишь на букмекерскую контору.

— Попробуй туда дозвониться. Может быть, тебе сообщат другой...

Делла кивнула.

— Еще кому-нибудь позвонить?

— Да. Позвони Бассетам. Скажи Дику, что мне срочно нужна его мать, это важно. А еще попробуй...

Зазвонил телефон. Делла сняла трубку, внимательно выслушала и повернулась к Мейсону:

— Знаете, где нашли вашу машину?

— Нет. Где же?

— Возле полицейского участка. Звонят из отдела уличного движения. Кто-то поставил ее там, возле пожарного гидранта, около двух часов ночи. Они спрашивают, не была ли она украдена.

Мейсон поморщился:

— Скажи им, что машину не воровали. Скажи, что ее там поставил я сам.

Делла убрала ладонь от мембраны, послушала и, снова накрыв мембрану рукой, сказала Мейсону:

— Она в двадцатиминутной парковочной зоне. С девяти утра они каждые двадцать минут наклеивают на стекло штрафную квитанцию.

— Пошли за ней кого-нибудь из ребят и дай ему открытый чек, — сказал Мейсон. — Только пусть держат язык за зубами. Ты представляешь себе эту маленькую чертовку? Взять машину и поставить ее у здания полиции.

— Вы думаете, что это сделала она? Или, может быть, полиция поймала ее и заставила подъехать к участку?

— Не знаю.

— Если это проделала полиция, то над вами зло посмеялись, поставив машину в двадцатиминутной парковочной зоне, — ведь они знают, что вы не посмеете заявить об угоне, поскольку сами разрешили девушке взять машину.

Он кивнул и направился в кабинет.

— Пусть смеются. Но хорошо смеется тот, кто смеется последним... Глаза у тебя?

— Вы имеете в виду те глаза, которые принес Дрейк?

— Да. — Она открыла ящик стола и достала коробку с глазами. — Меня бросает в дрожь, когда я смотрю на них.

Мейсон открыл коробку, достал пару глаз и положил их в жилетный карман.

— Остальные убери в сейф, — сказал он. — Постарайся, чтобы никто их не видел. Эти глаза — наш с тобой маленький секрет.

— Что вы собираетесь с ними делать?

— Не знаю. Это зависит от того, что произойдет дальше с Брунольдом. Я жду его следующего шага.

— И каков он будет?

— Он попросит меня стать его адвокатом по делу об обвинении в убийстве.

— А с вами ничего не случится, если вы вмешаетесь в это дело? И не будет ли против вас протестовать сержант Голкомб?

— Ничего, пока не обнаружат отпечатки моих пальцев. Пока полиции об этом ничего не известно. Возможно, на меня будут в претензии за исчезновение Хейзл Фенвик, но это не страшно. Тем более сейчас у нас новый окружной прокурор, так что, думаю, все будет в порядке. Естественно, что он готов наказать виновного, но не станет судить невиновного.

— Вы хотели бы, чтобы я записала весь разговор с Брунольдом?

— Нет, пока подождем. Посмотрим сначала, кого нам придется представлять, прежде чем предпримем какие-то шаги, — ответил он и ушел в свой кабинет.

Он сел в кресло и стал просматривать газеты. Вскоре зазвонил телефон.

— Я дозвонилась Гарри Маклейну. Он держался очень независимо, но все же дал телефон сестры. Я говорила с ней, и она сказала, что скоро придет к вам и приведет брата, если ей это удастся. А еще она сказала, что ей самой очень нужно видеть вас.

— Она сказала, что ей нужно?

— Нет, не сказала... Я послала одного парня за вашей машиной. Звонил Пол Дрейк и интересовался, когда вы сможете его принять.

— Скажи Полу, чтобы шел ко мне. Как только придет Берта Маклейн, поставь меня в известность. Если полиция не нашла Фенвик, возможно, что и она позвонит, скорее всего используя вымышленное имя. Так что если будет звонить какая-либо таинственная незнакомка, постарайся завлечь ее сюда. Будь тактичной, но настойчивой. Полу скажи, чтобы шел прямо ко мне в кабинет. Когда я вызову тебя, захвати блокнот.

Он повесил трубку и снова углубился в газету, но не прочитал и полстолбца, как в дверь постучали. Он открыл ее и увидел Пола с его неизменно насмешливым выражением лица.

Мейсон хитро посмотрел на него.

— Ты выглядишь, как будто спал спокойно всю ночь.

— Это тебе кажется. Я спал не больше двадцати минут.

— Где ты был? — спросил Мейсон, вызывая звонком Деллу.

— Утром я вздремнул в парикмахерской. Я предпочел бы, чтобы ты мыслил столь бурно в рабочие часы. Странно, почему тебе нравится, когда твои сотрудники работают по ночам?

— Я же не виноват, что убийцы нападают на свои жертвы в нерабочее время. Ну как, нашел что-нибудь?

— Кое-что есть. Я поставил на ноги двадцать оперативных работников. Надеюсь, что у тебя клиент с толстым кошельком.

— Будем надеяться. Ну так что у тебя?

— Одна интересная сказка.

— Садись и рассказывай.

Пол Дрейк уселся в кресло, упершись спиной в один подлокотник, а ноги перекинув через другой. Вошла Делла Стрит, улыбнулась детективу и села.

— Я вернусь к добрым временам романтических измен и предательств, которыми так славилась викторианская эпоха.

— Что-что?

Дрейк достал сигарету, закурил ее и с удовольствием затянулся.

— Я нарисую вам картину прекрасной провинциальной общины, процветающей, счастливой и полной предрассудков. Ударение на слове «предрассудки».

— Почему? — спросил Мейсон.

— Потому что такой уж была эта община. Каждый знает, что делает другой. Если девушка надела новое платье, дюжина языков начинает судить о том, где она его взяла.

— А если меховое пальто? — спросил юрист.

Пол Дрейк протянул к нему руки в шутливом испуге.

— О Боже! Зачем так чернить девушку?!

— Продолжай! — усмехнулся Мейсон.

— Жила-была девушка по имени Сильвия Беркли, довольно хорошенькая, доверчивая, простая, стройная, ясноглазая.

— К чему все эти подробности? — спросил Мейсон.

— К тому, — серьезно сказал Дрейк, — что я заинтересовался ребенком и даже добыл фотографию.

Он достал из кармана конверт, вынул из него фотографию и протянул Мейсону.

— Если ты считаешь, что это не искусство — достать карточку в четыре часа утра, тогда тебе нужен другой человек!

— Где ты взял ее?

— В местных бумагах.

— Что же произошло с этой девушкой? Какая-то шумная история?

— Да, она исчезла.

— Похищена или что-то еще?

— Никто не знает. Просто исчезла.

Адвокат испытующе поглядел на детектива и заметил:

— Стало быть, твоя сказка связана с этим исчезновением?

— Да.

— Рассказывай дальше.

— Я рассказываю так романтично и поэтично только потому, что всю ночь был на ногах.

— Я уже слышал об этом. Больше не напоминай. Рассказывай дальше свою сказку.

— Так вот, был там еще один путешествующий мужчина. Он торговал галантереей, и звали его Пит Брунольд.

— И был у него один глаз? — спросил Мейсон.

— Нет-нет, в то время у него было два глаза. Искусственный он приобрел позднее. Из-за этого я несколько снисходительно к нему отношусь.

— С чего ты начал?

— Я начал с родителей Сильвии Беркли. У них насчет дочери были свои планы. Они, понимаешь, из тех людей, кто держатся так прямо, что даже чуть отклоняются назад. Коммивояжеры вообще в таких местностях не в почете, их считают мошенниками. Когда Брунольд принялся ухаживать за девушкой, родители, естественно, полезли на стену. В городишке был маленький кинотеатр. Ты знаешь, что в те времена даже радио не было. Кинокартины показывали только о галопирующих ковбоях. Городишко был недостаточно велик для старых мелодрам...

— Брось ты про городишко, — нетерпеливо сказал Мейсон. — Брунольд на ней женился?

— Не могу бросить, без этого сказки не получится. Нет, не женился, и я, брат мой, намерен придерживаться сказки.

Мейсон вздохнул и с трагикомическим выражением посмотрел на Деллу:

— Хорошо, продолжай свою лекцию.

— Ты же знаешь, как ведут себя чувствительные девушки. В городе считали, что она прямиком шествует в ад. Семья требовала, чтобы она дала Брунольду от ворот поворот. Девушка защищала Брунольда. Я полагаю, что тогда ей пришла мысль жить своей собственной жизнью. Знаешь, Перри, это было такое время, когда девушки начали ломать привычный уклад жизни.

Перри Мейсон зевнул.

— О черт, — сказал детектив, — ты своим зевком лишил меня романтики моей молодости как раз тогда, когда я почувствовал, что она не совсем исчезла.

— Это не романтика молодости, а старческие сантименты. Ради Бога, ну подумай сам, у меня на руках дело об убийстве, мне нужны факты. Дай мне их, а после суда я буду слушать твои романтические истории.

— Вот черт, — повернулся Пол к Делле. — Когда шеф рассказывает какую-нибудь историю, он чувствует точь-в-точь то же самое, что и я. Он похож на свадебный пирог — снаружи твердая корка, а внутри все мягко и нежно.

— Зато твой рассказ пока что недопеченный, — заметил Мейсон. — Давай, Пол, переходи к делу.

— Хорошо, перейду к главному. Однажды Сильвия написала Брунольду письмо, где сообщила, что не может больше откладывать свадьбу.

По лицу Мейсона скользнула улыбка.

— Это точно? — спросил он.

— Точно, — ответил Пол.

— И что же Брунольд?

— Брунольд получил письмо.

— И удрал? — холодно спросил Мейсон.

— Нет. Городок был маленький, и он не посмел послать в ответ телеграмму, боясь информировать телеграфиста. Он сел на поезд и поехал к Сильвии. И вот здесь вмешалась судьба. Это были печальные дни для железных дорог...

— И поезд потерпел крушение, — перебил его Мейсон, — а Брунольд пострадал при этом.

— Удар по голове, выбитый глаз и потеря памяти. Доктора положили его в больницу и приставили к нему сиделку. Я был в этой больнице, и мне посчастливилось встретить эту женщину. Она вспомнила этот случай, потому что, когда к Брунольду вернулась память, она подозревала, что у него было что-то на уме. Он послал Сильвии письмо и получил сообщение, что она исчезла. Брунольд прямо обезумел. Снова повторилась потеря памяти. Сиделка в разговоре со мной все время ссылалась на профессиональную тайну и твердила, что ничего не знает, но я думаю, что она лгала.

— Ну а Сильвия? — спросил Мейсон на этот раз без поддразнивания.

— Сильвия, — сказал детектив, — была по горло сыта рассказами о заезжих мошенниках и о женщинах, которые должны платить, платить и платить. То было время литературы, жиревшей на историях о заблудших дочерях. Родители Сильвии были большими специалистами в приготовлении такого рода лекарств. Не получив ответа от Брунольда, девушка решила, что причина молчания понятна. Она собрала все свои маленькие сбережения и была такова. Никто не знал, как она покинула город. На другой ветке железной дороги была небольшая узловая станция милях в трех от городка. Девушка, видимо, дошла туда пешком и села в поезд, который перевозил молоко. Она уехала в большой город.

— Откуда тебе это известно?

— Ты же знаешь, Перри, что я всегда делаю работу первоклассно. Я установил дату ее замужества и в связи с усыновлением узнал время рождения мальчика.

— Она вышла замуж за Бассета?

— Совершенно верно. Она поселилась в другом городе под именем Сильвии Лоринг. Работала стенографисткой, пока могла. После рождения ребенка вернулась в контору. Место для нее сохранили. Мальчик рос, ему нужно было получать образование. В это время она знакомится с Хартли Бассетом, который был клиентом фирмы, где она работала. Его намерения были честными. Его она не любила; я думаю, что она вообще никогда никого не любила, кроме Брунольда. А когда, как она считала, он ее бросил, Сильвия стала сторониться мужчин.

— И она позволила Бассету усыновить ребенка?

— Не только позволила. Она вообще отказалась выйти за него замуж, пока он не усыновит ребенка. Мальчик получил имя Бассета и, очевидно, ненавидел своего отчима за то, что тот плохо обращался с Сильвией.

— Эти сведения точные?

— Это я узнал от слуг. Ты сам знаешь цену их болтовни, но порой она соответствует истине. Бассет был старым холостяком и оказался очень тяжелым человеком. Его представления о женитьбе сводились к тому, что жена должна быть украшением в общественной жизни и служанкой — в личной.

— И усыновленный Дик Бассет наследует долю в собственности Хартли Бассета?

Дрейк кивнул.

— Именно так представляет себе дело Эдит Брайт. Она экономка, — продолжал Дрейк. — Только она не считает, что все это связано с какой-то выгодой. Думает, что мальчик хотел оказать матери добрую услугу.

— Она полагает, что Дик убил отчима?

— Да. Я сначала с ней намучился, но потом вино, как справедливо утверждает пословица, развязало ей язык.

— Подожди, Пол, — сказала Делла, — ты не закончил свою романтическую историю. Как насчет Брунольда? Нашел ли он ее?

— Он нашел ее. Он искал ее с тех пор, как вышел из больницы.

Перри Мейсон сунул большие пальцы за проймы жилета и принялся ходить по комнате.

— А Дик знает, что Брунольд искал его мать? Он знает, кто такой Брунольд? — спросил он.

Дрейк пожал плечами.

— Я детектив, а не отгадчик мыслей. Очевидно, Сильвия полагала, что он возьмет ее к себе. Похоже даже, что он хотел сделать это. Но ясно одно: она не ушла сразу, и это доказывает, что ее что-то держало. Зная характер Бассета, можно представить себе все положение. Он мог пригрозить, что ликвидирует усыновление и объявит Дика незаконнорожденным, вообще напустит много вони. Скорее всего, он не дал бы ей развода.

— Где сейчас миссис Бассет? — спросил Мейсон, все так же меряя шагами пол.

— Она в каком-то отеле.

— Попробуй найти ее, — сказал Мейсон. — Тебе это не трудно. Она наверняка в одном из лучших отелей. Ты легко узнаешь, регистрировалась ли какая-нибудь женщина в лучших отелях сегодня после полуночи. У тебя есть ее фотография?

— Конечно.

— Отлично, тогда за дело. Найди ее.

— Это тебе поможет?

— И даже очень.

Легкое жужжание известило, что Деллу ждут в приемной. Делла вопросительно посмотрела на Мейсона. Тот кивнул.

— Ну как глаза? — спросил Дрейк.

— Они непременно сослужат службу, — ответил Мейсон, — хотя боюсь, что мы достали их слишком поздно.

— Я был удивлен, когда услышал, что в правой руке у Хартли Бассета был зажат глаз, налитый кровью.

— Ну, это все чепуха, — весело сказал Мейсон.

Дрейк извлек себя из кресла и пошел к выходу.

— Кроме Сильвии Бассет, тебе ничего не нужно? — спросил он.

— Пока нет. Ты хорошо поработал, Пол. Многое узнал за самый короткий срок.

— Да что там, обычная мелкая работа, — сказал тот. — Репортеры высосали прислугу досуха. Брунольд оставил широкий след. Сильвия во время усыновления сообщила точную дату и место рождения мальчика. Она, видимо, считала, что это уже нет смысла скрывать. Я нашел врача, тот вывел меня на медсестру, а та вспомнила о перевязанной ленточкой пачке любовных писем в сумке у девушки. Они были адресованы Сильвии Беркли, об исчезновении которой писали в газетах.

— И медсестра молчала? — спросил Мейсон.

Детектив кивнул.

— Сиделки, — сказал он, — не часто сталкиваются с подобными случаями. Особенно теперь, хотя двадцать лет назад было иначе.

— Сильвия когда-нибудь виделась с родителями?

— Не знаю. Я не в состоянии был это выяснить.

— Они живы?

— Я получу сведения нынче к вечеру. Я не знал, сколько внимания ты хочешь этому уделить, и потому занимаюсь этим как бы походя.

— Успеха тебе, Пол.

Дверь из приемной отворилась, и вошла Делла Стрит; она подошла к столу Мейсона и остановилась в ожидании.

— О'кей, Перри, постараюсь отловить тебе эту особу сразу после полудня. Как только обнаружу ее в одном из отелей, сразу позвоню, — сказал Пол Дрейк.

Он открыл дверь, осторожно высунул голову в коридор, глянул влево, вправо и только после этого вышел.

Перри Мейсон повернулся к Делле Стрит.

— Ну? — спросил Мейсон.

— Вы должны помочь им, — сказала Делла.

— Ты имеешь в виду Брунольда и миссис Бассет?

— Да.

— У нас еще нет никаких фактов.

— Насчет убийства?

— Да.

— Очевидно, ей всегда не везло, — проговорила Делла. — Все складывалось против нее. Почему бы нам не выручить эту несчастную женщину теперь?

— Возможно, я сделаю это, — ответил Мейсон и добавил: — Если она мне позволит.

Делла направилась к дверям приемной.

— Пришли Маклейны, — объявила она.

— Гарри с сестрой?

— Да.

— Пригласи их! — воскликнул Мейсон.

Глава 8

Берта Маклейн заговорила прежде, чем Перри Мейсон произнес более чем любезно свое «здравствуйте».

— Мы прочитали про убийство в газете. Для нас это хорошо или плохо?

— Пока сказать трудно. Состояние будет кем-то унаследовано. Если этим человеком окажется Сильвия Бассет, то для вас будет очень хорошо. Если кто-то еще, то могут быть неприятности. Если завещание будет оспорено...

По мере того как он говорил, ее глаза делались все больше и больше, и наконец она перебила его:

— Господи, так вы не знаете, что случилось?

— Что произошло? — осторожно спросил Мейсон.

Она повернулась к брату:

— Расскажи, Гарри.

— Я вернул ему деньги, — сказал тот.

— Что? — резко повернулся Мейсон.

— Заплатил ему.

— Кому?

— Хартли Бассету.

— Сколько?

— Все до единого цента. Я получил обратно поддельные бумаги.

— Когда это произошло?

— Прошлым вечером.

— Точное время?

— Я не знаю. Кажется, было около одиннадцати или чуть больше.

Мейсон попытался посмотреть ему в глаза, но парень в это время смотрел на сестру, а потом перевел взгляд в окно.

— Теперь все в порядке, — сказал Гарри. — Мы считали нужным известить вас. Пошли, сестра. Нам здесь больше нечего делать.

— Одну минуту, — сказал Мейсон. — Послушайте меня. Ну-ка, посмотрите мне в глаза! Да не опускайте глаза и отвечайте мне на вопросы. Вы читали утренние газеты?

— Да, поэтому мы пришли выяснить, есть ли какая-то разница.

— Так за сколько времени до убийства вы заплатили деньги Хартли Бассету?

— Я не знаю. Мне неизвестно, когда он был убит.

— Ну а если он был убит в полночь?

— Тогда я заплатил ему незадолго до этого... Может быть, кто-то украл эти деньги.

— Вы заплатили наличными?

— Да.

— Где вы взяли деньги?

— Это мой бизнес.

— Выигрыш?

— Какое вам до этого дело? Это не важно.

— Это может оказаться очень важным. Представьте себе... Нет, вам этого не понять. Ладно, ответьте еще на несколько вопросов. Хартли вернул поддельные чеки?

— Да.

— Эти бумаги были единственной уликой?

— Да.

— Хорошо. Где хранились эти бумаги у Бассета? Нет, молодой человек, не отводите глаза! Так где хранил Хартли Бассет эти бумаги?

— Он достал их из ящика письменного стола.

— Где был ключ от него?

— Вместе с другими ключами, конечно, на кольце.

— Представьте себе, что, когда полиция обыскала место убийства, там нашли всего двадцать пять долларов в карманах у Бассета, и ни в сейфе, ни где-нибудь в кабинете денег больше не было.

— Возможно, что целью убийства был грабеж, — высказал предположение Гарри.

— Молодой человек, представьте себе, что это вы убили Хартли Бассета, взяли его ключи, открыли письменный стол и забрали свои поддельные бумаги... Нет, не перебивайте меня. Вы отпечатали на машинке записку о самоубийстве и вышли из дома. Единственное, что может спасти вас от подозрений, — это объяснение, откуда вы взяли деньги, и указание, где вы были в то время, когда совершалось убийство. У вас есть алиби?

— Ну что вы! — воскликнула Берта. — Вы обвиняете Гарри в убийстве! Гарри не мог бы даже...

— Тихо! — рявкнул Мейсон, даже не взглянув на нее. Гарри вскочил и подошел к окну.

— Не выйдет, — сказал он. — Вы знаете, кто убил старого сыча, и нечего делать из меня козла отпущения.

— Вернитесь сюда! — сказал Мейсон.

— Не хочу! — огрызнулся Гарри, стоя спиной к сестре и Мейсону и глядя в окно. — Не хочу сидеть. Не хочу смотреть вам в глаза! Пусть другие ваши клиенты это делают!

— Может быть, вы все же скажете, где взяли деньги, чтобы заплатить Бассету?

— Нет... Возможно, я и мог бы, но не хочу.

— Скажете. Это необходимо.

— Нет!

— Я должен предъявить полиции эти сведения, иначе вас арестуют.

— Ну и пусть.

— Это гораздо серьезнее, чем вы думаете. Если вы не убедите полицию, что заплатили деньги, и не подтвердите, что получили документы законно, они решат, что вы ими завладели нелегально.

— К черту полицию!

— Впрочем, не важно, что подумает полиция. Важно, что решит суд. Помните, молодой человек, что доказательства будут против вас, поскольку вы растратчик. Следствие выяснит, что Бассет намеревался засадить вас в тюрьму, — следовательно, вы и убили его, чтобы избавиться от преследования.

— Не выйдет! — повторил Гарри, все так же глядя в окно.

Мейсон пожал плечами и повернулся к Берте:

— Я предупредил вас.

— Полиция знает о растрате?

— Нет, но будет знать.

Гарри повернулся к сестре:

— Послушай, сестра, не давай этому парню дурачить себя. Он знает, кто убил Бассета, а если не знает, то он полный дурак. И при этом хочет сорвать с нас хороший гонорар. Мы больше не имеем с ним дела.

— Послушайте, Гарри, вы уже давно гнете свою линию, но сами знаете, что это ложь. Если у вас есть хоть капля здравого смысла, вы должны ответить на вопросы, пока полиция не принялась за вас.

— Не беспокойтесь о полиции. Вы лучше занимайтесь своими делами, а моими я займусь сам.

— Вы заплатили Бассету наличными? — спросил Мейсон.

— Да.

— Что он с ними сделал?

— Он положил их в бумажник, который носит в пиджаке. Спросите его жену, и она вам скажет, бумажник у него всегда в кармане.

— Когда полиция осматривала труп, бумажник обнаружен не был.

— Что ж поделаешь! Когда я платил ему деньги, бумажник был.

— И вы не брали расписку?

— Нет.

— При этом кто-нибудь присутствовал?

— Конечно нет.

— И вы не можете сказать, где взяли деньги?

— Могу, но не скажу.

— Кто-нибудь знает, что у вас были деньги?

— Это не ваше дело.

На столе зазвонил телефон. Мейсон взял трубку. Это была Делла, которая сообщила, что с ним хочет говорить Дрейк.

— Да, Пол, в чем дело?

— Слушай, Перри, я буду говорить тихо, чтобы никто в офисе не услышал, что я собираюсь тебе сказать. Иногда громкий разговор может сыграть дурную шутку. Слушай, Перри, полиция намерена притянуть к ответу целую группу людей. Они кое-что нашли. Твой парень, Брунольд, начал говорить. Эксперты проверили текст записки о самоубийстве, оставленной в машинке на столе у Бассета. Ты же знаешь, что отпечаток шрифта машинки так же индивидуален, как почерк любого человека. Криминалисты утверждают, что записка в машинке на столе у Бассета напечатана вовсе не на ней. При обыске дома нашли машинку, на которой записка была напечатана, в спальне миссис Бассет. Это портативный «Ремингтон», которым она пользовалась для своей корреспонденции. Эксперты считают, что текст написан человеком, который хорошо владеет слепой системой печатания, то есть профессионалом. Помнишь, я говорил, что когда-то миссис Бассет была секретаршей?

Мейсон нахмурился:

— Ты нашел ее, Пол?

— Нет еще. Эту информацию я получил от одного парня, который общался с газетчиками. И решил сообщить тебе.

— Что же, Пол, спасибо за информацию. Постарайся побыстрее найти миссис Бассет.

Мейсон положил трубку и повернулся к Гарри Маклейну:

— Гарри, вы говорили, что в доме Бассетов есть кому заступиться за вас и уберечь от тюрьмы.

— Забудьте про это.

Мейсон посмотрел на Берту:

— Я дал вам бумажку со своим домашним телефоном, чтобы вы могли позвонить мне после работы. Где она?

Гарри быстро шагнул вперед и сказал:

— Не...

— Я отдала ее Гарри, — ответила Берта.

Гарри вздохнул:

— Ты не должна была говорить ему это!

— Что вы сделали с ней, Гарри? — спросил Мейсон.

— Она была у меня в кармане.

— Была. А где она сейчас?

— Не знаю. Почему я должен помнить о всяких пустяках? Наверно, я выбросил ее. У меня пропала необходимость звонить вам после смерти старика. Так зачем мне хранить ее? Солить, что ли?

— Эта бумажка была найдена в коридоре, возле спальни миссис Бассет.

Удивление мелькнуло в глазах Гарри.

— Не может быть, — сказал он и тотчас добавил: — Ну и что из этого?

— Когда я был там, миссис Бассет пыталась заступиться за вас.

— Да?

— Вы ее имели в виду?

— Конечно нет.

— Миссис Бассет хорошо к вам относится, Гарри?

— Откуда я знаю?

— Вы видели ее вчера вечером до того, как встретились с Бассетом?

— Зачем? — запнувшись, пробормотал Гарри.

— Прошу вас признаться в этом. Полиция все равно узнает. Слуги были дома и...

— Я ничего про нее не скажу. Оставьте ее в покое.

— Вы были когда-нибудь у нее в комнате?

— Да, по делу.

— Там была пишущая машинка?

— Кажется, была.

— Портативный «Ремингтон»?

— Вроде.

— Вы пользовались этой машинкой?

— Да, иногда я печатал для нее письма под ее диктовку.

— Хартли Бассет знал об этом?

— Я не знаю.

— Знаете, Гарри. Скажите нам правду.

— Он ничего не знал.

— Почему вы делали это, ведь это не входило в ваши обязанности?

— Потому что она добрая и нравится мне, а Бассет все время ругал ее.

— Вы с ней были друзьями?

— Да.

— И вы печатали для нее письма?

— Да, иногда у нее болела правая рука.

— У Бассета была на столе пишущая машинка, когда вы зашли к нему?

— Да, он иногда диктовал, но чаще сам печатал.

— Умел ли он печатать вслепую, всеми десятью пальцами?

— Нет, он печатал только двумя.

— А вы?

— Я умею печатать вслепую.

— Знаете ли вы, что записка о самоубийстве, найденная в машинке Бассета, напечатана вовсе не на ней, а на «Ремингтоне», который находится в спальне миссис Бассет? А печатал ее человек, владеющий слепым методом работы.

Гарри подошел к двери:

— Пойдем, Берта, нам пора убираться отсюда.

Берта нерешительно посмотрела на Мейсона, потом на Гарри:

— Гарри, но ведь мистер Мейсон пытается помочь тебе и...

— Чепуха! Я пришел сюда только потому, что ты этого хотела. Говорю тебе, он ищет дураков, вот и все.

Берта повернулась к Мейсону:

— Простите, мистер Мейсон, что Гарри ведет себя подобным образом...

— Простите! — передразнил ее Гарри. — Не будь идиоткой!

Он подошел к столу Мейсона:

— Вы задавали мне вопросы. Теперь позвольте я вас спрошу. Вы защищаете Брунольда?

— Да, — ответил Мейсон. — Я представляю его.

— И миссис Бассет?

— Она обращалась ко мне за консультацией.

— А Дика Бассета?

— Не напрямую.

— Через его мать?

— Видимо, да, — ответил Мейсон, внимательно разглядывая Гарри.

— И вы сидите здесь и стараетесь сделать из меня козла отпущения? Я еще в первый визит сюда сказал, что мы поступили глупо.

— Мистер Мейсон, — взмолилась Берта, — вы...

Гарри схватил ее за руку и потащил к двери.

— И вы все еще говорите, что собираетесь заботиться обо мне, а сами пытаетесь накинуть мне петлю на шею.

— Гарри, вы так и не ответили мне, где достали деньги, чтобы заплатить Бассету, — спокойно сказал Мейсон. — Не сообщили, знал ли кто-то, что у вас есть деньги. Не сказали, где вы находились в момент убийства Бассета.

Гарри толчком отворил дверь и сказал, стоя на пороге:

— Я достаточно наслышан об этике законников, я знаю, что вы никому не расскажете то, что я вам говорил. Если вы расскажете копам, вас лишат практики. Если вы будете молчать, я тоже буду молчать.

— Гарри, но ведь мистер Мейсон знает, что ты...

Гарри вытолкнул ее в коридор.

— И Коулмар знает обо всем, не говоря о миссис Бассет. Не забывайте, что полиция... — сказал Мейсон.

— А идите вы к... — И Гарри захлопнул дверь.

Перри Мейсон долго сидел задумавшись и не сразу услышал, что звонит телефон. Сняв трубку, он услышал голос Пола Дрейка.

— Мои ребята нашли ее, Перри. Она в отеле «Амбассадор». Зарегистрировалась под именем Сильвии Лортон. За ней следят три полицейских детектива. Ее засекли вчера. Один оперативник дежурит у коммутатора, так что они слушают все разговоры, которые проходят через коммутатор.

— Я чувствую, что, если попытаюсь с ней встретиться, полиция тотчас арестует ее.

— Конечно, — весело ответил Пол. — Они постараются спровоцировать ее на отчаянный поступок, если она слишком засидится там. Но, во всяком случае, сын связывается с ней по телефону и кое-что сообщает, а полицейские могут в любую минуту взять ее.

— Слушай, Пол, я хочу увидеть ее так, чтобы полиция не знала об этом.

— Ни одного шанса на миллион. Ты же знаешь полицию не хуже меня.

— Ладно, Пол, жди меня у лифта. Скоро я приду, и мы вместе что-нибудь придумаем.

— Я чувствую, что рано или поздно ты засадишь меня в тюрьму, — простонал Пол.

— Ну тебя-то я выручу оттуда быстро. Жди, Пол. — Мейсон повесил трубку.

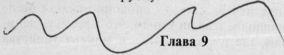

Глава 9

Мейсон, переодетый во взятую напрокат у театрального костюмера белую униформу мойщика окон, нес в правой руке несколько резиновых щеток для мойки стекол. За ним, держа в каждой руке по ведру с водой, выступал одетый точно так же Пол Дрейк.

— Ты неплохо выглядишь в этом наряде, — мрачно сказал Дрейк. — А я, выходит, твой помощник.

Мейсон усмехнулся, но ничего не сказал. Они дошли до грузового лифта и поднялись на шестой этаж. По коридору шел широкоплечий мужчина с могучим подбородком, он внимательно осмотрел их. Двое работяг, не обращая на него внимания, дошли до конца коридора и открыли окно возле пожарной лестницы.

— Он на нас смотрит? — спросил Мейсон, перекидывая ногу через подоконник.

— Да так, вполглаза, — отвечал Пол Дрейк, стоя в коридоре. — Давай поживее берись за работу.

— И это ты говоришь мне? — спросил Мейсон, протирая окно.

— Можно ли быть уверенным, что в комнате никого нет? — спросил Дрейк.

— Нет, — ответил Мейсон. — Ты встань со щеткой спиной к двери и тихо постучи. Но смотри, чтобы он не видел этого. — Юрист кончил полировать окно сухой тряпкой.

— Я стучал дважды, но ответа нет, — сказал Пол.

— Сможешь открыть дверь без шума?

— Попробую, только сначала надо осмотреть замок.

Дрейк достал из кармана набор ключей, и они подошли к двери.

Мейсон встал так, чтобы заслонить собой Дрейка, а тот сунул ключ в скважину. Чуть слышный щелчок возвестил о том, что дверь отперта. Они осторожно вошли в комнату.

— Ее комната соседняя справа? — спросил Мейсон.

— Да.

— А ты уверен, что она там?

— Не совсем.

— А то как бы нам не пришлось плохо. Ну ладно, давай ремень.

Пол вытащил из кармана страховочный ремень и помог Мейсону надеть его. Мейсон встал на подоконник и закрепил крючок ремня в специальной скобе возле окна.

— Дай ведро, — попросил Мейсон.

Пол передал ему ведро с водой.

Мейсон принялся протирать окно, потом постучал в стекло. Женщина в нижнем белье поспешно накинула на плечи кимоно и подошла к окну; лицо у нее было рассерженное.

Мейсон жестами попросил ее поднять окно.

Сильвия Бассет подняла раму.

— Вы что, с ума сошли?! — закричала она. — Как вы смеете мыть окно, когда я одеваюсь? Я пожалуюсь управляющему.

— Говорите потише, — сказал ей Мейсон.

— Это вы?! — воскликнула она, узнав юриста.

— Тихо! У нас мало времени, — сказал он. — Нам нужно обо всем договориться. Вы знаете, что Брунольд арестован?

— Брунольд? — спросила она и нахмурилась.

— Да, Брунольд.

— А кто это?

— Разве вы не знаете его?

— Нет.

— Почему вы скрылись под чужим именем?

— Я хотела отдохнуть.

Он указал на вещи, стоявшие возле кровати.

— Это ваши вещи?

— Да.

— Вы все это взяли ночью?

— Нет.

— А когда?

— Дик принес рано утром.

— Что там лежит?

— Мои личные вещи.

— Вы решили удрать?

— У меня нервы не в порядке. Я хочу уехать на несколько дней, пока все не уляжется.

— Вы несчастная маленькая дурочка. Неужели вы думаете, что вам это удастся?

— А почему бы и нет?

— Бегство равносильно признанию виновности.

— Никто меня не найдет.

— Полиция следит за вами. Стоит вам отсюда выйти, как вас арестуют.

— Вы заблуждаетесь, — сказала она. — Я вовсе не убегаю. Я просто не хочу...

— Послушайте, — перебил он ее. — Внизу и возле вашей комнаты сыщики. У лифта тоже. У коммутатора сидит полицейский. Вы окружены со всех сторон, следят и за вашим сыном. Ваши разговоры прослушиваются. Теперь...

Она схватила себя за горло, словно ее душили.

— Боже мой! Вы думаете, что?..

— Расскажите мне все, что случилось после моего ухода.

— Ничего особенного. Они задали мне несколько вопросов. Потом я устроила истерику.

— Что вы им рассказали?

— Я сказала правду. Что хотела видеть мужа по делу, вошла в приемную и обнаружила там на полу Хейзл Фенвик. Рассказала, как я приводила ее в чувство и что Фенвик, очнувшись, сообщила нам об одноглазом мужчине, который вышел из кабинета мужа.

— Спросили, почему вы не пошли к мужу?

— Я ответила, что была так озабочена состоянием Фенвик, пытаясь привести ее в чувство, что забыла о муже.

Мейсон сделал недовольную гримасу.

— А что здесь плохого?

— Все, — ответил Мейсон. — Что же было дальше?

— Дальше они стали спрашивать настойчивей, а у меня началась истерика, и я стала лгать им.

— Какую ложь вы им подсунули?

— Вначале я сказала, будто знала, что муж вышел, а потом сказала, что была уверена, что он был дома. Меня спросили, знаю ли я кого-либо с искусственным глазом, а я сказала, что мой муж имел искусственный глаз. Я смеялась и плакала, и они позвали доктора. Я настояла на том, чтобы Дик вызвал моего врача, а когда он пришел и понял ситуацию, то дал мне успокоительное и отправил в спальню.

— Что дальше?

— Когда Дик убедился, что за нами никто не следит, он отвез меня сюда и уложил в постель. Я была одурманена снотворным и шла сюда, опираясь на плечо Дика. Проснувшись рано утром, я позвонила ему, используя фальшивое имя. Но если меня подслушивали... О Боже!

— Вы сделали какое-нибудь признание?

— Нет. Ничего определенного я не сказала. Только про истерику.

— А как истерика?

— Он спросил, не сообщила ли я чего-то, а я ответила, что моя истерика обманула полицейских.

— Что еще?

— Я говорила с Диком два или три раза.

— О чем?

— Так, пустяки. Говорила свободно, но не сказала ничего опасного для себя.

— А он?

— Он сказал, что рад смерти моего мужа. Дик ненавидел его. Особенно в последнее время.

— Теперь выслушайте меня. Вам не удастся провести полицию в следующий раз. Ваш рассказ нужно упорядочить. Первый вопрос — оружие.

— Я скажу правду, что дала его Дику, чтобы он защитил меня.

— Этот пистолет был использован для убийства?

— Не знаю.

— Второй вопрос — Брунольд.

— Я не знаю никакого Брунольда.

— Должны знать, — сказал Мейсон. — Он отец вашего Дика.

Она отшатнулась:

— Что?

Мейсон кивнул:

— Я узнал это с помощью собственных детективов. Полиция еще этого не знает, но вполне может узнать. Брунольд пока ничего не сказал. Но он под арестом.

— Этого даже Дик не знает.

— Но он подозревает?

— Думаю, что нет.

— Брунольд был у вас прошлым вечером.

— Нет.

— Говорите мне правду.

— Да.

— Когда он ушел?

— Незадолго до того, как я нашла Хейзл без сознания.

— Что вам нужно было в приемной вашего мужа?

— Я пошла искать Хейзл, чтобы узнать, договорилась ли она с Хартли. Она долго отсутствовала, и я начала беспокоиться.

— Брунольд до самого ухода был с вами?

— Да.

— Вы все время были вместе?

— Нет. Я уходила к себе в спальню, а он оставался в гостиной. Кажется, он зачем-то выходил в коридор. Когда я вернулась, его на месте не оказалось. Но вскоре он пришел.

— Вы знали, что Хейзл Фенвик пошла к вашему мужу?

— Да. Я сама послала ее.

— Глаз, который нашли у Бассета, принадлежит Брунольду?

— Думаю, что да.

— Давно вы знаете Хейзл Фенвик?

— Недавно.

— Не кажется ли вам, что в ней есть что-то фальшивое?

— Этого я не могу вам сказать.

— То есть не хотите. С женитьбой Дика что-то не совсем так?

— Как вам сказать? Она пришла в дом в ночь убийства. Дик — наследник Хартли. И Хартли хотел контролировать женитьбу Дика. Я ожидала, что будет скандал, когда он узнает, что Дик женился без его согласия. Мне хотелось, чтобы сначала она поговорила с Хартли. Я полагала, что она произведет хорошее впечатление.

— Кто в доме знает, что она замужем за Диком?

— Никто. Овертон, шофер, привез ее со станции. Он думает, что она моя приятельница. Эдит Брайт, экономка, может подозревать, но я не верю в это. Кроме них, никто ее не видел.

— Прошлой ночью вы видели Маклейна?

— Нет.

— Послушайте, вы постоянно мне лжете. Это скверная тактика — лгать своему адвокату. Она не доведет вас до добра. Еще раз задаю вопрос: вы видели прошлой ночью Гарри Маклейна?

— Нет.

— Если бы он был у вас в доме, вы знали бы об этом?

— Он мог прийти к Хартли, но я не думаю, что он приходил.

— Кто-то находился в кабинете у Хартли, когда туда заглянула мисс Фенвик. Кто это мог быть?

— Этого как раз я и не могу понять. Мне хотелось, чтобы Хейзл никто не помешал, и я наблюдала за входом, пока не вышел последний клиент. Только тогда я послала ее к Хартли. Если кто-то был у него, то он мог прийти только через черный ход.

— Гарри Маклейн знал про этот ход?

— Да.

— А Пит Брунольд?

Она немного поколебалась, но все же ответила:

— Пит тоже знал про этот ход. Иногда он приходил ко мне этим путем. Теперь вы не можете сказать, что я лгу.

Мейсон мрачно посмотрел на нее:

— Этого я не говорю, но кое-что думаю. Пит Брунольд все время был с вами?

— Нет. Он думал, что Овертон следит за ним, и пошел искать его.

— И нашел?

— Нет. Он нигде не мог найти Овертона. Сказал, что осмотрел весь дом.

— Когда это было?

— Незадолго до того, как я послала Хейзл к Хартли.

— Послушайте, что вы хотите: защитить Пита Брунольда или спасти свою шкуру?

— Всей своей жизнью я хочу защитить Пита.

— Не забудьте, — предупредил ее Мейсон, — что вы по уши увязли в этом деле. Вам никого не удастся защитить, если мы с вами не будем точно знать, что произошло. Если Брунольд виноват, я не стану его защищать. И вас тоже, если виноваты вы. Брунольд бродил по дому примерно в то время, как было совершено преступление. Вы говорите, что он искал Овертона. Но он мог встретить вашего мужа и...

— Посмотри вниз, — вдруг предупредил Мейсона Пол Дрейк.

Мейсон начал усиленно драить окно и осторожно покосился вниз. Под окном, задрав голову вверх, стоял хмурый сержант Голкомб.

— Вот это удар! — пробормотал Мейсон. — Скажите полиции, — попросил он миссис Бассет, — что вы приехали сюда отдохнуть и готовы вернуться домой. Если вы *не убивали* своего мужа и хотите защитить Брунольда, откажитесь отвечать на вопросы. Если вы хотите защитить себя, скажите им правду. Если Брунольд виновен, ему лучше признать свою вину. Если вы *убили* своего мужа без смягчающих обстоятельств, поищите себе другого юриста. Если вы виновны в убийстве и лжете мне, я брошу вас. В противном случае я останусь с вами.

— Мы не виновны! — страстно произнесла она. — Пита оправдают...

— Эй вы там! — рявкнул сержант Голкомб. — Кто вас туда послал?

Мейсон пробормотал что-то неразборчивое, повернулся и опрокинул ведро с водой. Сержант Голкомб слишком поздно заметил опасность и оказался облитым с головы до ног. Мейсон ухватил протянутую руку Пола, и тот быстро втащил его в комнату.

— Теперь надо сматываться по пожарной лестнице на второй этаж, — сказал Дрейк.

— Да, если они не ждут нас и там.

Они открыли дверь в коридор и повернули налево, к окну, выходящему на пожарную лестницу.

В конце коридора, наблюдая за дверью в комнату миссис Бассет, стоял широкоплечий детектив, он подозрительно покосился в их сторону, сделал несколько шагов, но остановился.

— Пол, — громко сказал Мейсон, — вылей воду из ведер, наберем на втором этаже. На втором этаже надо будет вымыть перила.

Дрейк кивнул. Оба начали спускаться по пожарной лестнице. Они достигли второго этажа, но тут сверху донесся крик. На лестнице появился сержант Голкомб, бешено размахивая руками.

— Пора заняться преображением, — сказал Мейсон.

Он влез через открытое окно в коридор второго этажа и ринулся по коридору. Возле лестницы сбросил с себя белое одеяние, надетое прямо на деловой костюм. Пол Дрейк замешкался — никак не мог расстегнуть пуговицу на куртке. Мейсон подбежал, оторвал пуговицу и помог Полу сбросить униформу.

— У нас есть шанс, и надо его использовать, — сказал Мейсон.

Он подошел к лифту с белым свертком под мышкой и нажал кнопку «вверх».

— Повезло, — сказал он.

Они вошли в кабину в ту секунду, когда остановился соседний лифт и из его двери выскочил в коридор сержант Голкомб.

— Куда вам? — спросил мальчик-лифтер, закрывая дверь.

— На самый верхний этаж, — ответил Мейсон.

Лифт пополз вверх.

— Наверху, кажется, есть сад, — спросил Мейсон.

— Да, сэр.

— Прекрасно. Мы там посидим немного.

Он вышел из лифта и, засунув белые униформы за какое-то растение в горшке, направился к саду.

— Ты не потерял свои отмычки, Пол? — спросил Мейсон.

— Конечно нет.

— Держи их наготове.

Мейсон подошел к ближайшей двери в ряду комнат и постучал в нее. Ответа не было. Он кивнул Полу. Тот вставил ключ, повернул его, и дверь открылась. Они вошли в комнату. Мейсон повернул медную ручку и запер дверь, потом достал портсигар, вынул сигарету и постучал ею о ноготь большого пальца.

— Пока мы еще не в тюрьме, — сказал он, улыбнувшись Полу.

— И какого черта тебя потянуло на это дело? — отозвался Пол Дрейк, на лице у которого было самое мрачное выражение.

— Они будут думать, что мы носимся по коридорам, а через полчаса решат, что мы улизнули на грузовом лифте, — сказал Мейсон, удовлетворенно улыбаясь. — Между тем... — Он замолчал.

— А между тем? — переспросил Пол.

— Между тем я мало спал этой ночью, — сказал Мейсон.— Разбуди меня в шесть, если я сам не проснусь.

Сунув сигарету в первую попавшуюся пепельницу, он улегся на кровать.

Пол Дрейк, открыв от изумления рот, смотрел на него.

— Эй, свинья, дай мне подушку, я лягу на тахту, — наконец произнес он. — Я ведь вообще не спал всю эту ночь.

Глава 10

Перри Мейсон подписал бумагу, которую дала ему Делла Стрит, нажал кнопку вызова и, когда один из его помощников вошел в кабинет, сказал:

— Вот все бумаги для Питера Брунольда, действуйте.

— Вы хотите его вытащить? — спросил помощник.

— Вероятно, его не отпустят, — ответил Мейсон. — Но я хочу заставить их действовать и предъявить ему обвинение. Они, как видно, не хотят предъявлять прямо сейчас обвинение в убийстве, но мы их активизируем при помощи Хабеас Корпус.

Помощник взял бумаги и вышел.

Мейсон повернулся к Делле Стрит:

— Ты попросила Пола Дрейка прийти?

— Да, я сказала ему, чтобы он шел прямо сюда. Он сейчас будет... А вот и он!

Делла пересекла кабинет, отперла застекленную дверь, и на пороге появился улыбающийся Пол Дрейк.

— Есть проблемы? — спросил он, усаживаясь в кресло своим особым способом: ноги перекинуты через один подлокотник, спина оперлась о другой.

— Есть, — ответил Мейсон. — Это Фенвик.

— Что насчет нее?

— Что-нибудь одно из трех: или ее похитил убийца, или произошел несчастный случай, или она просто удрала. Убийца не знает ее, он не разглядел ее. Если бы произошел несчастный случай, полиция к этому времени уже обнаружила бы ее. По-моему, она просто удрала.

— Все это можно предполагать, если она сказала правду о том, что видела в ночь убийства. Но она могла скрыться и потому, что знает кое-что насчет Дика.

Мейсон кивнул.

— В дверь приемной Бассета вставлено зеркальное стекло. Когда ее стукнули, она потеряла сознание. Вставая потом с кушетки, пошатнулась и обеими руками оперлась о стекло. Она оставила на нем десять отличных отпечатков пальцев. Мне думается, у нее были сердечные мотивы для бегства. Или она помогает кому-либо, или скрывает что-то. Может быть, у нее просто есть основания бояться полиции. Она могла, обнаружив, что Хартли Бассет убит, взять деньги у него из кармана, стукнуться головой обо что-то и притвориться потерявшей сознание. Она могла видеть, что это преступление совершил Дик, и убежать, испугавшись возможного допроса. Наконец, она могла оказаться хитрой пронырой с уголовным прошлым. Надо учесть все возможности: проверить дом, проявить отпечатки пальцев на дверном стекле, сфотографировать их и попытаться идентифицировать.

— Это все? — спросил Пол.

— Пока все. Тебе необходимо вплотную заняться этой Фенвик.

Дрейк встал и направился к выходу. У двери он обернулся:

— Слушай, Перри, а есть хоть какой-нибудь шанс, что полиция права и ты прячешь эту женщину?

— Можешь поискать у меня под столом, — усмехнулся Мейсон.

— Сукин сын, если ты гоняешь меня попусту, я перестану тебе доверять.

Дрейк вышел.

— Запиши, пожалуйста, — обратился Мейсон к Делле, — надо узнать, как вставляются искусственные глаза и легко ли они выпадают.

Она сделала пометку в блокноте.

— А что слышно насчет отпечатков ваших пальцев на пистолете? — спросила она.

— Я думаю, это они упустили из виду. У полиции есть отпечатки пальцев всех обитателей дома Бассетов, но о моих они не позаботились.

— Скажите, Гамильтон Бюргер — проницательный прокурор? — спросила она.

— Не знаю, пока еще рано говорить о нем. Это первое дело об убийстве, в котором он принимает участие.

— Вы знакомы с ним?

— Я с ним встречался.

— Если он узнает, что вы причастны к исчезновению Фенвик, он предпримет что-нибудь против вас?

— Возможно.

— А что вы можете сделать?

— Сказать ему правду, но этого недостаточно.

— Что вы имеете в виду?

— Если бы я сообщил любому суду на этой зеленой Божьей земле, что я захватил важную свидетельницу в деле об убийстве, укрыл ее от властей и отправил к себе в офис, чтобы узнать, что́ ей известно, и получить ее показания, прежде чем за нее возьмется полиция, а потом попытался рассказать о ее исчезновении неизвестно куда, то для среднего читателя газет это означало бы две вещи: во-первых, что я лжец, а во-вторых, что ее показания имеют решающее значение в деле против моего клиента и я укрыл ее по этой причине.

Делла Стрит сочувственно кивнула.

Загудел зуммер из приемной — Деллу приглашали к телефону по важному делу. Она взглянула на Мейсона, тот кивнул. Делла подняла трубку, послушала и прикрыла мембрану ладонью.

— Это окружной прокурор Гамильтон Бюргер. Он в приемной и хочет видеть вас, — сказала она.

— Пригласи его сюда, — сказал он. — И записывай каждое слово. Не думаю, что он станет сознательно извращать сказанное мной, но всегда полезно иметь туза в рукаве.

Делла кивнула и пошла навстречу прокурору.

— Здравствуйте, Мейсон, — приветливо поздоровался вошедший. Он был широкоплечий, с толстой шеей, усатый.

Мейсон тепло приветствовал его, пригласив сесть.

— Это официальный или частный визит? — спросил Мейсон.

— Скорее частный, — сказал Бюргер.

Мейсон взял сигареты и предложил их Бюргеру, тот взял, закурил и улыбнулся Делле, которая расположилась с блокнотом на дальнем конце стола.

— Разве так необходимо записывать, что я скажу? — спросил Бюргер.

— Нужно записывать все мои слова, чтобы потом мне не приписали того, что не было сказано.

Прокурор испытующе посмотрел на адвоката.

— Послушайте, Мейсон,— сказал Бюргер, — я должен проверить вас.

— Это меня не удивляет.

— Я слышал, что у вас репутация очень изобретательного человека.

— И вы пришли ко мне, чтобы обсудить со мной мою репутацию? — иронически спросил Мейсон.

— Отчасти и по этой причине.

— Хорошо, давайте обсудим, но выбирайте выражения.

— У вас репутация адвоката, способного не разные штучки, и, по моему мнению, это так и есть, хотя я считаю ваши штучки вполне законными.

— Я рад, что вы так думаете, — ответил Мейсон. — Ваш предшественник думал обо мне иначе.

— Я полагаю, что адвокат вправе прибегать к искусным, но законным ходам, с тем чтобы выяснить правду, — продолжал Бюргер. — И полагаю, что вы прибегаете к вашим фокусам не ради того, чтобы запутать и смутить свидетеля, а именно ради того, чтобы он говорил правду.

Мейсон поклонился.

— Я поблагодарю вас, когда вы закончите свою речь, — сказал он. — Опыт подсказывает мне, что обычно начинают с комплиментов, чтобы потом больней ударить.

— Сейчас не время для этого, — ответил прокурор. — Я только хочу, чтобы вы поняли мое отношение.

— Если оно действительно таково, то я его понимаю.

— Тогда вы оцените то, что я намерен сказать.

— Продолжайте.

— Прокурор обычно хочет наказать виновного. Это естественно. Полиция расследует дело и представляет результаты прокурору. А он уже готовит приговор. Фактически репутация прокуратуры зависит от числа раскрытых преступлений. Поскольку я взялся за эту работу, то хочу быть добросовестным. Я испытываю ужас при мысли, что могу наказать невиновного. Мне нравится ваша работа. Вероятно, вы не согласитесь с тем мнением, которое я составил о вас.

— Какое же это мнение? — сказал Мейсон.

— Мне кажется, что вы больше детектив, чем адвокат. И это нисколько не умаляет ваши юридические возможности. Ваша техника выступления на суде просто великолепна, но она не всегда способствует правильному пониманию дела. Когда вы используете ваши трюки в ущерб судопроизводству, я против них, но когда это делается ради раскрытия тайны, я за них. Мои руки связаны, я не имею возможности действовать иначе, чем предусмотрено специальной инструкцией. Иногда мне

314

хотелось бы иметь такую возможность, особенно когда я вижу, что свидетель лжет.

— Поскольку вы искренне говорите со мной, — сказал Мейсон, — чего раньше не делал ни один прокурор, я тоже буду с вами откровенен. Этого, конечно, я не позволил бы себе с другим прокурором. Я не спрашиваю клиента, виновен он или нет. Когда я даю согласие клиенту заняться его делом, то получаю с него деньги. Виновный или нет, он в итоге предстанет перед судом. Но если я узнаю, что мой клиент виновен, особенно в убийстве, и что его нельзя оправдать ни морально, ни по закону, я заставляю его признать вину и отдаю на милость суда.

— Я так и думал о вас, Мейсон, — сердечно сказал прокурор.

— Только помните, — добавил Мейсон, — что я осуждаю человека за убийство, если нет моральных или формальных оправданий преступлению. В случае морально оправданного убийства я спасаю человека, конечно, если это возможно.

— Не могу согласиться с этим, — заявил прокурор. — Я считаю, что только закон может наказывать и оправдывать людей, но хочу вас предупредить, что у меня против вас нет предубеждений и я буду рад подружиться с вами. Поэтому мне очень бы хотелось, чтобы вы предъявили Хейзл Фенвик.

— Я не знаю, где она.

— Может быть, это и правда, однако вы могли бы, я думаю, сказать, где ее искать.

— Я же говорю, что не знаю.

— Но вы помогли ей скрыться.

— Я послал ее в свою контору.

— Ваши действия вызывают серьезное подозрение.

— Не знаю только почему, — спокойно возразил Мейсон. — Если бы вы появились на месте первым, то не придумали бы ничего лучшего, чем отправить ее в вашу контору и получить показания.

— Я занимаю ответственное положение, и мой долг расследовать это убийство.

— Разве это мешает мне действовать в пользу клиента?

— Это зависит от того, как действовать.

— Но ведь мои действия не были секретными. Были свидетели.

— А что произошло потом?

— Хейзл Фенвик села в мою машину и скрылась.

— У меня есть основания полагать, что ее жизнь в опасности.

— Что заставляет вас так думать?

— Она единственный свидетель, который может опознать убийцу.

— Не убийцу, а человека, которого она видела выходящим из комнаты.

— Это один и тот же человек.

— Вы так думаете?

— Это кажется мне правдой.

— Пока нет доказательств, ничто не может считаться правдой.

— На этот счет у меня есть свое мнение. По крайней мере, этот человек мог быть убийцей. Человек этот в отчаянии. Я думаю, что Хейзл Фенвик или участвовала в этой грязной игре, или ее впутали в нее.

— Следовательно?..

— Следовательно, я хотел бы поместить ее в безопасное место.

— И вы считаете, что я могу назвать ее местонахождение?

— Я в этом совершенно уверен.

— Но я не могу.

— Не можете или не хотите?

— Не могу.

Бюргер поднялся:

— Я хочу, чтобы вы правильно поняли меня. Если ваши клиенты невиновны, я был бы рад узнать это. Но если вы считаете, что сможете безнаказанно скрывать свидетеля в деле об убийстве, то вы попросту спятили.

— Говорю же вам, что действительно не знаю, где она.

Бюргер подошел к двери и обернулся.

— Даю вам сорок восемь часов на размышление, — ультимативно заявил он. — Это все.

Дверь закрылась.

Делла Стрит озабоченно посмотрела на юриста.

— Шеф, — сказала она, — нужно что-то предпринимать по поводу этой женщины.

Мейсон мрачно кивнул, усмехнулся и ответил:

— У меня в запасе сорок восемь часов.

Глава 11

Глаза у Пола Дрейка покраснели от недосыпа.

— Когда бы детектив ни взялся копаться в человеческих биографиях, он вечно натыкается на скелеты.

— О ком речь на сей раз? — спросил Мейсон.

— О Хейзл Фенвик, — ответил детектив.

Юрист попросил Деллу записать разговор.

— Что ты узнал о ней? Что-то в связи с отпечатками пальцев?

— Да. Десять очень четких отпечатков пальцев, которые помогли узнать о ней все.

— Они есть в картотеке?

— Предполагается, что она нечто вроде Синей Бороды в женском обличье.

— Что?!

— Это Синяя Борода в юбке.

— Что о ней известно?

— У полиции есть подозрения, однако еще не все ясно. Эта женщина выходила замуж, мужья умирали, а она наследовала имущество.

— И много было мужей?

— Пока не знаю. У одного из ее мужей при вскрытии нашли в желудке мышьяк. Тогда провели эксгумацию трупа другого мужа и снова обнаружили мышьяк. Ее арестовали, сняли отпечатки пальцев, допросили, но ничего не добились. Пока выясняли ее прошлое, какой-то сердобольный друг сунул ей пару пилок. Она перепилила решетку в камере окружной тюрьмы и скрылась.

Мейсон удивленно свистнул:

— Жив ли хоть один из ее мужей?

— Да. Стефен Чалмерс. Она вышла за него замуж, но через два дня он сбежал. Она не успела угостить его мышьяком.

— Ему стало что-то известно о ее прошлом?

— Нет. Я думаю, он солгал насчет своей собственности, когда собирался жениться. Она узнала правду и устроила сцену. Он назвал ее вымогательницей, ушел и с тех пор ее не видел.

— Ты уверен, что речь идет именно о Хейзл Фенвик?

— Да, я переснял фотографию, которая находилась на задней крышке часов Дика.

— Я не знал, что имеется ее фотография.

— Полиция тоже не знала. Была только одна фотография, и Дик никому не говорил про нее.

— Как ты достал ее?

— Мне казалось, что где-то должна быть фотография. Я обшарил карманы Дика, открыл часы, нашел то, что искал, и проверил в полицейской картотеке.

— И Чалмерс опознал ее?

— Да, ту, которую я извлек из часов Бассета. Полицейские копии я ему не показывал, потому что не хотел, чтобы он узнал о ее прошлом.

— Послушай, Пол, — сказал Мейсон, — как ты думаешь, Чалмерс согласится, чтобы я ему устроил развод бесплатно?

— Я думаю, да, но это вызовет у него подозрение. Он собирается жениться снова. Попроси его написать заявление за сотню баксов. Он пройдоха и пойдет на это. Ради денег.

— Ладно, договорись с ним. Скажи, что сам все уладишь.

— А к чему тебе эта история с разводом? — спросил Пол.

— Хочу сделать рекламу.

— Рекламу какого рода?

— Видишь ли, Пол, — сказал Мейсон, — худшее на свете занятие — это составлять описание женщины. Обрати внимание на описание Хейзл Фенвик, которое полиция поместила в газетах. Рост — пять футов два дюйма, вес — сто тридцать фунтов, возраст — двадцать семь лет, цвет лица — смуглый, глаза — карие, последний раз ее видели одетой в коричневый костюм и коричневые туфли.

— Ну? — спросил Пол.

— На такую женщину мало кто обратит вниман... К тому же много женщин подойдут под такое описание.

Но если бы она была так неприметна, вряд ли Дик обратил бы на нее внимание. Разве мало таких женщин ходит по улицам?

— Дальше что?

Но Мейсон не ответил. Он взял Деллу за руку и отвел в угол комнаты.

— Сходи в агентство по найму, — шепотом сказал ей Мейсон, — и постарайся найти какую-нибудь голодную женщину, подходящую под это описание. Если она будет одета в коричневый костюм, тем лучше. Если нет, постарайся нарядить ее в такой костюм. Главное, чтобы она была голодная.

— Почему голодная? — спросила Делла.

— Достаточно голодная, чтобы получать наличными.

— Она попадет в тюрьму? — спросила Делла.

— Но не останется там надолго, и ей за все будет заплачено. Подожди минутку. Есть кое-что еще.

Он вернулся к детективу:

— Пол, у тебя, кажется, хорошие отношения с ребятами из газет?

— Да, а что?

— Заплати одному из них пятьдесят баксов, — сказал Мейсон. — Пусть сфотографирует каждого обитателя дома Бассетов. И пускай говорит, что они нужны для его газеты. Как ты думаешь, можно это устроить?

— Думаю, что очень просто.

— Но есть одна сложность. Мне нужно, чтобы эти снимки были сделаны в определенном месте.

— Где же это?

— Я хочу, чтобы снимаемые сидели в кресле Бассета, в котором он был убит. Нужно снимать каждого крупным планом. Так, чтобы было видно выражение лица.

— Зачем тебе это нужно? — спросил детектив.

— Это секрет, — усмехнулся Мейсон. — Но там темно. Пусть снимет их между девятью и десятью часами утра. Нужно посадить их лицом к восточному окну, в которое светит солнце.

Пол достал записную книжку.

— Хорошо, — согласился он. — Значит, так. Шофер Овертон, Коулмар, Брайт, Дик Бассет и кто еще?

— Каждый, кто имел доступ в дом в ночь убийства.

— Сидя за столом?

— Сидя за столом лицом к окну.

— Крупным планом?

— Да.

— Хорошо. Звучит дико, но будет сделано.

Зазвонил телефон. Делла сняла трубку и тотчас протянула ее Мейсону:

— Это Гарри Маклейн, он хочет разговаривать с вами лично.

Мейсон махнул рукой Полу и взял трубку:

— Да, Мейсон у телефона.

— Послушайте, — возбужденно заговорил Гарри, — я был проклятым дураком. Я шипел и царапался, как кошка, и ничего не понимал. Я должен вам все рассказать об этом деле и вообще обо всем.

— Хорошо, — сказал Мейсон, — приходите ко мне.

— Не могу, — ответил Гарри. — Я боюсь.

— Почему?

— За мной следят.

— Кто за вами следит?

— Это я расскажу, когда увижу вас.

— Где мы можем встретиться?

— Приезжайте ко мне. Я боюсь выйти. Говорю вам, за мной следят, но мне до зарезу необходимо поговорить с вами. Я зарегистрирован под именем Джорджа Парди в отеле «Мериленд», в комнате номер 904. Не спрашивайте у портье про меня, поднимайтесь на лифте. Идите по коридору, но, если кого-то увидите, пройдите мимо моего номера. Сверните направо, как будто ищете другую комнату. А если никого не будет, входите. Я оставлю дверь незапертой, не стучите.

— Слушайте, Гарри, — сказал Мейсон, — скажите мне только одно. Кто ваш соучастник? Кто...

— Нет, я ничего не буду говорить по телефону. Я и так слишком много вам сказал. Если хотите все узнать, приезжайте ко мне, если не хотите, то идите к черту.

И Гарри Маклейн повесил трубку.

Перри Мейсон тоже положил трубку и посмотрел на Деллу Стрит и Пола Дрейка.

— Я должен уйти, — сказал он.

— Можно мне узнать, где вы будете, на всякий случай, если произойдет что-то важное?

Мейсон нерешительно посмотрел на нее, потом написал на бумаге: «Отель «Мериленд», комната номер 904, Джордж Парди». Он сунул бумагу в конверт, заклеил его и протянул Делле.

— Если я не позвоню тебе в течение пятнадцати минут, — сказал он, — то вскрой конверт. И тогда, Пол, приезжай за мной по этому адресу и обязательно возьми с собой пистолет.

Он взял шляпу и покинул контору.

Глава 12

Мейсон припарковал машину за полтора квартала от отеля. Покуривая сигарету, посидел за рулем секунд двадцать, внимательно оглядывая улицу в обоих направлениях, и только после этого вышел из машины. Он не сразу направился к отелю, а обогнул квартал и вошел через боковой вход.

Дежурный клерк сидел за стойкой. Мейсон прошел мимо него к табачному киоску, купил пачку сигарет, полистал какой-то журнал и направился к лифту. Лифтер услужливо распахнул перед ним дверь.

— Одиннадцатый этаж, — сказал Мейсон.

Выйдя из лифта, он спустился двумя этажами ниже и внимательно осмотрел коридор. Там никого не было. Мейсон смело подошел к комнате номер 904 и повернул дверную ручку. Дверь сразу открылась, Мейсон вошел и закрыл ее за собой.

Занавески в комнате были сорваны и валялись на полу. Ящики комода выдвинуты. Платяной шкаф открыт, одежда выброшена на пол. На постели лицом вниз лежал мужчина. Его левая рука свисала до полу, голова была повернута набок, правая рука под грудью.

Мейсон, стараясь ни до чего не дотрагиваться, на цыпочках обошел кровать, опустился на колени, чтобы осмотреть ту половину тела, которая выступала за край кровати.

Он увидел, что в правой руке убитого зажата рукоятка ножа, а нож воткнут в сердце. Мейсон узнал Гарри Маклейна.

Мейсон осторожно отступил на пару шагов и прислушался. Затем он вынул из кармана жилета искусственный глаз, один из тех, которые достал ему Дрейк, протер его носовым платком и, подойдя к телу Гарри, осторожно вложил его в левую руку трупа. Затем он подошел к двери, вытер платком ручки, за которые брался, и вышел в коридор.

Быстро пройдя его, он поднялся на одиннадцатый этаж, вызвал лифт и спустился в вестибюль. Там он зашел в телефонную будку и позвонил Делле.

— Делла, сожги конверт, все в порядке.

Мейсон вышел из отеля и направился было к своей машине, но тут же остановился и огляделся по сторонам.

В пятидесяти футах от его машины был припаркован полицейский автомобиль, в котором сидели двое, явно приготовившись к долгому ожиданию.

Оба смотрели на машину Мейсона.

Он повернул обратно. Постоял и увидел, что из-за угла выехала еще машина и затормозила возле полицейского автомобиля. Сержант Голкомб высунул голову из окна и о чем-то заговорил с двумя наблюдателями.

Мейсон оставил машину на прежнем месте и быстро вошел в отель.

— Мне нужен парень по имени Гарри Маклейн, — обратился он к клерку. — У меня есть сведения, что он остановился в вашем отеле. Он зарегистрировался у вас?

Клерк порылся в книге и отрицательно покачал головой.

— Странно, — сказал Мейсон. — Мне сказали, что он здесь. Мое имя — Перри Мейсон. Я зайду в ресторан перекусить. Если он появится, пошлите за мной, но не говорите, что я о нем спрашивал.

Он зашел в зал, заказал сандвичи и бутылку пива. Когда заказ приняли, Мейсон подписал счет и прямо-таки всучил официантке полдоллара. Не спеша сжевал сандвичи, выпил пиво, потом подошел к двери и стал смотреть в вестибюль.

В вестибюле за пальмой стоял сержант Голкомб.

Решительным шагом Мейсон подошел к телефону-автомату возле столика кассира. Он опустил монету и набрал номер.

— Это полиция? — спросил Мейсон. — Я хочу поговорить с сержантом Голкомбом.

— Сержанта нет, — ответили ему.

— Кто может передать ему поручение?

— В чем дело?

— Я хотел поговорить с ним насчет дела, которым занимаюсь.

— Кто говорит?

— Перри Мейсон, адвокат.

— Что нужно передать?

— Попросите его немедленно приехать в отель «Мериленд», я буду ждать его.

Он повесил трубку. Достал еще монету и позвонил прокурору:

— Это Перри Мейсон, адвокат. Мне нужно поговорить с Гамильтоном Бюргером по делу чрезвычайной важности... нет, ни с кем другим я не хочу разговаривать, только лично с ним. Скажите ему, что я жду у телефона.

— В чем дело, Мейсон? — спокойно и вежливо спросил Бюргер.

— Бюргер, я в отеле «Мериленд». Кто-то позвонил мне и сказал, что здесь Гарри Маклейн и что он хочет со мной поговорить. Я выяснил у портье, что Гарри Маклейн здесь не регистрировался, но у меня есть предположение, что он с минуты на минуту может прийти сюда. Голос моего информатора звучал уверенно, хотя он не назвал своего имени. Этот Маклейн работал у Бассета. Случайно он оказался моим клиентом совершенно по другому делу...

— Да, я знаю об этом, можете мне о нем не рассказывать...

— Тогда вы должны понимать, что Маклейн мог бы сообщить важные сведения, если бы захотел.

— Хорошо, если бы захотел, — отозвался прокурор. — Что вы хотите от меня?

— Видите ли, в этом деле у меня двусмысленное положение. Я ведь являюсь адвокатом Маклейна. Если он намерен дать показания, то я хотел бы, чтобы при этом присутствовал кто-то из вашего ведомства. Я звонил сержанту Голкомбу, но его нет в отделе.

— Вы сейчас в отеле? — после паузы спросил Бюргер.

— Да.

— И давно там ждете?

— Совсем недавно. Я поискал здесь Маклейна, его не оказалось, затем перекусил в буфете, а потом позвонил сержанту и вот теперь вам.

— Хорошо, — сказал Бюргер. — Я пришлю человека, но помните: когда он прибудет, наша служба возьмет это дело на себя.

— Согласен, — ответил Мейсон.

— Спасибо, что позвонили, — сказал Бюргер и повесил трубку.

Окончив разговор, Мейсон закурил сигарету и вышел в вестибюль, стараясь не смотреть в тот угол, где стоял за пальмой сержант Голкомб, поставив ногу на край кадки и опершись локтем на согнутое колено; в пальцах он держал сигарету.

— Маклейн еще не появлялся? — спросил Мейсон у клерка.

— Нет еще.

Мейсон сел поудобнее в кресло и приготовился ждать, мирно покуривая. Минут через пять он встал и подошел к столу дежурного:

— Простите, мне неудобно вас беспокоить, но, может быть, Маклейн зарегистрировался у вас под другим именем? Он молодой человек лет двадцати четырех — двадцати пяти в очках в пластмассовой оправе. У него прыщеватое лицо, рыжеватые волосы. Одет хорошо. Если...

— Одну минуту, — перебил его клерк, — я спрошу у нашего детектива.

Клерк нажал кнопку, и вскоре к столу подошел толстый мужчина и неприязненно посмотрел на Мейсона.

— Это мистер Малдун, офицер полиции при нашем отеле, — сказал клерк.

Мейсон рассказал ему о Гарри.

— Зачем он вам нужен?

— Я хочу поговорить с ним.

— Но вы не знаете, под каким именем он зарегистрирован?

— Нет.

— Почему вы уверены, что он здесь?

— Мне об этом сообщили.

— Кто?

— Я не уверен, что это ваше дело.

— Вы пришли сюда и пытаетесь убедить меня, что один из наших постояльцев — нечестный человек.

— Ну что вы, я ни в чем не пытаюсь вас убедить.

— Вы же говорите, что он зарегистрировался под чужим именем.

— Мало ли по каким причинам человек может это сделать.

— Допустим. Но вы чего-то недоговариваете. Кто вы? Зачем вам нужен этот человек?

Сзади послышались шаги. Они обернулись. Малдун взглянул и расплылся в улыбке.

— Сержант Голкомб! — воскликнул он. — Я не видел вас чуть ли не год!

Мейсон изобразил на лице удивление:

— А я только что звонил вам.

— Откуда?

— Отсюда, из отеля.

— Что вы хотели мне сказать?

— Я хотел сообщить вам, что получил информацию о том, что Гарри Маклейн остановился здесь, в отеле, и хочет кое-что рассказать.

— Вы видели его?

— Мне сказали, что он здесь не регистрировался.

— А чего этот человек хотел от вас? — обратился сержант к Малдуну.

— Он описал мне парня и хотел, чтобы я проверил, не зарегистрировался ли он под чужим именем.

Голкомб внимательно посмотрел на Малдуна:

— Вы предполагаете, что это так?

— Да.

— Имя?

— Джордж Парди. Он прибыл часа полтора назад и снял комнату номер 904. Выглядел как-то неуверенно, я обратил на него внимание.

— Вы давно здесь, Мейсон? — спросил сержант у Мейсона.

— Нет, не так давно.

— Что вы здесь делали?

— Мне хотелось повидать Маклейна. Решил, что он еще не появился. Мне сообщили, что он должен быть в этом отеле и хочет поговорить.

— Вы утверждаете, что звонили мне?

— Да, я хотел, чтобы при разговоре с ним присутствовало официальное лицо.

— О чем?

— Кажется, о деле Бассета, не знаю точно.

— Вы лжете. Вы не звонили мне и не собирались звонить. Вы здесь уже больше получаса. Что вы делали?

— Я был в ресторане.

— Еще бы, вы успели проголодаться, пока ждали его.

Мейсон посмотрел на клерка.

— Это верно, сэр, — подтвердил он. — Он сказал, что пойдет в ресторан.

Сержант Голкомб язвительно расхохотался:

— Когда эта пташка чирикает, что собирается куда-то лететь, это еще не значит, что она и вправду туда полетит!

Он взял Мейсона за руку и подтолкнул ко входу в ресторан.

— Ну, приятель, если вы покажете мне девушку, которая вас обслуживала, я принесу вам письменное извинение.

— Простите, не могу. Знаете, сержант, я редко обращаю внимание на официанток. Помню только, что она была в голубой униформе.

— Они здесь все так одеты.

— Кто-нибудь из вас обслуживал этого человека? — обратился сержант к девушкам.

— Я обслуживала его, — отозвалась одна из них.

— Да, кажется, вы, — сказал Мейсон. — У меня плохая память на лица. К тому же я был озабочен своими делами.

— Но я вас хорошо помню. Мне не часто дают на чай полдоллара.

Сержант сконфузился. Кассир, который слышал разговор, вмешался:

— Я помню этого джентльмена. Он два раза звонил отсюда по телефону.

— Куда он звонил?

— Звонил какому-то сержанту Голкомбу и прокурору. Я еще подумал, что он детектив.

— Прокурору? — переспросил сержант.

— Ну да, кажется, ему сказали, что сержанта нет, и он позвонил прокурору и попросил прислать сюда человека, который должен присутствовать при его разговоре с парнем по имени Маклейн, вроде бы свидетелем по какому-то делу.

— Так как? — спросил Мейсон. — Поговорим с Гарри Маклейном?

— Я сам поговорю с ним, — огрызнулся сержант, — а вы подождете в коридоре.

Он втолкнул Мейсона в лифт, и они поднялись на девятый этаж. Сержант подошел к комнате номер 904. Он остановился перед дверью и постучал. Ответа не было.

— Стойте здесь, а я пойду к нему, — сказал сержант Мейсону и скрылся в комнате номер 904.

Долго ждать его не пришлось. Бледный сержант быстро вышел и подошел к юристу.

— Он намерен говорить? — обратился к нему Мейсон.

— Нет, не намерен, — мрачно ответил сержант. — Вот что, Мейсон, вы занятой человек. Полагаю, вам лучше вернуться к себе. Я займусь этим делом.

— Но мне хотелось бы повидать Маклейна, — возразил Мейсон.

Гримаса нетерпения исказила черты Голкомба.

— Идите вы к дьяволу отсюда, Мейсон, пока я не разозлился. Я намерен расследовать это дело сам, без ваших манипуляций с показаниями и без исчезающих свидетелей.

— Что случилось? — спросил юрист.

— Ничего бы не случилось, если бы вы не мошенничали.

— В следующий раз я постараюсь заранее предупредить вас, — ответил Мейсон.

Сержант молча вернулся в комнату, закрыл за собой дверь и запер ее.

Мейсон спустился вниз, сел в машину и помчался к себе в контору.

Войдя в комнату Деллы, он сказал:

— Послушай, Делла, нам предстоит серьезная работа.

Только потом он заметил человека, сидевшего в тени. Пит Брунольд, улыбаясь, встал с кресла и протянул Мейсону руку:

— Поздравляю вас!

— Вы? — удивленно пробормотал юрист. — Почему вы не в тюрьме?

— Меня отпустили.

— Кто?

— Копы. Сержант Голкомб.

— Когда?

— Часа полтора назад. Я думал, что вы знаете об этом. Вы же написали протест. Они пока не захотели выдвигать против меня никаких обвинений и выпустили.

— Где Сильвия Бассет?

— Не знаю. Думаю, что она у прокурора и ее допрашивают.

— Самое неприятное, что могло случиться, произошло: они выпустили вас из тюрьмы, — медленно сказал Мейсон. — Вам надо уйти отсюда. Идите в отель и зарегистрируйтесь под своим именем. Затем быстро позвоните прокурору и скажите, что вы в отеле.

— Но зачем мне звонить прокурору? Он же не...

— Потому что я так хочу! Какого черта вы не слушаетесь меня? Делайте то, что вам сказано. Каждая потерянная минута может принести непоправимую беду. Я считал вас в безопасности в тюрьме, а теперь каждую минуту...

Дверь распахнулась без стука, и в комнату вошли двое мужчин.

— Пошли, парень! — сказал один из них Брунольду.

— Куда?

— Мы из офиса окружного прокурора, — сказал мужчина. — Он хочет поговорить с тобой прямо сейчас, и никакой крючкотвор тебе не поможет.

— В чем его обвиняют? — спросил Мейсон.

— В убийстве.

— Брунольд, не отвечайте на вопросы, не говорите им...

— Он ответит на все вопросы, — сказал один из вошедших, — иначе его обвинят в том, что за полтора часа свободы он успел убить человека. Теперь на его совести смерть двух человек.

— Двух? — спросил Брунольд.

— Да. И оба раза они держали в руках стеклянные глаза. Это какая-то эпидемия. Ну, пошли с нами!

Дверь за ними захлопнулась.

Делла Стрит вопросительно посмотрела на Мейсона.

Мейсон подошел к сейфу, открыл его и достал коробку, в которой лежали стеклянные глаза. На полке в стенном шкафу нашел металлическую ступку с пестиком. Один за другим бросал стеклянные глаза в ступку и толок их в мелкую пыль.

— Делла, — сказал он, — последи, чтобы никто сюда не влез.

Глава 13

Перри Мейсон внимательно изучал молодую темноглазую и темноволосую женщину, сидевшую напротив него. Рядом стояла Делла Стрит и с беспокойством смотрела на Мейсона.

— Подойдет она? — спросила Делла.

Перри Мейсон оценивающе посмотрел на девушку:

— Ваше имя?

— Тельма Бевинс.

— Возраст?

— Двадцать семь лет.

— Профессия?

— Секретарь.

— Давно без работы?

— Да.

— Вы согласны сделать все, что потребуется?

— Это зависит от того, что потребуется.

Мейсон молча смотрел на нее.

Она распрямила плечи, вздернула подбородок и сказала:

— Я согласна на любую работу.

— Вот это уже лучше, — заметил Мейсон.

— Я получу работу?

— Да, если вы согласитесь в точности выполнять мои указания. Вы сможете следовать инструкциям?

— Это зависит от инструкций, но я постараюсь.

— Вы можете сохранять спокойствие, что бы ни случилось?

— Вы имеете в виду молчать?

— Да.

— Думаю, что смогу.

— Мне нужно, чтобы вы взяли билет на самолет до Рино. Там вы снимете комнату под своим именем.

— Что я должна делать дальше?

— Ждать, пока к вам не явится человек с бумагами.

— Что за бумаги?

— Документы о разводе.

— Что потом?

— Этот мужчина спросит, зовут ли вас Хейзл Бассет, или Хейзл Фенвик, или Хейзл Чалмерс.

— Мои действия в этом случае?

— Вы скажете, что ваше имя — Тельма Бевинс и что вы ждете эти бумаги. После этого вы получите их.

— В этом есть что-либо противозаконное?

— Конечно нет. Эти бумаги приготовлю я, и вы подождете их.

Она кивнула:

— И это все?

— Нет, это только начало.

— А что же будет в конце?

— Вас заберут.

— Вы имеете в виду, что меня арестуют?

— Не то чтобы арестуют, но задержат для допроса.

— Что я должна делать?

— Здесь наступает самое трудное: вы должны молчать.

— Ничего не говорить?

— Ни единого слова.

— Могу я что-нибудь требовать?

— Нет. Только сидеть и молчать. Вам устроят перекрестный допрос, вас будут фотографировать для газет. Будут запугивать и предлагать деньги. Но вы должны быть спокойны. Вы заговорите только в одном случае.

— В каком?

— Вы будете отказываться покинуть штат Невада, пока компетентный суд не вынесет решения принудительно увезти вас оттуда. Вы понимаете?

— Я должна желать оставаться в штате Невада, правильно я вас поняла?

— Да.

— Что я должна требовать?

— Только отказываться покинуть штат.

— Но меня могут увезти.

— Не думаю, что с вами так поступят. Будет много шума, сбегутся репортеры. Если вы будете отказываться покинуть штат и требовать официального решения об этом, придется подождать, пока это постановит суд.

— И это все?

— Да.

— А что я получу за это?

— Пять сотен баксов.

— Когда?

— Двести сейчас, триста после окончания работы.

— А за чей счет расходы, которые мне предстоят?

— Билет на самолет я вам оплачу. А на двести долларов вы сможете снять жилье.

— Когда я должна вылететь?

— Сейчас же.

Она покачала головой.

— Не сейчас. Когда я получу деньги, то сначала поем, а только потом полечу.

Мейсон кивнул Делле:

— Делла, дай двести долларов. И возьми у нее подпись под инструкцией. Она летит в Рино, регистрируется под собственным именем, а не Хейзл Фенвик, не Хейзл Бассет, не Хейзл Чалмерс.

— А зачем это нужно? — спросила Тельма.

— Чтобы защитить вас и себя. Это подтвердит, что вы действовали точно по инструкции. Главное, не лгите и не фантазируйте. Не называйте себя чужим именем. Вы только Тельма Бевинс. И ждете бумаги. Поняли?

331

— Думаю, что да. А потом я получу триста долларов?

— Да.

Она подошла к юристу и пожала ему руку.

— Благодарю вас, — сказала она, — я выполню все, что вы сказали.

Звонок телефона известил, что Пол Дрейк хочет видеть Перри Мейсона.

— Делла, проводи мисс Бевинс через боковую дверь. Я не хочу, чтобы ее видел Пол. Она может обойти кругом и войти в офис с другой стороны. Пригласи Дрейка. Я задержу его до тех пор, пока ты не кончишь заниматься с мисс Бевинс. Как только ты с ней закончишь, посади ее на самолет. А вы, мисс Бевинс, когда прибудете в Рино, сразу же снимите жилье и дайте мне телеграмму с вашим адресом. Только без подписи. Вы пробудете в квартире не больше недели, так что договаривайтесь о понедельной оплате. Понимаете?

Она кивнула, и Делла Стрит проводила ее. Вскоре Делла вернулась и впустила Пола Дрейка.

— Решил зайти и узнать, все ли в порядке, — вместо приветствия сказал Пол.

— Все в порядке, Пол, — ответил Мейсон.

— Ну, как дела со Стефеном Чалмерсом?

— Все нормально, уже можно начинать дело о разводе.

— Завтра будут готовы фотографии, которые ты просил.

— Много с ними было возни?

— Не очень. Мы сняли всех за одним исключением.

— Каким?

— Коулмара, — ответил детектив. — Он был последним в списке и почуял недоброе. Понимаешь, Перри, я хотел сохранить твои пятьдесят баксов и не видел необходимости давать работу газетчику. Попросил одного из моих ребят изобразить фоторепортера из «Джорнал». Все шло хорошо, пока очередь не дошла до Коулмара. Кажется, он будет свидетелем. Он недавно вернулся от прокурора. Ну так вот, этот парень позвонил туда по телефону и сказал, что его хотят сфотографировать. Кажется, ему сказали, что этого не следует делать.

— Значит, там подозревают какой-то подвох? — спросил Мейсон.

— Очевидно, потому, что Коулмар решил побеседовать с редактором «Джорнал». Мой парень испугался, схватил аппарат и убежал. Ты сможешь обойтись без Коулмара?

— Думаю, что смогу, — ответил Мейсон, — если ты уверен, что он будет свидетелем обвинения.

— Будет, — подтвердил Пол. — Он что-то наговорил там. И ему, видимо, сказали, чтобы помалкивал до тех пор, пока его не вызовут.

Мейсон кивнул.

— А как насчет остальных? Было ли что-то особенное в выражениях лиц?

— Насколько я мог судить, нет. Сам посмотришь на снимки и увидишь, как они получились. Овертон пытался сохранить обычное выражение. Эдит Брайт сидела, как будто позируя для портрета, но фотограф сказал, что не сразу добился, чтобы Дик смотрел на камеру. Тот все время опускал глаза в пол. Это может иметь значение?

— Может, но не обязательно. Я изучу все снимки. А как насчет этой Брайт?

Но Дрейк перебил его:

— Послушай, Перри, ты слышал о молодом Маклейне? Ведь это дьявольски серьезное дело.

— Да, — кивнул Мейсон. — До меня дошло несколько противоречивых слухов. Что думает полиция? Это убийство или самоубийство?

— Не знаю. Они помалкивают. Но меня удивляет, что он держал в руке глаз. Помнишь, я достал тебе такие глаза? Они у тебя? Покажи их.

— Зачем?

— Я хочу убедиться, все ли они целы.

Мейсон пожал плечами:

— Их нет, Пол.

— А где же они?

— Не знаю.

— Я опасаюсь, что могут напасть на мои следы с помощью торговца.

— Я говорил тебе, чтобы все было чисто.

— Иногда человек не может все учесть.

— Тогда это плохо, — сказал адвокат.

— Послушай, Перри, ты обещал спасти меня от тюрьмы.

— Но ты еще не в тюрьме, не так ли?

— Но вполне могу туда угодить, — вздрогнув, сказал Пол.

— Послушай, Пол, может быть, стоит довести дело до суда. Прокурор хочет устроить послезавтра предварительное заседание. Я намерен дать согласие.

Пол собрал морщинами весь лоб.

— Знаешь, Перри, мы вместе влезли в это дело. Если...

— Вот что, Пол, укладывай чемодан и лети в Рино следующим рейсом, — перебил детектива Мейсон.

— Чтобы избежать разборок с глазами?

— Нет, надо отвезти бумаги Хейзл Бассет, известной как Хейзл Фенвик или Хейзл Чалмерс.

Пол удивленно свистнул:

— Так ты знал, где она?

— Ты много болтаешь, Пол, — заметил Мейсон.

Пол двинулся к двери:

— Хорошо, Перри, я упакую чемодан. Только помни, что обещал избавить меня от кутузки.

Мейсон махнул рукой и позвонил Делле. Как только Пол ушел, Делла вошла в кабинет.

— Делла, приготовь бракоразводные бумаги. Скоро все будет кончено. Ответчица будет признана как Хейзл Чалмер, а также как Хейзл Фенвик или миссис Хейзл Бассет.

Делла изумленно посмотрела на него:

— Но об этом узнают все газеты и отправят своих журналистов следить за процессом.

Мейсон кивнул:

— Я послал Пола в Рино вечерним рейсом. Девушке придется начинать сразу. Дрейк передаст ей бумаги, как только она сообщит свой адрес.

— Некоторые репортеры знают, что Пол работает с вами.

Мейсон кивнул.

— Если я смогу поднять шум вокруг этого дела, все будет в порядке. Иди настучи петицию о разводе, и ты увидишь, что случится.

Глава 14

Кеннет Д.Уинтерс, судья низшей инстанции, вполне оценил бум, поднятый вокруг него прессой.

— Предварительное слушание по делу Питера Брунольда и Сильвии Бассет, совместно обвиненных в убийстве Хартли Бассета, объявлено открытым. Джентльмены, вы готовы к слушанию дела?

— Готов, — ответил Перри Мейсон.

Окружной прокурор Бюргер кивнул.

Репортеры достали блокноты и приготовились записывать. Дело было совершенно необычным, и прокурор решил лично присутствовать на предварительном слушании, а репортеры понимали, что это значит.

— Джеймс Овертон, — сказал прокурор, — пожалуйста, подойдите к присяге.

Овертон подошел, поднял правую руку и стоял так, глядя на присутствующих, — темный, угрюмый, саркастический, в нем, однако, чувствовалась некая уравновешенность.

— Ваше имя — Джеймс Овертон и вы работали шофером у Хартли Бассета? — спросил прокурор после того, как Овертон принял присягу.

— Да, сэр.

— Давно вы работали у мистера Бассета?

— Восемнадцать месяцев.

— И все это время вы работали шофером?

— Да, сэр.

— Чем вы занимались до этого?

Встал Мейсон:

— Я осведомлен, что в предварительных слушаниях адвокат тоже может принять участие. Лучшей судебной тактикой является обращение через суд. Я также осведомлен, что прокурор может сам задавать вопросы. Но это дело необычное, и поэтому я прошу суд сказать: можно ли интересоваться прошлым человека, которое не имеет отношения к данному делу?

— Я думаю, что можно, — ответил сам прокурор.

— Тогда не возражаю.

— Ответьте на вопрос прокурора, — сказал судья.

— Я был детективом, — сказал Овертон.

— Частным детективом?

— Нет, я состоял на службе правительства США. Я работал в разведке, а потом перешел в детективное бюро при муниципалитете. Там я работал недолго и получил приглашение от мистера Бассета поступить к нему на службу.

Мейсон откинулся на спинку стула и посмотрел на Брунольда, затем перевел взгляд на Сильвию Бассет.

Брунольд сидел с равнодушным видом. Глаза Сильвии были широко раскрыты от удивления.

— На службе у Бассета занимались ли вы другой работой, кроме вождения автомобиля? — спросил Бюргер.

— Нам придется уяснить, что этого человека наняли шпионить за женой Хартли Бассета, — с иронией произнес Перри Мейсон, — и что он старался снискать расположение хозяина, докладывая о фактах, которые делали слежку необходимой.

— Ваша честь, — встав с места, загремел прокурор, — я возражаю против такого замечания защиты! Оно дискредитирует показания свидетеля, причем заявление подобного рода невозможно подтвердить.

— Почему же? — спросил Мейсон.

— Потому что у вас нет фактов против него. Этот человек — достойный уважения следователь...

— Все они одинаковы, — перебил его Мейсон.

Судья ударил молоточком по столу:

— Я запрещаю продолжать дискуссию на эту тему. А вы, мистер Мейсон, не перебивайте. Ограничьте ваши замечания вопросами к суду и к свидетелям во время перекрестного допроса и формулируйте их, пожалуйста, в достойной и уважительной манере.

Мейсон встал и поклонился:

— Ваша честь, я прошу прощения у суда.

— Продолжайте, мистер Бюргер, — сказал судья Уинтерс.

Бюргер глубоко вздохнул, стараясь овладеть своими чувствами:

— Отвечайте на вопрос, мистер Овертон, чем вы занимались еще?

— Мистер Бассет просил держать его в курсе кое-каких дел в его доме.

— Что это значит?

— Он просил меня быть его «слухачом».

— Выражение «слухач» использовал мистер Бассет?

— Да.

— Хорошо. А теперь я перейду к предварительному допросу. Когда вы в последний раз видели мистера Бассета?

— Четырнадцатого.

— Он был жив?

— Когда я увидел его в первый раз в этот день, он был жив.

— А когда вы видели его в последний раз?

— Сэр, он был мертв.

— Где он находился?

— Он лежал на полу в своем кабинете, прикрытый одеялом, руки раскинуты в стороны. Рядом с его левой рукой лежал кольт тридцать восьмого калибра, а рядом с правой рукой — «смит-и-вессон» того же калибра. Такой же пистолет был в его кармане.

— И мистер Бассет был мертв?

— Да, сэр.

— Вы уверены в этом?

— Да, сэр.

— Кто находился в кабинете в это время?

— Сержант Голкомб, два детектива, имен я не знаю, и криминалист из отдела убийств. Кажется, его зовут Ширер.

— Вы видели что-либо в левой руке трупа?

— Да, сэр.

— Что это было?

— Стеклянный глаз.

— Был ли этот глаз идентифицирован в вашем присутствии этими тремя джентльменами и можно ли это сделать еще раз?

— Да, сэр.

— Кем?

— Мистером Ширером.

— Как он сделал это?

— Он взял какое-то черное вещество и нанес его на внутреннюю поверхность глаза.

— Вы сможете узнать этот глаз, если вам его покажут?

— Да, сэр.

Бюргер протянул запечатанный конверт судье, тот вскрыл его и показал глаз Овертону:

— Это тот самый глаз?

— Да, сэр, это тот самый глаз.

— Вы видели его раньше?

— Да, сэр.

— Где?

— У мистера Бассета.

Мейсон наклонился вперед, взгляд у него был сосредоточенный. Бюргер торжествующе посмотрел на него.

— Вы имеете в виду, — спросил Бюргер, — что видели глаз у мистера Бассета перед убийством?

— Да, сэр.

— Сколько времени прошло с того момента?

— Двадцать четыре часа.

— И это было в первый раз, когда вы его видели? — драматическим тоном воскликнул Бюргер.

— Нет, сэр.

Судья Уинтерс оказал свидетелю честь, наклонившись вперед и приложив руку к уху, чтобы не пропустить ни слова.

— Когда вы впервые увидели этот глаз? — выразительно спросил прокурор.

— За час до того, как увидел его у Бассета.

— И где вы его видели?

— Одну минуту, — сказал Мейсон. — Я протестую против этого вопроса, как некомпетентного и не относящегося к делу.

— Что вызывает ваше возражение, адвокат? — спросил судья.

— То, что свидетель заявляет, что глаз, найденный в руке убитого, тот же самый, что он видел за сутки до убийства. Это чистая случайность. Вспомните, ваша честь, что идентификация производилась, когда глаз взяли из руки мертвого человека. Теперь свидетель показал, что глаз тот же самый. Но, ваша честь, когда свидетель видел этот глаз впервые, он не был идентифицирован. Единственное, что может утверждать свидетель, что он видел точно такой же глаз, налитый кровью.

— Хорошо, — усмехнулся прокурор. — Допустим, что последний вопрос поставлен неправильно; с разрешения суда, мы снимем его и сформулируем по-другому. Вы видели подобный глаз?

— Да, сэр.

— Когда?

— Впервые я увидел его в квартире своего хозяина за сутки до его смерти.

— Вы можете утверждать, что идентифицированный глаз и тот, который вы видели, тождественны?

— Да, сэр.

— Чем вы докажете это?

— Я нашел этот глаз в доме у хозяина и решил отдать его ему. В то время у меня было на пальце кольцо с алмазом. Как детектив, я знал, сколь важна идентификация...

— Никогда не упоминайте о своей прежней работе, — заметил прокурор. — Это можно говорить только по разрешению. Говорите лишь о том, что вы сделали.

— Я нанес алмазом крест на внутренней стороне глаза.

— Этот крест заметен?

— Нет, сэр. Только если смотреть при определенном освещении. Я сделал неглубокие царапины.

— Можете ли вы утверждать, что этот крест имеется на том глазе, который вы держите в руках?

— Да, сэр.

— Мы просим, — сказал Бюргер, — чтобы этот глаз был принят судом в качестве вещественного доказательства «А».

— Не возражаю, — согласился Мейсон.

— Глаз принят в качестве вещественного доказательства «А», — объявил судья.

— Итак, этот глаз вы видели за двадцать пять часов до убийства?

— Да, сэр.

— Где вы его обнаружили?

— В спальне миссис Бассет, — вздохнув, сказал Овертон.

— Как вы оказались там? При каких обстоятельствах?

— Я услышал шум в спальне миссис Бассет.

— Какой шум?

— Разговор.

— Вы имеете в виду, что услышали голоса?

— Да, сэр. И какое-то движение.

— Что вы сделали?

— Я постучал в дверь.

— И что же?

— Послышалось торопливое движение.

— Вам удалось разобрать, о чем говорили люди в спальне?

— Вы имеете в виду, разобрал ли я слова?

— Да.

— Нет, сэр, я слышал лишь мужской и женский голоса, но слов разобрать не мог.

— Что произошло после того, как вы постучали?

— Вначале я услышал торопливое движение, потом звук открываемого и закрываемого окна. После этого миссис Бассет спросила: «Кто там?»

— И что вы ответили?

— Я сказал: «Откройте, пожалуйста, это Джеймс, шофер».

— Дальше.

— После очень продолжительного молчания она сказала: «Подождите, я оденусь».

— Что было дальше?

— Я подождал примерно минуту, потом щелкнул замок, и она открыла дверь...

— Продолжайте.

— Я сказал: «Прошу прощения, мадам, но мистеру Бассету показалось, что в дом забрался вор. Он хочет, чтобы я проверил окна».

— Что она ответила?

— Ничего.

— А вы?

— Я сказал, что мне жаль, если я потревожил ее.

— И что ответила миссис Бассет?

— Она ответила, что не отдыхала, а была в ванной.

— Что вы сделали?

— Я подошел к окну.

— Оно было закрыто или открыто?

— Открыто.

— Это на втором этаже?

— Да, сэр. Но всего в шести футах под окном есть крыша, а на ней решетка.

— Вы заметили что-нибудь необычное на подоконнике?

— Я увидел, что от рамы откололся кусочек дерева, как если бы эту раму задели каблуком ботинка. Это было сделано недавно. Щепочка откололась, но не отвалилась совсем.

— Еще что-нибудь вы обнаружили?

— Я увидел стеклянный глаз.

— Где он был?

— На полу.

— Миссис Бассет видела его?

— Протестую против этого вопроса, он заставляет свидетеля делать выводы, — заявил Мейсон. Но, заметив, что судья колеблется, добавил: — Я снимаю свой протест. Давайте послушаем дальше.

— Нет, сэр. Она не видела, — ответил Овертон.

— Что вы сделали?

— Я поднял его.

— А это она видела?

— Нет, сэр, в этот момент она стояла спиной ко мне.

— И что же?

— Я положил глаз в карман.

— Потом?

— Потом я вышел из комнаты. Она тотчас заперла дверь. Тогда я осмотрел глаз, нацарапал алмазом крест и пошел к мистеру Бассету.

— Что было дальше?

— Мистер Бассет хотел опознать глаз. Он просил меня связаться с каким-нибудь известным изготовителем таких глаз и узнать у него, каким путем такие глаза можно идентифицировать.

— Вы выполнили его задание?

— Да.

— Мы произведем идентификацию без помощи свидетеля и попросим консультации у эксперта, к которому он обращался.

Бюргер повернулся к Мейсону:

— Вы можете начать перекрестный допрос.

— Скажите, свидетель, вы уверены, что слышали мужской голос? — спросил Мейсон. — Судя по всему, вы подслушивали у замочной скважины.

— Я ничего не говорил о замочной скважине, — огрызнулся Овертон.

Мейсон улыбнулся:

— Но признайтесь же, что подслушивали у замочной скважины, мистер сотрудник секретной службы!

Общий негромкий смех в зале. Судья ударил молоточком по столу.

— Отвечайте на вопрос, — настаивал Мейсон. — Через замочную скважину или нет?

— Да, я слушал через замочную скважину, — признался Овертон.

— Так-так, — заметил Мейсон. — А что вы видели в замочную скважину?

— Я ничего не мог разглядеть. То, что я видел, несущественно.

— Вы могли видеть миссис Бассет, передвигающуюся по комнате?

— Я видел какую-то фигуру.

— Вы думаете, это была миссис Бассет?

— Не уверен в этом.

— А мужчину вы видели?

— Нет, сэр.

Перри Мейсон поднял руку и обвиняющим жестом вытянул по направлению к свидетелю длинный указательный палец.

— Так. Скажите, когда мистер Бассет был убит, то убийца бежал на его машине?

— Нет, сэр.

— Вы уверены в этом?

— Да, сэр.

— Почему вы так уверены?

— После того как было обнаружено тело, я услышал, что говорили, будто убийца бежал на машине мистера Бассета. Я пошел проверить, на месте ли машина.

— Она исчезла?

— Нет.

— А вы не потрогали радиатор, чтобы определить, не нагрелся ли он, не взглянули хотя бы на указатель температуры?

— Нет, этого я не сделал. Но машина стояла так, как я ее сам поставил.

Мейсон улыбнулся и махнул рукой:

— Это все.

— Одну минуту, — сказал Бюргер, — у меня есть еще вопросы. Вы только что сказали, что не могли увидеть мужчину в скважину.

— Да, сэр.

— А слышать?

— Да, мог, сэр.

— Вы уверены, что это не было радио?

— Да, сэр.

— Возможно, это был голос Ричарда Бассета?

— Нет, сэр.

— Откуда вы знаете?

— Я хорошо знаю голос Ричарда Бассета. И хотя я не мог разобрать слов, я слышал тембр.

— Заметили ли вы что-либо особенное в речи мужчины?

— Да, сэр.

— Что именно?

— Он говорил торопливо, возбужденно, очень-очень быстро, слова сливались.

— Все, — сказал Бюргер.

— У меня тоже вопрос, — заявил Мейсон. — Вы не могли разобрать слова?

— Не мог, сэр.

— Тогда откуда вы знаете, что слова сливались?

— Из того, как он говорил.

— Но, не различая слов, вы не могли определить, где слова начинаются, а где кончаются.

— Я думаю, что мог различить слова.

— Вы думаете или могли?

— Ну, точно я не уверен.

— Пока хватит, — улыбнулся Мейсон.

Бюргер махнул Овертону рукой, показывая, что тот пока может сесть на место.

— Вызываю Дальтона К. Бейтса.

Высокий худощавый мужчина вышел нервной походкой, был приведен к присяге и занял свидетельское место.

— Ваше имя?

— Дальтон К. Бейтс.

— Ваша профессия?

— Специалист по изготовлению искусственных глаз.

— Давно вы занимаетесь этим?

— С тех пор, как мне исполнилось пятнадцать лет. Я начал учеником в Германии.

— Есть какие-либо преимущества обучения этому делу в Германии?

— Да, сэр.

— А именно?

— Дело в том, что искусственные глаза изготовляются в двух городах Германии, а материалы и методы работы держатся в секрете. Поэтому в стране никогда не бывает дубликатов. Каждый глаз отличается от других.

— Где вы учились в Германии?

— Я начинал обучение в Висбадене.

— И долго длилось обучение?

— Пять лет.

— Чем вы занимались потом?

— Потом я десять лет работал с одним из лучших специалистов по изготовлению глаз. Затем я прибыл в Сан-Франциско и работал у Сиднея О. Ноулса. После этого открыл собственное дело.

Мейсон внимательно присмотрелся к свидетелю.

— Вы считаете этого человека экспертом? — обратился Мейсон к прокурору.

— Да, — коротко ответил Бюргер.

— Продолжайте, пожалуйста.

— Скажите, изготовление искусственных глаз — это узкоспециальная профессия?

— Да, сэр. В высшей степени.

— Вы можете в общих чертах описать нам, как изготовляются глаза?

— Да, сэр. Сначала выдувается стеклянный шарик. Потом его держат над огнем и придают нужную форму. Его цвет подбирают под цвет живого глаза. Радужную оболочку изображают на поверхности глаза, пока он не остыл. Если вы посмотрите на человеческий глаз, то увидите, что цвет оболочки состоит из множества различных оттенков. Наша задача — создать почти такой же эффект и на искусственном глазе. То же относится и к изображению кровеносных сосудов на поверхности глаза. Все это сугубо индивидуально и поэтому исключает повторяемость. В общем, здесь много специфических особенностей.

— Значит, это очень трудная профессия?

— Да.

— Вы могли бы поточнее объяснить, что значит узкоспециальная профессия? — задал вопрос Бюргер.

— Могу сказать вам следующее, — сказал Бейтс. — В Соединенных Штатах не более тринадцати человек могут считаться первоклассными специалистами в этой области. Чтобы изготовлять искусственные глаза, надо многому научиться, а именно: точной обработке материалов, умению различать цвета и оттенки на уровне художника и так далее. Подлинного успеха в изготовлении искусственных глаз может добиться лишь человек, обладающий мастерством художника и одновременно навыками опытнейшего стеклодува.

— Следовательно, всегда можно отличить работу одного мастера от работы другого?

— Во многих случаях — да.

— Я покажу вам искусственный глаз, он является вещественным доказательством «А». Этот глаз был найден в руке убитого мужчины. Я прошу вас внимательно осмотреть его. Нам нужно узнать, что вы сможете сказать относительно этого глаза.

Бейтс внимательно рассмотрел глаз, который ему протянул Бюргер, и кивнул:

— Да, я могу сообщить вам многое.

— Что именно? — спросил Бюргер.

Судья нахмурился и настороженно посмотрел на Мейсона, ожидая протеста. Но протеста не последовало, и он обратился к прокурору:

— Этот вопрос скорее должен был задать адвокат.

— Я не возражаю, — заметил Мейсон.

— Этот глаз, — начал Бейтс, — сделан очень опытным мастером. Мне кажется, я смогу сообщить вам его имя.

Он живет в Сан-Франциско. Это глаз, налитый кровью. Значит, он не предназначен для постоянного ношения. И еще. Его владелец имеет высокую кислотность тела.

— Как вы смогли это определить?

— Если вы внимательно рассмотрите этот глаз, то увидите на нем обесцвеченный кружок. Это след от глазницы. От соприкосновения с телом это место обесцветилось, но так как этот глаз носили редко, значит у человека высокая кислотность.

Бюргер повернулся к Мейсону.

— С вашего позволения, адвокат, я задам свидетелю несколько вопросов, — сказал он. — Я хочу узнать кое-что насчет другого глаза, который впоследствии был отдан на идентификацию. Этот был также найден, но у другого убитого, у Гарри Маклейна.

— Вы сомневаетесь, имеете ли право предъявить доказательства на одном процессе по двум преступлениям? — спросил судья.

— Нет, — ответил Бюргер. — Я предъявляю доказательства только против обвиняемых в убийстве Хартли Бассета. То, о чем я хочу спросить сейчас, нужно только для выяснения мотивов.

— Хорошо, но тогда ограничьтесь одной этой целью, — предупредил судья.

Бюргер достал другой конверт, вынул из него еще один искусственный глаз и положил на ладонь эксперту.

— Что вы можете сказать насчет этого глаза?

— Этот глаз не столь хорош, как первый. Это, я бы сказал, ремесленная поделка. Этот глаз не сделан по заказу, такие протезы вы можете найти у любого более или менее крупного оптика во всех больших городах.

— Почему вы считаете?

— По качеству изготовления видно, что этот глаз не предназначен быть парой какому-то определенному глазу.

— Можем ли мы использовать этот глаз для целей идентификации в качестве вещественного доказательства «Б»? — спросил Бюргер.

— Не возражаю, — ответил Мейсон.

— Принят для целей идентификации, — сказал судья. — Начнем перекрестный допрос.

— Зачем человеку нужен глаз, налитый кровью? — обратился к Бейтсу Мейсон.

— Видите ли, многие люди чрезвычайно чувствительны. Они хотят, чтобы не было заметно, что глаз искусственный. И носят разные глаза в зависимости от обстоятельств. У таких имеется глаз для вечернего времени, глаз для тех дней, когда они плохо себя чувствуют, и так далее.

— Иными словами, когда человек так подбирает себе глаза, трудно отличить естественный глаз от искусственного?

— Очень трудно.

— Почему необходимо носить специальный глаз вечером?

— Потому что зрачок изменяет размеры в зависимости от освещения. Днем зрачок меньше, потому что света больше, а вечером — наоборот.

— Значит, практически невозможно разоблачить обладателя хорошо изготовленного искусственного глаза?

— Да, если глаз хорошо сделан и при изготовлении учтена форма глазницы.

— Человек с таким глазом в состоянии поворачивать его?

— Да, конечно.

— Как держится искусственный глаз в глазнице?

— С помощью вакуума. Глаз вставляется таким образом, чтобы между глазницей и искусственным глазом воздух практически отсутствовал.

— Трудно ли вынуть такой глаз?

— Это совсем не сложно, нужно оттянуть веко и впустить воздух, тогда глаз легко снимается.

— Это может сделать человек, у которого такой глаз?

— Да. Надо только подальше оттянуть веко.

— Подальше?

— Да.

— Скажите, если человек с искусственным глазом совершает убийство, возможно, чтобы при этом глаз случайно выпал, если убийца, к примеру, наклонится над жертвой?

В зале наступила тишина. Все глядели на Бейтса.

— Практически это невозможно, — сказал Бейтс.

— Значит, если убийца вышел с пустой глазницей из помещения, где он совершил убийство, то он умышленно оставил свой глаз?

— Да. Это, разумеется, в том случае, если у него хорошо сделанный глаз.

— Это относится и к тому глазу, который вам показали здесь сначала? Найденному в руке у Хартли Бассета?

— Да.

— Этот глаз, по вашему мнению, хорошо изготовлен?

— Да, сэр. Я уже сказал, что он сделан специалистом.

— Это все, доктор, благодарю вас, — сказал Мейсон. Бюргер, нахмурив брови, наклонился вперед. Вид у него был озабоченный.

— Ваш следующий свидетель? — спросил судья.

— Мистер Джексон Селби.

Хорошо одетый мужчина в высоком крахмальном воротничке с важностью вышел вперед, поднял отлично наманикюренную правую руку, произнес клятву, потом подошел к креслу для свидетелей, сел, аккуратно поддернув брюки, и улыбнулся Бюргеру с видом человека, привыкшего исполнять свои обязанности не без изящества.

— Ваше имя? — спросил Бюргер.

— Джексон Селби. Управляющий Даунтаунской оптической компанией.

— Давно вы занимаете эту должность?

— Четыре года.

— Чем вы занимались до этого?

— Я работал в разных компаниях, но в должности старшего клерка. Управляющим стал с указанного времени.

— Имеется ли в вашей фирме запас искусственных глаз?

— Да, сэр. У нас есть большой запас.

— Эти глаза так же хороши, как говорил доктор Бейтс?

— Они сделаны вполне хорошо. Они разных цветовых оттенков, чтобы можно было подобрать под любой нормальный глаз.

— Есть ли у вас глаза, которые называют налитыми кровью?

— Нет, сэр.

— Почему?

— Потому что такие глаза изготавливаются индивидуально. Люди, приобретающие такие глаза, обычно прибегают к услугам крупных специалистов. Тогда как люди, которые пользуются нашими услугами, стараются купить подешевле. Изготовление индивидуального глаза дорого стоит.

— Скажите, но в особых случаях у вас все же можно заказать глаз, налитый кровью?

— Да, сэр, но только в исключительных случаях.

— Расскажите, пожалуйста, о процессе изготовления глаз, налитых кровью.

— Берется обычный глаз, и мастер добавляет окрашенные в красное вены, используя очень тонкое красноватое стекло, которое производится для этой цели.

— Скажите, у вас недавно заказывали такой глаз?

— Да, сэр.

— Я попрошу вас посмотреть на всех участников данного процесса и сказать, нет ли среди них человека, который делал такой заказ?

— Да, сэр, такой человек есть.

— Кто он?

Селби указал пальцем на Брунольда.

— Обвиняемый Брунольд и есть тот самый человек, — объявил Селби.

Весь зал повернулся к Брунольду. Он сидел прямо, сложив руки на груди. На лице его было отсутствующее выражение.

Зато Сильвия Бассет демонстрировала эмоции, которые так привлекают внимание репортеров — сочинителей сенсационных статеек: она прикусила губу и наклонилась вперед, чтобы видеть свидетеля, потом со вздохом откинулась назад.

— Когда он заказывал глаз? — спросил прокурор.

— Четырнадцатого числа этого месяца, в девять утра.

— В котором часу начинает работу ваша компания?

— В девять утра.

— Он пришел к открытию?

— Да, сэр.

— Как он объяснил такую спешку?

— Он сказал, что ему срочно нужен глаз, налитый кровью, так как свой он потерял.

— Объяснил ли он, когда это случилось?

— Да, сэр, накануне вечером.

— Он назвал время?

— Нет, сэр.

— Мистер Брунольд сказал вам, при каких обстоятельствах он потерял глаз?

— Да. Когда я пояснил ему, что мы не сможем сделать глаз в такой короткий срок, какой ему нужен, он рассказал мне свою историю, видимо, чтобы вызвать у меня сочувствие.

— Кто-нибудь присутствовал при разговоре?

— Только мистер Брунольд и я.

— Где происходил разговор?

— В приемной нашей компании.

— Что сказал вам мистер Брунольд?

— Он рассказал, что недавно встретил женщину, которую очень любит. Она замужем за другим человеком, очень ревнивым. Он сказал, что вечером был у нее и вдруг неожиданно в комнату постучал кто-то из слуг. Мистер Брунольд, по его словам, хотел поговорить с ее мужем, но женщина была против, так как их общий сын был усыновлен ее мужем. Он сказал, что женщина прикинулась, будто принимает ванну, чтобы задержать появление слуги в комнате и дать Брунольду возможность выпрыгнуть в окно и убежать. Глаз же, налитый кровью, лежал у него в жилетном кармане, и он уронил его, выбираясь из окна. Мистер Брунольд опасался, что ее муж найдет глаз и узнает его владельца. Так что теперь одна надежда на то, чтобы приобрести глаз вместо утерянного, и тогда можно будет говорить, что он никогда не терял свой глаз. Он боялся, что в результате пострадает женщина.

— Правда ли, что человек, который вам это рассказал, и обвиняемый Питер Брунольд — одно лицо?

— Да, сэр.

Бюргер торжествующе улыбнулся:

— Ваше слово, адвокат.

Перри Мейсон поднялся, уверенным шагом ⌐
помещение, подошел к судейскому столу и обрати ⌐
прокурору:

— Покажите мне, пожалуйста, второй глаз, который объявлен вещественным доказательством «Б».

Бюргер передал ему глаз в конверте со штампом и предупредил:

— Пожалуйста, потрудитесь вернуть мне его именно в этом конверте, советник.

— Разумеется, — сказал Мейсон. — Я, как и вы, не заинтересован в том, чтобы глаза перепутались, хотя благодаря проведенной вами экспертизе вряд ли такое возможно. Но один вопрос я все же задам свидетелю. Мистер Селби, пожалуйста, скажите, мистер Брунольд приобрел этот глаз у вас?

Селби покачал головой, губы его сложились в самодовольную улыбку:

— Нет, сэр, это не наш глаз.

— То есть? — спросил Мейсон.

— Дело в том, сэр, — пояснил Селби, — что мы отказали мистеру Брунольду в его просьбе. Он приходил, сказал, что ему нужен глаз, объяснил причины своей просьбы. Но мы отказались делать глаз. Заказчик, несомненно, мог обратиться в другую фирму...

Глава 15

Пол Дрейк с трудом протискивался сквозь толпу зрителей, пока не добрался до места, с которого был виден Мейсон. Когда их взгляды встретились, Пол подмигнул, и Мейсон направился в угол, где в какой-то степени можно было уединиться. Пол последовал за ним.

— Ну, я свою работу сделал, — сказал Пол. — Ты видел газеты?

— Нет, — ответил Мейсон. — А что случилось?

Пол открыл кейс, достал только что отпечатанную, еще сырую газету и с хитрой ухмылкой протянул ее Мейсону:

— Она расскажет тебе не так хорошо, как я, но сейчас будет лучше, если ты познакомишься с тем, что в ней написано.

Мейсон не сразу принялся читать газету. Он сложил ее, сунул под мышку и обратился к Полу:

— Когда ты вернулся?

— Я нанял самый быстрый самолет, какой смог найти в Рино. Мы летели со скоростью двести миль в час, если не больше.

— Телеграммы идут быстрее. Как случилось, что они так быстро заполучили новости?

— Парни из Рино пытались взять это под контроль. Они разработали целый план к тому времени, как я удрал. Они хотели полного признания и не собирались публиковать новость, пока его не получат.

— И получили?

— Не знаю.

— Ну хорошо, — сказал Мейсон, — кто и в чем должен был признаваться?

— Хейзл Фенвик, — ответил Пол, пряча глаза.

Один из присяжных с полудюжиной газет под мышкой прошел в зал суда, подошел к прокурору и протянул ему газету. Бюргер раскрыл ее, нахмурился и погрузился в чтение.

— Насколько плохо ты это оцениваешь, Пол?

— Очень.

— Ну так расскажи мне все.

— Ты лучше прочти.

— Прочесть я могу то, что они всучили публике. Я хочу знать, как ты завалил работу.

— Я и сам не знаю, — удрученно сказал Пол. — Я следовал твоей инструкции. Взял билет на самолет, полетел в Рино. Прибыв туда, я пошел на телеграф, получил телеграмму от Деллы, которую и сунул в карман пиджака. Потом снял номер в гостинице и повесил пиджак на стул. Ко мне пришел коридорный и стал интересоваться, нужны ли мне еще полотенца и тому подобное. То есть Перри, я тогда посчитал, что он и вправду коридорный.

— Продолжай, — зловеще сказал Мейсон. — Что дальше?

— В то время я ничего не знал. Но потом, когда я стал искать телеграмму, то не смог ее найти.

— Дальше.

— Честное слово, Перри, я хорошо замел следы. Я и не думал, что за мной следят в самолете.

— Пассажиров было много?

— Да, самолет был переполнен.

— А кто-нибудь пытался разговаривать с тобой?

— Да, двое мужчин: у них была бутылка и они хотели угостить меня. Когда я отказался, вдруг появилась какая-то кукла. Она была немного напугана, так как впервые летела на самолете.

— Что она делала?

— Улыбалась мне, а когда самолет тряхнуло, она упала мне на колени... Ты сам знаешь, как случаются такие вещи...

— Вы разговаривали?

— Немного, в самолете было шумно. Но я угостил ее выпивкой в Сакраменто.

— Там вы разговаривали?

— Немного.

— Ты сказал ей, кто ты?

— Я назвал свое имя.

— Говорил, чем занимаешься?

— Нет.

— Дал ей свою визитку?

— Нет.

— Вообще говорил ей что-нибудь?

— Ничего вразумительного.

— О чем вы говорили?

— Я не помню, Перри. Я просто о чем-то болтал. Я думал, что она кинозвезда и летит в Рино разводиться. Мне кажется, что я видел ее на экране, но поскольку я редко бываю в кино, то не уверен.

— Она подсадная утка.

Дрейк воскликнул в раздражении, как человек, в значительной степени утративший уважение к себе:

— Само собой! Какого черта? Думаешь, я такой идиот, что не догадался? Но в тот момент не сообразил. Ты хотел знать все, что произошло, и я рассказываю.

— Что было дальше?

— Я спустился вниз и выпил, а потом взял машину и поехал по адресу.

— По дороге ты не взглянул на телеграмму?

— Нет, я ее прочел, как только получил, и запомнил адрес.

— Продолжай.

— Я нашел этот многоквартирный дом. Позвонил по домофону, и она открыла дверь, даже ни слова не сказав в переговорную трубу. Я сел в лифт и поднялся. Такой, знаешь, скрипучий автоматический лифт.

— Знаю, — нетерпеливо проговорил Мейсон. — Давай дальше.

— Пошел по коридору, он был плохо освещен, пришлось включить фонарик, чтобы разглядеть номер квартиры. Постучал. Она открыла. Бумаги я не сразу вытащил из кармана. Заговорил самым приятным голосом и состроил самую обаятельную улыбку.

— Что ты сказал?

— Я спросил, не она ли Хейзл Фенвик. Она сказала, что нет. Я удивился и спросил: может быть, она Хейзл Бассет? Она вновь ответила отрицательно. Я молча смотрел на нее. Потом сказал, что должен передать бумаги Хейзл Фенвик или Хейзл Бассет. Она заявила, что ее имя Тельма Бевинс, но бумаги, которые находятся у меня, я должен отдать ей. Она выглядела точно так, как описано в газетах. Ты теперь понимаешь, что это игра. Я отдал ей бумаги и тотчас услышал, как открылась дверь напротив. Я посмотрел и увидел, что там полно мужчин. В общем, я отдал ей бумаги и ушел. Вскоре я понял, что случилось, но было слишком поздно. Я поискал телеграмму, но в кармане ее не оказалось. Эти парни работали профессионально. Они использовали коридорного, видимо заранее зная, кто я и зачем приехал. Один из них устроился на пожарной лестнице прямо напротив ее окна, и, разбив стекло, просунул камеру, и снял момент передачи ей бумаг.

— Репортеры?

— Репортеры и копы. Нет, Перри, в этом городе не стоит ошибаться.

— Что сделали полицейские?

— Один из них попытался влепить мне свинг в челюсть, но я успел увернуться и ответил тем же. Ее схватили, я это увидел, в этот момент бумаги были у нее в руках. Я сунул их ей, как только увидел, что местечко становится модным. Знаешь, Перри, это самая удивительная женщина на свете: она была совершенно спокойна.

— Тебе известно, что случилось потом?

— Да, я слышал, как ее тащили по коридору и всю дорогу допрашивали. Пытались узнать, кто послал ее в Рино, кто дал ей бумаги.

— Что она говорила?

— Ничего. Она отказалась отвечать на вопросы, пока не получит адвоката.

— Дальше.

— Я понял, что у нее попытаются выудить все, что она знает. Я пошел на аэродром и прилетел сюда.

Мейсон открыл газету и прочел:

«Таинственная свидетельница найдена в Рино! Признания получены местным адвокатом. Окружной прокурор сообщает, что дело будет слушать Большое жюри».

Мейсон медленно сложил газету.

— Очень жаль, Перри, — сказал Пол.

— Почему?

— Потому что ты впутался в это дело. Ты сам знаешь, что бабенка расколется, если уже не раскололась. И она им все выложит.

— Скажи, Пол, она настаивает, чтобы ее дело слушалось в Неваде?

— Не знаю.

— Осторожнее, — сказал ему Мейсон. — Здесь прокурор.

Холодно улыбаясь, к Мейсону подошел Бюргер и заговорил с видом человека, который играет со своей жертвой, словно кошка с мышью:

— Если вы не будете возражать, адвокат, я отложу это дело на некоторое время, пока не соберется Большое жюри.

— Вы не могли бы передать его для Большого жюри одному из своих заместителей? Тогда мы продолжили бы слушание.

— Не стоит. К тому же я уверен, что для вас это не составит разницы. Не исключено, что и вам придется предстать перед Большим жюри в связи с поимкой этой Хейзл Фенвик в Рино.

— О! — воскликнул Мейсон. — Значит, она уже здесь?

— Пока еще нет, но скоро будет.

— И она была в Рино?

— Вы не хуже моего знаете, что она была в Рино. Она сказала офицерам, что вы оплатили ей поездку в Рино. Она во многом призналась. Она утверждает, что ее имя Тельма Бевинс. Вымышленное имя, под которым она зарегистрировалась в Рино. Она так и сказала парням из Рино. Ее еще не трогали. Она запоет по-другому, когда я заполучу ее сюда и проведу дознание.

Началась деловая суета. Судья Уинтерс занял свое место. Удар молотка призвал присутствующих к молчанию. Судья поглядел на Перри Мейсона. У него было строгое выражение лица. Он не стал распространяться насчет прочитанного в газетах, но тон его голоса стоил многих томов, когда он обратился к Мейсону:

— Вы желаете продолжать, адвокат?

— Да, ваша честь, — ответил Мейсон.

Глава 16

Судья Уинтерс кивнул прокурору:

— Продолжайте процесс.

Бюргер повернулся к помощнику шерифа и тоже кивнул. Тот приблизился к Перри Мейсону, протягивая свернутую бумагу.

— Ваша честь, — обратился прокурор к судье, — в связи с возникшими необычными, хоть и не слишком неожиданными обстоятельствами в этом деле, которые, в свою очередь, имеют отношение, пусть и не прямое, еще к одному делу, я прошу вас отложить слушание на некоторое время, приблизительно на час.

Судья Уинтерс нахмурился.

— Моя просьба объясняется тем, ваша честь, что это дело будет расследовано Большим жюри и мне придется в нем участвовать.

— У защиты есть возражения? — спросил судья.

Но прежде чем Мейсон смог ответить, прокурор, повысив голос, сказал:

— У защиты не может быть возражений, потому что первым свидетелем, которого пригласят на заседание

Большого жюри, будет Перри Мейсон, адвокат обвиняемых.

— Ваша честь, в этом замечании нет необходимости, — спокойно сказал Мейсон. — У меня в руках повестка на Большое жюри, которая по указанию прокурора была заранее подготовлена помощником шерифа. Это сделано для того, чтобы суд и зрители знали, что я вызван в качестве свидетеля на Большое жюри. Правильнее было бы назвать это большим спектаклем.

Судья был в нерешительности, а Бюргер снова встал и сказал:

— Я вижу, что вы готовы подать блюдо, но не можете его съесть.

Судья ударил молоточком:

— Прекратите, прокурор. Я запрещаю вам нападки. Суд продолжается, джентльмены.

Мейсон, держа в руке повестку, окинул взглядом присутствующих в зале суда. Поймал встревоженный, застывший взгляд Деллы Стрит. Она выразительно помахала ему газетой. Перри почти незаметно кивнул ей и подмигнул.

— Ваш следующий свидетель? — спросил судья прокурора.

— Джордж Парли, — объявил прокурор.

Пока Парли приносил присягу, Бюргер обратился к Мейсону:

— У Парли высокая репутация эксперта по графологии. Он много лет сотрудничал с управлением полиции.

— Я принимаю к сведению квалификацию мистера Парли, — ответил Мейсон. — Хотел бы его подвергнуть перекрестному допросу.

Прокурор кивнул и благодарно улыбнулся Мейсону.

— Ваше имя — Джордж Парли, и в настоящее время вы являетесь экспертом полиции по графологии?

— Да, сэр.

— Четырнадцатого числа этого месяца вы были в доме Хартли Бассета?

— Да, сэр.

— Вероятно, вы видели там тело убитого?

— Да, сэр.

— И вы заметили там портативную пишущую машинку, стоявшую на столе возле убитого?

— Да, сэр.

— И вы видели в этой машинке лист бумаги, на котором было что-то напечатано?

— Да, сэр.

— Я предъявляю вам листок и прошу сказать, тот ли самый это листок.

— Это он.

— Проводили вы тесты с целью определить, был ли текст напечатан на той машинке, в которой нашли листок?

— Да. Текст, вложенный в машинку, был отпечатан на другой машинке, которую мы также нашли в том доме.

— Где именно?

— В спальне миссис Бассет, обвиняемой по этому делу.

— Говорила ли она в вашем присутствии, что эта машинка принадлежит ей?

— Да, сэр.

— Что она сказала?

— Она сказала, что эта машинка ее и она печатает на ней свою личную корреспонденцию. Иногда она печатает сама, а иногда пользуется услугами стенографиста своего мужа.

— Она упоминала о своей квалификации машинистки?

— Да, сэр. Она сказала, что долго работала машинисткой и печатала по десятипальцевой системе, другими словами — вслепую.

— Что это значит?

— Это значит, что человек не смотрит на клавиши машинки и его руки работают автоматически.

— Можете ли вы определить, что печатавший пользовался именно этим методом?

— Да, сэр. Во время печатания требуется определенная сила ударов по клавишам. При работе двумя пальцами сила удара различна, и следы этого отчетливо видны на тексте.

— По-вашему, записка была напечатана человеком, умеющим печатать вслепую?

— Да, сэр. Кроме того, текст был отпечатан на портативном «Ремингтоне», который находился в спальне миссис Бассет.

— Ваша очередь, Мейсон, — сказал прокурор.

— Если я вас правильно понял, — сказал Мейсон, — записка была напечатана на машинке, находившейся в спальне миссис Бассет. После этого записку отнесли в комнату, где было найдено тело убитого, и вставили в машинку. Это верно?

— Да, сэр.

— Спасибо, это все.

Судья Уинтерс сделал пометку в своей записной книжке и кивнул Бюргеру:

— Следующий свидетель, прокурор.

— Артур Коулмар, — объявил прокурор.

Коулмар вышел, поглядывая на окружающих с некоторым удивлением в серых глазах, принял присягу и сел в кресло для свидетелей.

— Ваше имя — Артур Коулмар?

— Да, сэр.

— Род занятий? Кто был вашим нанимателем?

— Я работал секретарем у мистера Бассета.

— Как долго вы работали у него?

— Три года.

— Когда вы в последний раз видели его?

— Четырнадцатого числа этого месяца.

— Вы видели его живым или мертвым?

— Мертвым.

— Где он находился?

— В своем кабинете.

— Расскажите подробно, как это произошло.

— Я был на спектакле. Вернувшись домой, я застал всех в растерянности. Я спросил, в чем дело, и мне сказали, что мистер Бассет умер. Кто-то провел меня в кабинет, и я увидел его.

— Я считаю, что состав преступления доказан, — заявил Бюргер, — и не хочу останавливаться на описании факта смерти. Я намерен с помощью этого свидетеля показать другие факты.

Судья кивнул. Мейсон промолчал.

Бюргер продолжал допрос свидетеля:

— Вы, конечно, близко знакомы с обвиняемой, миссис Бассет?

— О да, сэр.

— Контора мистера Бассета находилась в его же доме?

— Это одно здание, сэр.

— И мистер Бассет занял под контору восточную часть здания?

— Да, сэр, нижний этаж восточной стороны.

— А где вы жили?

— Я жил наверху, в задней части здания.

— Где вы работали?

— В той части здания, где находилась контора мистера Бассета.

— Часто ли вам приходилось разговаривать с миссис Бассет?

— Часто.

— Приходилось ли вам разговаривать с ней о страховании жизни мистера Бассета?

— Да, сэр.

— Когда был такой разговор?

— Возражаю против этого вопроса как некомпетентного и не относящегося к делу, — заявил Мейсон.

— Отклонено, — холодно сказал судья.

— Ваша честь, с помощью свидетеля я в состоянии доказать мотивы.

— Отклоняю возражение, — повторил судья. — Более того, суд не может считать подобный вопрос не относящимся к делу. Практика показывает, что мотив выгоды — один из самых существенных в делах об убийстве. Если обвинение может установить подобный мотив, ему несомненно следует это сделать.

Мейсон пожал плечами и сел на свое место.

— Этот разговор состоялся за три дня до смерти мистера Бассета, — ответил свидетель.

— Кто присутствовал при этом?

— Миссис Бассет, Ричард Бассет и я.

— Где происходил разговор?

— В холле наверху, возле спальни миссис Бассет.

— Что было сказано?

— Она спросила, хорошо ли я знаю дела мистера Бассета, и я ответил, что хорошо. Ее интересовало, на какую сумму застрахована жизнь мистера Бассета. Я ответил, что с этим вопросом она должна обратиться к самому мистеру Бассету. Она попросила меня не говорить глупостей и сказала, что жизнь мистера Бассета была застрахована по ее настоянию. Насколько я помню, она сказала: «Вы же знаете, Коулмар, что страховка записана на мое имя. Разве нет?» И тогда я ответил: «Конечно, миссис Бассет, поскольку вы знаете это, мне нет нужды опровергать вас. Но о подробностях страховки вам надо разговаривать с мистером Бассетом». Она сказала, будто думает, что мистер Бассет платит слишком много денег за страховку, и хочет просить его избавиться от нескольких полисов.

— Она сказала точно, от скольких?

— Нет, сэр.

— Что именно вы подумали, когда узнали о том, что мистер Бассет?..

— Протестую против подсказки ответа свидетелю, — заявил Мейсон. — Теперь этот человек будет показывать против моих клиентов. Слова сказаны за него.

— Протест принят, — объявил судья.

— Тогда скажите, — продолжал Бюргер, — знакомы ли вы с Питером Брунольдом, обвиняемым по этому делу?

— Да, сэр.

— Когда вы с ним познакомились?

— Дней семь или десять назад.

— Как это произошло?

— Он вышел из дверей дома, когда я туда входил. Он сказал мне, что пришел к мистеру Бассету, но не застал его. Его интересовало, когда вернется мистер Бассет.

— Что вы ответили?

— Я сказал, что мистер Бассет вернется очень поздно.

— И Брунольд сразу же ушел?

— Да, сэр.

— А откуда вы возвращались?

— Я выполнял поручение мистера Бассета.

— Вы пользовались машиной Бассета?

— Да, большим седаном.

— Тогда вы впервые видели Брунольда?

— Да, сэр.

— А после этого вы видели Брунольда?

— Да, сэр.

— Когда?

— Вечером перед убийством.

— Что он делал?

— Я видел, как он выбежал из дома.

— Вы имеете в виду дом мистера Бассета?

— Да, сэр.

— Чтобы не было недоразумений, я спрашиваю вас: говоря о доме, вы имеете в виду дом, где находилась контора мистера Бассета и где он жил?

— Да, сэр.

— И вы утверждаете, что видели, как мистер Бассет выбежал из дома?

— Совершенно верно.

— Когда это было?

— Я только что вернулся домой со спектакля.

— Как вы возвращались?

— Пешком.

— Вы разговаривали с мистером Брунольдом?

— Нет, сэр. Мистер Брунольд не видел меня. Он пробежал мимо меня на другую сторону улицы.

— Вы ясно видели его?

— Сначала я его не узнал, но, когда он пробежал под фонарем, я ясно увидел, что это он.

— Что было потом?

— Я подошел к дому и понял, что случилось что-то неожиданное. Я увидел в окнах мелькающие фигуры, все двигались очень быстро.

— Узнали вы кого-нибудь?

— Я узнал миссис Бассет и ее сына Ричарда Бассета.

— Что они делали?

— Они над чем-то наклонились в приемной. Потом миссис Бассет побежала и позвала Эдит Брайт. Я видел, как Эдит Брайт выбежала из своей комнаты и появилась в приемной.

— Что вы сделали потом?

— Я вошел и спросил, что произошло и могу ли я помочь. Я заметил, что кто-то лежит на кушетке. Я подумал, что это мистер Бассет. Миссис Бассет загородила мне дорогу и вытолкнула меня из комнаты. Сказала, чтобы я удалился в свою комнату и оставался там.

— И как вы поступили?

— Я повиновался и ушел к себе.

— Перекрестный допрос, — сказал Бюргер Мейсону.

— Позже вы были в кабинете и опознали тело мистера Бассета? — спросил Мейсон.

— Да, сэр.

— В таком случае, не слышали ли вы о том, что молодая женщина, которая лежала на тахте, когда вы впервые появились в приемной, могла бы опознать мужчину, который выбежал из комнаты?

— Да, сэр. Я слышал, что есть такая свидетельница.

— Она находилась в темной комнате, но луч света упал через ее плечо и осветил лицо мужчины, с которого она сорвала маску.

— Да, сэр.

— Я протестую, — заявил Бюргер. — Вы пытаетесь выдать слухи за истину. Нельзя принимать в расчет то, что говорила Хейзл Фенвик.

— Я имею право узнать у свидетеля, что случилось после того, как он вошел в дом.

— Но только с целью напоминания, а не установления того, что произошло.

— Именно такова цель моих вопросов.

— Хорошо, я понимаю вас, — сказал Бюргер, — и снимаю свое возражение.

Мейсон повернулся к Коулмару:

— В таком случае скажите, если человек надел маску, значит, он хотел скрыть свое лицо?

— Адвокат, это наводящий вопрос, — заметил судья.

— Я не возражаю, — сказал Бюргер.

— Благодарю вас, — сказал Мейсон. — Это предварительные вопросы. Я только хотел кое-что спросить у свидетеля в порядке подготовки к последующим вопросам.

— Продолжайте, адвокат, — сказал судья, — обвинение не возражает.

— У вас не вызывает сомнения, что человек надевает маску, чтобы скрыть характерные черты лица. Какой же смысл выставлять напоказ свою пустую глазницу?

— Я не знаю, сэр.

— Я только хочу спросить, не произвела ли на вас эта часть рассказа Хейзл Фенвик подозрительное впечатление?

— Нет, сэр.

— Очевидно, что фатальный выстрел был произведен из пистолета, накрытого одеялом, чтобы заглушить звук, не так ли?

— Я пришел к такому выводу, сэр.

— Но ведь совершенно ясно, — продолжал Мейсон, — что человек в маске и со свернутым одеялом под мышкой не мог войти в кабинет и близко подойти к мистеру Бассету, не вызвав у него тревоги. Вы согласны с этим?

— Согласен.

— Однако по положению тела, в котором оно было найдено, можно утверждать, что мистер Бассет сидел за столом и просто повалился вперед, когда его неожиданно застрелили. Он не сделал попытки сопротивляться, не пытался достать свой пистолет, находившийся у него в кармане. Это так?

— Ваша честь, — перебил Бюргер, — эти вопросы наводящие и предположительные. Свидетель не эксперт и...

Мейсон вежливо улыбнулся.

— Полагаю, что мой соперник прав, — сказал он.

По залу прокатилось волнение.

— Ваша честь, вы понимаете, — возвысил голос Мейсон, — что свидетель ставит обоих обвиняемых в компрометирующее положение. Следовательно, я имею право узнать мотивы, которыми он...

Волнение в зале все росло. Какой-то мужчина крикнул:

— Мы полицейские! Убирайтесь!

Судья ударил молотком и сердито посмотрел в зал.

Бюргер встал со своего места.

Перри Мейсон тоже встал и, опережая Бюргера, громко произнес:

— Ваша честь, я требую внимания свидетеля и судей. Если по каким-либо причинам это невозможно, я требую, чтобы свидетель был удален, пока мне не будет дана возможность допросить его в спокойной обстановке.

— Если суд позволит, — ровным голосом произнес Бюргер, — то я намерен предложить то же самое. То есть я предлагаю отозвать свидетеля...

Судья продолжал стучать молотком.

— К порядку! — рявкнул он. — Если не установится тишина, я прикажу очистить зал!

— Я — полицейский! — крикнул мужской голос из глубины зала.

— Меня не интересует, кто вы, — ответил ему судья. — Вы будете оштрафованы за оскорбление суда. Заседание продолжается.

— Позвольте же обратиться к суду, — вежливо, но очень твердо продолжал настаивать Бюргер. — Я совершенно убежден, что данный свидетель должен быть отозван. Я об этом настоятельно прошу. В зал суда входит наиболее важная свидетельница. Я хочу ее допросить, и, когда я это сделаю, мне, как я полагаю, уже не нужно будет приглашать еще каких-либо свидетелей. Возможно, за исключением тех, кто необходим для определения соучастия в преступлении миссис Бассет. Считаю, что данная свидетельница поможет окончательно решить вопрос об обвинении против Брунольда.

— Возражаю против этого утверждения, как неверного и дискуссионного, — громко заявил Мейсон.

Бюргер, покраснев, воскликнул:

— Вы просто пускаете дымовую завесу, чтобы отвлечь внимание от себя. А у вас есть о чем беспокоиться в данный момент...

— К порядку! — прервал его судья Уинтерс. — Я предлагаю навести порядок в зале суда и прекратить личные выпады сторон. В противном случае потребую очистить зал!

Наступила тишина. Бюргер, все еще с багровым лицом, проговорил сдавленным голосом:

— Ваша честь, я забылся. Приношу суду свои извинения.

— Ваше извинение не принято, — строго сказал судья. — Суд предостерегает вас против личных выпадов по адресу защитника. Чего вы хотите?

Бюргер овладел собой с видимым усилием:

— Я хочу отозвать мистера Коулмара, чтобы вызвать другого свидетеля. Но до этого я прошу, чтобы сделали небольшой перерыв.

— Если прокурор собирается допросить свидетельницу здесь, — сказал Мейсон, — он обязан сделать это без предварительного допроса наедине с ней.

— Ваша честь, — сказал Бюргер, — это враждебно настроенная свидетельница. Она скрывалась от юрисдикции суда, но ее информация весьма ценная.

— Вы имеете в виду Хейзл Фенвик? — спросил судья.

— Да, ваша честь.

Судья Уинтерс кивнул:

— Мистер Коулмар, вы свободны. Прошу мисс Фенвик подойти сюда.

— Ваша честь, все проходы заняты, — сказал Бюргер.

— Освободите проходы! — приказал судья.

— Если бы можно было сделать небольшой перерыв, — сказал Бюргер, — то...

Судья помолчал, но все же объявил:

— Суд объявляет перерыв на пять минут.

В это время по освободившемуся проходу шли двое, а между ними женщина с очень бледным лицом.

Судья с любопытством взглянул на нее, а потом через дверь с черными портьерами удалился в свою комнату. Все присутствующие смотрели на стройную, хорошо сложенную женщину с темными волосами. Она бросила умоляющий, испуганный взгляд на Перри Мейсона, но тут же отвела глаза. Полицейские провели ее вперед. Кто-то открыл дверцу в ограждении из красного дерева, и женщина прошла к месту, отведенному для юристов. Бюргер встретил ее любезной улыбкой. Те, кто сидел в задних рядах, старались вытянуть шеи, чтобы получше ее рассмотреть. Кто не мог увидеть, прислушивались. Бюргер пошел ей навстречу, взял ее за руку и отвел в угол зала по соседству со скамьей репортеров. Он сел рядом с ней и стал что-то шептать, но она упрямо молчала, покачивая головой и искоса поглядывая на Мейсона.

— Клянусь Богом, — угрожающе прохрипел Бюргер, так что его услышал весь зал, — я поставлю вас на свидетельское место, приведу к присяге и заставлю говорить. Здесь идет предварительное слушание. Если вы солжете, я обвиню вас в лжесвидетельстве, и судья засадит вас в тюрьму.

Она молчала. Бюргер через весь зал поглядел на Мейсона, который спокойно курил сигарету. Бюргер достал часы и произнес все тем же хриплым голосом:

— Даю вам шестьдесят секунд на размышление, — сказал он. — Вы должны сказать мне правду.

Тельма Бевинс, бледная, молча смотрела на Бюргера, а тот глядел на часы.

В комнату зашел какой-то репортер и навел на Тельму Бевинс фотоаппарат.

— Не смейте этого делать! — рявкнул прокурор.

Мейсон с иронической улыбкой наблюдал за ним.

— Сейчас перерыв, а не заседание суда, — огрызнулся репортер и начал быстро прокладывать себе путь через толпу, унося свой трофей.

Бюргер сунул часы в карман.

— Хорошо, — сказал он Тельме Бевинс. — Вы сами постелили себе постель. Теперь укладывайтесь на нее.

Она промолчала, сделав вид, что не слышит его, и, по-прежнему прямая, стояла, словно мраморное изваяние.

Из своей комнаты вышел судья Уинтерс:

— Заседание суда будет продолжено. Джентльмены, вы готовы?

— Вполне готов, — ответил Мейсон.

— Хейзл Фенвик, займите место свидетеля, — сказал Бюргер.

Она не двинулась с места.

— Вы слышите меня? — крикнул Бюргер. — Идите на место. Поднимите правую руку и поклянитесь, что будете говорить правду. После этого можете сесть.

— Мое имя не Хейзл Фенвик.

— Как же вас зовут?

— Тельма Бевинс.

— Хорошо, пусть будет Тельма Бевинс. Поднимите правую руку, присягните, а потом займите свидетельское место.

Весьма неохотно она повиновалась. Клерк принял у нее присягу. Она подошла к скамье свидетелей и села.

— Как вас зовут? — громко спросил Бюргер.

— Тельма Бевинс.

— Но вы пользовались когда-либо именем Хейзл Фенвик?

Она решительно молчала.

— Мисс Бевинс, — сказал Мейсон, — если вы не хотите отвечать на этот вопрос, можете не отвечать.

Бюргер повернулся к нему:

— Так вы еще и ее адвокат?

— С того момента, как вы спросили, да.

— Это ставит вас в весьма сомнительное положение, особенно в связи с ее исчезновением из штата.

— Благодарю вас, прокурор, — поклонился Мейсон. — Я сам в состоянии оценить последствия своих поступков. Повторяю, мисс Бевинс, у вас нет необходимости отвечать на этот вопрос.

— Но ей нужно ответить на него, — сказал Бюргер. — Я вам задал вопрос, — повернулся он к девушке. — Это вопрос по существу, и я жду вашего ответа.

Судья кивнул:

— Заметьте, адвокат Мейсон, что только суд решает, на какие вопросы следует отвечать, а на какие нет. Этот вопрос по существу, и она должна на него ответить. В противном случае я обвиню ее в неуважении к суду.

Мейсон успокоительно улыбнулся Тельме:

— Вы можете не отвечать.

Судья издал удивленное восклицание. Бюргер с любопытством смотрел на Мейсона.

— Вы можете не отвечать на вопросы, — спокойно пояснил Мейсон, — если вы чувствуете, что ваши ответы могут быть обращены против вас. Если вам необходимо отказаться, то вы должны сказать следующее: «Я отказываюсь отвечать, пользуясь конституционным правом не отвечать на вопросы, которые могут быть направлены против меня». Когда вы так скажете, никто в мире не сможет заставить вас говорить.

Тельма Бевинс улыбнулась Мейсону и громко сказала:

— Я отказываюсь отвечать, пользуясь конституционным правом не отвечать на вопросы, которые могут быть направлены против меня.

В зале наступила мертвая тишина. Наконец послышался вздох Бюргера.

— Вы были в доме Бассетов, когда произошло убийство? — задал он новый вопрос.

Тельма посмотрела на Мейсона.

— Откажитесь отвечать на вопрос, — посоветовал ей Мейсон.

— Каким образом ответ на подобный вопрос может быть обращен против свидетельницы? — обратился Бюргер к судье.

Мейсон пожал плечами:

— Если я правильно понимаю юридические права, то дело свидетеля решать, на какой вопрос отвечать, а на какой — нет. Объяснение, которого требует прокурор, может тоже быть обвиняющим, и даже в большей степени, чем ответ.

Тельма Бевинс поняла намек юриста:

— Повторяю, я отказываюсь отвечать на подобные вопросы.

Судья откашлялся, но ничего не сказал. Бюргер бросился в атаку с другой стороны.

— Вы знаете Перри Мейсона? — спросил он.

— В этом вопросе нет ничего страшного, — вмешался судья,— и суд ждет ответа.

— Знаю, — сказала девушка и смущенно посмотрела на Мейсона.

— Вы поехали в Неваду по предложению Перри Мейсона?

Девушка обратила к адвокату вопрошающий взгляд.

— Я объяснил ей ее конституционные права, — сказал юрист. — Но для пользы дела я разъясняю, что именно я навел девушку на мысль поехать в Рино и оплатил ее проезд.

Если бы окружного прокурора внезапно хватили мокрым полотенцем по лицу, он, наверное, удивился бы меньше.

— Что вы сказали? — спросил он.

— Я оплатил этой девушке поездку в Рино, — сказал Мейсон, — и оплачивал ее издержки, пока она была там.

— И вы выступаете в качестве ее защитника?

— Да.

— И вы советуете ей отказываться отвечать на вопросы?

— Как вы видите, она выполняет мои рекомендации.

Бюргер внимательно посмотрел на свидетельницу.

— Давно вы знаете Ричарда Бассета?

— Откажитесь отвечать на этот вопрос под тем же предлогом, — сказал Мейсон.

Судья Уинтерс наклонился вперед и поглядел на Мейсона:

— Вы знаете, адвокат, суд начинает склоняться к тому, что вы стараетесь убедить свидетеля не отвечать на вопросы не потому, что они ей угрожают, а потому, что эти вопросы угрожают вам. Суд впервые сталкивается с подобным казусом и предоставляет вам удобный случай для объяснения.

— Мне предоставляется такая возможность? — спросил Мейсон.

— Да, конечно, — спокойно сказал судья.

— Хорошо, — сказал Мейсон, — при данных обстоятельствах я буду вынужден сделать заявление, ваша честь, хоть я и надеялся, что мне не придется его делать. В ту ночь, когда был убит Хартли Бассет, одна молодая женщина находилась в приемной. Неожиданно из кабинета вышел человек в маске. Маска была сделана из копировальной бумаги. В ней были вырезаны два отверстия для глаз, хотя через одно из них была видна пустая глазница.

— Адвокат, — резко произнес судья, — имеет ли это отношение к женщине на свидетельском месте и причинам, по которым она не отвечает на вопросы?

— Ваша честь, — сказал Мейсон, — суть не в этом, а в том, почему я советую женщине не отвечать на вопросы. Я собираюсь прояснить дело, и тогда ваша честь убедится, насколько существенно все, о чем я говорю, хотя кое-что может оказаться спорным.

— Хорошо, — сказал судья, — продолжайте.

— Она вскрикнула. Мужчина ударил ее. Она сорвала с него маску и успела рассмотреть черты его лица, тогда как из-за особенностей освещения он был лишен этой возможности. Он ударил ее еще раз и, видимо, думал, что убил ее. Потом он скрылся. Итак, ваша честь, она единственная живая свидетельница, видевшая в лицо человека, который выбежал из комнаты сразу после совершения убийства.

— Ваши аргументы убедили меня в том, — сказал судья, — что попытка скрыть эти показания является серьезным нарушением, а вдвойне серьезным нарушением было сокрытие свидетельницы от юрисдикции суда.

— В настоящее время я не собираюсь обсуждать сложившиеся обстоятельства, я только пытаюсь объяснить, почему мисс Бевинс не должна отвечать на вопросы, которые могут быть поставлены ей в вину.

— Это поразительная ситуация, — сказал судья.

— Я и не утверждаю обратного, — сказал Мейсон, — мне лишь необходимо ваше согласие предоставить мне время и возможность сделать разъяснение.

— Хорошо, сделайте его, — сказал судья.

— Очевидно, маска была придумана наспех, так сказать импровизированно. Тот, кто вошел в комнату Бассета, заранее задумал убийство. Он приготовил оружие и принял меры к тому, чтобы выстрела никто не слышал. Иначе говоря, он завернул пистолет в одеяло, чтобы скрыть от жертвы оружие и заглушить шум. Он должен был также подготовить заранее напечатанную записку о самоубийстве, чтобы оставить ее в машинке Бассета.

— Теперь вы показываете против своего клиента, — заметил судья.

— Что вы, ваша честь, я просто пытаюсь объяснить отказ девушки отвечать на вопросы.

— Но вы нарушаете профессиональную этику, выступая против своего клиента, которого вы представляете в деле об убийстве.

— Я не нуждаюсь в указаниях суда на соблюдение этики. Я сам знаю, что мне надо делать и что не надо.

— Хорошо, — сказал судья, — продолжайте ваши объяснения. Но говорите кратко.

— К сожалению, много говорить не придется. Я хочу обратить внимание суда на некоторые важные детали. Во-первых, убийца решил после совершения преступления покинуть кабинет. Но так как маска была сделана в спешке из подручного материала, напрашивается вывод, что убийство было спланировано заранее, а бегство — нет.

Далее, ваша честь, я утверждаю, что весь план бегства, план демонстрации лица в маске и пустой глазницы возник в голове убийцы после того, как убийство было совершено, потому что лишь тогда он сообразил, каково потенциальное значение стеклянного глаза, зажатого в руке жертвы.

Вполне очевидно, что глаз не мог случайно выпасть из глазницы убийцы, тем более он не мог быть отнят Бассетом в результате борьбы. Стеклянный глаз должен быть вынут по доброй воле владельца им самим, если это искусно изготовленный глаз. А данный глаз был именно таким. В таком случае почему же убийца по своей воле вынул глаз и так же добровольно показал свидетельнице пустую глазницу? Причина одна, ваша честь: убийца был уверен, что о его стеклянном глазе никто не знает; к тому же ему было известно, что у одного из подозреваемых, которого непременно допросит полиция, имеется искусственный глаз. Убийца, вероятно, предполагал и то, что зажатый в руке у мертвого стеклянный глаз принадлежит этому самому подозреваемому.

— Все это, — заметил судья, — по меньшей мере спорно. И предназначено для того, чтобы оградить ваших клиентов от суда. Ваша аргументация по поводу добровольности и преднамеренности имеет целью настроить суд в пользу обвиняемых. К тому же вы не дали обещанного объяснения. Все это только ваши предположения.

Мейсон слегка поклонился:

— Я просто хочу заявить, что молодая женщина, которая одна может опознать убийцу, вставая с кушетки, пошатнулась и вытянула руки, чтобы за что-то ухватиться. Она оперлась обеими ладонями о зеркальное стекло в двери. Мне пришло в голову, что она оставила отпечатки пальцев. По моим указаниям детективы нашли отпечатки пальцев и идентифицировали их.

Идентификация показала, что молодая женщина разыскивается полицией, как Синяя Борода женского пола. Она не раз выходила замуж, и ее мужья умирали через несколько недель или месяцев после брака. После смерти каждого своего мужа женщина наследовала его имущество и спешила снова выйти замуж.

При потрясенном молчании зала судья уставился в шоке на Перри Мейсона. Бюргер медленно сел, глубоко вздохнул, потом так же медленно встал на ноги. Глаза его широко раскрылись от изумления.

— Мы узнали, что у полиции накопилось несколько подобных нераскрытых дел. Молодая женщина тайно вышла замуж за Ричарда Бассета, но этот брак можно назвать двоемужеством, так как, по крайней мере, один из ее прежних мужей жив. Причина, по которой она оставила в живых этого мужа, заключается в том, что он налгал ей насчет своего состояния и отказался застраховать свою жизнь в ее пользу. Следовательно, не было смысла убивать его. У меня есть доказательства этого, надежные документы в этом вот конверте. Мне доставляет огромное удовольствие возможность передать эти документы вместе с фотокопиями отпечатков пальцев этой дамы обвинителю на данном процессе. Надеюсь, ваша честь, что даже прокурор признает правомерность советов, даваемых мной свидетельнице, поскольку ее ответы вызвали бы обвинение в ее адрес. Я, таким образом, не превысил своих полномочий защитника.

Бюргер взял конверт, протянутый ему Мейсоном, дрожащими от волнения пальцами.

Судья Уинтерс почесал подбородок.

— Суд никогда еще не слышал столь поразительного заявления адвоката, — сказал судья. — Никогда еще адвокат не выступал против интересов своего клиента, человека, которого он взялся защищать. Суд, конечно, оценит вашу готовность помочь правосудию, но не вполне понимает ваши действия, ибо вы все же являетесь адвокатом этой женщины.

— Это вполне естественно, ваша честь, — ответил Мейсон. — Я не стал бы делать подобного заявления, если бы суд не настаивал на том, чтобы эта женщина отвечала на задаваемые ей вопросы. Но, ваша честь, я вынужден защищать себя, а защищая себя, я защищаю и ее. Я думаю, ваша честь, вы скоро поймете, что я поступаю правильно.

Судья не успел еще ничего ответить, как вскочил прокурор с бумагами в руке и молча взмахнул ими над головой. В правой руке у него была фотография женщины анфас и в профиль с отпечатанным над снимками текстом, а также фотография отпечатков ее пальцев.

В другой руке Бюргер держал фотокопию других отпечатков. Он показал документы Мейсону.

— Эти отпечатки пальцев были найдены на двери? — спросил он.

— Да, это их фотокопия.

— И они идентичны тем, которые я держу в правой руке?

— Да, — ответил Мейсон.

— В таком случае, — провозгласил Бюргер, потрясая документом, — здесь проделан настоящий фокус-покус, потому что фотография Синей Бороды в юбке не является фотографией этой вот молодой женщины.

Мейсон безмятежно улыбнулся:

— Это вы можете заявить Большому жюри.

В зале суда поднялся невообразимый шум.

Глава 17

Судья Уинтерс безуспешно пытался навести порядок. Наконец он объявил десятиминутный перерыв и приказал бейлифам очистить помещение.

К Перри Мейсону подошел один из бейлифов.

— Судья Уинтерс хотел бы видеть вас и прокурора в своей комнате, — сказал он.

Мейсон кивнул и направился в комнату судьи, вслед за ним вошел прокурор.

— Вы хотели видеть меня, судья? — спросил Бюргер.

— Я хотел бы, джентльмены, обсудить с вами сложившуюся ситуацию.

— Мне нечего обсуждать с Перри Мейсоном, — заявил прокурор. — Хейзл Фенвик она или нет — это не связано с появлением Перри Мейсона перед Большим жюри.

В дверь постучали.

— Войдите, — сказал Бюргер.

Судья нахмурился. Дверь открылась, и вошел сержант Голкомб.

— Прошу прощения за вольность, судья, — сказал Бюргер, — но при данных обстоятельствах я просил сержанта Голкомба взять Мейсона под стражу.

— За что? — спросил Мейсон.

— За подмену свидетеля.

— Но она не свидетель. Она ничего не знает об этом деле, даже не читала газет. Она посторонний человек.

— Вы послали ее в Рино под видом Хейзл Фенвик, пытаясь этим прикрыть бегство настоящей Фенвик.

— Ничего подобного. Хейзл Фенвик убежала до того, как я встретил Тельму Бевинс. В свете той информации, которую я дал в суде, исчезновение Хейзл Фенвик абсолютно логично. Несомненно, что полиция арестует. ее. Теперь, когда о ней стало известно больше, ее легко выследят. Что касается моего совета этой молодой женщине выдать себя за Хейзл Фенвик, то ничего подобного я не делал. Я послал человека отвезти в Рино бумаги и послал эту женщину, чтобы она занялась этими бумагами. Она твердо и определенно заявила моему посланцу, что не является Хейзл Фенвик, что ее имя Тельма Бевинс, но что бумагами она займется. По своим собственным соображениям я хотел, чтобы эти бумаги были доставлены в Рино, штат Невада. Эти соображения не имеют ничего общего с данным делом.

— Но зачем вы это проделали? — спросил судья Уинтерс. — Я не хочу обсуждать этот вопрос на суде, пока не переговорю с вами в частном порядке. Мне кажется, что вы использовали процесс в суде, чтобы выставить всех, связанных с этим делом, в смешном свете, разумеется, в надежде извлечь из этого выгоду. Если это правда, вы виновны в вопиющем неуважении к суду, и я собираюсь оштрафовать вас и заключить в тюрьму.

— Я ни в чем не виноват. Я не приводил эту женщину сюда, в суд. Наоборот, по моим инструкциям, она должна была отказаться покинуть штат Невада. Запросите власти штата Невада и убедитесь в этом. Фактически ее силой доставили сюда.

— Она крайне важная свидетельница, — сказал Бюргер, — и ей вручили повестку.

— Точно, — сказал Мейсон. — Именно вы доставили ее сюда. Вы сами настаивали на том, что она Хейзл Фенвик. Я ее сюда не привозил и не ставил на свидетельское место.

— Но чего вы хотели добиться? — спросил судья Уинтерс. — Почему вы советовали ей не отвечать на вопросы?

— Я отвечу вам, — сказал Мейсон, — только при условии, что меня не будут останавливать и перебивать.

— Я не могу вам обещать ничего, кроме того, что вы предстанете перед Большим жюри, а до этого будете находиться под стражей, — сказал прокурор.

375

— Я буду рад услышать ваше объяснение, — сказал судья — Я чувствую, что это касается меня так же, как и вас. У вас репутация очень умного и находчивого адвоката. Поэтому мне интересно узнать подробности данного дела.

— Хорошо, судья, — ответил Мейсон. — Каждый должен согласиться, что только убийца Хартли Бассета мог бояться Хейзл Фенвик больше, чем кого-либо еще на белом свете. Этот человек не знал, как выглядит Хейзл Фенвик. Следовательно, если прокурор представит любую женщину в качестве Хейзл Фенвик и посадит ее на скамью свидетелей, преступник поймет, что попался. Естественно, он попробует бежать. Я думаю, вы все согласны с тем, что я сказал в суде. Брунольд не мог совершить преступление, так как он не добровольно оставил свой стеклянный глаз на месте убийства в руке у Хартли Бассета. С другой стороны, если предположить, что Брунольд совершил убийство, то ему не было смысла вырезать дырки для обоих глаз. Если он хотел, чтобы его не опознали, то должен был опасаться, что его узнают по пустой глазнице. Но если в доме есть другой человек, в чьих руках находится глаз Брунольда, он может совершить преступление, оставить в руке трупа этот глаз и рассчитывать на то, что подозрение падет на владельца глаза. Я пытался сфотографировать всех обитателей дома Хартли Бассета, располагая каждого из них лицом к свету. Как, без сомнения, вы догадываетесь, искусственный глаз очень трудно обнаружить, если он хорошо сделан и глазница не имеет никаких повреждений. Однако естественный глаз на свету меняет размер зрачка, тогда как искусственный остается неизменным. Следовательно, сфотографировав лицо при падающем на него свете, можно по размерам зрачка определить, есть ли у человека искусственный глаз. Получилось так, что Коулмар отказался фотографироваться. Это навлекло на него мои подозрения. Я решил, что он испугается женщины, которую прокурор вызовет на свидетельскую скамью, так как она может опознать его. Я решил проверить мистера Коулмара.

В этот момент раздался телефонный звонок, и судья взял трубку. Он послушал и кивнул Мейсону:

— Молодая леди хочет поговорить с вами.

Мейсон приложил трубку к уху и услышал голос Деллы Стрит.

— Привет, шеф! — сказала она. — Вы еще не в тюрьме?

Юрист усмехнулся:

— Пока нет, хотя нахожусь на полпути туда.

— Видите ли, шеф, я оказалась глуповата. Не могла понять, зачем вам понадобилась эта Бевинс, пока вы не запретили ей отвечать на вопросы. Тогда у меня в голове прояснилось.

— Молодец, — сказал Мейсон, — и что же?

— Я решила посмотреть, не вознамерится ли кто-то из свидетелей по-быстрому слинять из дела. Так вот, один из них решил исчезнуть.

— Кто?

— Коулмар.

— И ты следила за ним?

— Да.

— Но это же очень опасно. Ты не должна была этого делать. Где он?

— В аэропорту. Он взял билет на самолет, вылетающий через двадцать две минуты.

— Делла, будь осторожна. Этот человек в отчаянном положении.

— Как движется дело?

— Все кончено. Езжай в контору. Встречу тебя там.

— Я хочу побыть в аэропорту еще некоторое время, а вы будьте в комнате судьи, я позвоню вам.

— Я не хочу, чтобы ты была там, он может узнать тебя и...

— Пока, шеф. — Она засмеялась и положила трубку.

Перри Мейсон взглянул на часы и повернулся к сержанту Голкомбу:

— Джентльмены, вам, может быть, интересно узнать, что Коулмар сейчас находится в аэропорту и пробудет там еще двадцать одну минуту. Мне кажется, сержант, что вам следует проверить, заряжен ли ваш пистолет, отправиться в аэропорт и произвести блестящий арест.

Сержант посмотрел на Бюргера. Тот задумчиво сдвинул брови, потом кивнул. Сержант Голкомб бросился к двери. Перри Мейсон откинулся на спинку кресла и улыбнулся Бюргеру.

— Мейсон, — спросил прокурор, — какого черта вы затеяли эту игру?

— Это не игра, — сказал Мейсон. — Я делал то, что считал нужным. Свидетельницу, которая могла спасти клиента, разыскивала полиция. Она вынуждена была бежать. Конечно, при перекрестном допросе я бы мог устроить Коулмару ловушку, но я хотел, чтобы это получилось проще. Поэтому я разыграл эту шутку. Я знал, что если он поверит, что Фенвик вернулась и будет участвовать в суде, то ему придется либо убить ее, либо бежать. Убить ее он не мог, пока она находилась в суде и была окружена полицейскими. Я заставил его действовать, создав мотивы для созыва Большого жюри. Это давало ему шанс бежать.

— Не можете ли вы подробнее рассказать обо всем? — попросил судья. — А то мне многое неясно.

Мейсон кивнул:

— Коулмар был соучастником Гарри Маклейна по растрате денег Хартли Бассета. Брунольд был отцом сына миссис Бассет. Он годы потратил на то, чтобы найти ее, а когда нашел, она была замужем за Бассетом. Брунольд связался с ней. Шофер, который действовал как шпион Бассета, узнал об этом. Брунольд хотел, чтобы она ушла от Бассета и вышла замуж за него. Но она не решалась на это и знала, что, если Бассет когда-либо застанет Брунольда в ее комнате, произойдет большой скандал. Однажды к ним действительно постучали. Брунольду пришлось бежать, и он потерял при этом глаз. Это был запасной глаз, лежавший в его жилетном кармане, а не тот, который он носил.

Бассет заполучил этот глаз. Он не знал, кто был посетителем его жены, зато знал, что у Коулмара один глаз стеклянный. Только ему одному из всех обитателей дома это было известно. Если вы заметили, оба глаза почти одного цвета. Бассет подозревал Коулмара в интимных отношениях со своей женой, в чем Коулмар был невиновен. Но когда Бассет стал интересоваться Коулмаром, то обнаружилось, что тот причастен к растрате. Гарри Маклейн пришел к Бассету не для того, чтобы заплатить деньги, а чтобы заставить Коулмара уговорить Бассета не подавать на него в суд. В это время Брунольд выбегал из дома Бассетов, а Дик послал свою молодую жену знакомиться с отцом.

Коулмар думал, что ему удастся уговорить Бассета. Бассет вызвал его к себе, вероятно, из-за глаза и послал за бухгалтерскими книгами. Но Коулмар не принес книг, он взял одеяло и пистолет и вернулся в кабинет. Он также напечатал записку о самоубийстве. Позднее он вдруг сообразил, что полиция может его заподозрить, если не поверит записке. Это было уже после убийства. Он вытащил из файла подделанные счета, наспех сделал маску из копирки и выбежал из кабинета, чтобы продемонстрировать одноглазого человека женщине, которая ждала в приемной. Он воображал, что все сработает отлично, поскольку в руке у Бассета зажат глаз. Когда женщина удивилась, сорвав маску, он очень испугался. Он ударил ее и уехал на машине Бассета, вскоре вернулся в гараж, а дома сделал вид, что был на спектакле. После он узнает, что Фенвик осталась жива и может рассказать, что с ней случилось. Значит, она должна замолчать навсегда. Поэтому он появился в комнате, где она лежала. Если бы она там была одна, Коулмар убил бы Хейзл, но миссис Бассет выгнала его. Тогда он вернулся к себе и рассказал Гарри Маклейну о случившемся. Он посоветовал ему сказать, что он вернул деньги, ведь это никто не сможет опровергнуть. И заодно мотивом убийства будет грабеж.

— Но вам-то откуда все это известно? — спросил Бюргер.

— Ну, это же элементарная дедукция, — ответил юрист. — Просто удивительно, как это никому не пришло в голову. Убийство должен был совершить человек, профессионально печатающий на машинке. Записка была напечатана именно таким человеком. Убийство мог совершить человек, который свободно вхож в кабинет Бассета и мог принести в руках что угодно, не вызвав у хозяина подозрений. Убийство совершил человек с искусственным глазом, который хотел, чтобы власти знали об этом. Только подозрение он хотел направить на другого. Кроме того, миссис Бассет была заинтересована в том, чтобы во время разговора Фенвик с ее мужем им никто не мешал. Она стояла у дверей и ждала ухода последнего клиента. Когда же Фенвик постучала в дверь кабинета, там кто-то был. Это мог быть только Коулмар, если не считать, что кто-то мог проникнуть через черный ход, что маловероятно. К тому же вспомним о маске с двумя отверстиями для глаз. Наличие отверстия против пустой глазницы указывает на желание убийцы обратить внимание на то, что человек одноглазый. Если бы убийцей был Брунольд, он никогда бы не выдал своего уродства.

— Мог убить молодой Маклейн, который пришел поговорить с Бассетом, — сказал Бюргер.

— Возможно, — ответил Мейсон.

— Но за каким дьяволом понадобилось убийце вкладывать глаз в руку Маклейну? Это сделал Коулмар? Зачем?

Мейсон произнес с самым невинным видом:

— Ну, Бюргер, сами займитесь дедукцией. Я не могу ответить на этот вопрос.

Бюргер пристально посмотрел на него, но юрист безмятежно курил сигарету.

Судья Уинтерс кивнул:

— Все становится ясным с самого начала, если не дать множеству несущественных деталей отвлечь себя, а сосредоточиться на главном.

Перри Мейсон потянулся и зевнул:

— Скорее бы вернулся сержант Голкомб. Надеюсь, он заполучит Коулмара без стрельбы.

— Вам бы лучше стать детективом, а не адвокатом, Мейсон, — сказал судья.

— Благодарю вас, — ответил Мейсон, — я стараюсь делать, что могу.

— Но как вы узнали, что я привезу сюда Бевинс? — спросил прокурор.

— Я достаточно опытный участник таких процессов. Я знал, что вы сразу же ухватитесь за такую свидетельницу. К тому же все это было мною подготовлено.

— Но вы ничего не говорили ей о своих планах?

— Нет. Я считал, что чем меньше она будет знать, тем лучше, а также знал, что, если она скажет вам правду, вы все равно будете считать, что она лжет.

— Но откуда вы знали, что мы будем в состоянии привезти ее сюда?

— Не мог же я недооценивать ваши способности, Бюргер.

— Клянусь Богом, — сказал Бюргер, — что я был уверен в виновности Брунольда и в пособничестве ему миссис Бассет. Я был готов требовать смертной казни, по крайней мере для Брунольда. — Он уселся в кресло и замолчал.

— Да, — сказал судья, — и меня вы выставили в нелепом виде.

— Вы простите меня, ваша честь, — сказал Мейсон. — Вы же понимаете, что по-другому поступить было невозможно.

— Да, — хмуро сказал судья. — Вы все повернули по-своему.

— Но как теперь мне отделаться от газет? — спросил Бюргер.

— А вы расскажите им это.

— Все?

— Все. Скажите, что действовали в сговоре со мной, чтобы поймать убийцу.

Искорка откровенной заинтересованности вспыхнула в глазах у окружного прокурора.

Дверь без стука открылась, и в комнату ворвались три репортера. Они обрушили на Бюргера град вопросов.

— Подождите минуту, — сказал Бюргер. — Что случилось?

— В аэропорту стреляли. Сержант Голкомб ранен, а Коулмар убит. Как Коулмар оказался там? Что он сделал? Почему сержант Голкомб помчался за ним?

Один из репортеров подошел к Мейсону и схватил его за руку:

— Вы знаете что-нибудь о случившемся? Расскажите поподробнее... Это самое крупное дело, какое вы...

Перри Мейсон вздохнул:

— Мистер Бюргер сделает заявление для прессы. А я, джентльмены, с вашего позволения, отправляюсь в свою контору.

Глава 18

Перри Мейсон сидел за своим столом в конторе, перед ним лежала кипа газет.

— Молодец сержант Голкомб, — сказал Мейсон, — я всегда считал, что в нем что-то есть.

— А я думала, что вы ненавидите его, — сказала Делла Стрит.

— Его глупость иногда раздражает, — согласился Мейсон, — но это в основном от излишнего усердия. Так Коулмар вытащил пистолет и хотел проложить себе дорогу огнем, когда увидел, что загнан в угол?

Делла кивнула.

— Во многих отношениях, — заметил Мейсон, — ситуация типична для обоих. Сержант Голкомб прибыл в аэропорт со включенной сиреной!

— Но он включил ее, чтобы ему освободили дорогу.

— Конечно. Но, подъезжая, он мог бы ее выключить. А он заставил дрожать весь аэропорт. Конечно, Коулмар понял, что это за ним. Он спрятался в туалете, пристроился к замочной скважине и ждал, как развернутся события. Однако сержант догадался, что Коулмар может укрыться в туалете, и сразу же направился туда. Коулмар просунул пистолет сквозь стекло в двери и открыл огонь. Если бы он не нервничал, то убил бы Голкомба с первого выстрела. Человек поумнее Голкомба подошел бы сбоку, вышиб дверь, нацелил пистолет и приказал преступнику выйти. Но не Голкомб. Он прямиком рванул к двери. А дальнейшее его поведение вызывает у меня уважение и восхищение. Пуля сорок пятого калибра попала ему в плечо. А я тебе скажу, сестричка, что такая пуля, попав человеку в плечо, сшибает его с катушек долой. Голкомб даже не успел достать свой пистолет.

Делла кивнула.

— Расскажи-ка, — попросил Мейсон, — остановился ли он, чтобы достать свой пистолет? Как он себя повел?

— Продолжал двигаться, — сказала она. — Удар пули развернул его на сто восемьдесят градусов. Он выпрямился, выпятил челюсть и, все так же шагая к двери, вытащил пистолет. Коулмар выстрелил еще раз, тогда Голкомб принялся палить через дверь. Посмотрели бы вы, какие дыры оставили пули в деревянной двери. Прямо стрельба по мишени во время полицейских учений.

Мейсон покачал головой и сказал:

— Чертовски хороший парень. Храбрец.

Мейсон развернул газету. Портрет Бюргера был дан шириной в три колонки.

«Победа окружного прокурора, который придумал хитрую ловушку для убийцы Хартли Бассета».

Правее и ниже был портрет сержанта Голкомба.

И тут же рисунки: сержант Голкомб атакует дверь мужской уборной, стреляя с бедра, в то время как Коулмар, скорчившись в кабине, палит в полицейского из револьвера сорок пятого калибра.

— Они своеобразно воспользовались вашей добротой, — сказала Делла Стрит. — Вы держали все карты в руках, а плоды пожинают они.

Мейсон усмехнулся:

— Ты проследила, чтобы Тельма Бевинс получила деньги?

— Да, и еще она получила премию от Питера Брунольда. А что бы вы делали, шеф, если бы она потерпела неудачу? Она могла испугаться и все рассказать до того, как попала на скамью свидетелей.

— Если бы это случилось, Бюргер не поверил бы ни единому ее слову и считал бы ее искусной лгуньей, которая пытается выгородить меня. Строя на ней свою игру, я рассчитывал на то, что Бюргер загипнотизирован ее описанием.

— Но если бы он ей поверил?

— Я мог бы устроить Коулмару перекрестный допрос. Но мне не хотелось этого делать.

— Почему?

— Это могло выглядеть, как желание задеть прокурора Бюргера. Мы с ним откровенно поговорили. Он боится наказать невиновного человека, и без того ему пришлось много пережить, когда все решалось в комнате судьи. Представь, как бы он себя чувствовал, если бы все это выяснилось в ходе официального, а не предварительного судебного разбирательства.

— Шеф, а как попал глаз в руку Гарри Маклейна? Ведь Коулмар не мог этого сделать?

Он ответил ей многозначительной улыбкой, и Делла Стрит все поняла.

— Но зачем вы это сделали?

— Все было бы хорошо, если бы Брунольд сидел в тюрьме, но, к несчастью, в этот момент он оказался на свободе. Фактически я сам навел на него полицию.

— Но, во-первых, вы не имели права так поступать. Во-вторых, это было бы не я... я... не могу сказать...

— Тебя смущает этическая сторона?

— Не совсем. Я понимаю вашу позицию. Но все же это крайность. Вы наполовину святой, наполовину дьявол.

Он засмеялся:

— Правильно. Я не люблю середины.

— А как насчет Хейзл Фенвик?

— Ее скоро поймают, — ответил Мейсон. — Дик Бассет чуть не стал очередной ее жертвой. Если бы не произошло это убийство, Синяя Борода увеличила бы свою коллекцию еще на двух человек.

— На двух?

— Конечно. Сперва она бы разделалась с Хартли Бассетом, а потом с Диком. Видимо, и Сильвии Бассет тоже пришлось бы туго.

— Но как могут женщины так поступать?

— Это болезнь. Умственный заскок... О-хо-хо... Кажется, мне придется просмотреть всю эту груду почты. Письма, памятные записки...

Мейсон принялся перебирать бумаги и внезапно замер.

— А тут кое-что есть, — сказал он.

— Что такое? — спросила Делла.

— Если кто-то наследует смотрителю дома, наследует ли он кота этого смотрителя? — проговорил Мейсон, читая памятную записку.

— О чем вы толкуете?

— Памятная записка от Джексона, — ответил Мейсон. — Чудаковатый привратник с высохшей ногой, костылем и котом. Он работал у одного старого скряги, не менее эксцентричного, чем привратник. Скряга оставил собственность некоему лицу при условии, что привратник будет у него работать до конца своих дней. Наследник согласился с этим условием, но потребовал, чтобы привратник избавился от кота. Все это здесь, в памятной записке. Прочти ее, Делла... Клянусь святым Георгием! Я займусь этим делом сам. Оно меня позабавит, дело о коте привратника!

ДЕЛО О БЕЗЗАБОТНОМ КОТЕНКЕ

THE CASE OF THE CARELESS KITTEN

Глава 1

Янтарные глаза котенка, сидящего на подлокотнике кресла, настороженно следили за бумажным комочком, которым дразнила его Элен Кендал. Из-за ярко-желтых глаз котенка и назвали Янтариком.

Элен любила наблюдать за глазами Янтарика. Они постоянно менялись, то угрожающе сужаясь до крохотных щелочек, то превращаясь в непроницаемые озерца из оникса. Эти загадочные глаза буквально гипнотизировали Элен. Глядя в них, она переставала замечать и эту комнату, и котенка, и все вокруг. Она могла забыть даже о Джерри Темплере и эксцентричных требованиях Матильды, целиком отдаваясь воспоминаниям.

Вот и сегодня, играя с котенком, она невольно задумалась о том, что случилось много-много лет назад. Тогда Элен было десять лет, и у нее был другой котенок, серый с белыми пятнами. Однажды он забрался на крышу, так высоко, что не решался спрыгнуть вниз. Тогда высокий мужчина с добрыми серыми глазами принес длинную лестницу, взобрался на самую верхнюю ступеньку и, рискуя в любую минуту рухнуть с шаткого сооружения, терпеливо приманил испуганного зверька.

Дядя Фрэнклин.

В глазах Элен он остался таким же, каким она знала его в детстве. Все, что случилось потом, не изменило ее мнения о нем. Она никогда не думала о нем как о сбежавшем муже тети Матильды, или о Фрэнклине Шоре, или об исчезнувшем банкире, как именовали его в заголовках газет, или как о человеке, который неожиданно отказался от власти и богатства, бросил процветающее дело, семью и старых друзей и затерялся где-то среди чужих людей, без пенни в кармане. Нет, для Элен он всегда оставался дядей Фрэнклином, который, рискуя жизнью, спас перепуганного котенка маленькой грустной девочки. Он был для нее отцом, нежным, ласковым, все понимающим. И несмотря ни на что, Элен все эти годы вспоминала его с любовью и была уверена: и он любил ее.

Эта уверенность в любви дяди Фрэнклина и заставляла Элен думать, что он мертв. Да, он наверняка давно умер, вскоре после того, как сбежал. И конечно, он ее сильно любил, иначе не рискнул бы отправить из Флориды ту цветную открытку. Она получила ее почти сразу после его исчезновения, как раз в то время, когда тетя Матильда предпринимала невероятные усилия, чтобы отыскать его, а он, наверное, прилагал еще больше усилий, чтобы не допустить этого. Если бы он был жив, Элен получила бы от него еще хотя бы одну весточку. Ему ли не знать, как она ее ждала. Он не стал бы ее разочаровывать. Нет, конечно, дядя Фрэнклин умер почти десять лет назад.

Следовательно, Элен имела право на те двадцать тысяч долларов, которые он ей оставил по завещанию. Иметь такую кучу денег сейчас, когда Джерри Темплер приехал на неделю в отпуск...

Мысли Элен потекли по другому руслу. Армия сильно изменила Джерри. Его голубые глаза стали более суровыми, рот упрямее. Но эти перемены лишь укрепляли уверенность Элен в собственных чувствах и в том, что он любит сильнее, чем когда бы то ни было, хотя и молчит. Однако же он не собирался на ней жениться, по крайней мере сейчас, потому что в этом случае тетя Матильда немедленно выставила бы Элен из своего дома, и им пришлось бы жить на его скудное армейское жалованье.

Вот если бы у нее были собственные деньги — достаточные, чтобы убедить Джерри, что даже в случае его гибели она не останется нищей...

Впрочем, что думать об этом? Тетушка Матильда не собиралась менять свое решение. Она не из тех, кто может передумать. Когда-то раз и навсегда она решила, что мистер Фрэнклин Шор жив и что она не станет предпринимать никаких шагов, чтобы он был по закону признан мертвым, а его завещание вступило в силу. Тетушка Матильда не нуждалась в своей доле наследства. В качестве жены Фрэнклина Шора она контролировала все оставленное им состояние почти так же полновластно, как если бы она была признана его вдовой и душеприказчицей. И она могла распоряжаться жизнью Элен, у которой не было ни пенни и которая полностью зависела от тетушки, пока не получит свои двадцать тысяч по завещанию.

А тетя Матильда обожала властвовать над людьми. Она никогда бы добровольно не отказалась от своей власти над Элен, особенно сейчас, когда снова появился Джерри. Он решительно не нравился тете Матильде, и она не одобряла привязанности Элен к этому молодому человеку. Перемены, которые произвела в нем армия, казалось, лишь усилили ее антипатию. И нет ни малейшей надежды, что она выпустит из рук эти двадцать тысяч раньше, чем кончится отпуск Джерри. Разве что дядя Джеральд...

Мысли Элен снова перескочили на другое. Три дня назад дядя Джеральд сказал, что собирается нажать на тетю Матильду. По завещанию своего брата он должен был получить столько же, сколько и его племянница Элен. Ему шестьдесят два года, а выглядит он куда старше, потому что до сих пор вынужден заниматься адвокатской практикой, чтобы заработать себе на жизнь. Ему эти деньги очень бы пригодились, и, по его мнению, он ждал уже достаточно долго.

«Я могу заставить Матильду действовать, и я намерен это сделать, — так он заявил. — Мы все прекрасно знаем, что Фрэнклин умер. Юридически он мертв уже три года. Я хочу получить то, что причитается мне по закону. И хочу, чтобы и ты получила свое».

— Ты с каждым годом все больше походишь на свою мать, Элен. В детстве у тебя были ее глаза, напоминающие фиалки, и золотистые волосы с рыжими искорками. Ну а теперь ты выросла и стала такой же высокой и статной, у тебя ее тонкие красивые пальцы и даже такой же, как у нее, тихий, певучий голос. Мне нравился твой отец, но я так и не смог простить ему того, что он отнял ее у нас.

Он помолчал, а когда заговорил снова, в его голосе зазвучали иные нотки:

— В скором времени тебе понадобятся твои двадцать тысяч, Элен.

— Они мне нужны уже сейчас.

— Джерри Темплер?

Ответ явно читался у нее на лице, поэтому он не стал дожидаться, пока она его произнесет, и медленно кивнул.

— Ладно. Я попробую раздобыть для тебя эти деньги.

По решительному тону дяди Элен поняла — это отнюдь не пустые слова. Разговор состоялся три дня назад. Возможно...

По-видимому, терпению Янтарика пришел конец. Раскачивающийся у него над головой бумажный шарик довел его до исступления. Он подпрыгнул, пытаясь вцепиться в него когтями и зубами, но не удержался и, падая, инстинктивно вцепился в руку Элен; царапая ее острыми коготками.

Элен вскрикнула от неожиданности и боли.

— Что случилось, Элен? — резко спросила из своей комнаты тетя Матильда.

— Ничего, — ответила Элен, нервно смеясь и свободной рукой отцепляя от себя котенка. — Янтарик оцарапал мне руку, вот и все.

— Что с ним такое?

— Ничего. Мы просто играли.

— Перестань целыми днями возиться с ним. Ты портишь котенка.

— Хорошо, тетя Матильда, — послушно согласилась Элен, поглаживая котенка и разглядывая царапины на тыльной стороне руки.

— Похоже, приятель, ты забыл, какие у тебя острые коготки, — сказала она котенку. — Теперь мне придется пойти и перевязать руку.

Девушка стояла в ванной подле аптечки, когда услышала приближающиеся тяжелые шаги. Дверь отворилась, на пороге стояла хмурая тетя Матильда.

Матильде Шор было шестьдесят четыре года, и последние десять из них ее терзала неутолимая жажда отмщения. Кроме того, радикулит не улучшил ее характера. Это была крупная, ширококостная женщина. В юности она была по-своему привлекательна — тип женщины-воительницы, — но сейчас трудно было в это поверить. Фигура ее расплылась, прямая когда-то спина согнулась, и она приобрела привычку постоянно вытягивать шею вперед. Неприятное впечатление усиливали мешки под глазами и вечно поджатые губы. Но время оказалось бессильным смягчить в ее облике суровую решимость и непоколебимость воли. Сразу было видно, что эта женщина любыми средствами добьется своей цели.

— Покажи-ка, где тебя оцарапал котенок, — потребовала она.

— Котенок не виноват, тетя Матильда. Я с ним играла, дразнила его бумажкой, но не заметила, что держу ее слишком высоко. Янтарик просто пытался зацепиться, вот и все.

Матильда осмотрела поцарапанную руку.

— Я слышала, как ты недавно с кем-то разговаривала. Кто это был?

— Джерри. — Элен изо всех сил старалась, чтобы в ее ответе не чувствовалось вызова, но ей никогда не удавалось выдержать взгляд тети Матильды. — Он заходил всего на несколько минут.

— Это я заметила. — Можно было не сомневаться, что тетушка Матильда мрачно порадовалась краткости свидания. — Пора бы тебе уже что-то решить с этим, Элен. Нет сомнений, что он-то уже принял решение. У него достаточно здравого смысла, чтобы понять, что он не может жениться на тебе. Я лично считаю, что это только хорошо для тебя. У тебя бы хватило глупости, не раздумывая, выскочить за него, если бы только он попросил тебя об этом.

— Совершенно верно, как раз хватило бы.

— Ты хочешь сказать, что в этом нет ничего глупого, — фыркнула тетя Матильда. — Так воображают все глупцы. К счастью, твои соображения никакой роли не играют. Для такой девушки, как ты, ничего хуже невозможно представить. Он не принесет счастья ни одной женщине, вечно будет искать мужскую компанию. Его угрюмое молчание, упрямая несговорчивость свели бы тебя с ума. В тебе самой этого хватает на двоих. Я была замужем дважды и знаю, о чем говорю. Нет, ты могла бы быть счастлива только с таким человеком, как Джордж Альбер, который...

— К которому я совершенно равнодушна, — подхватила Элен.

— Если ты будешь с ним чаще видеться, это пройдет. Стоит тебе только отказаться от этой дурацкой мысли, что ты влюблена в Джерри Темплера и не имеешь права быть хотя бы просто вежливой с другими мужчинами. Ты все же не настолько глупа, чтобы не понимать, что вам вдвоем не прожить на его жалованье рядового.

— Джерри уже не рядовой, — прервала Элен, — его посылают в офицерское училище.

— Ну и что? Сначала надо его закончить. Ну а потом, получив звание, — если он его получит, — он отправится куда-нибудь на край света и...

— Но сначала он будет в училище, — торопливо заговорила Элен, не давая тете Матильде в красках описать, что будет потом. Элен даже себе не позволяла задумываться об этом. — Он будет там несколько месяцев, и я могла бы устроиться где-нибудь поблизости, так что мы могли видеться время от времени.

— Понятно, — с непередаваемой иронией заявила тетя Матильда. — Ты уже все продумала, да? За исключением самого простого вопроса: на что вы собираетесь жить все это время? Или же... — Она помолчала. — Ясно, с тобой разговаривал Джеральд. Он тебе внушил, будто в его власти заставить меня отдать тебе те деньги, что оставил Фрэнклин... Ну так вот, выбрось из головы подобные мысли. Ты не имеешь права ни на какое наследство, пока Фрэнклин жив. А он умер так же, как я! Жив-живехонек, можешь не сомневаться. И в один прекрасный день приползет сюда на коленях, умоляя простить и все забыть.

Она рассмеялась, как будто в этих словах было что-то забавное. Впервые Элен осознала, почему тетя Матильда так истово верила в то, что Фрэнклин Шор до сих пор жив. Она ненавидела мужа слишком сильно и не могла примириться с мыслью о том, что он ускользнул от нее, вырвался из-под ее власти. У нее осталась одна-единственная цель в жизни — увидеть, как он вернется домой. Старый, одинокий, нищий, истрепанный жизнью. Вот тогда она чувствовала бы себя сполна отомщенной за все причиненные ей обиды.

Комо, слуга, вдруг возник неизвестно откуда и замер на пороге.

— Извините, позалста...

— В чем дело, Комо? — спросила Матильда. — Дверь открыта. Входи. И избавься, наконец, от своей кошачьей манеры подкрадываться.

Темные блестящие глаза слуги были устремлены на Матильду Шор.

— Просят к телефону, позалеста. Говорят, очень важно.

— Хорошо, я сейчас подойду.

— Трубка не снята в вашей спальне, — сообщил Комо и пошел назад по коридору своей легкой, неслышной походкой.

Элен спросила:

— Тетя Матильда, почему вы не избавитесь от этого парня? Я ему не доверяю!

— Возможно, ты и не доверяешь. Зато я — вполне.

— Он же японец.

— Глупости. Он кореец. И ненавидит японцев.

— Он может утверждать, что он кореец, но это же...

— Так он говорит уже двенадцать лет.

— Но по-моему, он совершенно не похож на корейца. С виду он типичный японец и ведет себя как японец, и...

— Ты была когда-нибудь знакома хоть с одним корейцем? — прервала ее тетя Матильда.

— Ну-у не... не то чтобы...

— Комо — кореец, — твердо заявила тетя Матильда и, повернувшись, зашагала в спальню, плотно прикрыв за собой дверь.

Элен возвратилась в гостиную. Ее рука горела после промывания дезинфицирующим раствором. Котенка нигде не было видно. Элен уселась в кресло с журналом, но никак не могла сосредоточиться.

Минут через пятнадцать она отбросила журнал, откинулась на спинку кресла и закрыла глаза. Появившийся неизвестно откуда котенок, явно подлизываясь, с громким мурлыканьем стал тереться о ее ноги. Наконец он вскочил на подлокотник кресла и принялся лизать шершавым языком ее руку.

Элен слышала, как зазвонил телефон, как Комо подошел к нему едва слышными шагами, и вот он уже стоял подле нее, будто материализовался из воздуха.

— Извините, позалста. Этот раз просто мисс.

Элен вышла в холл, где был установлен аппарат, и подняла трубку, гадая, не Джерри ли это.

— Хэлло! — нетерпеливо сказала она.

Донесшийся до нее голос дрожал от волнения.

— Это Элен Кендал?

— Да, конечно.

— Вы не узнаете, кто говорит?

— Нет! — отрезала Элен. Такие любители загадывать загадки по телефону ее всегда раздражали.

Голос в трубке теперь стал тверже.

— Отвечайте осторожнее, на случай, если нас слышат... Вы помните своего дядю Фрэнклина?

У Элен сразу пересохло во рту.

— Да, да; но...

— Так вот, я твой дядя Фрэнклин.

— Я не верю вам. Он...

— Нет, Элен, я не умер. — Голос вновь дрогнул. — Я очень даже жив! Но... я не виню тебя за то, что ты мне не веришь. Ты бы меня узнала при встрече, да?

— Ну да... Да, конечно!

Теперь человек говорил гораздо увереннее:

— Помнишь ли ты тот случай, когда собака загнала твоего котенка на крышу дома? Ты стала просить меня достать его, я принес лестницу и полез наверх. Припомни новогодний вечер, когда тебе захотелось попробовать пунша, а твоя тетка Матильда не разрешила. И ты тогда стащила немного из буфетной. Вспомни, как потом я отвел тебя в твою комнату и рассказывал тебе разные истории, пока ты не начала хохотать, — и как я никому никогда не рассказал об этом, даже тете Матильде.

У Элен внезапно по спине побежали мурашки.

— Да, помню, — прошептала она.

— Теперь ты мне веришь, Элен?

— Дядя Фрэнк...

— Осторожнее! Не называй моего имени. Твоя тетя дома?

— Да.

— Она не должна знать, что я звонил. И никто не должен знать. Ты понимаешь?

— Ну... я... Нет, я не понимаю!

— Существует только один способ все исправить. И ты должна мне помочь.

— Что я могу сделать?

— Ты можешь сделать такое, что не под силу больше никому. Ты когда-нибудь слышала об адвокате по имени Перри Мейсон?

— Слышала.

— Я хочу, чтобы сегодня днем ты с ним повидалась и рассказала ему обо мне. А вечером в девять часов привези его в отель «Касл-Гейт». Ты знаешь, где это?

— Нет.

— Посмотри в справочнике. Это дешевый отель. Не пугайся. Привези туда Мейсона. Спросите Генри Лича. Он отвезет вас ко мне. Никому больше не рассказывай ни о нашем разговоре, ни о том, что случилось. Убедись, что за тобой не следят. Мейсону скажи обо всем, но возьми с него слово, что он ничего не разболтает. Я...

Она слышала, как он судорожно вздохнул и сразу повесил трубку. Она несколько раз подула в трубку:

— Оператор? Оператор?

Сквозь приоткрытую дверь она услышала характерные шаги своей тетки — медленные, шаркающие шаги, сопровождаемые ударами палки: стук-стук-стук...

Элен торопливо повесила трубку.

— Кто звонил? — спросила тетя Матильда, войдя в холл в тот самый момент, когда Элен отошла от телефона.

— Ошиблись номером, — самым будничным тоном ответила девушка.

Тетя Матильда перевела глаза на правую руку Элен.

— Как могло случиться, что этот кот оцарапал тебя? Ты лжешь, чтобы его выгородить. Я не собираюсь его терпеть в доме, если он становится таким злобным.

— Не говори глупостей, тетя. Я же сказала тебе, я его дразнила.

— Но это вовсе не значит, что кот должен царапаться... Снова звонил тебе твой солдат?

Элен рассмеялась, избегая ответа.

— Что это ты так подозрительно возбуждена? Ты вся горишь! — Тетка презрительно пожала плечами. — С такого дурня, как Джерри Темплер, вполне станется сделать девушке предложение по телефону. Я бы ничуть не удивилась... Элен, Бога ради, что случилось с котенком?

Элен устало вздохнула.

— Я уже объясняла, тетя, что виновата я сама... Он...

— Да не то! Посмотри-ка на него!

Элен быстро повернулась, испуганная напряженным взглядом тетки.

— Он просто играет. Котята часто так забавляются...

— Что-то не похоже, чтоб он играл.

— Котята часто так потягиваются, чтобы размять мышцы. Им...

Но последнюю фразу она выговорила уже не так уверенно. Котенок вел себя и правда в высшей степени непонятно. Это было совсем не похоже на то, как обычно потягиваются кошки. Его спинка выгнулась в крутую дугу, а лапки вытянулись во всю их длину. Тельце судорожно вздрагивало. Но больше всего Элен поразило выражение янтарных глаз и то, как котенок стиснул челюсти. Изо рта показались клочки белой пены.

— Ой Господи, что-то случилось! Янтарик заболел! — воскликнула она.

Матильда Шор сказала:

— Не подходи к нему. Котенок взбесился. С кошками это бывает так же, как и с собаками. Ты должна пойти к врачу со своей рукой.

— Глупости! — крикнула Элен. — Котенок заболел. Бедняжка, что с ним приключилось? Янтарик, ты не поранился?

Элен наклонилась к котенку, но, как только она коснулась рукой его мягкой шерстки, у несчастного снова начались судороги.

— Я немедленно отвезу его к ветеринару! — твердо заявила девушка.

— Смотри, он снова поранит тебя, — предупредила тетя Матильда.

— Я позабочусь, чтобы этого не произошло, — ответила девушка, бросившись к стенному шкафу за своим пальто.

— Обязательно замотай его во что-нибудь, — распоряжалась Матильда, — чтобы он тебя не поцарапал... Комо! Где ты, Комо?

В то же мгновение в дверях появился проворный Комо.

— Да, мэм?

— Найди в чулане старое одеяло или скатерть, — попросила Элен. — Что-нибудь такое, во что можно завернуть кота.

Комо посмотрел на котенка со странным выражением в непроницаемых блестящих глазах.

— Котенка больна? — спросил он.

— Не стой на месте, задавая дурацкие вопросы, — нетерпеливо прикрикнула Матильда. — Конечно, котенок болен. Делай, что тебе велит мисс Элен. Принеси одеяло.

— Да, мэм.

Элен торопливо поправила шляпку перед зеркалом и наклонилась к котенку.

— Отойди же от него! — снова завопила Матильда. — Мне совсем не нравится, как он ведет себя.

— Что с тобой, Янтарик? — стала приговаривать Элен, стараясь успокоить своего любимца.

Глаза котенка неподвижно уставились в одну точку, но при звуке ее голоса он слегка шевельнулся, как бы стараясь ее увидеть. Даже такое слабое движение вызвало новые судороги, на этот раз более продолжительные.

Когда Комо принес старое одеяло, отворилась входная дверь и ее дядя, Джеральд Шор, вошел в холл, на ходу снимая пальто и шляпу.

— Всем привет! — воскликнул он бодро. — Что за шум?

В низком и звучном голосе Джеральда была какая-то бодрящая сила. Казалось, ему никогда не приходится повышать голос. Его было одинаково хорошо слышно в любом конце комнаты.

— Янтарик, — жалобно сказала Элен, — он заболел.

— Что с ним?

— Не знаем. У него судороги. Я повезу его к ветеринару. Комо, помогите мне завернуть котенка в одеяло. Следите, чтобы он вас не укусил.

Элен прижала к себе маленькое тельце котенка, чувствуя через толстую ткань, как судорожно напряглись его мышцы.

— Пошли, — сказал Джеральд. — Я отвезу тебя на машине. Ты только держи его покрепче.

— Он уже оцарапал Элен, — сообщила Матильда.

— Я промыла царапины спиртом, — сказала девушка.

— Кошки бесятся точно так же, как и собаки, — настаивала тетка.

Комо, улыбаясь и кивая, сказал:

— Приступы. Извиняюсь, позалста. У кошек бывают приступы. Это очень обычный приступ.

Элен повернулась к дяде Джеральду:

— Идем же скорее. Прошу тебя, пойдем.

Матильда обратилась к слуге:

— Комо, по твоей милости я снова осталась без запасов. Теперь тебе придется дойти до самого рынка и принести мне шесть бутылок. Не тревожь меня, когда вернешься. Я лягу отдохнуть до обеда. Элен, не принимай так близко к сердцу болезнь этого котенка. Найди лучшее применение для своих чувств... А теперь отправляйтесь.

Она ушла к себе в комнату, громко хлопнув дверью.

— Поехали, Элен, — ласково сказал дядя Джеральд.

Вдруг девушка вспомнила о телефонном разговоре. Странно, что она совершенно про него забыла в суматохе с Янтариком. Да и был ли он на самом деле? Дядя Фрэнклин! Как только она выяснит, что с котенком, сразу же займется поисками адвоката Перри Мейсона.

Глава 2

Джеральд Шор не обладал талантом своего брата «делать деньги», вернее, не умел их беречь. Фрэнклин ревностно наращивал капитал не по дням, а по часам, решительно отвечая «нет», когда этого требовали интересы дела. Джеральд же беспечно сорил деньгами, по принципу «легко пришли, легко и уйдут». До 1929 года он мог считать себя состоятельным человеком. Но тут в течение нескольких коротких недель он потерял все, что имел, и ему ничего не оставалось, кроме как зарабатывать на жизнь адвокатской практикой.

Поначалу приходилось особенно тяжело. Решив было, что он не станет тратить времени на пустячные дела и займется только интересными случаями, принимая клиентов исключительно по предварительной договоренности, Джеральд скоро очутился в таком положении, что радовался любому делу, где была хоть какая-то надежда получить гонорар.

Крепко прижимая к себе котенка, чувствуя каждый спазм, сотрясающий крохотное тельце, Элен с благодарностью думала, что ее дядя Джеральд — самый милый, самый понимающий человек из всех, кого она знала. Интересно, всегда ли он был таким? Во всяком случае, его собственные трудности и неудачи не сделали его черствым. Наоборот, после банкротства он стал как-то мягче и внимательнее к окружающим. Если тетя Матильда наверняка приказала бы Комо убрать из дома котенка, то дядя Джеральд гнал машину, наплевав на правила уличного движения, так что уже через несколько минут Янтарик оказался в руках опытного ветеринара.

Доктор Блекли, сразу поставив диагноз, потянулся за шприцем.

— Это не бешенство? — робко спросила Элен.

— Скорее всего яд. Подержите-ка ему голову. Держите его крепко за шею и плечи. Не выпускайте, если начнет рваться.

Он ввел шприц под кожу, тщательно отмеряя количество жидкости, потом вытянул иглу и пояснил:

— Временно мы поместим его в клетку. Сейчас у него начнется рвота. Таким образом он избавится от яда, который еще остался в желудке. Скажите, когда вы впервые заметили симптомы отравления?

— Не думаю, что прошло больше пяти — десяти минут, — сказала Элен. — Мы добрались до вас минуты за три... Да, пожалуй, десять минут назад.

— Ну что же, у нас есть шанс. Такой славный зверек. Надеюсь, нам удастся его спасти.

— Вы считаете, что это яд?

— Да. Лечение будет не особенно приятным. Вам покажется, что животное страдает даже сильнее, чем это есть на самом деле, так что вам лучше посидеть в приемной. Если мне понадобится помощь, я вас позову.

Он натянул на руки толстые кожаные перчатки.

— Вы уверены, что мы ничем не можем помочь? — настаивала Элен.

Он покачал головой.

— Через несколько минут я скажу вам что-нибудь определенное. Он играл во дворе, да?

— Не-ет, вряд ли. Конечно, я не помню точно, но мне кажется, что котенок не выходил из комнаты.

— Ладно, скоро все будет ясно. Пройдите вон туда, садитесь и немного подождите.

В приемной Джеральд Шор удобно устроился в кресле, выудил из кармана сигару, откусил кончик и чиркнул спичкой. Пламя, прикрытое ладонями, осветило тонкие черты его лица, высокий лоб, добрые, все понимающие глаза, вокруг которых собрались лучики-морщинки, придававшие его физиономии добродушно-насмешливое выражение, рот решительный, но все же не слишком жесткий.

— Сейчас, Элен, мы ничего не сможем сделать, так что садись и не переживай. Мы сделали все возможное.

Несколько минут они сидели в полном молчании. Мысли Элен перебегали со странного телефонного звонка на болезнь Янтарика и опять возвращались к дяде Фрэнклину. Несмотря на предупреждение, ей хотелось довериться дяде Джеральду, но она колебалась. Джеральд глубоко о чем-то задумался, явно решая какую-то сложную проблему.

Внезапно он заговорил:

— Элен, помнишь, несколько дней назад я предложил тебе немедленно заняться завещанием Фрэнклина. Матильда слишком долго лишает нас того, что по закону принадлежит нам.

— А не лучше ли еще немного подождать? — неуверенно пробормотала девушка.

— Мы ждали более чем достаточно.

И тут он заметил, что Элен колеблется, словно хочет что-то сказать ему и не решается.

— В чем дело, девочка?

Элен наконец решилась.

— Я... сегодня произошла одна непонятная вещь, — выпалила она.

— Что?

— Позвонил мужчина.

Джеральд усмехнулся.

— По-моему, если мужчина, знающий номер твоего телефона, не позвонил бы тебе — вот это было бы странно. Будь я не твоим родным дядюшкой...

— Не смейся надо мной. Этот человек назвался... ты мне не поверишь!..

— А нельзя ли выражаться ясней?

Элен понизила голос до шепота:

— Он назвался Фрэнклином Шором. Похоже, что он узнал меня по голосу, и допытывался, узнаю ли я его.

По физиономии Джеральда Шора было видно, что он поражен.

— Ерунда! — произнес он наконец.

— Нет, это правда!

— Элен, ты возбуждена. Ты...

— Дядя Джеральд, я клянусь тебе.

Наступило долгое молчание.

— Когда тебе звонили?

— За несколько минут до твоего прихода.

— Какой-то мошенник, пытающийся...

— Нет. Это был действительно дядя Фрэнклин.

— Послушай, Элен, ты... то есть было ли в его голосе что-нибудь знакомое?

— Не знаю. Про голос я ничего не могу сказать. Но это был точно дядя Фрэнклин.

Джеральд с хмурым видом принялся разглядывать кончик своей сигары.

— Этого не может быть! Что он сказал?

— Он хочет со мной встретиться сегодня в отеле «Касл-Гейт». То есть я должна спросить там человека по имени Генри Лич, который отвезет меня к дяде Фрэнку.

Джеральд Шор успокоился.

— Тогда все ясно. Несомненный самозванец, охотящийся за деньгами. Мы немедленно заявим в полицию и устроим твоему приятелю ловушку.

Элен покачала головой.

— Дядя Фрэнклин велел мне повидаться со знаменитым адвокатом Перри Мейсоном, объяснить ему положение вещей и привести его с собой на эту встречу.

Дядя Джеральд вытаращил глаза.

— Черт возьми, в жизни не слышал ничего подобного. На кой черт ему понадобился Мейсон?

— Не знаю.

— Послушай, — Джеральд заговорил строже, — ведь ты не можешь знать, что это действительно говорил Фрэнклин?

— Ну...

— Тогда перестань называть этого человека Фрэнклином. Это может повлиять на юридическую ситуацию. Ты знаешь только то, что тебе звонил мужчина. Он *назвался* тебе Фрэнклином Шором.

— Он привел доказательства.

— Какие?

— Он рассказал мне массу подробностей из моего детства, которые были известны одному дяде Фрэнклину. Про котенка, который забрался на крышу и не мог слезть, а дядя спас его. Про новогодний вечер, когда мне было тринадцать лет и я потихоньку выпила немного пунша и опьянела. Про это знал только дядя Фрэнк. Он отвел меня в мою комнату и, когда у меня начался истерический смех, так замечательно повел себя. Просто сел рядом и начал со мной болтать. Даже сделал вид, что ничего не замечает. Он тогда говорил, что не согласен с тем, как Матильда меня воспитывает, что я становлюсь взрослой и должна сама учиться жить, что будет лучше, если я на собственном опыте узнаю, как опасны алкогольные напитки, и пойму, сколько в состоянии выпить. И возможно, теперь несколько лет мне лучше не пробовать спиртного. После этого он поднялся и ушел.

Джеральд нахмурился.

— Этот человек пересказал тебе все это по телефону?

Элен кивнула.

Джеральд Шор поднялся с кресла, подошел к окну и несколько секунд молча постоял перед ним, засунув руки в карманы. Внешне он выглядел спокойным, разве что слишком серьезным. Да, пожалуй, чаще обычного затягивался сигарой, импульсивно выпуская колечками дым.

— Что случилось потом? — спросил он.

— Потом дядя Фрэнклин... этот человек, кто бы он ни был, попросил связаться с адвокатом Перри Мейсоном и приехать с ним в отель «Касл-Гейт» сегодня в девять часов, спросить Генри Лича...

— Но ради Бога, Элен, если с тобой действительно разговаривал Фрэнклин, почему бы ему не приехать открыто к себе домой... и...

— Я тоже непрестанно думаю об этом, ну и решила, что... возможно, если он уехал с другой женщиной... Полагаю, что он хотел бы вернуться назад, но сначала ему необходимо выяснить, как настроена тетя Матильда...

— Но почему он не позвонил *мне*? Я его брат. Кроме того, я адвокат. Зачем ему было звонить *тебе*?

— Не знаю. Он сказал, что только я могу ему помочь. Может быть, он пытался связаться с тобой и не смог.

— И что было потом? Как закончился ваш разговор?

— Он повел себя так, как будто его что-то удивило: может быть, кто-то вошел в комнату или еще что-нибудь. Он коротко вскрикнул и резко повесил трубку.

— И он просил тебя никому не рассказывать?

— Да. Но я подумала, что тебе-то должна сказать.

— Матильде ты не говорила?

— Нет.

— Уверена, что она ничего не заподозрила?

— Она не сомневается, что я разговаривала с Джерри. И потом сразу после этого началась история с котенком. Бедняжка Янтарик! Где он мог отравиться?

— Не знаю, — коротко ответил Джеральд. — Давай на секундочку забудем про твоего котенка и поговорим о Фрэнклине. Это какая-то бессмыслица. Десять лет упорного молчания, а потом эта театральная сцена возвращения блудного... мужа. Лично я всегда считал, что он удрал с женщиной, а Матильде оставил записку, которую она скрыла от всех. Но раз за столько лет он не прислал ни строчки, кроме той открытки из Майами, я все больше склонялся к мысли, что его дела сложились не наилучшим образом. Признаться, я всегда считал, что он мог наложить на себя руки. Такой конец он, несомненно, предпочел бы унизительному возвращению домой.

Джеральд засунул руки еще глубже в карманы и уставился в окно.

Помолчав, он повернулся к Элен и сказал:

— Когда Фрэнклин уехал, у Матильды осталась масса имущества, записанного на ее имя. Если бы Фрэнклин сейчас вернулся, ему вряд ли бы много досталось. А мы с тобой вообще ничего не получим. Фрэнклин — мой брат и твой дядя. Мы оба надеемся, что он жив, но ему придется это доказать!

Из операционной показался доктор Блекли.

— Ваш котенок был отравлен, — сообщил он Элен.

— Вы уверены?

— Абсолютно.

Джеральд отошел от окна и мрачно посмотрел на доктора.

— Что вы обнаружили?

— Незадолго до того, как вы доставили его сюда, котенку дали отравленное мясо. Внутри куска были спрятаны таблетки — похоже, несколько. Я нашел часть таблетки, которая не успела полностью раствориться. Она был запрятана довольно глубоко в мясо, и поэтому желудочный сок котенка на нее не подействовал.

— А он выживет? — спросила Элен.

— Да. Теперь все должно быть в порядке. Через пару часов его можно смело забирать домой. Но я бы посоветовал либо оставить его тут на несколько дней, либо пока подержать у какой-нибудь вашей приятельницы. Кто-то совершенно сознательно пытался отравить вашего котенка. Возможно, ваши соседи не выносят животных или же вы сами им чем-то не угодили.

— Господи, неужели на свете существуют такие люди? — ужаснулась Элен.

Доктор Блекли пожал плечами.

— Ядовитые таблетки, искусно спрятанные в мясные шарики, указывают на запланированное убийство. Случаи отравления животных бывают в разных районах города, но, как правило, травят собак. Готовят такие же ядовитые шарики и подбрасывают их во двор. Собаки их охотно глотают. Удивительно, что такому маленькому котенку дали огромную дозу яда.

Джеральд спросил напрямик:

— Так вы, доктор, советуете убрать котенка на несколько дней из дома?

— Да.

— Сейчас он вне опасности?

— Несомненно, но я должен провести еще некоторые процедуры — это займет примерно час.

— Хорошо, — решила Элен, — тогда приедем за ним сразу после обеда, дядя Джеральд. Мы можем отвезти его Тому Ланку, садовнику. У него домик на отшибе, рядом никаких соседей. Янтарик его любит, там ему будет хорошо.

— Превосходный план, — одобрил доктор Блекли.

Джеральд Шор кивнул:

— Хорошо, Элен, пошли. У тебя еще куча дел.

Через четыре или пять кварталов от ветеринарной лечебницы Джеральд Шор затормозил возле аптеки.

— Надо же договориться с Перри Мейсоном, — пояснил он. — Я немного с ним знаком, так что звонить лучше мне. Будет чудом, если мы застанем его на месте. Он сам себе хозяин и не слишком-то любит сидеть в офисе.

Через несколько минут он вернулся.

— Через час он ждет тебя в своей конторе. Тебя это устраивает?

— Не пойти ли тебе вместе со мной?

— Нет. Ты все расскажешь сама, и это получится куда лучше без меня. Меня особенно интересует, как он отреагирует, — сложится ли у него такое же впечатление, как у меня. Я сказал ему, что встречусь с вами возле «Касл-Гейт» в девять часов.

— А какое у тебя сложилось впечатление, дядя Джеральд?

Он нежно ей улыбнулся, но покачал головой, сосредоточившись на дороге, а потом сказал:

— Послушай, ты и правда не знаешь, выходил ли котенок сегодня днем во двор?

— Я старалась вспомнить, дядя Джеральд. Помню, что он бегал по заднему двору где-то около трех часов, но потом вроде бы не выходил из помещения.

— Кто сегодня днем был дома?

— Тетя Матильда, Комо и кухарка.

— Кто еще?

Под его внимательным взглядом она почувствовала, что краснеет.

— Джерри Темплер.

— Сколько времени прошло после его ухода до того момента, когда у котенка начались судороги?

— Не очень много.

— А Джордж Альбер не заходил?

— Заходил всего на несколько минут к тете Матильде, потом болтался возле меня, пока не пришел Джерри, и тут я поскорее от него отделалась. А что?

На щеке Джеральда задергался мускул, как будто он крепко стиснул челюсти.

— Что ты думаешь об этой... этой преданности Матильды Джорджу Альберу?

— Он ей очень нравится. Она всегда...

— Значит, тебе неизвестно, что лежит в основе этой привязанности? Ты не знаешь, что она всерьез собиралась выйти замуж за его отца?

— Понятия не имею!.. Не могу представить себе, что тетя Матильда когда-то...

— Однако же это так. В двадцатом году ей было всего сорок и она была вполне привлекательной вдовушкой, а Стивен Альбер — симпатичным вдовцом. Джордж очень похож на него. Не было ничего удивительного, что они приглянулись друг другу. А вот когда они поссорились и Матильда вышла за Фрэнклина, все были поражены. Я всегда считал, что она это сделала в пику Стивену. Он действительно переживал, но быстро утешился. А года через два-три женился. Ты, наверное, помнишь его бракоразводный процесс в начале тридцатых годов?

Элен покачала головой.

— Господи, ни за что не поверю, что кто-то мог быть влюблен в тетю Матильду! А еще труднее представить ее самое в роли влюбленной.

— И тем не менее она была так сильно влюблена, что, как мне кажется, так и не преодолела своей страсти. По-моему, она до сих пор без ума от Стивена Альбера... Лично я считаю, что главная причина ее ненависти к Фрэнклину вовсе не в том, что он бросил ее. Она знала, что он всегда ненавидел Стивена Альбера, и, я уверен, не смогла простить ему того, что он сделал Стиву.

— А что он ему сделал?

— В сущности, ничего. Это сделал банк уже после того, как Фрэнклин исчез. Но я бы не удивился, узнав, что он все подготовил для этого, прежде чем уехать. Кризис двадцать девятого года здорово потрепал Альбера, как и всех остальных, но все же он ухитрился кое-что спасти и жил на эти средства вплоть до тридцать второго года. Ну а через некоторое время после исчезновения Фрэнклина банк прижал его к стенке. Говорю тебе, я почти не сомневаюсь, что инициатором этой кампании был мой брат. Он терпеть не мог Альбера. Так или иначе, Альбер пошел на дно, и ему уже не было суждено всплыть на поверхность. Может быть, и не это его убило, но уж во всяком случае ускорило его смерть. Ну а Матильда... — Он замолчал. Они были уже почти дома. — Я поеду с тобой сегодня вечером. Буду ждать тебя у «Касл-Гейт» около девяти.

Элен колебалась.

— Дядя Фрэнклин сказал, чтобы я никого с собой не приводила, кроме мистера Перри Мейсона. На этом он особо настаивал.

— Не важно, — сказал Джеральд. — Я все-таки с тобой поеду. — Он внезапно понизил голос: — Говори потише. Здесь Джордж Альбер!

Глава 3

Джордж Альбер спускался по ступенькам. Если он действительно так похож на своего отца, как уверяет дядя Джеральд, подумала Элен, то нет ничего удивительного, что двадцать лет назад Матильда и, наверное, многие другие женщины теряли голову из-за Стивена Альбера.

Впрочем, его поклонницы наверняка принадлежат к тому типу женщин, которые млеют при виде фотографий популярных киноактеров. В красоте Джорджа было что-то искусственное, театральное, как будто кто-то уверенной рукой прочертил его греческий профиль, нарисовал ровные, прямые брови, придал легкую волнистость блестящим темным волосам.

Но ретушер совершенно не уделил внимания его рту, поэтому губы получились чересчур толстыми, а челюсть — излишне резко выступающей. Подбородок и рот немного портили картину; они придавали лицу выражение грубости, тщеславия и безжалостности, подчас доходящей до жестокости.

— Что это за история о взбесившемся котенке? — поинтересовался Джордж.

Его голос походит на его лицо, подумала Элен. Так тщательно подобран и отретуширован, что чересчур хорош, чтобы быть настоящим.

— Кухарка сказала, что он вас поцарапал. Дайте мне взглянуть на вашу руку.

Он дотронулся до ее руки. У него были ухоженные руки с длинными сильными пальцами, но Элен не выносила их прикосновения, она отдернула руку.

— Рука у меня в полном порядке, а Янтарик вовсе не взбесился. Он...

— Вы не можете знать этого наверняка, — перебил ее Джордж. — Если верить тому, что говорит кухарка...

— Кухарка знает только то, что слышала от тети, — рассердилась Элен. — Котенка отравили.

— Отравили?! — удивился Альбер.

— Да.

— Вы уверены?

— Совершенно.

— Тогда я ничего не понимаю.

Джеральд Шор, который только что вышел из машины, сухо сказал:

— Не вижу причин, почему бы ты не мог этого понять. Таблетки с ядом были спрятаны в шарики из мясного фарша и скормлены котенку. Кому-то очень хотелось от него избавиться. По-моему, тут все яснее ясного, не знаю, как еще тебе объяснить.

Джордж Альбер упорно не замечал саркастических ноток в голосе собеседника.

Улыбаясь, он сказал:

— Дело не в том, что я не понял, *что* случилось. Но я не могу понять *почему*.

— Котенок кому-то явно мешал.

— Но почему?

Только сейчас до Элен дошел смысл вопроса.

Она нахмурилась и, повернувшись к дяде Джеральду, проговорила:

— Да, дядя Джеральд, чего ради кому-то понадобилось убивать моего Янтарика?

Джеральд Шор, как показалось Элен, не хотел продолжать разговор на эту тему.

— Разве нормальный человек способен понять психологию тех, кто отравляет животных. Они могут подбрасывать отравленные шарики мяса в чужие дворы. Ты же слышала, доктор сказал, что в некоторых районах города очень много случаев отравления животных.

— Сомневаюсь, что котенка могли отравить таким способом, — заявил Альбер. — Один кусочек мяса, может, и могли подбросить, но несколько — вряд ли!

Джеральду Шору, оказавшемуся внезапно под огнем противника, пришлось защищаться.

— Несколько мясных шариков могли разбросать по двору. Не вижу, почему бы Янтарик не мог подобрать их.

Джордж повернулся к девушке.

— Элен, когда котенок последний раз выходил на улицу?

— Не знаю, Джордж. Я не могу припомнить, выходил ли он после трех часов.

— Мог ли он тогда уже съесть отраву?

Элен заметила, как взгляды Джорджа Альбера и дядюшки пересеклись. Она поняла, что воинственный характер молодого·человека не позволяет ему с почетом отступить.

— Ветеринар уверяет, что яд попал в организм Янтарика всего за несколько минут до первого приступа, незадолго до того, как мы приехали в лечебницу. Именно потому и удалось его спасти.

Альбер медленно наклонил голову, как будто слова Элен укрепили его в собственном мнении, потом неожиданно сказал:

— Ладно, мне пора. Я забежал только на минутку. Увидимся позже. Сочувствую Янтарику. Теперь смотрите за ним как следует.

— Непременно, — ответила Элен. — Я думаю несколько дней подержать его у Тома Ланка.

Джордж Альбер сел в свою машину и укатил.

— Определенно терпеть не могу этого парня! — сказал Джеральд Шор с удивившей его племянницу глубиной чувства.

— Почему, дядя Джеральд?

— Я сам не знаю. Уж слишком самоуверен. В пожилом человеке это не так коробит, но что такого сделал, скажи мне, этот лоботряс, чтобы держаться столь высокомерно? Как могло случиться, что его не призвали в армию?

— Плохо слышит на левое ухо, — объяснила Элен. — Разве ты не замечал, что он всегда поворачивается к говорящему правым боком?

Джеральд фыркнул:

— Все дело в его классическом профиле. Обрати внимание, как он держит голову! Подражает очередной кинознаменитости.

— Да нет, дядя Джеральд, ты несправедлив. Он действительно слышит плохо, я точно знаю. Он пытался попасть на фронт.

Джеральд Шор быстро спросил:

— Когда Джерри Темплер возвращается в лагерь?

— В понедельник.

Элен даже страшно стало при мысли, что это совсем скоро.

— Он знает, куда его пошлют?

— Если и знает, то не говорит.

Джеральд распахнул перед Элен дверь, но сам не последовал за ней.

— У меня еще дела в городе. — Он взглянул на часы. — А тебе уже скоро надо будет выезжать. Ты опоздаешь к обеду, поэтому лучше сказать, что поедешь со мной. Это успокоит Матильду, а ты сможешь уделить Мейсону столько времени, сколько понадобится. А понадобится много, можешь быть уверена. В девять часов я буду ждать вас перед «Касл-Гейт».

Он закрыл за ней дверь прежде, чем девушка успела еще раз напомнить ему, что дядя Фрэнклин совершенно определенно просил ее держать в тайне от всех, кроме Перри Мейсона, назначенное свидание в «Касл-Гейт».

Глава 4

Перри Мейсона природа наделила редкостным даром: располагать к себе людей. Обычно он бывал спокоен и сдержан, но в минуты величайшего напряжения его неукротимая натура прорывалась наружу. Перед жюри присяжных он демонстрировал блеск и изящество прирожденного актера. Его голос превращался в тончайший инструмент, усиливающий воздействие его слов. Его острые вопросы разоблачали лживость показаний добросовестных свидетелей, выявляли в них грубую подделку. В сложных ситуациях он превращался в быстродействующую мыслящую машину, внушал окружающим свои мысли, играл на их чувствах, мгновенно просчитывая последующие ходы противника. Блестящий, убедительный оратор, он никогда не забывал подкреплять свои аргументы железной логикой.

Делла Стрит, секретарь Мейсона, распахнула дверь кабинета адвоката. Перри Мейсон сидел во вращающемся кресле за своим огромным столом, задрав на его крышку свои длинные ноги.

— А вот и я, — объявила девушка, снимая перчатки и выскальзывая из пальто.

Мейсон не проронил ни слова, пока она не повесила пальто в стенной шкаф и не подошла к столу.

— Делла, добродетель вознаграждена. Я же тебе говорил сегодня утром, что нам не следует забивать себе головы этим делом о разделе имущества, пусть даже оно принесет нам деньги. И всего через восемь часов после нашего разговора мы получили это!

— Дело о разделе имущества принесло бы нам десять тысяч долларов гонорара, — ледяным тоном возразила Делла. — А это?

Мейсон подмигнул.

— Приключения, от которых ты помолодеешь на десять лет!

— Большинство ваших дел каждый раз старят меня на десять лет!

Мейсон пропустил мимо ушей замечание своего секретаря.

— В этом деле нет тоскливой обыденности, от которой я того и гляди запью. Оно сверкает тайной, авантюрой, романтикой. Ну а с другой стороны, это сплошное безумие, невозможная бессмыслица: не дело, а черт знает какая роскошь!

— Так я и поняла, когда вы позвонили, — сказала она, усаживаясь на противоположном конце стола и замечая тот огонек, который появлялся в его взгляде в минуты душевного возбуждения.

Перри Мейсон, что редко бывает у профессионалов, получал удовольствие от своей работы. Скажем, врач, проработав некоторое время, приобретает опыт и знания, но зато утрачивает человеколюбие. Его пациенты перестают быть для него страдающими людьми и становятся всего лишь носителями тех или иных симптомов, которые необходимо устранить. Адвокат, набив руку на определенных делах, превращается в механически действующего робота. Но Перри Мейсон каждый раз испытывал наслаждение, придумывая хитрые способы обойти юридические формальности. Он не только рассматривал каждое дело как захватывающее приключение, но и вникал в человеческую психологию. И с каждым разом методы Мейсона становились все более отточенными, все более опасными и совершенно неортодоксальными.

Хорошо изучив своего шефа, Делла Стрит по блеску его глаз могла безошибочно сказать, что новое дело пока представляет для адвоката дразнящую загадку.

Перри внимательно смотрел на нее, и она машинально поглядела на себя его глазами. Ее стройные ноги были обуты в коричневые замшевые лодочки. Бежевый жакет сшит у хорошего портного. С лицом тоже все было в порядке, и новый оттенок губной помады шел ей. А шляпка была просто неотразима. Делла могла надеяться, что Мейсон останется доволен.

— Делла, — вздохнул он, — иногда я серьезно опасаюсь, что ты становишься меркантильной.

— Да? — не предвещающим ничего хорошего тоном протянула она. — Расскажите-ка мне об этом.

— Ты делаешься расчетливой, осторожной, консервативной. Ты предпочитаешь поставить в деле точку, а не задавать вопросы.

— Кто-то в этой конторе должен быть практичным, — уже спокойнее сказала Делла. — Но нельзя ли мне узнать, по какому поводу столько шума? Бог с ним, с ужином, который мне пришлось оставить на столе наполовину не доеденным, но я все же хотела бы узнать, какого миссионера сжевали людоеды?

— Все произошло уже после того, как ты ушла из конторы. Я тоже собирался домой и набрасывал последние замечания по делу Джонсона, как вдруг позвонил один малознакомый адвокат и просил принять его племянницу. Ну а вскоре приехала и она сама, и у нас состоялся весьма любопытный разговор.

Делла Стрит соскользнула со стола, взяла блокнот для стенографирования и придвинула себе стул. От ее непринужденных манер не осталось и следа, теперь перед адвокатом сидела деловитая секретарша.

— Имена, пожалуйста, — попросила она.

— Джеральд Шор, адвокат, имеет контору в Дебентче-Инвестмент-Билдинг. Насколько я помню, он занимается весьма узкой отраслью юриспруденции, обслуживает горнорудные корпорации. Думаю, он и сам азартный игрок, а гонорары получает частично наличными, а частично акциями тех компаний, которые организует.

— Дело денежное?

— Да оставь ты свои несносные расчеты! — ухмыльнулся Мейсон. — Не сомневаюсь, что мы получим нечто большее.

— И что же?

— Он вечно гоняется за миражами. Наши сугубо реалистичные мыслители считают это пустым делом. Только потому, что мираж лишен определенной субстанции, они не замечают, сколь увлекательна погоня за ним, и никто так не наслаждается жизнью, как поклонник миражей. Его всегда интересует то, что от него ускользает, чего нельзя сказать о большинстве практичных людей, преследующих конкретные цели. Да, любовь к жизни — это самое ценное достояние!

— Ну а как насчет задатка?

— Пока ничего, — признался Мейсон.

— Ясно... Имя племянницы?

— Элен Кендал.

— Возраст?

— Примерно двадцать четыре. Восхитительные фиолетовые глаза. Очень светлая шатенка. Прелестные ножки, прелестная фигура, хорошо одета. Определенно мила.

— И никаких денег. Хм. Так вы говорите, она племянница Джеральда Шора?

— Да. Послушай, я коротко изложу тебе историю их семьи.

Он потянулся за какими-то карандашными набросками и принялся диктовать. И вот уже скупо изложенные факты в хронологическом порядке заняли место в блокноте Деллы.

Январским вечером 1932 года пятидесятисемилетний процветающий финансист Фрэнклин Шор, пообедав с женой, ушел к себе в кабинет. Там у него побывал посетитель, которого, по всей вероятности, впустил он сам, поскольку никто из слуг дверей не открывал. Горничная заметила кого-то на подъездной дорожке, и ей показалось, будто это был Джеральд Шор. Матильда Шор тоже думала, что из кабинета мужа доносился голос Джеральда, но слышно было плохо и утверждать что-либо определенно она потом не решилась. Сам же Джеральд отрицает, что приходил к брату.

Кто бы ни был этот посетитель, ему нужны были деньги. Матильда Шор ясно слышала, как ее супруг, повысив в гневе голос, наотрез отказался ссудить ему денег, сказав что-то вроде того, что мир полон ослов, которые только и ищут, где бы им найти несколько тысчонок, чтобы с легкостью промотать их. Но даже самый глупый осел должен понимать, что Страна лентяев существует вечно лишь в сказках.

Больше ничего из их разговора Матильде услышать не удалось. Она поднялась наверх, решив немного почитать в постели, и не слышала, когда посетитель ушел. И лишь на следующее утро узнала, что ее муж тоже покинул дом.

То были времена, когда из-за одного слушка мог рухнуть банк, поэтому супруга Фрэнклина Шора и его компаньоны не сообщали в полицию о его исчезновении несколько дней. Потом поиски были организованы и официальным и частным порядком, но банкир как в воду канул. Банковские дела оказались в идеальном порядке, и, несмотря на крикливые заголовки в газетах, банк не понес убытков от исчезновения его президента. Личные дела Фрэнклина тоже были в ажуре. Но это не только не прояснило загадку, а, наоборот, все запутало, потому что он ушел из дому практически без денег, захватив лишь несколько сотен долларов, которые обычно были при нем.

Его чековая книжка осталась лежать на столе. На верхнем листочке была проставлена дата, и видно было, что он начал писать фамилию получателя, но потом либо передумал, либо его отвлекли. Судя по книгам, на его совместном с женой счете было 58 941 доллар и тринадцать центов. Этот баланс был подтвержден и банком, за исключением одного чека на десять тысяч долларов, выписанного на бланке из другой книжки, о которой Шор говорил своему секретарю перед самим исчезновением.

Начались обычные пересуды, поползли слухи. Незадолго до исчезновения Шора несколько раз видели в обществе неизвестной женщины. Говорили, что она красива, великолепно одета, лет тридцати с небольшим. Но ничто не указывало на то, что Шор уехал вместе с ней, если не считать открытки из Майами, отправленной, судя по штемпелю, 5 июня 1932 года. Его племянница получила эту открытку через шесть месяцев после его исчезновения. Специалисты-графологи подтвердили, что открытка написана от руки Фрэнклином Шором. В ней говорилось:

«Не представляю себе, сколько времени мы здесь еще пробудем, но мы наслаждаемся мягким климатом и, хочешь — верь, хочешь — не верь, купанием.

Любящий тебя твой *дядя Фрэнклин*».

Местоимение во множественном числе, казалось, подтверждало версию о неизвестной блондинке, но детективы, бросившиеся в Майами, не нашли и следов Фрэнклина Шора. У него в тех местах было порядочно знакомых, и тот факт, что никто из них с ним не встретился, указывал на то, что он недолго пробыл во Флориде.

Было найдено его завещание. Он оставил большую часть состояния жене, а брату и племяннице — по двадцать тысяч долларов.

— И что же с ними? — Делла с надеждой подняла голову от блокнота.

— Они ничего не получили. Племянница уже долгие годы живет у тетки, а Джеральд Шор, по-моему, имеет какие-то побочные доходы. Что касается наследства, то получить его можно, но только если Фрэнклин Шор умер.

— Но он же никому не давал о себе знать вот уже...

— В том-то и дело, — сказал Мейсон, — что давал. Сегодня он звонил по телефону племяннице. Вечером она должна с ним встретиться. Он настаивает, чтобы на свидании присутствовал я. Ну, а я намерен прихватить и тебя.

— Взять блокнот?

— Непременно. Нам необходимо зафиксировать все, что будет сказано.

— Но почему бы ему не встретиться с женой и не вернуться домой?

— В этом все дело! Не забывай, что Шор исчез таинственным образом, и ходили слухи, будто он сбежал

416

с молодой женщиной. Очевидно, он не вполне уверен, какой прием окажет ему супруга.

— А она не знает о его появлении?

— Нет. Фрэнклин несколько раз повторил племяннице, чтобы она никому ничего не говорила. Но девушка все же решила довериться своему дяде Джеральду, тому, который мне и позвонил.

— А не своей тете Матильде?

Мейсон подмигнул.

— Определенно нет. Угадывая недосказанное Элен Кендал, я могу сказать, что у этой дамы весьма тяжелый, со странностями характер. А тут еще примешивается старая любовная история. Тот человек умер, но его сын, Джордж Альбер, как две капли воды похож на отца, и Матильда Шор к нему страшно привязана. Как мне кажется, Джеральда это ужасно тревожит.

— Почему?

— Понимаешь, в молодом Альбере она видит своего прежнего возлюбленного. Ее единственные родственники — сам Джеральд и Элен Кендал. Если бы все шло нормально, они были бы единственными наследниками по завещанию старухи. Когда-то давно, когда молодой Альбер не бывал еще в доме, она неоднократно повторяла, что им достанется все состояние.

— Речь идет о состоянии?

— Да.

— И тут появился Альбер.

— И тут появился Альбер, — усмехнулся Мейсон. — Он стал завсегдатаем в доме, по словам Джеральда Шора пустив в ход все свое обаяние.

— Боже мой, не хотите же вы меня уверить, что шестидесятичетырехлетняя старуха намерена женить его на себе...

— Вряд ли, конечно, но она хочет, чтобы ее племянница вышла за него замуж. И Альберу как будто эта мысль по нраву. Нужно понимать, что Матильда Шор настоящий деспот, да к тому же все средства семьи в ее руках. Однако ты выслушала не все удивительные факты, имеющие отношение к делу. Кроме таинственного звонка, сегодня случилось еще нечто: днем кто-то пытался отравить котенка Элен.

Делла удивленно приподняла брови.

— Какое отношение имеет котенок к возвращению Фрэнклина Шора?

— Возможно, никакого. Но может быть, и самое непосредственное.

— То есть как?

— Не исключено, что котенка отравил кто-то из домашних.

— Почему вы так решили?

— Потому что, по словам Элен, котенка после трех часов дня не выпускали из дому. А симптомы отравления появились около пяти часов. Ветеринар определил, что яд был проглочен за пятнадцать — двадцать минут до того, как котенка привезли в лечебницу. А это было в четверть шестого.

— Что за яд? — спросила Делла Стрит. — Такой можно подмешать и человеку?

— В том-то и загвоздка, — признался Мейсон. — Похоже, что это был стрихнин. Но стрихнин очень горький. Животное может его проглотить, если спрятать яд в шарики из сырого мяса. Животные, как правило, не жуют мясо. Но человек сразу почувствовал бы горечь, особенно в вареном или жареном мясе.

— И вы хотите, чтобы я сегодня поехала с вами?

— Да. Некто Лич должен проводить нас туда, где прячется Фрэнклин.

— Зачем он прячется?

Мейсон рассмеялся:

— Начнем тогда уж с того, зачем он исчезал? Знаешь, Делла, я часто задумываюсь над подобными вопросами. Почему такой человек, как Шор, с трезвой головой, который смог благополучно миновать подводные рифы и после кризиса двадцать девятого года греб деньги лопатой, у которого было все, что он мог пожелать, — зачем такому человеку внезапно исчезать, не взяв с собой никаких денег!

— Кто знает, может, он заранее кое-что перевел в другое место?

— То было время строгого контроля за прибылями.

— Но ведь бухгалтерские книги можно и подделать?

— Не такой крупный предприниматель, наверное, мог бы. Но Фрэнклин Шор вел самые разные дела. Так что,

Делла, нам предстоит разрешить давнишнюю тайну. Разгадка, возможно, будет совершенно неожиданной и потрясающей. Да, ты же, наверное, хочешь познакомиться с Матильдой Шор, как ее обрисовала Элен Кендал. Суровая, мрачная старуха, крепко держит в руках свыше миллиона долларов, безусловно деспот, обожает всяких пичуг и своего слугу, который упорно называет себя корейцем, но ведет себя как японец. Живет Матильда Шор только надеждой на возвращение мужа, дабы дать ему испить из ее рук горькую чашу. Поехали, Делла, разве ты не чувствуешь, что нас ожидает новое потрясающее преступление?

Делла сморщила нос:

— Преступлением тут пока и не пахнет!

— Ну, — заявил Мейсон, подойдя к стенному шкафу и натягивая пальто, — у нас есть, по крайней мере, попытка преступления.

— То есть?

— Котенок!

— Дело об отравлении котенка? — спросила она.

Делла сунула в сумочку блокнот и с полдесятка отточенных карандашей, потом замерла у стола, озабоченная какой-то мыслью.

— Идем? — нетерпеливо позвал Мейсон.

— Шеф, а вы когда-нибудь видели, как едят котята?

— Здравствуйте, что за вопрос?

— Котенок долго гоняет кусочек мяса, воображая, что это мышь. Наверное, он был страшно голоден, если сразу проглотил эти шарики.

— Я думаю, он был просто легкомысленным. Пошли скорее!

— Весьма легкомысленным, — кивнула Делла. — Так что, пожалуй, на папке для документов по этому делу я напишу: «Дело о беззаботном котенке».

Глава 5

Уже в машине, по дороге в «Касл-Гейт», Делла Стрит спросила:

— Фрэнклин Шор перевел всю свою собственность на имя жены?

— Практически всю, насколько я понимаю. В банке у них был общий счет.

— За сколько времени до его исчезновения?

— Года за три или четыре.

— Тогда, если она не хочет, чтобы он вернулся, она могла бы...

— Физически она не может помешать ему вернуться, — прервал ее Мейсон, — но она в состоянии осложнить ему жизнь материально. Допустим, в тот самый момент, когда он появится, она подаст на развод, потребует выделить ей содержание, и все это будут высчитывать из тех крох, что у него остались. Ты представляешь?

— Вы считаете, что именно это она и задумала?

— Во всяком случае, были же у него основания попросить меня присутствовать при свидании. Не в бляшки же мы станем с ним играть!

Несколько кварталов они проехали молча, потом Делла спросила:

— Где мы встретимся с остальными?

— Недалеко от «Касл-Гейт».

— Что это за место?

— Второразрядный отель, внешне респектабельный, но в действительности полупритон.

— Генри Лич хотел, чтобы вы с Элен Кендал явились к нему одни?

— Да.

— Думаете, он не станет возражать против четверых?

— Не знаю. История запутанная, и мне необходимо зафиксировать все, что будет сказано и что не будет... Ага, на следующем углу мы должны подождать остальных. Здесь удобное место для стоянки.

Мейсон подвел машину к обочине, выключил фары и зажигание, вышел сам, помог Делле и запер дверцу. Сразу же откуда-то из тени вынырнули две фигуры. Джеральд Шор шел первым, протягивая Мейсону руку. Обе стороны негромко приветствовали друг друга.

— Путь свободен? — спросил Мейсон.

— Мне думается, да.

— За вами не следили?

— Нет, насколько мы можем судить.

Элен ответила более определенно:

— Уверена, что за нами никто не ехал.

Мейсон указал на здание посреди следующего квартала, на стене которого было написано огромными буквами: «Отель «Касл-Гейт». Комнаты за доллар и дороже. Помесячно и на сутки. Ресторан». Надпись закоптилась, поблекла, как и все в этом районе.

Мейсон подхватил Элен Кендал под руку.

— Мы с вами пойдем вперед. Шор, вы с мисс Стрит идите следом секунд через тридцать — сорок. Не показывайте, что вы с нами знакомы, пока мы не войдем в лифт.

Но Джеральд Шор колебался.

— В конце концов, — заявил он, — я хочу видеть только моего брата Фрэнклина. Мне нет дела до какого-то мистера Лича. Так что, если мое присутствие может испугать его, я предпочел бы подождать в машине.

— В любом случае мисс Стрит пойдет со мной, — заявил Мейсон, — так что нас уже получается трое. Не велика разница, если будет и четверо.

Однако Шор принял окончательное решение:

— Нет, я дождусь вас здесь, в машине, а вы, как только увидите моего брата, передайте ему, что я хочу... нет, просто обязан с ним переговорить до того, как он будет беседовать с кем бы то ни было. Вы поняли? До того, как он заговорит с любым из вас!

Мейсон насмешливо смотрел на Джеральда.

— Даже до того, как он поговорит со мной?

— С кем бы то ни было!

Мейсон покачал головой.

— Думаю, такую просьбу вам лучше высказать лично. Этот человек послал за мной. Возможно, он желает получить совет адвоката.

Шор сразу стал любезен:

— Я был не прав. Извините. Но все равно я останусь ждать здесь. Сомневаюсь, чтобы брат жил в этом отеле. Когда вы выйдете с Личем, я к вам присоединюсь.

Он зашагал к углу, возле которого стояла его машина, отпер дверцу и сел на переднее сиденье.

Мейсон улыбнулся Элен, желая подбодрить девушку.

— Ну что ж, пошли!

Они двинулись по гулкой мостовой к обшарпанной двери отеля. Мейсон открыл дверь, пропуская вперед своих спутниц.

Вестибюль имел футов двадцать в ширину, а в самом конце его была стойка в форме подковы и перегородка, за которой находился телефон с коммутатором. Скучающий портье был занят чтением очередного триллера. Наискосок от конторки находились два автоматических лифта. В вестибюле вдоль стены стояло полтора — два десятка стульев. На стульях в самых непринужденных позах развалились шестеро типов сомнительного вида, которые подняли головы и посмотрели сначала мимоходом, а потом с нескрываемым любопытством на двух изящных молодых женщин, сопровождаемых высоким, представительным господином.

Даже портье за конторкой отложил книжку и соблаговолил обратить на них внимание.

Подойдя к стойке, Мейсон обратился к портье:

— У вас проживает Генри Лич?

— Да.

— Давно?

— С год.

— Вот как? Какой номер он занимает?

— Триста восемнадцатый.

— Будьте любезны, позвоните ему.

Портье, по всей видимости исполняющий обязанности телефониста, подошел к коммутатору и вставил соответствующий штепсель в гнездо. Он нажал кнопку несколько раз, прижимая левой рукой наушник к уху и разглядывая Деллу Стрит и Элен Кендал с интересом, который он и не пытался скрыть.

— Очень сожалею, но его в номере нет.

Мейсон взглянул на часы.

— Он должен был встретиться со мной здесь в это время.

Портье принялся объяснять:

— Я так и думал, что его нет. Часа два или три назад к нему приходил человек. Лича не было. И я не видел, чтобы он возвращался. Я... — Он замолчал, потому что к конторке подошел посыльный.

— У меня письмо для портье отеля «Касл-Гейт», — объявил он.

Портье расписался в получении, развернул лист бумаги и, прочитав написанное, взглянул на адвоката:

— Вы, случайно, не мистер Перри Мейсон?

— Совершенно верно.

— Так вот. Лич и правда должен был с вами встретиться. Письмо на самом деле для вас, только адресовано мне.

Портье протянул Мейсону листок, на котором было аккуратно напечатано:

«Портье в отеле «Касл-Гейт». Ко мне вечером придет джентльмен. Это Перри Мейсон, адвокат. Пожалуйста, скажите ему, что я не смогу быть, как мы договорились, но он должен немедленно приехать в указанное место. Обстоятельства заставили меня изменить планы. Так уж не повезло. Попросите его, пожалуйста, проехать до водного резервуара у вершины дороги к Голливуду, руководствуясь приложенным планом. Еще раз прошу извинить за отсутствие. Ничего нельзя было сделать.

Генри Лич».

Подпись тоже была напечатана на машинке, а не сделана от руки. Приложенная к посланию карта представляла собой автомобильную карту Голливуда и его окрестностей. На ней чернилами была нарисована линия, тянувшаяся вдоль Голливудского бульвара. У Ивар-стрит она поворачивала направо и оттуда уже зигзагами продолжалась до кружка, возле которого значилось: «водоем».

Портье сказал:

— Мне показалось, что он вышел пару часов назад, и я не видел, чтобы он вернулся.

Мейсон внимательно изучил письмо, затем быстро сложил его вместе с планом и засунул в карман пальто.

— Поехали, — скомандовал он.

Глава 6

Свет фар мчавшихся одна за другой машин зигзагами прорезал темноту, попеременно выхватывая из нее отдельные участки береговой линии или темные громады каньонов. Дорога, петляя, уходила все выше в горы. Первыми ехали Мейсон с Деллой Стрит, за ними Джеральд Шор с племянницей.

— Тебе не показалось странным это письмо с инструкциями? — спросил Мейсон, крепко держа обеими руками руль и напряженно следя за поворотами дороги.

Делла Стрит, переводя глаза с карты на дорогу впереди, задумчиво произнесла:

— Странно, но оно показалось мне удивительно знакомым, словно я знаю человека, который его написал. Может, это из-за манеры письма?

Мейсон рассмеялся:

— Если прочитать письмо вслух подходящим голосом, то, несомненно, ты поняла бы, в чем тут дело.

— Не понимаю.

— Попробуй, улыбаясь и кланяясь, прочитать фразу за фразой монотонно, без всякого выражения. Посмотришь, что у тебя получится.

Делла Стрит с любопытством развернула послание и принялась читать его вслух. В конце четвертой строки она радостно воскликнула:

— Великий Боже, точно так написал бы японец!

— Если бы ты задалась целью сочинить типично японское письмо, у тебя не получилось бы лучше. Обрати внимание на то, что подпись тоже напечатана на машинке, да и письмо адресовано просто портье отеля «Касл-Гейт». Лич живет там около года. Он почти наверняка знает его по имени и соответственно адресовал бы письма.

— Так вы не думаете, что мы обнаружим там Лича? Вы считаете, что мы ищем ветра в поле?

— Не знаю. Просто мне сразу бросилась в глаза эта особая манера письма, ну, и я заинтересовался, обратила ли и ты на это внимание.

— Сразу — нет, но, думаю, если бы письмо читали вслух, то заметила бы. Теперь, когда вы обратили на это внимание, все совершенно очевидно.

Мейсон включил вторую скорость и нажал педаль тормоза. Некоторое время слышался только визг покрышек на поворотах; руки Мейсона крепко вцепились в руль. Но вот наконец начался ровный участок. С обеих сторон к дороге подступали величавые горы, над которыми ярко сияли звезды. Внизу позади осталось огромное пространство, усеянное мерцающими огнями: Лос-Анджелес, Голливуд и пригороды. Желтоватые крапинки уличных фонарей терялись в каскадах разноцветной неоновой рекламы. На фоне этого моря света горные кряжи казались особенно темными и неподвижными.

Мейсон снова включил третью скорость, отпустил тормоз, и мощный мотор великолепной машины негромко замурлыкал. Через открытые окна салон наполняла тишина, нарушаемая лишь шуршанием шин по гальке и уханьем сов.

Через минуту в ветровом стекле и зеркальце заднего вида мелькнули огни машины Джеральда Шора, почти ослепившие Мейсона, так что адвокат не сразу заметил стоявшую у обочины машину с непогашенными огнями. Чуть не врезавшись в нее, он круто взял вправо. В нескольких ярдах впереди дорога резко поворачивала, а темная кайма эвкалиптов обозначала границы водохранилища.

— Прибыли, — констатировала Делла.

Мейсон поставил машину на краю дороги. Джеральд Шор подъехал сразу же за ним. Они одновременно выключили моторы и передние огни. Почти сразу их обволокла тишина. Пот днищем машины Мейсона четырежды щелкнул остывающий мотор, и эти щелчки в окружающей их тишине прозвучали как взрывы. Звук шагов Джеральда Шора тоже показался необычайно громким.

Понизив голос, чтобы не нарушать спокойствие природы, Джеральд Шор заговорил:

— Там, сзади, по-видимому, стоит машина, но я в ней никого не заметил.

— Не очень-то похоже на вечеринку. — В смехе Деллы Стрит чувствовалась растерянность. — Вы уверены, что речь шла о вечере вторника?

Заговорила Элен Кендал, голос ее был напряженным, взволнованным:

— Нет. В той машине за рулем сидит человек. Он не шевелился, просто сидел и ждал.

— У кого-нибудь найдется фонарик? — спросил Шор. — Как-то мне не нравится вся эта история. Не могу представить, для чего брату потребовалось затащить нас сюда, чтобы просто встретиться с ним?

Мейсон открыл отделение для перчаток в машине, достал оттуда фонарик на трех батарейках и коротко сказал:

— Пошли.

Держась поближе друг к другу, они двинулись обратно по дороге, подсвечивая себе путь фонариком. Наконец они добрались до машины у обочины. В ней было темно и тихо; никаких признаков жизни.

Мейсон резко поднял фонарь, так что свет упал на ветровое стекло. Элен Кендал, не сдержавшись, испуганно вскрикнула.

Человек сидел в неудобной позе, навалившись на руль и обхватив его правой рукой. Голова склонилась набок. С левого виска стекала зловещая красная струйка, у скулы разделяясь на две и резко контрастируя с мертвенной бледностью лица.

Мейсон навел луч фонарика, стараясь как следует разглядеть неподвижное тело.

— Полагаю, вы не можете опознать в нем Лича? — бросил он через плечо Джеральду Шору.

— Нет, я ведь его не знаю.

— Но это не ваш брат? — спросил Мейсон, подвигаясь так, чтобы получше осветить лицо человека в машине.

— Нет.

— Вы уверены?

— Да.

Мейсон задумался на мгновение, потом сказал:

— Лейтенант Трэгг из отдела расследования насильственных преступлений всегда обвиняет меня в том, что я нарушаю законы, передвигая трупы и уничтожая следы прежде, чем ими займется полиция, осложняю расследование. На этот раз я хочу быть вне подозрений. Если мисс Кендал не боится остаться здесь, я попрошу вас вдвоем постеречь труп, пока мы с мисс Стрит доберемся до ближайшего телефона и известим о случившемся полицию.

Шор, поразмыслив, сказал:

— Позвонить по телефону может и один человек. Я бы хотел, чтобы здесь остались две свидетельницы.

— Хотите остаться? — спросил Мейсон у Деллы.

Она взглянула ему прямо в глаза.

— Почему бы и нет?

— О'кей... Мисс Кендал, скажите мне номер телефона вашей тетушки.

— Роксвуд 3-3987. А что? Вы хотите ей сообщить?

— Нет, просто мне нужно туда позвонить и кое-что спросить у вашего слуги.

Мейсон быстро вскочил в машину, торопливо захлопнул дверцу и нажал на газ. Он остановился у первого же освещенного окна, взбежал по ступенькам и нажал кнопку звонка.

Дом был построен в претенциозной манере — в так называемом калифорнийском стиле, с дороги он выглядел одноэтажным, со стороны же сада было надстроено еще несколько этажей и балконов. Мейсон видел, как по коридору неторопливо идет мужчина.

Над крыльцом вспыхнул яркий свет, выхватив из темноты фигуру адвоката. В двери открылось маленькое окошко, и на посетителя уставились внимательные серые глаза.

— Что вам угодно?

— Меня зовут Перри Мейсон. Я хотел бы воспользоваться вашим телефоном, чтобы известить полицию о преступлении: в машине возле водохранилища на вершине холма мы обнаружили труп мужчины.

— Перри Мейсон? Адвокат? — спросил человек.

— Да.

— Я слышал о вас. Входите же.

Дверь отворилась. Мужчина, одетый в смокинг и шлепанцы, с любопытством уставился на Мейсона.

— Я много читал о вас в газетах. Вот уж никогда не помышлял познакомиться с вами при таких обстоятельствах. Телефон в холле на маленьком столике.

Мейсон поблагодарил радушного хозяина, набрал номер полиции и попросил к телефону лейтенанта Трэгга.

А через минуту в трубке уже звучал его резкий, уверенный голос:

— Лейтенант Трэгг слушает.

— Это Перри Мейсон. Мне нужно кое-что сообщить.

— Надеюсь, вы не собираетесь мне сообщать, что снова обнаружили труп?

— Нет, конечно, — отрезал Мейсон.

— Это уже лучше. Что же тогда?

— Я перестал находить трупы, но зато один человек, бывший вместе со мной, обнаружил тело мужчины в автомашине возле водохранилища над Голливудом. Если вы намерены выехать немедленно, я подожду вас у пересечения Голливуд с Ивар-стрит и покажу дорогу.

— О, — подчеркнуто вежливо заговорил лейтенант, — человек, находившийся *вместе с вами*, обнаружил труп?

— Правильно.

— Поскольку вы уже превысили свою норму нахождения трупов, — саркастически заметил Трэгг, — полагаю, вы решили приписать честь этого открытия своей достопочтенной секретарше?

Мейсон рассмеялся:

— Меня нисколько не трогает, если вы предпочитаете острить по телефону, вместо того чтобы расследовать убийство, но в газетах это будет выглядеть очень здорово!

— О'кей. Ваша взяла. Сейчас выезжаю.

Мейсон повесил трубку и набрал: Роксвуд 3-3987.

Через несколько минут в трубке послышался пронзительный женский голос:

— Да, в чем дело?

— У вас работает слуга-японец, — сказал адвокат. — Я хотел бы поговорить...

— Он не японец, а кореец!

— Не важно, какой он национальности, я хочу потолковать с ним.

— Его нет дома.

— Ах вот как?

— Он ушел.

— Когда?

— Примерно с час назад.

— С кем я разговариваю?

— С кухаркой. Вообще-то сегодня у меня выходной вечер, но я пришла как раз, когда они уходили, и мне велели остаться дома и отвечать по телефону, если кто позвонит.

— Не могли бы вы сказать, этот слуга-кореец был весь день дома?

— Ну... точно не знаю, вроде бы уходил на некоторое время.

— А где он сейчас?

— Ушел.

— А не можете вы мне объяснить поподробнее?

— Нет.

— Я — мистер Мейсон, звоню по поручению мистера Джеральда Шора, и мне нужно знать, где сейчас этот парень.

— Вы звоните от мистера Шора?

— Совершенно верно.

— Если я вам скажу, где сейчас Комо, вы обещаете, что у меня не будет неприятностей?

— Можете быть совершенно спокойны.

— Он повез миссис Шор в больницу Экдешер.

— В больницу? — недоуменно переспросил адвокат.

— Да, она сильно заболела, совсем неожиданно, как если б она...

— Как если бы она что?

— Ничего.

— Когда это случилось?

— Где-нибудь без четверти девять, я думаю.

— Так все-таки было похоже, что она?.. — настаивал Мейсон.

Женщина на другом конце линии помолчала, раздумывая, потом наконец решилась:

— Отравилась. Только никому не говорите, что это я вам сказала. — И она повесила трубку.

Глава 7

Машина расследования насильственных преступлений, громко сигналя, прокладывала себе путь в потоке автомобилей на Голливудском бульваре. Пешеходы останавливались и глядели вслед мчавшейся машине.

И только когда задние красные огни совершенно исчезли из виду, на шоссе восстановилось движение.

Услышав звук сирены, Мейсон вышел из-за своего припаркованного у обочины автомобиля и в свете фар пошел к приближающейся полицейской машине. Когда огромный автомобиль остановился, дверь распахнулась и лейтенант Трэгг лаконично бросил:

— Садитесь!

Мейсон залез внутрь, отметив, что место рядом с Трэггом было оставлено для него.

— Куда ехать?

Мейсон достал из кармана сложенный вчетверо план местности.

— Вот карта, которой я руководствовался.

— Где вы ее раздобыли?

— Пришла с письмом.

— Где письмо?

Мейсон протянул его Трэггу. Тот взял, но даже не стал заглядывать в него. Офицер, сидевший за рулем, оглянулся в ожидании указаний.

Трэгг усмехнулся.

— Не спеши, Флойд. Человек в автомобиле умер. Он не сможет сделать ничего такого, что собьет нас с толку. А вот мистер Мейсон очень даже жив.

— Иными словами, я непременно должен сбить вас с толку? — улыбнулся адвокат.

— Ну, вы же знаете, что я не люблю откладывать нашу с вами беседу каждый раз, как ваше очередное ночное приключение делает необходимым мое присутствие. По-моему, это часто упрощает дело.

— Но это не я обнаружил труп.

— Нет? А кто же?

— Адвокат по имени Джеральд Шор.

— Не слыхал о таком.

— Он почти не выступает в суде и не занимается уголовными делами. Уверен, что в его лице вы найдете весьма уважаемого представителя нашей корпорации.

Против воли лейтенант Трэгг посмотрел на Мейсона с восхищением. Сам Трэгг совершенно не соответствовал расхожим представлениям о полицейском детективе. Ростом немного ниже Мейсона, он был изящен, вежлив, насмешливо-остроумен и великолепно знал свое дело. Если лейтенант Трэгг нападал на след, его нелегко было сбить с толку. Обладал он и воображением, и известной дерзостью.

— Теперь это письмо, — проговорил лейтенант, взвешивая листок на ладони, словно пытаясь таким образом оценить его важность как вещественного доказательства, — где вы его взяли?

— У портье отеля «Касл-Гейт».

— Ага, отель «Касл-Гейт», второсортное, если не хуже, заведение. И если вас это интересует, Мейсон, оно находится в списке тех мест, где привечают лиц, отнюдь не пользующихся безупречной репутацией. Впрочем, вы об этом, возможно, не слыхали?

— Совершенно верно, не слыхал.

— В любом случае, вы сами вряд ли остановились бы в таком заведении.

— Правильно, — согласился Мейсон, — я в нем и не останавливался.

— Поэтому логично спросить, что вы там делали?.. Флойд, поезжайте потихоньку. А то вокруг нас уже начали собираться зеваки.

Один из полицейских на переднем сиденье заметил:

— Я могу сделать так, чтобы они убрались отсюда...

— Нет, — нетерпеливо возразил Трэгг, — это займет время. Поезжайте. Мистер Мейсон жаждет поведать мне свою историю, пока она еще свежа у него в памяти. Не так ли, Мейсон?

Адвокат рассмеялся. Трэгг тем временем протянул карту сидевшему за рулем офицеру:

— Вот, Флойд. Держите план и следуйте указанному в нем маршруту. Езжайте медленно, пока я вам не скажу... Ну, Мейсон, вы собирались мне рассказать, зачем вас понесло в отель «Касл-Гейт»?

— Я поехал туда повидаться с одним человеком. Если бы вы прочитали письмо, вы бы все поняли.

— Имя этого человека? — спросил Трэгг, все еще держа письмо в руках, но не сводя глаз с адвоката.

— Генри Лич.

— Для чего вы хотели его видеть?

Мейсон развел руками.

431

— Остановимся на этом, лейтенант. Я ездил к мистеру Личу по просьбе самого мистера Лича. Ему нужно было о чем-то рассказать мне.

— Просьба поступила непосредственно от самого Лича?

— Опосредованно.

— Через клиента?

— Да. Через Элен Кендал, а ко мне она обратилась, как я полагаю, через своего поверенного, мистера Джеральда Шора.

— Они знали, почему вас хотел видеть этот Лич?

— Мистер Лич, насколько я понимаю, должен был проводить меня к третьему лицу.

— О, дело о таинственном свидетеле, отвозящем вас к еще более таинственному свидетелю?

— Не совсем. Человек, с которым я должен был увидеться, исчез довольно давно...

Трэгг приподнял руку, на секунду зажмурился и щелкнул пальцем.

— Одну минуточку! Одну минуточку! До меня, кажется, доходит. Как его звали?

— Фрэнклин Шор.

— Правильно! Самое загадочное исчезновение тридцать второго года! Теперь я знаю и вашего адвоката, Джеральда Шора. Так Лич что-то знал об этом исчезновении?

— Конечно, — сказал Мейсон. — Я оперирую только слухами. Мне думается, вам было бы разумнее переговорить с людьми, которым известна вся подноготная.

— Справедливое замечание, Мейсон, но мне все же прежде всего хотелось бы послушать *вас*.

— Как я понимаю, Лич собирался отвезти мисс Кендал к Фрэнклину Шору. Послушайте, лейтенант, не стоит ли нам поспешить на место преступления? То, что там случилось, может оказаться ключом к раскрытию какого-то более важного преступления.

— Да, да, мне известны ваши повадки. У вас всегда имеется про запас какая-нибудь приманка, которую вы подбрасываете именно в тот момент, когда я начинаю докапываться до истины. Но я хочу сначала еще кое-что уточнить, Мейсон... Флойд, не прибавляй скорости... Ну,

Мейсон, как случилось, что Лич обещал вас отвезти к Фрэнклину Шору?

В голосе Мейсона послышалось нетерпение:

— Не знаю, но зато абсолютно уверен, что вы понапрасну теряете драгоценное время. Это поручение мне дала мисс Кендал.

— Но он таки обещал вас туда отвезти?

— Кто?

— Лич, разумеется. Перестаньте тянуть время.

— Нет. Насколько мне известно, Лич не разговаривал с мисс Кендал. Она разговаривала по телефону с другим человеком, который и отослал ее к Личу.

— Понятно. Кто-то другой говорил по телефону, и теперь вы станете уверять, что не знаете, кто именно?

— Я действительно *не знаю*, кто это был.

— Ясно. Анонимный разговор?

— Ничего подобного, лейтенант. Человек назвал свое имя и, более того, привел доказательства, удостоверяющие его личность.

— Имя?

Тут наступило время насмешливо улыбаться Перри Мейсону.

— Фрэнклин Шор!

Выражение лица лейтенанта Трэгга менялось по мере того, как он осмысливал услышанную новость. Потом он кратко распорядился:

— Гони что есть мочи, Флойд! Наверх — и побыстрее!

Мейсон откинулся на спинку сиденья, достал из кармана сигареты и предложил Трэггу.

— Я так и думал, что вы захотите туда попасть, лейтенант.

— Прячьте эту ерунду в карман и покрепче держитесь, — посоветовал Трэгг. — Вы не знаете Флойда.

Мейсон потянулся за сигаретой и тут чуть не слетел с сиденья, когда машина круто повернула, проскользнув под носом у двигавшегося ей наперерез автомобиля.

Оглушительно взвыла сирена. Мощная машина набирала скорость. Мейсон умудрился вытащить сигарету и сунуть ее в рот. Он успел еще убрать портсигар в карман, но тут ему пришлось держаться обеими руками, не имея возможности зажечь спичку.

Машина с невероятной скоростью мчалась вверх по дороге. Рев сирены, эхом отразившись от склонов, пропадал где-то в глубинах каньонов и возвращался уже приглушенным эхом от дальних холмов. На машине были установлены два красных прожектора под такими хитрыми углами, что, куда бы ни поворачивала машина, на проезжей части дороги всегда было яркое пятно света.

Наконец фары машины высветили две стоявшие неподвижно машины, Деллу Стрит, Элен Кендал и Джеральда Шора, сбившихся в кучу возле одной из них. Их лица казались бледными в свете фар.

Мейсон распорядился:

— Осветите-ка фарами вон ту, первую машину, лейтенант.

— Ту, где находится тело Лича? — спросил Трэгг.

— Не знаю, — ответил Мейсон, — с Личем я незнаком.

Трэгг быстро взглянул на него.

— Вы хотите сказать, что это не Лич?

— Еще раз говорю, не знаю!

— А кто знает?

— Не могу сказать. Сомневаюсь, что кто-нибудь из моих спутников смог бы опознать тело.

Полицейская машина остановилась.

— Хорошо, давайте осмотримся, ребята, — скомандовал лейтенант своим подчиненным. — Мейсон, спросите своих, сможет ли кто-нибудь из них опознать тело?

Если поручение было дано Мейсону для того, чтобы помешать ему наблюдать за тем, как полиция будет обследовать машину, надежды Трэгга не оправдались, потому что Мейсон просто громко позвал своих спутников:

— Идите-ка все сюда!

— Я вас об этом не просил, — раздраженно заметил Трэгг.

— Вы же только что поинтересовались, сможет ли кто-нибудь из них опознать труп?

— Да, но это не значит, что они должны подходить сюда и мешать нам.

— Они никому не будут мешать. Как же они могут произвести опознание трупа, если не будут его видеть?

— Они уже насмотрелись на него вволю. Можете мне поверить.

— Наоборот, — уверил его Мейсон, — двое из них даже близко не подходили.

— Откуда вы знаете?

— Так я распорядился.

— Вы думаете, так они и послушались?

— Да, потому что здесь была Делла Стрит.

Трэгг нахмурился.

— Судя по принятым вами мерам предосторожности, можно подумать, что вы уже успели сунуть палец в воду и убедились, что она горячая!

Мейсон сделал обиженное лицо.

— До чего же у вас подозрительный, неуживчивый характер, Трэгг. — Тут он ухмыльнулся. — Впрочем, должен признаться, что я всегда вспоминаю историю с парнем, который пошел купаться, не проверив, есть ли в бассейне вода.

Полицейский прожектор был уже направлен на машину. Фотограф установил камеру на штативе и принялся за работу.

— Пройдемте-ка сюда, — скомандовал лейтенант, — отсюда хорошо видно его лицо... Кто-нибудь из вас его знает?

В полном молчании спутники Мейсона подошли к машине и посмотрели на лицо мертвеца.

— Я никогда раньше не видел этого человека, — торжественно заявил Шор.

— Я тоже, — вторила ему Элен Кендал.

— Вы? — Трэгг посмотрел на Деллу Стрит.

Она отрицательно покачала головой.

— Кто-нибудь из вас знает Лича? — спросил Трэгг.

Снова последовали два «нет» и одно качание головой.

— Отведите их отсюда, лейтенант. Мне надо сделать еще снимок с этой точки, а потом с другой стороны.

Когда маленькая группа отошла в сторону, Мейсон незаметно предупредил Элен Кендал и Деллу Стрит:

— Когда лейтенант Трэгг начнет вас спрашивать, отвечайте ему правдиво, но лучше не высказывайтесь по собственному почину. Не давайте ему сами никакой информации... особенно незначительной.

— Например? — спросила Делла.

— Ну, — с нарочитой небрежностью ответил Мейсон, — какие-то слухи, семейные тайны, догадки и тому подобное. Трэгг и без того выспросит у вас все, что ему нужно. Не занимайте его время всякими пустяками, вроде того, что Джеральд Шор не заходил в отель, когда мы спрашивали там Лича. Конечно, если он поинтересуется специально, тогда — другое дело, но не нужно тратить время на то, что не привлекает его внимания. Повторяю, он спросит у вас обо всем, что захочет узнать.

Элен Кендал, человек неискушенный, согласно закивала головой, но Делла Стрит тут же отвела Мейсона в сторону.

— Зачем делать тайну из того, что Джеральд Шор не заходил в отель? Что в этом существенного?

— Пусть меня повесят, если я знаю, — задумчиво ответил Мейсон. — Уж не представляю, из каких соображений, но он явно не хотел туда идти.

— Вы думаете, он на самом деле знает Генри Лича?

— Возможно. Или же он мог побывать в «Касл-Гейт» до нас и не хотел, чтобы его узнал тамошний портье.

Делла Стрит тихонько присвистнула.

— Учти, это всего лишь догадка. Очень может быть, что это все ерунда, но я...

— О чем это вы там совещаетесь? — неожиданно спросил Трэгг, появившийся с другой стороны машины.

— Гадаем, с какой стороны его застрелили. Если слева, то это мог сделать человек, спрятавшийся на обочине дороги. Если справа — тогда убийца сидел рядом с ним в машине.

Трэгг фыркнул.

— Прошу прощения. По вашим лицам можно было подумать, что вы обсуждаете нечто, не предназначенное для чужих ушей... Чтобы удовлетворить ваше любопытство, скажу: в него выстрелили снаружи, с левой стороны. Пуля вошла в голову слева, и убийца находился на порядочном расстоянии, поэтому на коже не видно пороховых следов. Скорее всего, выстрел произведен из револьвера 38-го калибра, не исключено, что автоматического. Мы хотим попытаться найти гильзу. Больше вы ничего не хотите узнать?

— Нас интересуют буквально все подробности.

— У вас есть мелочь? — спросил Трэгг.

Мейсон сунул руку в карман.

— Да. А зачем? Вам надо позвонить?

— Нет, — осклабился Трэгг. — Завтра на эти деньги вы купите газеты и узнаете все подробности. А сейчас я скажу вам лишь то, что считаю нужным.

И он прошел мимо них к дверце машины. К этому времени помощник коронера закончил свою работу и полицейские приступили к осмотру тела. Спустя несколько минут Трэгг, подойдя к полицейской машине, крикнул:

— Прошу вас, всех четверых, подойдите сюда. Мейсон, я хочу попросить вас не перебивать меня, пока я не закончу, и ничего не говорить, пока я не задам вам конкретный вопрос.

Мейсон кивнул.

— Скажите-ка мне, — обратился лейтенант к остальным, — о чем Мейсон не велел вам мне рассказывать?

— Почему вы думаете... — не выдержал адвокат.

Трэгг призвал его к молчанию, подняв руку. Его глаза были прикованы к Элен Кендал.

— Итак, мисс Кендал, я обращаюсь к вам! Что это было?

— ...Сказал паук мухе, — громко продекламировала Делла Стрит.

— Прекратите! — рассердился Трэгг. — Я обращаюсь к мисс Кендал. Так что же, мисс Кендал?

Элен растерялась на какое-то мгновение, а потом, взглянув прямо в глаза лейтенанту, ответила:

— Он велел нам честно и откровенно отвечать на все ваши вопросы.

— И это все?

— Советовал не занимать ваше время всякими пустяками.

— Какими же? — Трэгг ждал ее ответа, насторожившись, словно прокурор, который в ходе перекрестно-

437

го допроса обнаружил слабое место в показаниях свидетеля.

Большие фиолетовые глаза Элен были широко открыты.

— О которых вы не собираетесь нас спрашивать. Мистер Мейсон сказал, что вы весьма искусно задаете вопросы и учитываете все то, что имеет хоть какое-то отношение к делу.

Лицо Трэгга выражало сердитую решимость.

— И не воображайте, что это не так! — мрачно пообещал он.

Глава 8

Прошло не менее получаса, пока лейтенант Трэгг покончил со всеми вопросами. К тому времени его люди закончили осмотр тела и машины.

Напоследок он устало сказал:

— Вы вчетвером оставайтесь в этой машине. А я хочу вернуться к той машине и еще кое-что проверить.

Когда Трэгг ушел, Джеральд Шор заметил:

— Необычайно тщательный допрос, как мне кажется. Чем-то напоминает перекрестный допрос на суде. Похоже, он нас всех подозревает.

Мейсон рассудительно возразил:

— Трэгг чувствует, что за убийством что-то скрывается. Естественно, он пытается выяснить, что именно.

Шор небрежно бросил:

— Вы не предложили *мне* держать при себе те сведения, которые могут показаться пустяковыми лейтенанту Трэггу.

— Да, — согласился Мейсон.

— Что конкретно вы имели в виду?

— Да всякие мелочи — они составляют фон, на котором совершается преступление, но по существу не имеют к нему отношения.

— Но вы думали о чем-то определенном? — настаивал Шор.

— Конечно. Например, об отравлении котенка.

На хорошеньком личике Элен Кендал появилось неподдельное удивление.

— Но мистер Мейсон, вы же не думаете, что несчастье с котенком может быть как-то связано с *этим*? — И она махнула в сторону седана, в котором был обнаружен труп незнакомца.

Мейсон вежливо ответил:

— Я просто привел пример тех мелочей, которые, по-моему, не представляют интереса для лейтенанта.

— Но мне казалось, что вы не хотели, чтобы мы ему рассказывали... — Она резко осеклась.

— Что? — быстро спросил Джеральд.

— Нет, ничего.

Шор испытующе смотрел на Мейсона, тот спокойно продолжал:

— Если я упомяну что-то конкретное, то тоже просто для примера — так же, как сейчас я сказал про отравление котенка.

— Какой же пример вы привели тогда? — допытывался Шор.

— Что ты не захотел войти в отель «Касл-Гейт», когда мы приехали туда вечером, — выпалила Элен Кендал.

Шор при этом словно окаменел: все его тело напряглось в попытке не выдать обуревавших его чувств.

— Какое, черт возьми, это имеет отношение к случившемуся?

— Вот именно, сэр. Я и привел это как пример такой мелочи, которая может только усложнить следствие и без необходимости затянуть допрос свидетелей. Полная аналогия с отравленным котенком.

Шор откашлялся, намереваясь что-то сказать, но передумал и погрузился в мрачное молчание. Возвратился лейтенант Трэгг, неся сверток в белой тряпке.

— Откройте-ка дверцу машины, — распорядился он, — и подвиньтесь, чтобы я мог разложить эти вещи. Прошу вас ничего руками не трогать. Я хочу, чтобы вы внимательно посмотрели на эти вещи — но только посмотрели.

Тряпка оказалась носовым платком, а лежали на нем золотые часы, перочинный ножик, кожаный бумажник, футляр для визитных карточек, золотой карандашик и изящная авторучка с инкрустацией золотом, на которой были выгравированы инициалы.

— У меня имеются кое-какие соображения по поводу этих вещей, — сказал Трэгг, — но я не собираюсь их излагать. Посмотрите и скажите мне, не видели ли вы этих предметов раньше, может быть, что-то вам покажется знакомым.

Все четверо подались вперед, разглядывая принесенные вещи: Шор смотрел через плечо Мейсона с переднего сиденья машины, а Делла Стрит и Элен Кендал перегнулись через спинку сиденья.

— Мне это ни о чем не говорит, — решительно заявил Мейсон.

— А вам, Шор? — поинтересовался Трэгг.

Шор вытянул шею, задумчиво хмурясь.

— Оттуда ему плохо видно, лейтенант, — заметил Мейсон. — Давайте я вылезу из машины, а мистер Шор сядет к ним поближе.

— Хорошо, только ничего не трогайте.

— Могу ли я спросить, где вы все это взяли? — поинтересовался адвокат.

— Они были завязаны в этот самый платочек и лежали в машине рядом с трупом.

— Интересно, — сказал Мейсон, изворачиваясь, чтобы вылезти из машины и не задеть разложенных вещей. — Ничего, если я пощупаю ткань, лейтенант?

— Да. На материале, как вы знаете, не остается отпечатков пальцев.

Мейсон потер пальцами уголок носового платка.

— Полотно высокого качества. Мужской носовой платок, немного необычная расцветка, правда, лейтенант?

— Очень может быть.

Когда Мейсон вылез из машины, он услышал громкое восклицание Джеральда Шора:

— Господи, да ведь это часы моего брата!

— Вы имеете в виду Фрэнклина Шора? — настороженно спросил Трэгг.

— Да, — возбужденно воскликнул Шор. — Это, несомненно, его часы. И мне кажется... да, конечно, это его авторучка.

— На ней выгравированы инициалы «Ф.Ш.», — сухо заметил Трэгг, — это навело меня на мысль, что вещи могут принадлежать вашему брату.

— Так оно и есть. Это его вещи.

— Ну а карандаш?

— Насчет его не уверен.

— А бумажник и футляр?

— Ничего не могу сказать.

— Нож?

Джеральд покачал головой:

— Не знаю. Но часы точно его.

— Часы идут? — живо спросил Мейсон.

— Да.

— Может быть, мы могли бы, встряхнув платок, перевернуть часы на другую сторону?

— Это самые обыкновенные часы без верхней крышки, — сказал Трэгг, — только на обратной стороне выгравировано: «Ф. Ш.».

— Очень интересно. Ну а что нам дает циферблат?

Мейсон приподнял носовой платок и потянул его так, что часы перевернулись и теперь были обращены к ним циферблатом. При этом он подмигнул Делле Стрит. Та моментально сунула руки к себе в сумочку.

— Весьма интересно, — бормотал Мейсон. — Вальтхамовские часы. На циферблате написано... Что же это? — Он наклонился совсем близко к часам. — Будьте любезны, лейтенант, посветите мне фонариком.

— Это торговая марка и данные о часах, — хмыкнул Трэгг.

— Точно. Изящная надпись «Вальтхам» — написано печатными буквами, а внизу прописными — «Авангард», 83 камня. Обратите внимание, лейтенант, в верхней части, возле цифры «12», имеется специальный индикатор. По нему можно определить, когда часы заводились. Скорее всего, шесть часов назад. Интересно, вам не кажется?

— Вы правы, судя по индикатору, часы были полностью заведены шесть часов назад, только я не усматриваю в этом ничего особенно интересного.

Мейсон достал свои часы.

— Сейчас десять часов тридцать минут. Получается, что эти часы заводили сегодня между половиной пятого и пятью.

— Правильно, — согласился Трэгг. — Надеюсь, вы меня извините, Мейсон, если я не прихожу в восторг от ваших выкладок. По собственному опыту знаю, что если вы начинаете демонстрировать мне ключи к разгадке, то это не потому, что хотите привлечь мое внимание, а потому, что стараетесь отвлечь меня от каких-то других моментов, о которых тщательно избегаете упоминать.

Элен Кендал, обернувшись, состроила забавную гримасу Делле Стрит и громким театральным шепотом сообщила:

— Как я рада, что я не жена лейтенанта.

Мейсон с признательностью взглянул на девушку.

— Лейтенант не женат, — заметил он.

— Меня это нисколько не удивляет, мистер Мейсон. А вас?

— Нет, мисс Кендал, меня тоже, — серьезно ответил адвокат. — Говорят, что... ну ладно, ладно, Трэгг. Продолжайте.

— Это, несомненно, его авторучка, — подтвердил Джеральд Шор. — Я припоминаю теперь, что он ее очень любил.

— Все время носил в кармане? — спросил Трэгг.

— Да.

Мейсон незаметно оглянулся назад, проверяя, правильно ли Делла Стрит истолковала его сигнал. Да, у нее на коленях лежал блокнот, и она быстро стенографировала разговор. Он вынул из кармана карандаш и блокнот и сделал ряд набросков.

Лейтенант Трэгг покачал головой.

— Можно ли сомневаться, что это труп Генри Лича. В кармане у него лежали водительские права на имя Генри Лича, проживающего в отеле «Касл-Гейт». Ясно, что он постоянно проживал там. В его бумажнике оказались и другие документы. Это наверняка Лич.

Джеральд Шор взволнованно воскликнул:

— Послушайте, лейтенант, этот человек собирался отвести нас к моему брату. Наверное, вы понимаете, как мне важно выяснить эту тайну.

Лейтенант Трэгг кивнул.

— Если мой брат жив и здоров... это чрезвычайно важно. Может быть, даже важнее, чем убийство этого человека... Нельзя терять ни минуты, надо использовать все способы докопаться до истины.

Трэгг прищурился:

— С какой стати это должно быть важнее, чем убийство?

— Я говорю как адвокат.

— Естественно. А я говорю как детектив.

Шор посмотрел на Мейсона и поспешно отвел глаза в сторону.

— Мой брат был выдающейся фигурой, ну а этот Лич, как я понимаю, постоялец второсортного отеля...

— Продолжайте, — сказал Трэгг. — Пока вы мне ничего существенного не сказали.

— С юридической точки зрения огромная разница... Ну, вы же понимаете, что я хочу сказать...

Трэгг на минуту задумался, потом спросил, глядя в упор на Шора:

— Завещание?

— Я этого не говорил.

— Но имели в виду?

— Не совсем так.

— Однако все дело в этом?

— Да, в этом, — нехотя согласился Шор.

Мейсон поспешил вмешаться в беседу:

— Послушайте, лейтенант, не считаете ли вы, что в сложившихся обстоятельствах мы имеем право взглянуть на все, что было в кармане убитого.

Трэгг решительно покачал головой:

— Я веду это расследование, Мейсон. Вы не имеете права вообще ничего требовать.

— По крайней мере, вы должны разрешить нам отправиться вместе с вами в номер Генри Лича в отеле «Касл-Гейт» и присутствовать во время обыска. В конце концов, мы ищем родного брата Джеральда Шора, поэтому мистер Шор имеет некоторые права в этом деле.

Шор живо возразил:

— Лично я во всем полагаюсь на лейтенанта Трэгга и не хочу делать ничего, что шло бы вразрез с его намерениями. Но если я могу хоть в чем-то быть полезным, то лейтенант может полностью рассчитывать на меня.

Трэгг кивнул с рассеянным видом.

— Я сообщу вам, если мне что-нибудь понадобится.

Мейсон, однако, настаивал:

— Трэгг, я хочу поехать с вами в «Касл-Гейт» и посмотреть, что найдется в номере этого человека.

Лейтенант Трэгг сказал тоном, не терпящим возражений:

— Нет, Мейсон. Повторяю: я хочу вести расследование, как сам считаю нужным, без чьих бы то ни было советов или вмешательства.

— Но вы же сейчас едете туда. Разрешите хотя бы следовать за вами и...

— Достаточно! Вы свободны. Ваша́ машина дожидается вас на Голливудском бульваре, Мейсон. Отправляйтесь туда немедленно, садитесь в нее и займитесь своими делами. Я дам вам знать, если мне что-нибудь понадобится. Возле трупа останется дежурить мой человек. Необходимо, чтобы специалист из технического отдела снял везде в машине отпечатки пальцев... О'кей, Флойд, поехали... Учтите, Мейсон, я не хочу, чтобы вы отправлялись за нами. Держитесь от отеля «Касл-Гейт» подальше, пока я там провожу расследование. Спокойной ночи.

Он снова завернул все вещи в носовой платок и крепко стянул узлом его концы.

Мейсон сел на переднее сиденье.

— Ну что ж, — обратился он к Шору, — лейтенанту Трэггу, очевидно, не требуется наша помощь. Так что вы можете довезти меня до того места, где я оставил машину. И, — добавил он, понизив голос, — поезжайте, пока лейтенант не переменил своего решения.

— Что вы имеете в виду? — спросил Шор, включая стартер.

— Если бы я так настойчиво не требовал, чтобы он разрешил нам поехать вместе с ним в отель «Касл-Гейт», он наверняка заставил бы нас это сделать.

Шор в недоумении повернулся к Мейсону.

— Ну а что тут плохого?

— Произошло еще кое-что, чем нам стоит заняться до того, как вмешается полиция. Матильда Шор находится в больнице Экдешер. Она была отравлена.

— Великий Боже! — Шор от неожиданности выпустил руль, так что машину круто занесло. — Элен, ты слышишь?

— Слышу, — спокойно ответила девушка.

— Не горячитесь, — предостерег его Мейсон. — Не показывайте, что вам не терпится поскорее уехать. Поезжайте не спеша, пока вас не обгонит полицейская машина. А это случится скоро. Этот их Флойд — настоящий дьявол!

Действительно, не проехали они и трехсот ярдов, как их озарил рубиновый свет прожекторов, заскрипела галька под покрышками, — и вот уже огромная машина с ревом промчалась мимо.

— Гоните! — распорядился Мейсон. — Будем надеяться, что Трэгг не передумает.

Глава 9

Матильда Шор, обложенная подушками, сидела на больничной койке и сердито смотрела на посетителей.

— Что все это значит?

— Мы услышали, что ты заболела, — объяснил Джеральд Шор, — и, естественно, решили узнать, не можем ли мы чем-нибудь помочь.

— Кто вам сказал?

— Откуда-то узнал мистер Мейсон.

Она повернулась к Мейсону:

— Каким образом?

Мейсон поклонился.

— Чисто случайно.

Джеральд Шор поспешил вмешаться:

— Мы должны были тебя увидеть, Матильда. Произошло нечто такое, что тебе необходимо знать.

— Я плохо себя чувствую. Я не хочу никаких посетителей. Откуда вы узнали, что я здесь? Почему привезли сюда этих людей?

— Перри Мейсон, адвокат, и его секретарь Делла Стрит хотят поговорить с тобой о деле, в котором затронуты твои интересы.

Матильда с трудом повернула голову на толстой шее, смерила взглядом Мейсона, фыркнула, а потом спросила:

— Откуда вы узнали, что я здесь?

Элен объяснила:

— Комо страшно за вас волнуется. Он нам сказал, что вы отравились, что с вами творилось то же самое, что с котенком... и вы велели ему отвезти вас в больницу.

— Тоже мне косоглазый лицемер! — сказала Матильда Шор. — А откуда *вы* об этом узнали? Я же велела ему держать язык за зубами!

— Он и держал, — улыбнулся Мейсон, — пока не понял, что нам и без него все известно. Первым обо всем узнал я. Ваша племянница разговаривала с Комо уже после того, как я сказал ей, где вы.

— И откуда же *вы* об этом узнали?

Мейсон только улыбнулся:

— Я должен защищать свои источники информации.

Усевшись повыше на постели, Матильда спросила:

— Не будете ли вы так добры объяснить, почему вас интересуют мое местонахождение и состояние моего здоровья?

— Но, Матильда, — снова не выдержал Джеральд Шор, — я же сказал, что есть новости, которые тебе необходимо узнать. Мы просто должны были найти тебя.

— Так выкладывайте. Хватит ходить вокруг да около.

— Фрэнклин жив.

— Это не новость для меня, Джеральд Шор. Конечно, жив. Я всегда знала, что он жив. Убежал с какой-то потаскушкой и оставил меня на произвол судьбы... Полагаю, вы получили от него известие?

— Вам не следует его так поспешно судить, тетя Матильда, — вмешалась Элен. Ее голос дрожал от волнения, но она не могла молчать.

— Нет большего дурака, чем старый дурак, — проворчала Матильда. — Мужчине под шестьдесят, а он убегает с особой вдвое моложе себя!

Мейсон повернулся к Джеральду Шору:

— Может быть, лучше вы ей расскажете, что ваш брат жив.

— Он позвонил нам сегодня днем. Вернее, он позвонил Элен.

Пружины матраца жалобно застонали, когда Матильда повернулась на койке. Она выдвинула ящик прикроватной тумбочки, достала очки в стальной оправе, нацепила их на нос и посмотрела на племянницу так, словно разглядывала микроб под микроскопом.

— Так. Он позвонил *тебе*. Как я понимаю, меня он боится.

Отворилась дверь. В палату проскользнула сестра, шурша накрахмаленным форменным платьем.

— Вы не должны волновать больную, — предупредила она. — Вообще-то к ней не полагается пускать посетителей. Вам разрешили всего на несколько минут.

Матильда холодно посмотрела на нее.

— Я абсолютно здорова. Пожалуйста, оставьте нас одних.

— Но доктор...

Матильда нетерпеливо показала ей на дверь. Сестра с минуту постояла в нерешительности.

— Мне придется сообщить доктору, — пробормотала она и вышла.

Матильда снова воззрилась на Элен.

— Итак, он позвонил тебе, а ты не нашла нужным сказать мне ни слова. Вот как ты меня отблагодарила! А ведь я целых десять лет посвятила тебе...

Джеральд Шор поспешил смягчить ситуацию:

— Матильда, как ты не понимаешь, она думала, что это может оказаться какой-нибудь мошенник, и не хотела волновать тебя, пока не убедится, действительно ли это Фрэнклин.

— Но почему он позвонил ей?

— В том-то и дело... Все говорило за то, что звонил не Фрэнклин, а какой-то авантюрист, который задумал вытянуть деньги из нашей семьи. Мы решили, что сначала надо встретиться с ним, а потом уже сообщить тебе.

— Я не ребенок.

— Я понимаю, Матильда, но мы думали, что так будет лучше.

— Чепуха!

— Он специально предупредил меня, что я не увижу его, если не выполню совершенно точно его указаний, — осмелилась вставить Элен.

— Так ты его видела? — Матильда сквозь толстые стекла очков уставилась на племянницу.

— Нет. Нас должен был проводить к нему человек по имени Лич, но он не смог этого сделать.

— Можно не сомневаться, что это был Фрэнклин. Все это абсолютно в его духе: влезть с черного хода, связаться с Элен, заигрывать, пробудить в ней сочувствие, настроить дуреху против меня. Скажите ему, чтобы он перестал прятаться за женские юбки и открыто явился ко мне! Конечно, я ему кое-что выскажу прямо в глаза. В то самое мгновение, когда он переступит порог моего дома, я подам заявление о разводе. Десять лет я ждала этой минуты.

Неожиданно Мейсон спросил:

— Думаю, что ваше отравление не было серьезным, миссис Шор?

Она перевела взгляд на него.

— Отравление — это всегда серьезно.

— Как это случилось? — спросил Джеральд.

— Перепутала пузырьки, только и всего. В аптечке на одной полочке и сердечные капли, и снотворное. Перед тем как лечь в постель, я выпила бутылку портера, потом решила принять снотворное. Ну и схватила не тот пузырек.

— Когда вы заподозрили, что приняли не то, что следовало бы? — продолжал Мейсон.

— У меня случился небольшой приступ. Спазмы. Я позвонила Комо и велела ему вывести машину, известить моего врача и отвезти меня в больницу. У меня хватило ума выпить несколько стаканов горчичной воды — ну и очистить таким образом желудок... Я рассказала доктору, как искала в темноте в аптечке снотворное и наверняка перепутала пузырьки. Боюсь, что он мне не поверил. Во всяком случае, он не стал терять времени и сделал все, что было нужно. Сейчас я вполне здорова. Хотела бы, чтобы вы помалкивали обо всем этом. Я не хочу, чтобы полиция совала нос в мои дела. А сейчас мне нужно как можно быстрее найти Фрэнклина. Нечего ему прятаться по углам.

Мейсон спросил:

— Не приходило ли вам в голову, миссис Шор, что существует связь между двумя случаями отравления в вашем доме и возвращением вашего мужа?

— Два случая?

— Ну да. Котенок и вы.

Матильда несколько секунд разглядывала его сквозь очки, потом заявила:

— Бред! Я перепутала пузырьки!

— Скажите, вам не приходило в голову, что портер был отравлен?

— Глупости! Я же сказала, что взяла не те таблетки.

— И вы считаете, что мы не должны предпринимать никаких шагов?

— Какие еще там шаги?

— Если кто-то покушался на вашу жизнь, этого нельзя оставить без внимания. По крайней мере, следует позаботиться о том, чтобы такие случаи больше не повторялись.

— Вы имеете в виду полицию?

— Почему бы и нет?

— Полиция! — насмешливо воскликнула она. — Я вовсе не желаю, чтобы они совались в мои дела и сообщали газетам всякую чепуху. А так всегда и бывает. Ты обращаешься в полицию за защитой, а какой-нибудь идиот, который жаждет увидеть свою фотографию в газете, взахлеб рассказывает все репортерам. Я этого не желаю. И потом, я просто ошиблась.

— К несчастью, миссис Шор, после того, что случилось сегодня, скандала не избежать. Огласка вам обеспечена.

— О чем вы толкуете? Что особенного сегодня произошло?

— Тот самый Лич, который должен был проводить нас к вашему супругу, не смог этого сделать.

— Почему?

— Потому что его остановили.

— Как?

— Пулей 38-го калибра в левый висок. В него выстрелили, когда он сидел в машине, поджидая нас.

— Вы хотите сказать, что он умер?

— Да.

— Убит?

— Очевидно.

— Как это случилось?

— Мы точно не знаем.

— Где?

— У водохранилища в горах за Голливудом.

— Кто такой Лич? Какое он имеет отношение к делу?

— По всей видимости, он был другом вашего мужа.

— Почему вы так думаете? Лично я впервые о нем слышу.

Вмешался Джеральд Шор:

— Когда Фрэнклин позвонил Элен, он велел ей связаться с Личем, который и должен был отвести ее к Фрэнклину.

Матильда повернулась к племяннице.

— Выпроводи отсюда мужчин. Достань из шкафа мою одежду. Я сейчас поеду домой... Если Фрэнклин появился, то не иначе как за тем, чтобы обвести меня вокруг пальца. Я жду его вот уже десять лет и не намерена сидеть в какой-то дурацкой больнице, когда пришел час моего торжества. Я покажу ему, как убегать от меня!

Мейсон даже не пошевелился.

— Боюсь, что нам необходимо получить разрешение лечащего врача, миссис Шор. Если не ошибаюсь, сестра как раз пошла звонить ему.

— Мне не требуется ничьих разрешений, я оденусь и уеду отсюда, — упрямо заявила Матильда. — Благодаря рвотному, которое я вовремя приняла, яд в организм практически не попал. Слава Богу, у меня здоровье как у быка. Все уже прошло, и сейчас я чувствую себя превосходно. Меня никто здесь не удержит, я уеду тогда, когда найду нужным.

— Послушайте моего совета: не поднимайтесь без разрешения врача, поберегите свое сердце. Мы приехали, чтобы сообщить вам о вашем супруге, узнать, что случилось с вами и какие меры вы намерены принять, чтобы защитить себя.

— Я уже вам объяснила, что все произошло чисто случайно. И я не хочу, чтобы полиция...

Раздался стук в дверь. Джеральд Шор сказал:

— Ну вот, явился доктор или пара дюжих санитаров, вызванных, чтобы выдворить нас отсюда.

Матильда Шор крикнула:

— Ну, входите же! Давайте кончать с этим. Пусть они выставят меня отсюда.

Дверь распахнулась, и в палату вошел лейтенант Трэгг в сопровождении детектива. Мейсон приветствовал их поклоном.

— Миссис Шор, имею честь представить вам лейтенанта Трэгга из отдела расследования насильственных преступлений. Я думаю, он хочет задать вам несколько вопросов.

Трэгг поклонился миссис Шор, повернулся и еще раз поклонился Мейсону.

— Умный ход, Мейсон. Чем больше я вас узнаю, тем больше восхищаюсь вашей находчивостью.

— Чем на сей раз я заслужил ваши похвалы?

— Тем, как вы меня искусно сбили со следа. Настаивали, чтобы я разрешил вам и вашим спутникам поехать вместе со мной в отель «Касл-Гейт». Лишь позднее до меня дошло, что вы подкинули мне приманку, которую я доверчиво проглотил.

— Понимайте как хотите.

— Я начал перебирать все обстоятельства дела, как только сообразил, что больше всего вы хотели, чтобы я вас отпустил... А теперь, миссис Шор, если вы не возражаете, я хотел бы узнать, как вы отравились?

— Я как раз возражаю, — огрызнулась миссис Шор, — и очень!

— Весьма сожалею, — сказал Трэгг.

— Я съела что-то недоброкачественное, только и всего.

— В истории вашей болезни записано, что вы по ошибке приняли какое-то лекарство, — заметил Трэгг.

— Ну хорошо, я подошла к аптечке и проглотила не то лекарство.

Трэгг выразил вежливое сожаление:

— Какая беда! Могу ли я спросить, когда это случилось, миссис Шор?

— Около девяти часов, я точно не знаю.

451

— Насколько я понимаю, вы уже собирались лечь спать, выпили, как всегда, стакан портера, погасили свет и в темноте подошли к аптечке?

— Да. Хотела принять снотворное, но ошиблась бутылочкой.

Трэгг был само внимание.

— Вы не заметили разницы на вкус?

— Нет.

— Ваше снотворное в виде таблеток?

— Да.

— Вы его храните в аптечке?

— Да.

— И вы не заметили разницы во вкусе, глотая таблетки?

— Нет. Я запила их водой. В одной руке я держала стакан воды, другой бросила таблетки в рот, запила и проглотила их не раскусывая.

— Понятно. Выходит, что в правой руке у вас был стакан с водой. А левой вы бросали в рот таблетки.

— Правильно.

— Потом вы завинтили крышку на пузырьке и поставили его опять в аптечку.

— Да.

— Для этого понадобились две руки?

— Не все ли равно?

— Я просто пытаюсь восстановить картину. Если это был действительно несчастный случай, тогда мне нечего расследовать.

— Да, это был несчастный случай.

— Конечно, — успокоил ее Трэгг. — Просто я должен установить факты, которые будут изложены в моем рапорте о несчастном случае.

Смягчившись, миссис Шор объяснила:

— Ну, вот как это случилось. Я завинтила крышку.

— И поставили пузырек обратно в аптечку?

— Да.

— После этого взяли стакан с водой, держа таблетки в левой руке?

— Да.

— Положили таблетки в рот и сразу запили их водой? Вы не заметили горького привкуса?

— Нет.

— Если не ошибаюсь, это было стрихнинное отравление, не так ли, миссис Шор?

— Не знаю.

— Какая неприятность, — посочувствовал лейтенант Трэгг, потом как бы между прочим спросил: — А для чего вы держали таблетки стрихнина в своей аптечке, миссис Шор? Полагаю, вы их использовали в каких-то определенных целях?

Ее глаза были прикованы к лицу детектива, голос по-прежнему звучал вызывающе:

— Сердечный стимулятор. Я их держу на случай крайней необходимости.

— По предписанию врача?

— Разумеется.

— Какой врач вам их прописал?

— Сомневаюсь, чтобы это касалось вас, молодой человек.

— Сколько таблеток вы приняли?

— Не знаю. Две или три.

— И поставили пузырек снова в аптечку?

— Да. Я вам это уже говорила.

— Рядом со снотворным?

— Наверное, да. Повторяю, в спальне было темно. Я протянула руку туда, где обычно стоит пузырек со снотворным.

— Как нелепо получилось! — воскликнул Трэгг.

— Как прикажете вас понимать?

— Осмотр вашей аптечки показал, что в ней нет ни снотворного, ни стрихнина.

Миссис Шор грозно выпрямилась.

— Вы хотите сказать, что были в моем доме и обыскивали мою комнату?

— Да.

— Кто вам дал право хозяйничать в моем доме?

Трэгг продолжал, не повышая голоса:

— Вместо того чтобы отвечать, я, пожалуй, сам задам вам вопрос, миссис Шор. Чего вы добиваетесь, рассказывая полиции небылицы и отрицая очевидный факт, что вас пытались отравить?

— Никто не пытался меня отравить.

— Мне известно, что сегодня днем в вашем доме отравили котенка, которого отвезли в ветлечебницу доктора Блекли.

— Зато мне ничего не известно про этого котенка.

Трэгг улыбнулся:

— Послушайте, миссис Шор, это просто глупо! Фальсификация улик классифицируется как преступление. Вам могут это подтвердить двое адвокатов, находящихся в этой комнате. Если уж ваша бутылка портера была отравлена, то полиция должна знать об этом, и вы не имеете права мешать следствию.

В это время распахнулась дверь палаты и в комнату влетел человек в белом халате.

— Что здесь происходит? — спросил он грозно. — Я ее лечащий врач. Пациентку нельзя волновать. Она перенесла тяжелый шок. Я прошу всех покинуть помещение, и немедленно!

Матильда Шор подняла голову и сказала:

— Намерения-то у вас были самые благие, доктор, но только прийти вам следовало пять минут назад.

Глава 10

Джеральд Шор, необычно задумчивый и молчаливый, остановил машину возле большого старомодного дома, практически не изменившегося с той ночи, когда исчез президент «Шор нейшнл бэнк».

— Тебе лучше вылезти здесь, Элен, — сказал он, — и присмотреть за домом. Я только подброшу мистера Мейсона и его секретаря в Голливуд, где они оставили свою машину, и сразу же вернусь назад.

— Я могу составить тебе компанию на обратном пути, — предложила Элен Кендал.

— Нет, девочка, тебе разумнее побыть дома. Кто-то должен сейчас быть там и за всем проследить.

— Когда вернется тетя Матильда? — спросила Элен.

Джеральд Шор повернулся к Мейсону, как бы предлагая ему ответить.

Мейсон улыбнулся:

— Не раньше, чем ответит на все хитроумные вопросы лейтенанта Трэгга.

— Но доктор настаивает, что допрос должен быть ограничен пятью минутами. Он уверяет, что тетя Матильда еще очень слаба и больше не выдержит.

— Совершенно верно. Но это пока она находится в больнице, где командует доктор. Лейтенант Трэгг оставил там на всякий случай парочку своих людей, которые проследят за тем, чтобы она не улизнула домой прежде, чем лечащий врач объявит ее совершенно здоровой. После этого она уже не сможет уклониться от допроса, и Трэгг выудит из нее все, что его интересует... или в больнице, или в полицейском управлении.

— Лейтенант Трэгг показался мне умным и решительным молодым человеком, — заметил Джеральд Шор.

— Так оно и есть, — согласился Мейсон, — и не стоит его недооценивать. Это опасный противник.

Джеральд Шор испытующе взглянул на Мейсона, но лицо адвоката оставалось непроницаемым.

Элен вышла из машины и, прежде чем захлопнуть дверцу, пошутила:

— Итак, мне поручена оборона крепости.

— Я не задержусь, — пообещал Джеральд.

— Я все время думаю, что последует дальше. — Девушка зябко передернула плечами. — Хотела бы я знать, где можно разыскать Джерри Темплера.

— Может быть, мне остаться с вами? — порывисто спросила Делла Стрит.

— Я бы очень хотела этого, — призналась Элен.

— К сожалению, мне понадобится Делла, — категорически возразил Мейсон.

Элен явно расстроилась.

— Ну ничего, надеюсь, все будет в порядке.

По дороге в Голливуд Джеральд Шор снова вернулся к тому, что его волновало.

— Мистер Мейсон, вы несколько раз упомянули о том, что лейтенант Трэгг опасный противник.

— Да.

— Могу ли я спросить, какой особый смысл вы вкладываете в эти слова?

— Все зависит от того, с какой стороны посмотреть.

— А именно? — Джеральд Шор заговорил тоном вежливого, но настойчивого следователя.

— А именно от того, есть ли вам что скрывать.

— Ну, допустим, мне нечего скрывать.

— В этом случае лейтенанта Трэгга нельзя назвать опасным *противником*, потому что он вообще не будет вашим *противником*, но *опасным* он останется в любом случае.

Шор какое-то время разглядывал профиль адвоката, потом, спохватившись, сосредоточился на дороге.

Мейсон продолжал ровным голосом:

— В данном случае в деле имеется несколько серьезных моментов. Начнем с того, что если вы с братом расстались, так сказать, дружески, то было бы логичным для него позвонить вам, а не подвергать такому потрясению племянницу.

Это, однако, второстепенная деталь. Важнее то, что он специально распорядился, чтобы Элен посоветовалась со мной и взяла меня с собой к мистеру Личу, а другим членам семьи ничего не велел сообщать.

— Мистер Мейсон, вы говорите либо слишком много, либо слишком мало.

— Что же, — спокойно ответил Мейсон, — вы сами настаивали, чтобы я продолжал.

— Но я не понимаю, куда вы клоните, мистер Мейсон. По-моему, вполне естественное желание повидаться с братом.

— Безусловно.

— Но похоже, мистер Мейсон, вам было совершенно необходимо увидеть его прежде, чем с ним переговорит кто-нибудь другой. Не могли бы вы объяснить смысл последнего заявления?

Мейсон улыбнулся:

— Могу, конечно. Сейчас я стараюсь мысленно оценить все, что происходит и как это представляется лейтенанту Трэггу, со складом ума и темпераментом которого я немного знаком.

— Ну и?..

— Трэгг в конце концов выяснит, что вы вышли из дому вместе с нами и вместе ехали к водохранилищу на встречу с Личем, но вы *не захотели вместе с нами* отправиться в отель к Личу.

— Меня интересовал вовсе не Лич, а мой брат.

— Правильно. Даже Трэггу пришлось бы согласиться с таким объяснением, хотя естественно было бы ожидать, что, поскольку Лич был единственным связующим звеном с вашим братом, его фигура сразу же приобрела бы для вас интерес. Однако, повторяю, Трэгг принял бы такое объяснение, если бы не существовало другого усложняющего фактора.

— Какого?

— Допустим, что на всякий случай, просто чтобы все проверить, Трэгг раздобыл вашу фотографию и предъявил ее дежурному портье в «Касл-Гейт» и спросил, не наводили ли вы справок о Личе, не приезжали ли к нему в отель или не видел ли вас кто-нибудь раньше вблизи отеля.

После минутного молчания Джеральд Шор спросил:
— Для чего ему может понадобиться все это?

— Разумеется, я не могу претендовать на знакомство со всеми фактами, но, если рассуждать с позиции Трэгга, некоторые обстоятельства приобретают особое значение. Ваш брат исчез неожиданно. Это исчезновение наверняка было вызвано какими-то необычайными причинами. Непосредственно перед уходом из дому у него состоялась беседа с человеком, который не то просил денег, не то требовал их. По некоторым данным, этим человеком были вы. Правда, эти данные несколько противоречивы. Но я не сомневаюсь, что вас допрашивали, и в протоколе черным по белому записано, что вы категорически отрицали, будто в тот вечер виделись со своим братом. Вот Трэгг и решит, что вам было бы крайне нежелательно, если бы сейчас ваш брат появился на сцене и не только рассказал нечто совсем противоположное, но также показал бы, что ваш разговор имел прямое отношение к его исчезновению.

Придя к таким выводам, лейтенант, несомненно, стал бы рассуждать так: Фрэнклин Шор объявился. По неизвестной причине он не желает, чтобы об этом узнали. Он отказывается идти к себе домой и предпочитает предварительно связаться с кем-то из своих родственников. Он избегает родного брата и звонит племяннице, которая сейчас стала весьма привлекательной молодой женщиной, но в момент исчезновения Шора ей было всего тринадцать или четырнадцать лет. Джеральд Шор, обойденный братом, не смиряется с этим и настаивает на совместной поездке с племянницей. Генри Лич выступает как связующее звено между Фрэнклином, который не может или не хочет явиться домой, и его родственниками. Генри Лич отправляется в пустынное место, где его убивают. Напечатанное на машинке письмо, из содержания которого следует, что Лич отправился в это место по своей воле, но ничто не подтверждает, что письмо действительно было написано Личем. Наоборот, есть основания полагать, что он его не писал. Конечно, многое зависит от результатов экспертизы, смогут ли установить время смерти Лича. Однако, судя по некоторым признакам, которые я заметил на месте преступления, я склонен полагать, что смерть наступила за четыре часа до нашего приезда.

Вы понимаете, что, если к тому же лейтенант Трэгг выяснит, что вы пытались раньше увидеться с Личем или действительно с ним виделись, будет вполне естественно, если он вас занесет в список подозреваемых.

Мейсон достал из портсигара сигарету, закурил и откинулся на спинку сиденья.

Джеральд Шор молча вел машину минут пять, потом сказал:

— По всей вероятности, пора просить вас действовать в качестве моего поверенного.

Мейсон помедлил, вынимая изо рта сигарету, и небрежно бросил:

— Пожалуй.

— А ваш секретарь умеет хранить тайну? — негромко спросил Джеральд, кивнув в сторону Деллы Стрит, примостившейся на заднем сиденье.

— Можете на нее положиться, — уверил его Мейсон. — Так что говорите совершенно свободно. Может быть, такой возможности вам больше не представится.

— Но вы согласны представлять мои интересы?

— Это зависит...

— От чего?

— От обстоятельств и от того, считаю ли я вас невиновным.

— Я не виновен, совершенно не виновен! — с чувством воскликнул Шор. — Я либо жертва чертовски неудачного стечения обстоятельств, либо все подстроено специально.

Мейсон молча курил, попыхивая сигаретой.

Шор снизил скорость и вновь заговорил:

— В ночь исчезновения брата я заезжал к нему.

— Позднее вы это отрицали?

— Да.

— Почему?

— По разным причинам. И прежде всего потому, что слишком многое из нашего разговора было услышано и стало известно. Вы помните, что свидетели слышали, как человек, разговаривавший с Фрэнклином перед самым его исчезновением, просил денег и признался, что находится в отчаянном финансовом положении.

Мейсон понимающе кивнул.

— Я не буду входить в подробности финансовой операции, но это дело сулило солидные барыши при условии, если бы я смог довести его до конца. Если нет, это был бы мой конец. Единственное, что помогло тогда мне удержаться на плаву, — это то, что мои компаньоны ни на секунду не заподозрили, что у меня за душой фактически нет ни пенни.

— Благодаря вашему брату?

— Да, связи брата сыграли свою роль. Никто не предполагал, что он непосредственно заинтересован в моем предприятии, но все считали, что у меня есть средства, хватит собственного капитала, а брат всегда придет мне на выручку.

— Итак, вы не осмелились признаться, что были тогда в кабинете мистера Шора, потому что очень многое из вашего разговора попало в газеты?

— Совершенно верно.

— Скажите, исчезновение вашего брата не оказало пагубного влияния на ваши коммерческие операции?

— Конечно, оказало. Но все же мне удалось отыскать человека, который заинтересовался и ссудил меня необходимыми деньгами, забрав, как водится, львиную долю прибыли. К счастью, дела «Шор нейшнл» оказались в превосходном состоянии, Фрэнклин оставил огромный наличный капитал, и это помогло.

— Но вы даже миссис Шор не признались, что в тот вечер разговаривали с братом?

— Я не доверился никому. В то время я не решался.

— Ну а после того, как исчезла необходимость соблюдать тайну?

— Я должен был придерживаться своей истории. Поставьте себя на мое место, и вы поймете, что у меня не оставалось выхода.

— Продолжайте.

— Сегодня, когда Элен сказала, что ей позвонил Фрэнклин, я места себе не находил от волнения. Я должен был во что бы то ни стало первым увидеться с ним.

— Поэтому, когда Элен поехала в ветлечебницу справиться о Янтарике, вы попытались связаться с братом?

— Ну да. Элен поехала за котенком сразу после обеда. Потом она отвезла котенка садовнику, в его холостяцкую берлогу, после чего отправилась на встречу с вами.

— И за этот промежуток времени вы успели побывать в «Касл-Гейт»?

— Да. Поэтому я не поехал к вам вместе с Элен.

— Вы пытались встретиться с Личем?

— Да.

— Вам это удалось?

— Нет. Сперва я позвонил по телефону, мне ответили, что Лич вышел с каким-то мужчиной, но скоро вернется. Понятно, я решил, что речь шла о моем брате Фрэнклине. Я сразу поехал в отель и стал ждать. Лича я в лицо не знаю, но не сомневался, что он ушел с Фрэнклином и что вернется не позже чем через час.

— Так вы ждали?

— Ну да. Вплоть до того времени, когда надо было идти встречать вас.

— Он так и не появился?

— Нет. Во всяком случае, я так думаю. Я знаю, что Фрэнклин точно не приходил.

— Портье вас заметил?

— Да. Он явно знает в лицо всех постояльцев и отметил незнакомого человека. Я сидел возле двери, и он не спускал с меня глаз. Возможно, он принял меня за детектива. По словам лейтенанта Трэгга, в этом отеле останавливаются люди с сомнительной репутацией, поэтому там подозрительно относятся к незнакомцам. Сначала я намеревался поставить машину возле входа и следить из нее, но, так как не нашел стоянки поблизости, мне пришлось войти в вестибюль.

— Вы боялись, что портье опознает вас как человека, который перед нашим приходом ждал кого-то в отеле? Потому вам и было так важно больше там не появляться?

— Но конечно, вы должны хранить это как профессиональную тайну.

Мейсон усмехнулся.

— Будьте уверены, Трэгг и без меня скоро все поймет!

Заметив у обочины свободное место, Шор быстро поставил туда машину и выключил мотор.

— Больше не могу сидеть за рулем... Не дадите ли мне сигарету?

Мейсон протянул ему портсигар. Руки Шора так сильно дрожали, что он с трудом поднес спичку к сигарете и прикурил.

— Продолжайте, — сказал Мейсон.

— Мне больше нечего рассказывать.

Мейсон взглянул на Деллу Стрит, потом на Шора и произнес:

— Все хорошо, за исключением мотива.

— Чем вам не нравится мотив? — спросил Шор.

— Вы ведь никогда не стали бы так действовать, если бы у вас не было действительно серьезных оснований раньше всех увидеться с братом. Более серьезных, чем просто желание скрыть противоречия в вашем тогдашнем рассказе.

— Я вижу, мне придется быть с вами откровенным до конца...

— Вот это правильно, — сухо заметил Мейсон. — Вы же сами адвокат и должны это понимать.

— Думаю, вы согласитесь, что никто из нас не может поручиться в своей безупречной честности. Человек всю жизнь считает себя абсолютно порядочным, возможно, только потому, что не подвергался серьезному искушению. И вдруг он оказывается в ситуации, когда его ждет неминуемый крах; однако он может еще спастись, совершив некий поступок — очень простой, но... не то чтобы нечестный, но не совсем законный.

— Оставим отговорки, — резко прервал его Мейсон, — повторяю: вы недооцениваете Трэгга. Когда он ведет расследование, то действует быстро. Мне нужны факты. Причины, объяснения и прочее можно добавить позднее. И не юлите. Все то, что вы мне рассказали, я уже сам вычислил, так что вы только расставили точки над «i». В зависимости от того, что вы расскажете сейчас, если, конечно, это будет правдой, я решу, стану ли представлять ваши интересы или нет.

Шор, явно нервничая, вынул изо рта сигарету и выбросил в окно, потом сорвал с головы шляпу и пригладил руками седую волнистую шевелюру.

— Я вынужден рассказать то, что никогда не должно выйти наружу! — сказал он.

— Говорите же!

— Я уговаривал, упрашивал, умолял моего брата. Мне необходимо было десять тысяч долларов. Он прочел мне целую лекцию о моих методах ведения дел, ценность которой в то время я не мог оценить, потому что, не достань я этих денег, был бы окончательно разорен. Но если бы я их нашел, то заработал бы на этом деле достаточно, так что в дальнейшем мог бы больше не кидаться очертя голову в авантюры. Под конец брат все же обещал мне помочь. Он сказал, что в тот вечер должен был заняться еще какими-то делами, но... прежде чем лечь спать, он непременно выпишет чек на десять тысяч долларов и отошлет его по почте.

— Чек, выписанный на вас?

— Нет, на имя другого человека, которому предназначались деньги. У меня уже не было времени пропустить чек через свой счет.

— И ваш брат выполнил обещание?

— Нет. Он исчез, не сделав этого.

— В таком случае естественно предположить, что после вашего ухода он столкнулся с какими-то непредвиденными обстоятельствами, которые вынудили его спешно уйти из дома, позабыв даже о вашей просьбе.

— Я тоже так считаю.

— Когда вы узнали о его исчезновении?

— Лишь на следующее утро.

— И это был последний день, когда вы могли еще что-то сделать?

Шор кивнул.

— Вы, наверное, уже заверили своих компаньонов, что дело улажено? — уточнил Мейсон.

— В девять тридцать утра я позвонил человеку, которому предназначались деньги, и заверил его, что чек будет у него в руках сегодня до закрытия банков; чек будет выписан на его имя и подписан Фрэнклином Шором. Ну а через десять минут после этого позвонила Матильда и попросила меня немедленно приехать. От нее я узнал о случившемся.

— Насколько я помню, факт исчезновения Фрэнклина Шора скрывался от публики день или два?

Шор кивнул.

Мейсон понимающе посмотрел на него.

— За это время были получены деньги по нескольким крупным чекам?

Шор снова кивнул.

— Ну? — поторопил его Мейсон.

— Среди них был чек на имя Родни Френча на десять тысяч долларов.

— Родни Френч был тот человек, которому вы должны были деньги?

— Да.

— И с которым вы обещали расплатиться?

— Да.

— И этот чек?..

— Чек выписал я. Я подделал подпись брата. Мне казалось, что, раз брат обещал дать эту сумму, я имею полное моральное право получить ее.

— Матильда Шор так и не узнала, что чек поддельный?

— Никто не узнал. Во-первых... я проделал это весьма искусно. Потом Фрэнклин вечером вызывал своего бухгалтера по другим вопросам и упомянул, что выпишет чек на десять тысяч на имя Родни Френча.

Наверное, мистер Мейсон, — голос Шора дрожал от волнения, — вам не понять, что это значит для меня. Это событие изменило всю мою жизнь. До того я без конца проворачивал какие-то сомнительные дела, сулившие быструю прибыль, — нет, все по закону, но все же это были авантюры. Меня интересовали только деньги. Думаю, что мне не давал покоя успех моего брата. Я хотел быть как он. Я хотел доказать, что тоже умею делать деньги. Я хотел обеспеченной жизни, всего того, что приносят деньги.

После этих печальных событий я как бы посмотрел на себя со стороны, и мне не слишком понравилось то, что я увидел. Это было десять лет назад, мистер Мейсон. Думаю, я не покривлю душой, если скажу, что с тех пор я переменился — и очень сильно.

— Продолжайте, — сказал Мейсон. — Я вас слушаю.

— Во-вторых, я понял, что в жизни, кроме денег, есть многое другое. У человека есть круг обязанностей, ответственность по отношению к обществу. Он не может существовать сам по себе. Он постоянно оказывает влияние на окружающих — словами, поступками... — Голос у него предательски сорвался, и он замолчал.

Мейсон ждал, спокойно покуривая.

Шор, помолчав, продолжил:

— Возьмите, например, Элен. Ей было четырнадцать лет, она, как говорится, стояла на пороге жизни. Она всегда относилась ко мне с уважением. В ее жизни наступал такой период, когда моральные ценности — это главное. Если бы что-то случилось и она обо всем узнала... понимаете, мистер Мейсон, с того времени у меня появилась совсем другая цель в жизни, другие ценности. Я старался жить так, чтобы... Но какой смысл говорить об этом?

— Нет, это очень важно, — мягко сказал Мейсон.

— Собственно, это и все, — коротко сказал Шор. — Я стал больше интересоваться людьми — не тем, что они могут мне дать, а тем, что я могу сделать для них. И я осознал, что, по крайней мере, молодежь верит мне, полагается на меня. А я, — продолжал он, — знал, что я мошенник, но произносил все эти громкие слова; я, совершивший преступление и думавший, что оно останется нераскрытым, я имел безрассудство верить, что мне удается избежать расплаты.

— Скажите мне, а этот Родни Френч не задавал вам никаких вопросов? — спросил Мейсон, подождав, пока Шор успокоится.

— Нет. Понимаете, он сразу позвонил бухгалтеру Фрэнклина, чтобы проверить, говорил ли тот что-нибудь насчет чека. Когда ему подтвердили, что такое распоряжение было, он просто получил деньги и успокоился.

— В противном случае этот Френч мог бы вас шантажировать после исчезновения Фрэнклина Шора.

— Да-а... Мне показалось, что Френч, узнав про исчезновение Фрэнклина и про мое утверждение, что я не виделся с братом, заподозрил что-то неладное.

— И все же почему вы решили, что из-за этого брат отдалился от вас?

— А вы не понимаете? — спросил Шор с неподдельной мукой в голосе. — Газеты все это раскопали. Они напечатали кучу подробностей о финансовых операциях моего брата, о его банковском балансе, о чеках, предъявленных в последние дни, и, конечно, упоминался тот факт, что последний чек, который он выписал, был на имя Родни Френча — на десять тысяч долларов.

— Вы не думаете, что брат простил вас, учитывая все обстоятельства?

— Я надеялся, что он поймет и простит, — сказал Джеральд, — но когда он объявился и позвонил Элен, а не мне... ну, вы сами все понимаете.

Мейсон вздохнул.

— Если лейтенант Трэгг узнает *все* эти факты, он пришьет вам обвинение в убийстве.

— Разве я этого не знаю? Я ничего не могу сделать. Наверное, я испытываю то же чувство, что и пловец, которого относит бурным течением к смертельному водовороту.

— Одну вещь вы все же в состоянии сделать.

— Какую?

— Держать язык за зубами, — ответил адвокат, — поручите мне говорить за вас. Но уж тогда говорить буду только я один.

Глава 11

Элен Кендал сняла пальто, шляпку, перчатки и устроилась в кресле с книжкой, когда вдруг услышала шум подъезжающей машины.

Она взглянула на свои ручные часики. Странно, в такое время никто не мог приехать, но, вне всякого сомнения, машина свернула на их подъездную дорогу. А когда мотор стал чихать, кашлять, выражая свое нежелание работать дальше, сердце у нее на мгновение остановилось, а потом бешено забилось: она точно знала, что на свете существует всего одна такая старая развалина, которая, несмотря ни на что, продолжает бегать.

Девушка быстро пошла к двери. Джерри Темплер вылезал из машины с той расчетливой экономичностью движений, которые внешне походили на неуклюжесть, но в действительности достигались лишь путем длительной тренировки. Он выглядел худощавым и гибким в своей форме, но Элен давно заметила, что служба в армии выработала у него решительность, уверенность в своих силах, которой не было всего месяц назад. В этом человеке было много нового для нее: старый, добрый друг, он неожиданно приобрел над ней такую власть, от которой у нее перехватывало дыхание, и лишь его появление заставляло бешено колотиться и сладко замирать ее сердце.

Ни за что она не станет рассказывать ему ни про убийство, ни про все эти семейные неприятности, решила Элен. Он приехал сегодня неожиданно, чтобы повидаться с ней. У них есть гораздо более важные темы для разговора. Возможно, сегодня...

— О, Джерри! Как я рада тебя видеть! — воскликнула девушка.

— Хэлло, дорогая. Я увидел свет в окнах и подумал, а вдруг ты еще не спишь. Можно я зайду на несколько минут?

Она взяла его за руку, потянула через порог, закрыла дверь и только тут сказала уже совершенно излишне «да». Они вошли в гостиную. Девушка присела на диван и с любопытством наблюдала, куда он сядет: в кресло по другую сторону камина или на диван рядом с ней? Неужели он не догадается сесть рядом? Да, да, ей так хотелось этого. А он стоял посреди комнаты...

— У тебя усталый вид, Джерри.

— Усталый? — удивился он. — С чего бы это?

— Значит, мне показалось. Сигарету? — Она придвинула к нему коробку.

Уловка помогла.

Он медленно подошел к ней, взял сигарету и опустился на диван.

— Где ты была весь вечер? — неожиданно спросил он.

Элен опустила глаза.

— Меня не было дома.

— Знаю. Я звонил сюда четыре раза.

— Двадцать центов! Ох, Джерри, ты не должен так бросаться деньгами.

— Где ты была? — Это уже походило на допрос.

— О, везде, нигде в особенности...

— Одна?

— Ты слишком любопытен, солдат. — Она насмешливо посмотрела на него. — Скажи, все твои женщины сидят вечером дома и ждут, не позвонишь ли ты им случайно?

— У меня нет никаких женщин и ты великолепно это знаешь!

— Ну, продолжай.

Но Джерри вдруг вскочил и принялся расхаживать по комнате.

— Где твоя тетка? — неожиданно спросил он. — Уже спит?

— Была в постели, когда я ее видела в последний раз... — И Элен как бы между прочим добавила: — Комо и кухарка тоже.

— Твоя тетка меня не любит!

— Удивляюсь, как это ты догадался!

— Что она имеет против меня?

Наступило неловкое молчание.

— Знаешь, мне не хочется отвечать на твой вопрос, — наконец сказала Элен.

Новая пауза была еще тягостнее первой.

— Так ты весь вечер провела с Джорджем Альбером?

— Вообще-то это тебя не касается, но я была с дядей Джеральдом.

— О! — Джерри сразу успокоился и снова сел.

— Когда ты уезжаешь в свой лагерь, Джерри?

— Думаю, сразу, как только кончится отпуск. На следующей неделе.

— В понедельник, еще шесть дней, — пробормотала Элен. — Мне кажется, что ты сейчас ни о чем не думаешь, кроме войны...

— Это моя работа.

— Да, но ведь жизнь продолжается, — мягко сказала Элен.

Если бы только она могла заставить его заговорить! Если бы он перестал быть таким до смешного благородным, таким сдержанным. Если бы он хоть раз дал себе волю... Ведь они были совершенно одни в этом огромном доме, тишину которого нарушало только громкое тиканье старинных часов. Она повернулась к нему, гордо вскинув голову, губы ее были полуоткрыты.

Но Джерри казался закованным в броню. Он заговорил, но слова его звучали резко и отрывисто, без тени сомнений и колебаний. Его серые глаза смотрели на нее с нежностью, но вместе с тем и с той твердостью, на которую она так часто наталкивалась в последние дни.

— Я не знаю, что ждет меня впереди, — сказал он. — Война вовсе не детская забава. В такое тяжелое время мужчина обязан на время забыть все то, что касается лично его... что для него дороже всего на свете... Если он, например, влюблен...

Он не договорил, потому что они ясно услышали, как в комнате Матильды что-то треснуло, стул или банкетка. А через секунду до них донесся характерный стук ее палки и тяжелые шаги по паркету. Ее любимые попугайчики устроили невероятный переполох.

— Твоя тетка Матильда! — заметил Джерри, упавшим голосом.

Элен попыталась что-то сказать, но у нее словно отнялся язык.

Джерри с недоумением смотрел на девушку.

— Что случилось, дорогая? На тебе лица нет!

— Это... это не тетя Матильда!

— Глупости. Ее шаги ни с чьими не спутаешь. Так может волочить ноги...

— Джерри, это не она! — Элен вцепилась ему в руку. — Ее нет дома! Она в больнице!

Не столько слова, сколько ужас, исказивший лицо Элен, проник в сознание Джерри, и он моментально вскочил на ноги, оттолкнув ее от себя.

— Посмотрим, кто там хозяйничает!

— Нет, нет, Джерри! Не ходи один. Это опасно. Сегодня уже случилась ужасная вещь. Только я не хотела тебе говорить... — пыталась она его удержать.

Слышал он ее или нет, но он не собирался отступать. Решительным, быстрым шагом он направился к двери в коридор, ведущий к комнате Матильды.

— Где там выключатель?

До Элен только сейчас дошло, что Джерри не знает расположения комнат и пробирается в полной темноте, натыкаясь на мебель. Она мгновенно включила свет.

— Джерри, будь осторожней. Пожалуйста, дорогой...

В спальне тети Матильды воцарилась тишина; видимо, незваный гость затаился либо пробирался с кошачьей осторожностью поближе к выходу, чтобы во всеоружии встретить Джерри. Только попугайчики, казалось, были близки к истерике.

— Умоляю, Джерри, не открывай! — шептала Элен. — Если там и правда кто-то прячется...

— Пусти мою руку.

Элен все еще цеплялась за него.

— Отпусти мою руку, — повторил он. — Она мне нужна. Посмотрим, в чем дело.

Он нажал на ручку двери и ударом ноги распахнул ее настежь.

Порыв холодного воздуха из открытого окна спальни ворвался в коридор.

— Свет, — прошептала Элен и скользнула мимо Джерри к выключателю.

Он схватил ее за плечо:

— Не дури... Тебе здесь не место. Скажи мне...

Вдруг в темном углу возле изголовья кровати Матильды вспыхнуло яркое пламя. Следом за красноватой вспышкой прогремел выстрел. Элен слышала, как пуля просвистела у нее возле щеки и вонзилась в косяк дубовой двери, вырвав из него множество щепок. В месте попадания пули на потемневшем от времени дереве осталось светлое пятно, и на Элен посыпались крошки дерева и штукатурки.

Джерри схватил Элен за плечи и оттолкнул в сторону, загородив собой.

И тут прозвучал второй выстрел. Пуля, чмокнув, вошла во что-то мягкое совсем рядом с ней. Она почувствовала, как Джерри развернулся вполоборота и вытянул руку вперед, ища опору. Элен из последних сил старалась удержать его, но ноги Джерри подкосились, и он повалился на пол, увлекая ее за собой.

Глава 12

Пересев в собственную машину, Мейсон помахал Джеральду Шору, посмотрел, как исчезли вдали красные огоньки машины его нового клиента и включил мотор.

— Ух! — воскликнула Делла Стрит. — Ничего не скажешь, умеете вы подбирать клиентов. Если лейтенант Трэгг раскопает эти факты...

Мейсон весело подмигнул ей:

— Существует лишь один способ помешать Трэггу до них докопаться.

— Какой же?

— Подбросить ему кучу других фактов. Тогда у него просто руки не дойдут до этих.

— Но так можно лишь потянуть время.

— Пусть так. Но сейчас нам ничего лучшего не придумать.

Мейсон свернул на Голливудский бульвар. Проехав почти полпути до Лос-Анджелеса, он сказал:

— Думаю, пора пригласить Пола Дрейка.

Делла вздохнула:

— Дополнительные траты? Ну на что вам сейчас понадобился частный детектив? Я сама смогу все сделать.

— Нет, не сможешь.

— Все равно, его нет на месте. Он взял неделю отпуска и поклялся, что ни за какие деньги даже не приблизится к конторе и не возьмет никакой работы.

— Черт побери, я совершенно забыл!

— Так что придется довольствоваться кем-нибудь из его оперативников. Помните того паренька, чем-то напоминающего бедлингтонтерьера? Как его зовут?

— Нет, он не годится. Мне нужен Пол.

— Если вы ему позвоните, он просто повесит трубку. Вы что, не знаете Пола?

— Да уж, знаю. Пожалуй, ты права. Он просто отмахнется от меня, вот и все.

Машина медленно катила по бульвару.

— Это действительно важно, Перри?

— Что?

— Раздобыть Дрейка!

— Да, очень.

Делла Стрит, слегка наклонившись, посмотрела в сторону мелькавших мимо домов.

Делла вздохнула:

— Ладно. Притормозите-ка возле вон того ночного ресторанчика. И если у них есть телефон-автомат, я постараюсь что-нибудь сделать.

— Ты? Почему ты воображаешь, что сумеешь вытащить Пола из постели среди ночи? Даже я не решусь на такое.

Делла Стрит кокетливо опустила глаза.

— Вы просто не знаете, как апеллировать к возвышенным чувствам Пола, — промурлыкала она. — Я же не говорю, что заставлю его *работать*. Я постараюсь завлечь его в контору, а уж остальное зависит от вас.

Мейсон остановил машину у ресторанчика и вошел внутрь вместе с Деллой. Она оглянулась, нахмурив брови.

— Иди звони, — сказал Мейсон, — а я закажу что-нибудь.

— Эта дыра не годится для этого.

— Что ты имеешь в виду? Здесь довольно чисто.

— Здесь нет телефонной будки.

— Вот же телефон.

— Телефон на стене не годится. То, что я должна сказать Полу, не предназначено для чужих ушей. Поехали отсюда, поищем другое место.

Через несколько кварталов Мейсон снова остановил машину перед ярко освещенным кафе. Он заглянул через стеклянную дверь в сверкающий хромом и стеклом зал и запер машину.

— Мы поужинаем, независимо от того, есть здесь телефонная будка или нет. Я проголодался.

Внутри он показал Делле на телефонную будку и двинулся к стойке.

Делла крикнула ему вслед:

— Мне яичницу с ветчиной и кофе.

— Два раза яичницу с ветчиной, — сказал Мейсон мужчине за стойкой. — Яйца поджарьте чуть-чуть. Побольше жареной картошки. Горячий кофе, и сделайте нам бутерброды с сыром.

Через пять минут Делла присоединилась к Мейсону у стойки.

— Нашла его?

— Да.

— Он появится в конторе?

— Да, через полчаса.

— Замечательно. Послушай, что у тебя с лицом? Ты вся горишь. Ты не простудилась?

— Я просто сгораю от стыда, зануда вы этакий. Нет, такие поручения мне не по вкусу. Больше никогда такого делать не стану, даже для вас. А теперь я хочу кофе.

— Черт бы меня побрал, — пробормотал Мейсон, сконфузившись.

Мужчина за стойкой налил две чашки душистого горячего кофе и, ставя перед ними, с достоинством произнес:

— Уверен, что вам понравится. Я завариваю каждую чашку отдельно, и он у меня всегда свежий.

Они взобрались на высокие табуреты и с наслаждением потягивали ароматный напиток. Их яичница жарилась перед ними на плите. Аппетитно запахло жареным беконом.

— А теперь скажите, зачем вам понадобился Пол Дрейк?

— Мне необходимо раскопать как можно больше фактов, прежде чем Трэгг нашпигует дело полуправдой.

— Так вы считаете, что Шор рассказал лишь полуправду?

Мейсон задумчиво уставился на дымящийся кофе в чашке.

— Нет, чистейшую правду, но так, как он ее видит. А ему известна лишь какая-то часть общей картины. Ты не представляешь, до чего безнадежны такие дела, построенные на косвенных доказательствах, в основе которых лежит полуправда!

Повар поставил горячие сковородки на стойку. Толстые куски ветчины, яркие желтки яиц, золотистая поджаренная картошка — все это возбуждало аппетит, так что у Деллы и Мейсона, как говорится, «слюнки потекли».

— Сейчас мы поедим, Делла, а думать будем потом, — заявил Мейсон.

— Через минуту будут и ваши бутерброды, — пообещал мужчина за стойкой, вкладывая в хрустящие булочки сыр и посыпая из мелко нарубленным луком.

— Вам с горчицей?

— И побольше! — весело сказал Мейсон.

Они молча ели, только сейчас поняв, насколько проголодались.

Делла Стрит попросила вторую чашку кофе.

— Почему Матильда Шор так упорно отрицала, что ее отравили?

— Это совершенно очевидно — потому что существует связь между ее болезнью и отравлением котенка.

— Вам кажется, кто-то посягал на ее жизнь?

— Похоже, что так.

— Вы уже что-нибудь надумали? — спросила Делла.

— Все зависит от фактора времени. Скорее всего, портер хранился в холодильнике.

— Почему вы так считаете?

— Чтобы добавить отраву, бутылку надо было предварительно открыть. Если бы пиво стояло не в холодильнике, оно выдохлось бы. Скорее всего, у Матильды в холодильнике хранится некоторый запас портера.

— Но каким образом преступник мог быть уверен, что она выпьет именно отравленную бутылку?

— Либо он всыпал отраву в ближайшую, либо сразу в несколько.

Мейсон протянул через стойку пятидолларовую бумажку и взглянул на часы.

— Еще кофе? — спросил мужчина, протягивая ему сдачу.

— Полчашки. На большее у нас нет времени. — Мейсон сунул мелочь в карман, оставив на стойке монету в двадцать пять центов. — Кормите вы действительно вкусно. Мы сюда как-нибудь снова заглянем.

— Спешите? — спросил мужчина.

— Угу.

Он прищурившись посмотрел на них поверх очков и многозначительно произнес:

— Если бы меня кто-нибудь спросил куда, я бы ответил, что вы торопитесь в Юму — обвенчаться.

— Но вас никто не спрашивает, — улыбнулась Делла.

Мейсон достал из кармана еще четвертак и подсунул под свою тарелку.

— А это за что?

— За идею, — ответил Мейсон, ухмыльнувшись. — Пошли, Делла. Надо спешить.

Они быстро доехали до дома, в котором помещалась контора Перри Мейсона. Детективное агентство Пола Дрейка было расположено на том же этаже, но ближе к лифту.

Мейсон приоткрыл входную дверь агентства и спросил у ночного дежурного:

— Шеф здесь?

— Хэлло, мистер Мейсон. Нет, он на этой неделе в отпуске. Разве вы не знаете?

— Если он появится, не говорите, что я заходил, — улыбнулся Мейсон. — Начисто позабудьте, что меня видели.

Они пошли по длинному, сейчас пустому коридору, где их шаги отдавались гулким эхом. Темные двери с табличками, на которых значились названия фирм, походили на молчаливых стражей спящего бизнеса.

Мейсон вставил ключ в замочную скважину своего кабинета и зажег свет. Делла Стрит прислушалась, стоя у двери.

— Снова поднимается лифт, — сказала она. — Держу пари, это Пол Дрейк.

Мейсон проворно юркнул в свою комнату, которая служила юридической библиотекой, и закрыл за собой дверь. До него доносился только мерный звук приближающихся шагов.

— Это Пол, несомненно, — прошептала Делла Стрит. — Это его походка. Он не остановился возле своей конторы.

Дрейк распахнул дверь настежь, ввалился в комнату и захлопнул дверь за собой.

Раздался негромкий стук, и Делла чуть приоткрыла дверь, приглашая войти. Он посмотрел на Деллу своими серыми, слегка навыкате глазами, лишенными всякого выражения, потом ехидно улыбнулся. Высокий, немного сутулый, Дрейк своими манерами напоминал профессионального гробовщика, совершающего ночной обход своих мрачных владений.

— Хэлло, деточка! — сказал он.

— Хэлло, Пол. — Голос Деллы звучал не совсем уверенно.

— Здорово ты обвела меня вокруг пальца. Вот уж не подозревал в тебе таких талантов. — С этими словами он быстро подошел к двери, за которой скрывался адвокат, и распахнул ее: — Ну, вылезай отсюда, дешевый заговорщик! Я проучу тебя за такие шутки!

Мейсон вышел, довольно улыбаясь.

— Я поспорил, что ты не попадешься на этот крючок...

Делла возмущенно всплеснула руками.

— Как вам это нравится? Ты играл со мной в кошки-мышки, притворился, что принимаешь всерьез, а сам все это время смеялся надо мной!

Дрейк с нарочитой патетикой заговорил своим хриплым тягучим голосом:

— Глупости, Делла, я был просто в восторге. Я вовсе не смеялся над тобой. Просто я слишком хорошо тебя знаю.

— Так почему же ты явился? — допытывалась она.

Пол Дрейк втянул голову в плечи, как черепаха, сделал выпад вперед и перехватил руку с длинными накрашенными ноготками в нескольких дюймах от своего лица.

— Я понял, что нужен Перри. Признаться, мне уже надоело сидеть дома, бездельничая. — Он смущенно хохотнул: — Убери от меня подальше эту женщину, Перри, и скорее к делу!

Дрейк устроился в своей любимой позе в глубоком кожаном кресле, перекинув ноги через ручку, и потребовал:

— Ну, в чем дело?

Минут десять Мейсон подробно излагал события. Дрейк слушал, прикрыв глаза.

— Теперь ты в курсе дела.

— О'кей. Что мне делать?

— Узнать все, что сможешь, о Личе. Выясни все, что возможно, и о членах семейства Шоров, особенно о том, как они себя вели после исчезновения Фрэнклина.

— Что-нибудь еще?

— Человек, звонивший Элен Кендал, вроде бы убедительно доказал, что он Фрэнклин Шор, но в подобных случаях всегда существует вероятность мистификации. Далее, этот Лич либо поддерживал контакт с Фрэнклином Шором, либо попытался смошенничать. Вот, возьми-ка номер. — Он протянул Полу листок из записной книжки.

— Номер машины? — спросил тот.

— Нет, метка из прачечной. Я обнаружил ее на носовом платке, в который были завернуты некоторые личные вещи, вроде бы принадлежащие Шору. Они лежали на сиденье подле Лича. Я полагаю, Лич их захватил с собой, чтобы доказать, что он и правда действует как посредник Шора.

— Почему посредник?

— Кто знает, возможно, Шор не хотел сразу же соваться в дом. Знаешь такую пословицу: «Не зная броду, не лезь в воду»?

— А у него были основания опасаться?

— И существенные.

Дрейк присвистнул.

476

— Даже так?

Мейсон молча кивнул.

— Трэгг знает, что ты зацепился за эту метку прачечной?

— Вряд ли. Я притворился, будто заинтересовался часами. Знаешь, метка мне показалась весьма примечательной. Уже давно нигде не пишут номера чернилами прямо на кромке платка. Надеюсь, эта метка выведет нас на Фрэнклина Шора.

— Что еще?

— Этот «Касл-Гейт», похоже...

— Я знаю эту дыру, — перебил его Дрейк. — Там вечно ошивается куча всяких бездельников и аферистов, пытающихся всучить тебе акции дутых компаний. Обещают быстро разбогатеть на обогащении нефтяных промыслов и прочую ерунду. Они ведут там дела, а скорее используют «Касл-Гейт» как берлогу, где можно отлежаться, когда в воздухе вдруг запахнет жареным.

Бывает, им удается сорвать куш, и тогда они перебираются в шикарные отели или снимают квартиры и начинают задирать нос. Если у полиции ничего на них не оказывается и их бизнес окупается, они иногда становятся большими людьми. Но если полиция что-нибудь обнаруживает, они попадают в тюрьму Сан-Квентин. А то случается и такое: у полиции материалов нет, но и афера провалилась. Тогда опять номер в «Касл-Гейт» до лучших времен, когда на горизонте снова замаячит удача.

— О'кей, — сказал Мейсон, — есть еще один момент. Просмотри газеты за тридцать второй год. Тогда они опубликовали список чеков, которые были оплачены со счета Фрэнклина Шора в течение нескольких дней после его исчезновения. Можно не сомневаться, что полиция тогда раскопала все, связанное с этими чеками. Я хочу заново провести расследование, но уже в свете новых данных.

— Дальше? — Пол Дрейк делал какие-то пометки в блокноте с отрывными листами.

— Еще одно происшествие. В доме Матильды Шор отравили котенка. Не сомневаюсь, Трэгг проверяет все аптеки в поисках человека, купившего яд, так что нам нет смысла дублировать полицию. У них огромный штат, да и власть в руках. Они выяснят все гораздо быстрее, чем мы. Но ты держи и этот факт в уме.

— Какое отношение к этой истории имеет котенок? — спросил Пол.

— Не знаю, однако Матильда Шор отравилась, по всем данным, таким же ядом. В доме прислуживает некий Комо, то ли японец, то ли кореец. Я отдал Трэггу письмо с планом местности, отправленное со специальной доставкой из Голливудского почтового отделения около восемнадцати тридцати. Письмо написано типично по-японски. Я бы сказал, слишком типично. Однако это еще ничего не доказывает. Письмо и правда мог написать Комо, а мог и кто-то другой подделаться под него. Я бы хотел, чтобы ты раздобыл фотокопию этого письма. Трэгг, ясно, займется поисками пишущей машинки, на которой оно было отпечатано, отошлет его на экспертизу. Ты, наверное, сможешь узнать у газетных репортеров, что показала экспертиза, — модель пишущей машинки и все прочее. Лично я считаю, что письмо было напечатано на портативной машинке человеком, не являющимся профессионалом и не слишком часто печатающим, но у которого эта машинка уже давно.

— Почему ты так думаешь?

— Буквы сильно сбиты, лента высохла за то время, что ею не пользовались, в петельках букв грязь, кое-где сделаны опечатки, а потом поверх исправлены, текст расположен на листе кое-как, без полей. Сила удара разная для разных букв. Впрочем, поскольку Трэгг обратит внимание на то же самое, не трать на письмо слишком много времени. Мы никогда не можем рассчитывать, что выйдем победителями в соревновании с полицией, если она всерьез занялась какими-то моментами.

— О'кей, — сказал Дрейк.

Тут внезапно вмешалась Делла Стрит:

— В конторе непрерывно звонит телефон. Слышите? Такой гудок бывает, когда коммутатор не работает и кто-то пытается прорваться по главной линии. Телефон трезвонит уже минут пять.

Мейсон взглянул на часы:

478

— На всякий случай, Делла, проверь, кто это там.

Делла вышла, но вскоре влетела назад.

— Кто это?

— Элен Кендал. Кто-то забрался к ним в дом и выстрелил в ее приятеля, того, что приехал на побывку из армии. Она позвонила в полицию и вызвала такси. Сейчас она в госпитале. Его оперируют, но, кажется, случай безнадежный. Боятся, что он не перенесет операцию. Она пыталась дозвониться уже минут пять.

Мейсон кивнул Полу Дрейку:

— Едем, Пол.

Но детектив покачал головой.

— Поезжай один. К тому времени, когда ты туда доберешься, лейтенант Трэгг постарается так закрутить гайки, что тебя и близко туда не подпустят. А я тем временем, пока Трэгг занят, начну работу по твоему заданию.

— Пожалуй, в этом что-то есть, — сказал Мейсон.

— Эти новые события свяжут ему руки, а мне развяжут, — усмехнулся Дрейк.

Мейсон уже надевал пальто.

— Делла, хочешь поехать со мной?

Дрейк посмотрел на Мейсона со своей обычной, кривой усмешечкой.

— Интересно, где находился твой клиент, когда случилась эта стрельба?

Мейсон взглянул на часы и прищурился, что-то соображая.

— Держу пари, именно этим в первую очередь поинтересуется лейтенант Трэгг. Впрочем, правильнее сказать так: сейчас он задает этот вопрос и выслушивает ответ. И если я не ошибся во времени, мой клиент вполне мог успеть вернуться в дом и учинить стрельбу...

Глава 13

Огромный старомодный особняк, в котором некогда царил Фрэнклин Шор, был освещен от подвала до чердака. На подъездной дорожке стояли две полицейские машины.

Тревожное возбуждение перекинулось и на соседние дома: на их верхних этажах тоже светились окна, и эти прямоугольники света в округе, обычно погруженной в сон и темноту, усиливали ощущение трагедии.

Мейсон дважды проехал мимо дома, потом остановил машину на противоположной стороне улицы и предупредил Деллу Стрит:

— Пойду-ка на разведку. Ты посидишь в машине, хорошо?

— О'кей.

— Будь, пожалуйста, начеку. Если заметишь что-то подозрительное, зажги сигарету. Если все будет спокойно, не кури. Когда станешь зажигать спичку, сначала немного подержи ее у ветрового стекла, потом прикрой ладонями и поднеси к сигарете. Ничего не будет страшного, если тебе не удастся прикурить с первого раза, на тот случай, если я пропущу первый сигнал.

— Вы пойдете в дом?

— Потом. Сначала я хочу поглядеть во дворе.

— Хотите, чтобы я пошла в дом вместе с вами?

— Я скажу тебе позже. Прежде всего необходимо уяснить обстановку. Видишь то окно на первом этаже дома с северной стороны? Оно широко открыто, занавески не спущены. Я только что видел внутри вспышку света. Похоже, что они фотографируют окно. Это важно!

Делла поудобнее устроилась на сиденье.

— Трэгг, наверное, лично руководит операцией?

— Наверняка.

— А как вы думаете, где ваш клиент Джеральд Шор?

— Мог запросто попасть в самую кашу, — предположил Мейсон. — Надеюсь, у него хватило здравого смысла не говорить им о своем алиби?

— А какое у него алиби?

— Он же был с нами... Ну, будем надеяться.

— Что-то не припоминаю, чтобы вы когда-либо обеспечивали алиби своему клиенту.

— Никогда. Поэтому я и рассчитываю, что он будет помалкивать.

— Неужели Трэгг не поверит вашим словам?

— Трэгг-то как раз поверит, но ты поставь себя на место присяжных. Адвокат защищает человека, обвиня-

480

емого в убийстве. Возникает подозрение о его причастности к другому убийству, связанному с первым. Обвиняемый заявляет, что в это время он находился со своим адвокатом, после чего защитник и его секретарша поднимаются на место для свидетелей и стараются изо всех сил подтвердить алиби своего подопечного. Разве это хорошо выглядит?

Делла с сомнением покачала головой:

— Да, присяжным это не понравится.

— Вот почему опытные юристы вообще отказываются от защиты, когда им приходится быть одновременно свидетелями, — сказал он.

— Вы хотите сказать, что откажетесь от защиты, если Шор сошлется на вас для подтверждения алиби?

— Я бы очень не хотел выступать на суде в двух ролях: и адвоката, и свидетеля.

— Но ведь *я* могу подтвердить его алиби?

— Мы обсудим это позднее.

Мейсон застегнул пальто на все пуговицы, защищаясь от пронизывающего северо-восточного ветра, и зашагал по направлению к ярко освещенному дому. Делла следила за ним из окна машины, пристально вглядываясь в темноту ночи. Когда Мейсон уже шел по лужайке, она заметила какое-то движение в тени зеленой изгороди.

Мейсон повернул и направился к окну с северной стороны дома. Тень последовала за ним.

Делла Стрит поспешно чиркнула спичкой, но Мейсон, повернувшийся к ней спиной, не мог заметить сигнала. Тогда Делла в отчаянии дважды включила и выключила передние фары.

Мейсон оглянулся, но было уже поздно. Делла, опустив стекло в машине, прекрасно слышала весь разговор.

— Мистер Мейсон?

Только тот, кто близко знал Перри Мейсона много лет, мог бы заметить, что его голос слегка изменился, когда он ответил:

— Да, я Мейсон. А что?

Человек сделал шаг вперед.

— Вас хочет видеть лейтенант Трэгг. Он сказал, что вы наверняка приедете, и велел мне не прозевать вас.

Мейсон от души расхохотался:

— Уж этот лейтенант Трэгг! Когда мы с ним увидимся?

— Сейчас.

— Где?

— Внутри.

Мейсон взял офицера за руку.

— На дворе прохладно. Хотите сигару?

— Не откажусь.

Они поднялись по ступенькам и вошли в дом. Делла Стрит в изнеможении откинулась на спинку сиденья. Яркий свет холла после темноты улицы ослепил Мейсона, и он невольно зажмурился. Сидевший возле двери полицейский в штатском вскочил с места.

— Скажите Трэггу, мистер Мейсон здесь.

Страж с нескрываемым любопытством глянул на адвоката, пробормотал: «О'кей» — и исчез.

Спутник Мейсона зажег сигару и сдвинул шляпу на затылок.

— Мы подождем здесь, — пояснил он. — Сомневаюсь, что лейтенанту понравится, если вы станете шататься по дому, пока он не освободится.

Но уже были слышны быстрые шаги. Трэгг вышел из двери, ведущей в гостиную.

— Ну, Мейсон, очень любезно с вашей стороны. Я хотел с вами поговорить. Звонил в контору, но вас там не оказалось.

— Я стараюсь предупреждать все ваши желания, — насмешливо ответил адвокат.

— Тронут вашим вниманием.

Лейтенант высунул голову в коридор и крикнул кому-то:

— Закройте дверь в спальню! — Он подождал, пока будет исполнено его приказание, и продолжил: — Прошу сюда, Мейсон.

Они вошли в гостиную. Глаза адвоката, уже привыкшие к яркому свету, фиксировали все детали с фотографической точностью. Джеральд Шор, внешне совершенно спокойный и собранный, сидел в кресле, закинув ногу на ногу и попыхивая трубкой.

Полицейский в штатском стоял в темном углу, надвинув шляпу на лоб так, чтобы поля скрывали его лицо.

Только кончик его сигареты вспыхивал, когда он затягивался, и снова гас. В нескольких шагах от него сидел молодой человек с типично восточной внешностью. Комо, решил Мейсон. В этом конце комнаты было довольно темно, но та часть, где была дверь в коридор, ведущий к спальне Матильды, и сам коридор заливал яркий свет от мощных юпитеров на металлических треногах. Такое освещение явно потребовалось фотографам. Через всю комнату и коридор тянулись провода от розеток к этим светильникам. Дверь в соседнее помещение была плотно прикрыта, но зловещее красное пятно на полу возле двери ясно показывало, почему именно здесь полиция сосредоточила свое внимание.

— Садитесь, Мейсон, — пригласил Трэгг. — Я предлагаю вам честную игру. В прошлом я неоднократно просил вас сотрудничать со мной. Сейчас я этого не делаю, поскольку в данном случае наши интересы расходятся.

— То есть как это?

— Мистер Шор уверяет, что вы его адвокат. Он отказывается говорить. И это мне не нравится.

— Я вас понимаю, — сказал Мейсон.

— Но я не собираюсь с этим мириться... Когда произошло убийство, а человек что-то от меня скрывает, я считаю это признанием вины. — Мейсон понимающе кивнул, и Трэгг продолжил: — Надеюсь, что хотя бы вы будете говорить. Это в интересах и вашего клиента.

Мейсон взглядом приободрил Джеральда Шора, затем придвинул стул к столу и уселся на него.

— Разумеется, я буду говорить, Трэгг. Я всегда охотно говорю.

Трэгг придвинулся поближе к Мейсону.

Шор вынул изо рта трубку и пояснил:

— Лейтенант Трэгг задавал мне множество вопросов. Я сказал ему, что вы мой адвокат.

Трэгг сердито возразил:

— Это не причина, чтобы не отвечать на вопросы, связанные с совершенно другим делом.

— Откуда вы знаете, что это совершенно другое дело? — спросил Мейсон.

— Потому что оно произошло уже *после* того, как он вас нанял.

— Понятно.

Шор умял пальцем табак в трубке и заметил:

— В нашей профессии есть аксиома: адвокат, старающийся сам себе дать совет, имеет в качестве клиента дурака.

— Дело в том, — объяснил Трэгг, — что Шор отказывается сказать, где он находился в момент совершения преступления.

Мейсон усмехнулся:

— Может быть, вы мне объясните, о каком преступлении идет речь?

— Хорошо, это я вам скажу. Вот на том диване сидела Элен Кендал, беседуя с Джерри Темплером, ее... Одним словом, если они еще и не обручены, так это произойдет в недалеком будущем. Они услышали шум в комнате миссис Шор.

— Что за шум? — поинтересовался Мейсон, и в его глазах засветился интерес.

— Как если бы опрокинули тумбочку у кровати или что-то в этом роде.

— Человек, который забрался в спальню через открытое окно на северной стороне?

Трэгг замялся на миг и подтвердил:

— Ну да.

— Продолжайте.

— Естественно, Элен Кендал испугалась, поскольку знала, что ее тетки нет дома. Они оба ясно слышали звуки, которые точно имитировали шаги Матильды Шор: стук палки, шарканье ног. Важно, что, если бы мисс Кендал не знала, что миссис Шор в больнице, она бы не обратила на эти звуки никакого внимания, полагая, что ее тетка уронила что-то в темноте по пути в ванную. Но поскольку она знала, что тети нет дома, они решили выяснить, в чем дело.

— Миссис Шор действительно была в больнице? — уточнил Мейсон.

— Да, за это я могу поручиться. Темплер отворил дверь в спальню. Пока он шарил в поисках выключателя, человек, затаившийся в комнате, дважды выстрелил в него из револьвера. Первая пуля прошла мимо, а вторая угодила ему в левый бок.

— Убит? — быстро спросил Мейсон.

— Нет. Как мне сказали в больнице, его шансы примерно пятьдесят на пятьдесят. Сейчас его как раз оперируют.

— Ночь у вас полна трагических событий, Трэгг! — суха прокомментировал Мейсон.

Лейтенант пропустил замечание мимо ушей.

— В скором времени они вынут пулю, если еще этого не сделали. Но у меня имеется вторая, которая застряла в дубовом косяке двери. Она прошла в каком-нибудь дюйме над головой Элен Кендал. Стреляли из самовзводного револьвера 38-го калибра. Предстоит еще сравнить эту пулю с той, которой был убит Генри Лич, но меня не удивит, если окажется, что все три выстрела были сделаны из одного и того же револьвера. Это, разумеется, означает, что стрелял один и тот же человек.

Мейсон выстукивал на подлокотнике кресла кончиками пальцев быструю дробь.

— Интересно, — протянул он.

— Не правда ли?

— Если мы допустим, что все три выстрела были сделаны из одного и того же оружия и, следовательно, одним и тем же человеком, нам придется исключить Лича, так как он мертв; Матильду Шор, потому что она находилась в больнице, когда было совершено последнее преступление; Джеральда Шора, у которого имеется превосходное алиби на это время, а также Элен Кендал и Джерри Темплера. Более того...

— Я в состоянии осуществить подобное исключение и без вашей помощи, — прервал его Трэгг. — В вашем же заявлении меня интересует вот что: Джеральд Шор имеет алиби?

— Да, имеет.

— Какое же?

Мейсон улыбнулся.

— Вы же мне еще не сказали, когда было совершено преступление.

— Тогда откуда вам знать, что у него есть алиби? — быстро парировал Трэгг.

— Совершенно верно, — все еще улыбаясь, согласился Мейсон. — Я этого не могу знать, не так ли? Теперь давайте рассуждать. Человек, проникший в спальню миссис Шор, знал, что ее нет дома, но *он не знал, что об этом известно мисс Кендал.*

— На чем вы основываете подобное заявление? — заинтересовался Трэгг.

— Потому что он пытался обмануть Элен Кендал, имитируя походку миссис Шор, когда ходил по комнате. Это доказывает, что Джеральд Шор не имеет отношения к преступлению. Ему-то было известно, что Элен знает, что ее тетки нет дома.

Трэгг нахмурился. Было совершенно очевидно, что рассуждения Мейсона произвели на него впечатление и разрушили построенную им теорию.

Неожиданно полицейский в противоположном конце комнаты предупредил:

— Японец тут вовсю прислушивается, лейтенант, так и тянет локаторы в вашу сторону.

Трэгг раздраженно приказал:

— Так уберите его отсюда!

Комо поклонился.

— Извините, позалста, — сказал он с достоинством. — Я не японец. Я кореец. Я не питаю дружбы к японцам.

— Выстави-ка его отсюда! — повторил Трэгг.

Полицейский положил руку на плечо Комо.

— Давай-ка, парень. Пошли!

Трэгг подождал, пока Комо выпроводят на кухню, после чего снова повернулся к Мейсону.

— Мейсон, мне не нравится ни ваша позиция, ни позиция вашего клиента.

— Ну уж если быть совершенно откровенным, лейтенант, то мне тоже не нравится, каким образом вы затащили меня сюда.

— Возможно, вам еще меньше понравится то, что я собираюсь сейчас сделать. Портье в отеле «Касл-Гейт» сказал, что вас было трое в момент получения письма, а в горы вы поехали вчетвером. Так почему же один из вашей компании не пожелал войти в отель? Обождите-ка минутку.

Трэгг поднялся и вышел в холл, где находился телефон. Дверь он не стал закрывать. Набрав номер, он спросил:

— Отель «Касл-Гейт»? Ночной портье? Говорит лейтенант Трэгг, отдел насильственных преступлений. Правильно. Когда вы вчера заступили на дежурство? В шесть часов? Знаете человека по имени Джеральд Шор? Разрешите мне его описать. Примерно шестьдесят два года, вид представительный, высокий лоб, четкий профиль, рост — пять футов восемь дюймов, вес — сто шестьдесят пять фунтов, волнистые седые волосы, зачесанные назад, одет в серый в клеточку костюм, светло-голубая рубашка, темно-синий с красным галстук, заколотый жемчужной булавкой... Он был? Когда? Понятно... И долго? Через полчаса я буду у вас. А пока никому об этом не рассказывайте.

Трэгг с грохотом бросил трубку, вернулся в комнату и стал так, чтобы видеть одновременно и Перри Мейсона, и Джеральда Шора.

— Похоже, я начинаю понимать, в чем тут дело, — сказал он.

— Может быть, мистер Шор, вы расскажете, почему поехали в «Касл-Гейт» ранним вечером и долго там чего-то ждали?

Джеральд Шор спокойно вынул трубку изо рта и указал черенком на Перри Мейсона:

— Вот мой адвокат.

Трэгг кивнул и торжествующе улыбнулся. Потом крикнул полицейскому, стоявшему в дверях:

— Эй, Джерри, мистер Мейсон должен идти. Если заметишь, что он слоняется вокруг, напомни ему, что у него свидание в другом месте... пока мы снова не встретимся, Мейсон. — Он поднял руку, требуя внимания, и добавил: — Хочу сказать вам всем, что, как только Фрэнклин Шор найдется, я вызову его в качестве свидетеля перед Большим жюри. Прошу всех это помнить.

Мейсон, не говоря ни слова, направился к двери.

Трэгг снова обратился к Шору:

— Даю вам последнюю возможность сделать заявление.

Мейсон задержался, чтобы услышать ответ Шора.

— У вас найдется спичка, лейтенант? — спокойно спросил Джеральд Шор.

Полицейский проводил Мейсона до парадного крыльца, и за ним захлопнулась дверь. Другой офицер, который, очевидно, должен был проследить, чтобы Мейсон не задержался на участке, сразу же подошел к нему.

— Я провожу вас до машины.

— В этом нет необходимости.

— Так будет лучше. Кто знает, что еще может сегодня здесь произойти? Я бы не хотел, чтобы вы оказались потерпевшим, мистер Мейсон.

Перри шел по подъездной дорожке, сопровождаемый полицейским. Взглянув на противоположную сторону улицы, Перри Мейсон с удивлением обнаружил, что место у обочины, где он оставил машину, было пусто. Ни машины, ни Деллы Стрит. На какое-то мгновение он был озадачен, и конвоир успел заметить, что Мейсон замедлил шаг.

— В чем дело? — спросил он.

— Небольшая судорога в ноге, — пожаловался Мейсон, направляясь на угол улицы.

— Послушайте, мистер Мейсон, ваша машина на другой стороне. Вам лучше... А куда же, черт возьми, она делась?

— Мой шофер вернулся в контору. Я дал ему срочное поручение.

Офицер сразу же заподозрил какой-то подвох.

— Ну а что вы теперь будете делать?

— Совершу прогулку на свежем воздухе. Не хотите составить мне компанию?

— Нет уж, увольте! — с чувством ответил офицер.

Глава 14

Не занесенный в справочник телефон Мейсона отчаянно звонил, когда адвокат вошел в свою квартиру.

Он включил свет, бросился к столу, снял трубку:

— Слушаю.

Это была Делла Стрит. Как только она заговорила, Мейсон понял, что девушка близка к истерике, но пытается взять себя в руки.

— Господи, шеф, это вы? — Слова вылетали из нее словно пулеметная очередь. — Похоже, я нарушила дух и букву законов, применимых в данном случае, и мои действия попирают мир и достоинство народа штата Калифорния. Боюсь, я превратилась в законченную преступницу.

— Говорят, что тюрьма многому учит, — успокоил ее Мейсон. — Так что ты сумеешь пополнить свое образование.

Она нервно рассмеялась и тут же оборвала смех:

— Пол Дрейк меня предупреждал, что я кончу тюрьмой, если буду продолжать работать у вас, но я была слишком упряма, чтобы его слушать.

— Ну, пока тебя еще не приговорили. Что ты натворила?

— Я п-п-похитила свидетеля!

— Что?

— Выкрала его прямо из-под носа лейтенанта Трэгга и спрятала от всех.

— Где?

— В моей машине. Вернее, в вашей машине.

— Где вы?

— На станции обслуживания в четырех кварталах от вашего дома.

— Что за свидетель?

— Он сидит сейчас в машине. Зовут его Ланк, и он...

— Одну минуточку, не тарахти. Как его зовут?

— Ланк. Он садовник у Шоров. И временный опекун отравленного котенка.

— Как он пишет свое имя?

— Л-а-н-к. Томас Ланк. С этим все в порядке. Я уже ухитрилась заглянуть в его водительские права.

— Что ему известно?

— Точно не знаю, но мне кажется, что-то ужасно важное.

— Почему?

— Он сошел с трамвая примерно за два квартала от дома. Как раз после того, как полицейский сцапал вас и проводил в особняк. Я заметила, как к остановке подошел трамвай и этот человек вылез из него. Он старый, с обветренным лицом, оттого что много времени проводит на воздухе. Так вот, он заторопился к дому, даже пробежал немного. Сразу было видно, что он очень торопился.

— Ну и что ты сделала?

— Я действовала чисто интуитивно. Завела мотор, проехала с квартал ему навстречу. Вышла из машины, подошла к нему и спросила, не разыскивает ли он дом Шоров.

— Ну а потом? — поторопил ее Мейсон.

— Лучше бы не говорить этого по телефону.

— Тебе придется. По крайней мере то, что он не должен слышать.

— Он был до того возбужден, что не мог вымолвить ни слова и только тряс головой. Но потом объяснил, что ему надо немедленно видеть миссис Шор. Тогда я стала спрашивать, знает ли он ее и как хорошо, просто чтобы выиграть время и понять, что происходит. Тут он мне объяснил, что он садовник и работает в доме двенадцать или тринадцать лет.

— Но сам он там не живет?

— Нет. В водительском удостоверении значится адрес: 642, Саут-Бельведер. Он сообщил, что у него маленький холостяцкий домик. Раньше он занимал комнату над гаражом в особняке Шоров, а позднее перебрался в эту хибару.

— Все-таки что ему известно?

— Не знаю. Он был в таком волнении, что едва мог говорить. Сказал, что ему надо немедленно увидеть хозяйку, рассказать ей, что случилось. Тут я ему сказала, что миссис Шор нет дома, но мне случайно известно, где она, и я могу отвезти его к ней. Я усадила его в машину, отвезла подальше от особняка, а потом решила притвориться, будто мне необходимо заправить машину. И уговорила парня со здешней заправочной станции сказать, что нужно заменить одну свечу. Ланку же наговорила, что миссис Шор находится в таком месте, где ее нельзя тревожить, но нам удастся минут через пятнадцать — двадцать к ней пробраться. И все это время я вам названивала, надеясь, что вы схватите такси и приедете. Когда я вам не дозвонилась, я подбила того парня выпустить воздух из шины и сказать, что я проколола камеру.

Сейчас он снял заднее колесо и валяет дурака, тянет время. Только мой дружок Ланк что-то заподозрил и начал нервничать. Сейчас я попрошу парня поставить колесо на место, а вы, не теряя времени, мчитесь сюда.

— Где находится твоя заправочная станция?

— На углу в четырех кварталах, если ехать по бульвару от вашего дома.

— Сейчас выезжаю. Жди меня, — распорядился Мейсон.

— Что мне делать, когда вы приедете?

— Подыгрывай мне, как сумеешь. Я хочу сначала посмотреть, что он за человек. Кстати, опиши-ка мне его.

— У него голубые глаза, чуть-чуть косит, обветренное лицо с широкими скулами, обвисшие усы, лет пятьдесят пять — шестьдесят, грубые руки, сутулится, медлителен, упорно гнет свою линию. Вроде бы простая душа, но если что-то заподозрит, то будет упорно молчать. По-моему, если вы придумаете что-нибудь правдоподобное, он поверит каждому вашему слову. Но я сама была так возбуждена, что он мне уже не верит. Не тратьте времени, шеф, иначе он сбежит от меня.

— Уже еду! — сказал Мейсон, вешая трубку.

Он спустился на лифте, пересек улицу и постоял в тени подъезда, чтобы проверить, нет ли за ним хвоста. Убедившись, что все спокойно, он быстрым шагом прошел три квартала, остановился, убедился, что за ним никто не следит, и прямиком направился к работающей круглосуточно заправочной станции, где техник в белой спецовке затягивал последние болты на левом заднем колесе его машины.

Мейсон подошел к Делле Стрит, сделав вид, что не замечает сидящего подле нее мужчины лет шестидесяти, приподнял шляпу и вежливо сказал:

— Добрый вечер, мисс Стрит, надеюсь, я не заставил вас долго ждать?

Она посмотрела ему в глаза, ища какой-нибудь намек, чуть помедлила и выразительно сказала:

— Вы и правда явились слишком поздно! Если бы не прокол в колесе, я бы не стала вас ждать!

— Очень сожалею, меня задержали важные дела. Я обещал устроить вам свидание с миссис Шор, но она...

Он остановился, сделав вид, будто только что заметил сидящего подлее нее мужчину.

Делла быстро объяснила:

— Все в порядке. Это мистер Ланк. Он работает у Шоров садовником. Он тоже хочет видеть миссис Шор.

— Миссис Шор в больнице. Ее отравили. Правда, она уверяет, что сама по ошибке выпила отраву, но полиция сомневается. Они начали расследование.

— Яд! — воскликнул Ланк.

Делла Стрит изобразила отчаяние.

— Неужели мы не сумеем ее повидать? Мистер Ланк утверждает, что у него крайне важное дело.

— Можно хотя бы попытаться. Мне казалось, что все уже улажено, но теперь события приняли такой оборот... — Мейсон слегка изменил позу, чтобы иметь возможность краешком глаза наблюдать за Ланком. — Понимаете, там на входе дежурит полицейский, и, как только мы попробуем проникнуть к ней, он нас задержит и начнет задавать разные вопросы.

— Я не желаю иметь дела с полицией! — возмутился Ланк. — Мне нужно видеть миссис Шор лично и наедине!

Мейсон поднял брови.

— Вы говорите, что работаете у нее?

— Я садовник.

— Там и живете?

— Нет. Я приезжаю на работу на трамвае и на нем же возвращаюсь домой. Когда-то я там жил. Но это было давно. Она меня уговаривала, но мне действовал на нервы ее проклятый япошка, или уж не знаю, кто он такой. Всюду сует свой нос. Я-де желаю чувствовать себя хозяином в своем доме.

— Япошка? — спросил Мейсон.

— Ну да, тот парень, прислуга в доме. Не возьму в толк, почему она до сих пор не выставила его вон. Честно говоря, я даже хотел обратиться в ФБР, чтобы они разобрались... А вообще, это все вас не касается.

Мейсон не стал больше допытываться, лишь сочувственно кивнул.

— Ну ладно, насколько я понял, если можно устроить, чтобы полиция вас не схватила, вы хотели бы повидаться с миссис Шор. В противном случае — дело терпит? Так?

Ланк буркнул:

— Оно как раз не терпит.

— Такое важное?

— Да.

Мейсон, немного подумав, предложил:

— Ну что же, давайте поедем и посмотрим, вдруг путь свободен.

— Где она?

— В больнице.

— Понятно. Но в какой?

— Я вас туда отвезу.

Мейсон не спеша повел машину. Подъехали к перекрестку.

— В такое время, — заметил он, — улицы обычно пусты, но если вдруг появится машина, так водитель гонит как дьявол. Ничего не стоит попасть в аварию.

— Угу.

— Так вы работаете у миссис Шор уже лет двенадцать?

— Да, пошел тринадцатый год.

— Выходит, вы знали ее мужа?

Ланк быстро взглянул на Мейсона, но увидел только, что его глаза прикованы к дороге впереди.

— Да. Он один из самых замечательных людей, которые когда-либо заходили в сад.

— Я тоже слышал о нем много хорошего. Странно как-то он исчез, верно?

— Угу.

— А вы сами что думаете?

— Кто? Я?

— Да.

— Почему я должен что-то об этом думать?

Мейсон расхохотался.

— Но ведь вообще-то вы думаете?

— Вы их знаете? — спросил Ланк. — Мне платят за то, что я ухаживаю за садом.

— Интересная семейка, правда?

— Вы их знаете? — спросил Ланк. — Их всех?

— Я выполняю кое-какую работу для Джеральда Шора. А что вы о нем думаете?

— Он в порядке, скажу вам. Но не похож на своего брата Фрэнклина — газоны и цветы его не волнуют. Ему до них вроде бы нет дела, так что я его вижу редко. Миссис Шор сама дает распоряжения, если только не вмешивается проклятый японец. Знаете, что этот чертенок надумал недавно?

— Что же?

— Уговорил ее совершить поездку для поправки здоровья. Хотел, чтобы вся семья выехала на время из дома, а сам он тем временем, мол, произведет основательную уборку в доме и снаружи. Дескать, на это у него уйдет три или четыре месяца. Уговаривал, чтобы она с племянницей поехала во Флориду. А я случайно узнал, что он говорил об этом с Джорджем Альбером. Может, тот все и придумал. Вы его, часом, не знаете?

— Нет.

— Это — любимчик старой леди. Похоже, она любила его папашу — или папаша любил ее, не знаю уж, как там было. Я делаю свою работу и хочу, чтобы меня оставили в покое. Больше мне ничего не надо.

— Ну а Комо, он хороший работник?

— Работает он нормально, но все чего-то вынюхивает. Так и кажется, что он вечно торчит у тебя за спиной.

— Вы сказали, что когда-то жили в доме у Шоров. А у вас тогда не возникало неприятностей с Комо?

— Никаких ссор — то есть в открытую. А вот у моего брата их было сколько угодно.

— У вашего брата? — спросил Мейсон, на какую-то долю секунды оторвав глаза от дороги, чтобы обменяться взглядом с Деллой Стрит. — Так с вами жил и ваш брат?

— Угу. Месяцев шесть или семь.

— А где он теперь?

— Умер.

— Когда вы там жили?

— Нет.

— Уже после того, как вы переехали... И вскоре?

— Через пару недель.

— Он долго болел?

— Да нет.

— Сердце, по-видимому?

— Нет. Он был моложе меня.

Делла Стрит мягко сказала:

— Я понимаю, что вы пережили. Наверное, вам, мистер Ланк, не хочется об этом вспоминать.

— Верно.

— Так всегда бывает, когда внезапно умирает близкий тебе человек. Это такой удар! Ваш брат, должно быть, был умницей, мистер Ланк?

— Почему вы так думаете?

— Это видно по тому, как вы о нем говорите. Как я поняла, его никто не мог обвести вокруг пальца. Даже этот слуга-японец.

— Да, уж будьте уверены!

— Вам, наверное, трудно стало работать в саду одному — ведь раньше брат вам помогал.

— Он вовсе мне не помогал. Просто приехал ко мне погостить. Некоторое время он не мог ничего делать — неважно себя чувствовал.

— Подумать только... Часто бывает, что больные люди живут гораздо дольше, чем здоровяки, у которых за всю жизнь даже голова ни разу не болела.

— Что верно, то верно.

— Мистер Шор, наверное, был замечательный человек, — сказала Делла Стрит.

— Да, мэм. Это точно. Он ко мне всегда прекрасно относился.

— Это видно хотя бы по тому, что он разрешил жить в вашем доме вашему больному брату. Вряд ли с вас вычитали за питание?

— Нет, не вычитали. И я никогда не забуду, как вел себя мистер Шор, когда умер мой брат. Я здорово потратился на врачей и лекарства... ну, мистер Шор просто позвал меня, выразил мне соболезнования, и знаете, что он сделал?

— Нет, а что?

— Дал мне три с половиной сотни, чтобы перевезти тело брата на Восток, и дал отпуск, чтобы я мог сам его сопровождать. Наша мать была еще жива в то время и очень хотела, чтобы Фила похоронили дома.

— А теперь ваша матушка уже умерла? — спросила Делла Стрит.

— Угу. Пять лет назад. Меня в жизни ничего так не потрясло, как то, что сделал мистер Шор. Я, конечно, поблагодарил его тогда.

Мейсон толкнул коленом Деллу Стрит, чтобы она не заостряла на этом внимание и не встревожила садовника. Через минуту-другую он как бы мельком спросил:

— Значит, ваш брат умер незадолго до исчезновения хозяина?

— Точно.

— Да, японцы и правда хитрый народ. У них на Востоке знают про лекарства такое, что нам и не снилось...

Ланк даже наклонился вперед, стараясь заглянуть в лицо Мейсону.

— Почему вы так говорите?

— Сам не знаю... Просто я думал вслух... Иной раз в голову, знаете ли, приходят любопытные мысли.

— И что здесь такого любопытного?

— Да ничего, — ответил Мейсон. — Я просто так думал.

— Я вот тоже много об этом думал, — со значением в голосе заявил Ланк.

Подождав несколько секунд, Мейсон небрежно заметил:

— Если бы возле меня был японец, который мне не нравится, я ни за что не стал бы с ним жить в одном доме... Чтобы он для меня готовил или подавал еду... Нет, я им не доверяю!

— Вот точно так и я думаю, — сказал садовник. — Я хочу вам кое-что сказать, мистер... как вы сказали, вас зовут?

— Мейсон.

— Так вот, мистер Мейсон. Сами понимаете, он мог такое обтяпать...

— Яд? — спросил Мейсон.

— Ну, я не могу утверждать. Лично я этих япошек терпеть не могу, но напраслину тоже возводить не хочу. Я уже один раз поступил с ним нечестно.

— Неужели?

— Сказать по правде, вроде как подозревал, что он приложил руку... ну, я вам уже говорил... одним словом, мне пришло в голову, что он хотел убрать с дороги мистера Шора, а сначала вроде бы решил попрактиковаться на моем брате... Ведь мистер Шор исчез сразу после смерти Фила... Поначалу я так не думал, а потом постепенно все больше и больше...

Мейсон снова подтолкнул Деллу и повернул за угол, к больнице.

— Ну, по-моему, вы ничего нечестного не сделали.

— Нет! Он этого не делал! — решительно заявил Ланк. — Но еще несколько часов назад никто бы меня в этом не смог убедить, пусть бы даже мы проспорили всю ночь. Вот так. Человек может вбить себе что-нибудь в голову и в конце концов твердо поверить в это. Сказать честно, я больше не хотел там жить из-за того, что этот япошка вечно слонялся вокруг. Филу становилось хуже с каждым днем. Мне иногда казалось, что я и сам заболел. Я с перепугу даже пошел к врачу, но тот у меня ничего не нашел. И тогда я оттуда съехал.

— И это вам помогло? — спросил Мейсон.

— Теперь все в порядке! У меня свой домик, и я там полный хозяин. Сам себе готовлю еду, а на работу беру с собой завтрак. И вот что я вам скажу, мистер, у меня нет привычки оставлять его где попало, где кто угодно может открыть коробочку и чего-нибудь брызнуть на мои сандвичи. Нет, я не простачок!

— И вы сразу выздоровели?

— Через неделю-другую после переезда. Но Фил продолжал болеть. Он так и не поправился. Уже совсем был плох.

— Что сказал Комо, когда вы уехали?

— Проклятый япошка ничего не сказал. Он просто глядел на меня и помалкивал, но я уверен, что он знал о моих подозрениях. Только мне-то наплевать!

— Почему же вы теперь передумали? Почему вы больше не считаете, что он отравил мистера Шора?

— Нет, — сказал Ланк, кивая. — Хозяина он не трогал. А вот Фила он отравил и пытался отравить меня, да вот теперь еще и котенка. И если Матильда Шор получила порцию яда, вы меня не убедите, что Комо тут ни при чем. Ему меня не провести. Попомните мои слова, он хотел кого-то отравить, но сперва хотел проверить яд. Десять лет назад он попробовал его на Филе. А вчера он отравил котенка. Я-то все время считал, что тогда он нацеливался на хозяина. Теперь-то понятно, что он охотился на меня.

— Но если вы считаете, что вашего брата отравили, почему вы не обратитесь в полицию и не...

— Пустой номер. Когда Фил умер, я спрашивал доктора насчет яда. Он поднял меня на смех. Сказал, что Фил и так прожил на пять лет больше, чем ему полагалось.

— Вот и больница. — Мейсон остановил машину. — Хотите пойти со мной и проверить, дежурит ли тут еще офицер?

— Я не хочу видеть никаких полицейских.

— Конечно, но все же есть небольшая надежда, что мы сумеем проникнуть к миссис Шор.

Делла тревожно посмотрела на Мейсона.

— Я могу сбегать, шеф, и посмотреть.

— Нет, — многозначительно возразил Мейсон, — я хотел взять с собой мистера Ланка. Повернувшись к садовнику, он пояснил: — Понимаете, я уже у нее сегодня разок побывал.

— Да? А разве вы не говорили, что работаете на Джеральда Шора?

— Ну да, он мой клиент. Я адвокат. — Мейсон открыл дверцу. — Идемте, Ланк. Мы живо управимся. Делла, ты не против подождать нас в машине?

Она согласно кивнула, но ее беспокойство выдавали морщинки на лбу. Мейсон взял Ланка за локоть, и они вместе поднялись по каменным ступенькам крыльца. Пока они шли по длинному коридору мимо регистратуры и стола администратора, Мейсон убеждал Ланка:

— Лучше предоставьте мне говорить, но вы слушайте внимательно и, если я сделаю что-то не так, незаметно подтолкните меня.

— Хорошо, — согласился Ланк.

Мейсон вызвал лифт, и они поднялись на тот этаж, где находилась палата Матильды Шор. Медсестра, заполнявшая истории болезни за столиком, подняла голову. Два человека в дальнем конце коридора — явно полицейские — поднялись с кресел и двинулись навстречу посетителям.

Рука Мейсона уже лежала на дверной ручке палаты миссис Шор, когда один из полицейских грубо сказал:

— Минутку, приятель!

Второй пояснил:

— Это же Мейсон, адвокат. Он уже здесь был. Лейтенант с ним разговаривал.

— Что вам нужно? — спросил первый, который, по-видимому, был здесь за старшего.

— Хочу поговорить с миссис Шор.

Второй офицер отрицательно покачал головой:

— Не выйдет. Не выйдет.

— Вот этот человек, который пришел со мной, тоже хочет поговорить с миссис Шор.

— Вот как! — Офицер ухмыльнулся, словно услышал хорошую шутку. — Выходит, что вы оба хотите с ней поговорить?

— Совершенно верно.

Полицейский ткнул пальцем в конец коридора, в сторону лифта, и рявкнул:

— Давайте-ка вниз, ребята. Очень сожалею, но этот номер не пройдет.

Мейсон, повышая голос, пытался объяснить:

— Возможно, этот человек будет вам полезен, если он поговорит с миссис Шор. Это может вам помочь. Он ее садовник. Не сомневаюсь, что лейтенант Трэгг тоже захотел бы его видеть.

Офицер положил тяжелую руку Мейсону на плечо и кивнул напарнику. Тот крепко ухватил Ланка за воротник.

— Отправляйтесь, ребята! Шагайте отсюда и не шумите.

Мейсон твердо сказал:

— Уверяю вас, у нас есть серьезные причины ее увидеть.

— Пропуск есть?

К ним с озабоченным видом подошла сестра, ступавшая неслышно в туфлях на резиновой подошве.

— На этом этаже много других пациентов. Я отвечаю за тишину и порядок и не потерплю никаких ссор и криков в коридоре.

Второй офицер тем временем вызвал лифт.

— Никакого беспорядка не будет, мисс. Эти люди уходят. Вот и все.

Двери лифта распахнулись. Мейсон и Ланк, подталкиваемые сзади, вошли внутрь.

— Лучше и не пробуйте возвращаться без специального пропуска! — напутствовал их офицер, и двери захлопнулись.

Ланк собрался было что-то сказать, когда они возвращались по тому же бесконечно длинному коридору, но Мейсон знаком приказал ему молчать.

Делла Стрит распахнула перед ними дверцу машины.

— Все, как вы и предполагали? — тревожно спросила она.

— Именно так... — с улыбкой подтвердил Мейсон. — А теперь нам надо отыскать местечко, где можно спокойно поговорить.

Ланк упорно твердил свое:

— Мне необходимо увидеть миссис Шор. Больше я ни с кем не желаю разговаривать.

— Знаю, — пожал плечами Мейсон. — Посмотрим, может, мы сумеем выработать какой-то план действий.

— Эй, послушайте, я вовсе не намерен болтаться по городу всю ночь. Дело спешное. Его надо решить немедленно. Поймите, мне очень надо увидеть ее!

Мейсон свернул на широкую улицу, где в этот ночной час было совершенно пустынно. Внезапно он остановил машину у тротуара, выключил фары и зажигание, повернулся к Ланку и резко спросил:

— Откуда вам известно, что Фрэнклин Шор жив?

Ланк вздрогнул так, будто его укололи булавкой.

— Выкладывайте-ка побыстрее! — приказал адвокат.

— Почему вы воображаете, что я что-то такое знаю?

— Потому что вы сами себя выдали. Припомните, вы сами утверждали, что еще совсем недавно никто бы не смог вас переубедить в том, что Комо причастен к исчезновению Фрэнклина Шора. Эта вера у вас крепла на протяжении нескольких лет. Вы так долго и упорно придерживались этой версии, что она превратилась у вас в настоящую манию. Есть только одно обстоятельство, которое могло заставить вас думать по-другому. *Либо вы видели Фрэнклина Шора, либо получили от него весточку.*

Ланк с минуту сидел неподвижно, собираясь категорически все отрицать. Но потом обмяк, откинулся на спинку сиденья и признался:

— Ну ладно, я его видел.

— Где он?

— У меня дома.

— Он явился незадолго до того, как вы поехали разыскивать миссис Шор?

— Точно.

— Чего он хотел?

— Он попросил меня кое-что сделать для него. Только я не могу вам сказать, что именно.

— Он послал вас к миссис Шор, чтобы выяснить, согласится ли она принять его обратно и как вообще она настроена, — сказал Мейсон.

После некоторого колебания Ланк ответил:

— Я не стану вам говорить. Я обещал ему, что ни одной живой душе ничего не расскажу.

— Через сколько времени после появления Фрэнклина Шора в вашем доме вы поехали к миссис Шор?

— Довольно скоро, но не сразу.

— Почему вы задержались?

И снова Ланк помедлил с ответом.

— Никакой задержки не было.

Мейсон взглянул на Деллу Стрит, потом вновь обратился к Ланку:

— Вы уже успели лечь в постель, когда к вам явился Фрэнклин Шор?

— Нет еще. Я слушал последние известия по радио, когда постучали в дверь. Я чуть не помер, когда увидел, кто это.

— Вы сразу его узнали?

— Ну конечно. Он не сильно изменился, совсем не так, как она. Выглядит почти так же, как в тот день, когда исчез.

Мейсон многозначительно посмотрел на Деллу Стрит и сказал:

— Вам нет необходимости дольше здесь задерживаться. Я довезу вас до ближайшей стоянки такси, и вы поедете к себе домой.

Делла начала было протестовать:

— Вы ведь меня не задерживаете. Я ни за что не хочу пропускать такую редкую...

— Моя дорогая, — решительно перебил ее Мейсон, — вам необходимо *хорошенько* выспаться. Не забывайте, что завтра ровно в девять часов вам необходимо быть в конторе, а до дома добираться придется еще *долго*.

— А, понятно... Вы правы.

Мейсон включил зажигание и быстро поехал к ближайшему отелю, возле которой выстроилась вереница такси.

Делла выскочила, бросив на ходу:

— Спокойной ночи. Увидимся утром, шеф, — пошла к стоянке.

Мейсон проехал по проспекту еще пару кварталов и снова остановил машину.

— Нам необходимо все выяснить, Ланк, — сказал он тоном, не терпящим возражений. — Вы говорите, что Фрэнклин Шор *постучал* в вашу дверь?

Садовник был настроен упрямо и подозрительно:

— Я уже все сказал, как было. Конечно, он постучал. Звонок у меня не работает.

Мейсон покачал головой.

— Я не уверен, что вы правильно поступили. У вас может быть масса неприятностей с миссис Шор, раз вы выступаете на стороне ее супруга.

— Я знаю, что делаю.

— Вы многим обязаны Фрэнклину Шору, — продолжал Мейсон, — вы хотели помочь ему всем, чем можете, верно?

— Да.

— Но вы знаете, что миссис Шор ненавидит его, так ведь?

— Ничего я не знаю.

— Наверняка же вы пару часов говорили с Фрэнклином Шором, прежде чем отправиться к миссис Шор?

— Ну, не так долго.

— Час?

— Возможно.

— Как он вам показался в умственном отношении? — внезапно спросил Мейсон.

— Что вы такое спрашиваете?

— Его умственные способности не ослабли?

— Какое там! Он все схватывает как... как стальной капкан. Помнит такие вещи, о которых я давно забыл. Спрашивал меня про некоторые многолетки, которые я посадил как раз перед его отъездом. Провалиться мне на этом месте, ведь я и думать про них забыл. Растения у нас что-то плохо принялись, и старая леди приказала их выкорчевать. На том месте сейчас розовые кусты.

— Значит, он не сильно постарел?

— Нет. Стал старше, конечно, но изменился мало.

— Почему вы не хотите рассказать мне правду, Ланк? Садовник вздрогнул.

— К чему это вы это клоните?

— Фрэнклин Шор был банкиром, деловым человеком с острым умом. Судя по тому, что я слышал, он отличался быстротой реакции и ясной головой. Человек такого типа ни за что бы не обратился к вам с просьбой о посредничестве между ним и миссис Шор.

Ланк угрюмо молчал.

— Куда более похоже на то, что мистер Шор явился к вам потому, что считал вас обязанным ему, думал найти спокойное место для ночлега, где никому не вздумалось бы его искать. Вы притворились, будто охотно предоставляете ему убежище, а когда он заснул, тихонько выскользнули из дому и помчались к миссис Шор донести, где скрывается ее муж.

Ланк крепко сжал губы и упорно молчал.

— Лучше бы вы рассказали мне правду, — посоветовал Мейсон.

Ланк отрицательно покачал головой.

— Отдел расследования насильственных преступлений хочет допросить Фрэнклина Шора. Их интересует, что произошло после того, как он связался с неким Генри Личем.

— Какое отношение это имеет ко мне?

— Лича убили.

— Когда?

— Вчера вечером.

— Ну и что?

— А вы не понимаете? Если вы скрываете человека, зная, что он свидетель убийства и что его разыскивают как свидетеля, вы сами совершаете преступление.

— Откуда мне было знать, что он свидетель?

— Теперь вы знаете. Так что советую рассказать мне все.

Несколько минут Ланк обдумывал ситуацию, затем решился:

— Пожалуй, я так и сделаю... Так вот, Фрэнклин Шор пришел ко мне домой, он был страшно напуган и возбужден. Сказал, что кто-то пытался его убить. Поэтому ему надо найти место, где можно спрятаться. Напомнил, что он сделал для меня, что когда-то дал кров моему больному брату, ну а теперь, дескать, настала моя очередь помочь ему.

— А вы спросили его, почему он не поехал домой?

— Конечно, я задал ему несколько вопросов, но он не очень-то хотел со мной разговаривать. Вел себя так, как будто все еще был хозяином, а я его наемным работником. Объяснил, что не желает, чтобы миссис Шор знала, где он, пока не выяснит, что сталось с какой-то его собственностью. Он сказал, что жена хочет ободрать его как липку, а он не желает этого терпеть.

— Потом?

— Я ответил ему, что он может у меня остаться. Все было так, как вы и думали, я приготовил ему постель в задней комнате. Ну а когда он заснул, я выскользнул из дому и поехал к миссис Шор.

— Вы совсем не ложились спать?

— Нет.

— И не легли, когда он лег?

— Тоже нет. Сказал ему, что мне надо написать несколько писем.

— Значит, Фрэнклин Шор не знал, что вы ушли?

— Нет. Он лежал на спине, рот у него был открыт, и он громко храпел. Тогда я ушел.

— Чтобы предать человека, который столько сделал для вас в трудную минуту, — добавил Перри Мейсон.

504

Глаза Ланка забегали.

— Я не собирался ей говорить, где мистер Шор. Хотел только сказать, что он мне дал знать о себе.

— Вы знали Генри Лича? — неожиданно спросил Мейсон.

— Да, знал, и уже давно.

— Кто он такой?

— Он был водопроводчиком, его звали, когда нужно было что-нибудь починить. Фрэнклин Шор относился к нему хорошо, а вот миссис Шор его не любила. Лич дружил с моим братом Филом, а мне он тоже не особенно нравился. Вечно молол какую-то ерунду, хвастал, как разбогатеет на каких-то горных разработках. А перед самой смертью Фила Лич сказал ему, что выгорел какой-то его горнорудный проект и через пару месяцев он-де станет купаться в золоте. Признаться, я даже подумывал, не уговорил ли он и правда мистера Шора заняться этим рудником и не подался ли тот в те края.

— А где был рудник?

— Где-то в Неваде.

— Лич продолжал работать после исчезновения Фрэнклина Шора?

— Нет. Я же вам сказал: миссис Шор его не любила. Ну и как только взяла верх, то указала ему на дверь. Помню, он в то время менял трубы в северном крыле дома и при любой возможности заговаривал о своем руднике с мистером Шором и с моим братом тоже. Уж не знаю, чем он так нравился мистеру Шору. Только хозяину никогда не надоедали эти глупые разговоры про рудник, про шахты, про то, как он внезапно разбогатеет.

— Не сомневаюсь, что, когда Фрэнклин Шор появился у вас в доме, вы первым делом у него спросили, где он пропадал, и правда ли, что он вложил деньги в этот рудник. Так вот, расскажите, что вам ответил Шор?

— Хозяин удрал во Флориду с той женщиной, — выпалил Ланк, — но у него были какие-то дела на шахте в Неваде. Уж не знаю, Лича этот рудник или нет. Вроде бы предприятие оказалось выгодным, но партнер отделался от него за несколько тысяч, хотя хозяин куда больше бы получил, если бы сохранил свою долю.

— И этот партнер был Лич?

Ланк посмотрел Мейсону прямо в глаза.

— По правде, мистер Мейсон, я не знаю, кто был этот партнер. Шор мне не сказал. А когда я попытался узнать, он живенько меня осадил. Может, это был Лич, а может, вовсе и нет.

— Вы не спросили об этом?

— Ну, я не стал его прямо спрашивать. Я как-то позабыл, как его звали — Лича то есть. И я спросил хозяина, что сталось с тем водопроводчиком, который все носился с каким-то рудником. И хозяин сразу замкнулся, как улитка в раковине.

— Вы не стали настаивать?

— Сразу видно, что вы не очень-то знаете Фрэнклина Шора!

— Я с ним вообще не был знаком.

— Так вот, если Фрэнклин Шор не захочет вам чего-то сказать — ни за что не скажет. И в этом он весь. Не думаю, чтобы у него был хоть цент в кармане, но повадки у него все те же, можно подумать, что он все такая же важная шишка и ворочает миллионами. А сейчас я не могу больше здесь оставаться. Мне надо вернуться домой до того, как он проснется. Если он проснется и обнаружит, что меня нет на месте, тут такое начнется! Так что отвезите меня домой, а уж с миссис Шор я и сам как-нибудь свяжусь. Неужели у нее в больнице нет телефона?

— Я был в палате всего несколько минут, — сказал Мейсон. — Вообще-то я видел на ее ночном столике телефонный аппарат. Но на вашем месте я воспользовался бы им лишь в крайнем случае. Даже тогда я не решился бы сообщать таким образом что-то важное.

— Почему?

— Потому что лейтенант Трэгг либо приказал убрать от нее аппарат, либо дал указание на коммутатор регистрировать все вызовы.

— Но сама-то она может позвонить?

— Наверное, может.

Ланк нахмурился, что-то обдумывая.

— У меня есть телефон, и, если бы мы смогли как-нибудь передать ей, чтобы она мне позвонила, я бы ей все рассказал.

— Хорошо, я отвезу вас домой, а там мы подумаем, и, возможно, нам что-нибудь и придет в голову. Например, вы могли бы послать ей цветы, а на карточке написать номер вашего телефона. Цветы ей передадут, этого полиция не сможет запретить. Увидев ваше имя и номер телефона на карточке, она поймет, что вы хотите связаться с ней. Как вы находите такой план?

— А ведь и вправду хорошая мысль. Наверняка сработает. Первое, что она подумает, увидев карточку в букете, так это с чего бы это я прислал ей цветы. Но, понимаете, надо ей послать цветы, купленные в магазине. Если я пошлю ей цветы из ее сада, это будет обычное дело. А если купленные в магазине — ну, тогда она догадается, что у меня какие-то серьезные причины их послать.

— Я знаю один цветочный магазин, который работает круглосуточно. Мы можем распорядиться, чтобы цветы были немедленно доставлены в больницу. У вас есть деньги?

— Всего доллара полтора.

— Букет должен быть шикарный, из самых дорогих цветов. Ну что ж, мне придется заплатить за него. Сейчас я отвезу вас в магазин, а потом домой.

— С вашей стороны очень благородно.

— Ничего подобного. Я охотно это сделаю. Но прежде хочу задать вам один вопрос и прошу хорошенько подумать, прежде чем ответить.

— Что такое?

— Генри Лич, по вашим словам, интересовался шахтами. Прибегал ли он когда-либо к услугам адвоката Джеральда Шора в связи со своей горнорудной компанией?

Ланк долго и добросовестно обдумывал вопрос.

— Точно не могу вам ответить, но думаю, да. Я вам кое-что скажу, мистер Мейсон. Я считаю, мистера Фрэнклина здорово надули, после того как он уехал.

— Как это понимать?

Ланк беспокойно заерзал на сиденье.

— Когда хозяин последний раз ездил во Флориду, он встретил человека, как две капли воды похожего на него. Они даже снялись вместе. На фото они совсем как близнецы. Хозяин все время шутил по этому поводу, когда вернулся, говорил, что будет посылать этого парня вместо себя с женой на всякие благотворительные обеды, когда у него не будет охоты ехать. Миссис Шор просто из себя выходила при этом. Так вот, я и подумал, не поехал ли мистер Фрэнклин во Флориду с этой женщиной, чтобы сюда вместо себя прислать того малого, получив его, как надо себя держать. Этот парень может жить здесь припеваючи и посылать мистеру Фрэнклину деньги, а хозяин радовался бы жизни с той женщиной. Только, наверное, когда мистер Шор все этому парню объяснил, тот струсил, а может, умер или еще чего...

Понимаете? Я думал, что хозяин хотел, чтобы этот парень выдал себя за него и притворился, что потерял память. Это бы все объяснило. Все бы поверили, потому что хозяин уехал, не взяв с собой денег. Не знаю, уж как там все вышло, а у него ничего не получилось. Может, этот парень не сумел сделать все как надо. Вот и случилось, что хозяин сжег за собой все мосты.

Мейсон не сводил глаз с лица садовника.

— А не могло ли все произойти совсем иначе?

— Что вы хотите сказать? Куда клоните?

— Этот двойник мог додуматься прикончить Фрэнклина Шора, чтобы занять его место.

— Ерунда. Человек, который явился ко мне, настоящий Фрэнклин Шор. Я это понял из разговора с ним. Стойте-ка... я что-то слишком разболтался. Мы бы с вами куда лучше поладили, мистер Мейсон, если бы вы бросили задавать вопросы. Поедем туда, куда мы собирались... или высадите меня из машины прямо здесь, и я все устрою сам.

Мейсон добродушно рассмеялся:

— Поехали, Ланк. Я вовсе не хотел лезть в ваши дела.

Глава 15

Когда Мейсон остановил свою машину у дома номер 642 по Саут-Бельведер, его со всех сторон обступили покой и тишина. В воздухе чувствовалась прохлада, которая всегда наступает перед рассветом.

Мейсон выключил фары и зажигание и, когда они с Ланком вылезли на тротуар, захлопнул дверцу.

— Вы живете в задней половине? — спросил он садовника.

— Ага, вот в том маленьком домике. Вы идите по подъездной дорожке. Мой домик за гаражом.

— У вас есть машина?

— Ну, не такая шикарная, как ваша, — хмыкнул Ланк, — но все же на ней можно ездить.

— Вы держите ее рядом с домом в гараже?

— Ну да. Я и сегодня поехал бы к Шорам на своей развалине, только боялся разбудить Фрэнклина Шора, когда буду открывать дверь гаража и выводить машину. Пришлось тихонько уйти и поехать на трамвае.

Мейсон кивнул и спокойно зашагал по асфальтовой дорожке.

— Послушайте, — запротестовал Ланк, — я не разрешу вам войти!

— Только чтобы проверить, что Фрэнклин все еще здесь.

— Но вы не станете его будить?

— Конечно нет. Цветы могут доставить с минуты на минуту, так что миссис Шор вам позвонит. Когда это случится, вы должны дать ей понять, что у вас есть для нее очень важное сообщение, но не говорите, какое именно.

— Почему я не могу ничего сказать ей по телефону?

— Потому что Фрэнклин Шор непременно проснется от телефонного звонка и будет слушать ваш разговор.

— Может, и нет, — сказал Ланк. — Телефон стоит возле моей постели. Я могу прикрыть его подушкой, и ничего не будет слышно.

— Можно поступить и так, — согласился Мейсон, продолжая шагать к маленькой хижине, стоявшей довольно далеко от остальных построек. — Либо вы можете сообщить ей, что видели меня, и дать мой телефон.

— Верно, это годится. А какой у вас номер?

— Я напишу его вам, когда мы войдем в дом.

— Только ни в коем случае не шумите, — предупредил Ланк.

— Не буду.

— Неужели нельзя написать его здесь?

— Нет, это не годится.

— Ну ладно, входите. Только тихо.

Ланк на цыпочках поднялся на две ступеньки деревянного крыльца, осторожно вставил ключ в замок и неслышно отворил дверь. Щелкнул выключателем и осветил небольшую комнатушку, обставленную дешевой мебелью, которой явно не касалась женская рука.

В доме было даже холоднее, чем на улице. Холод проникал внутрь через тонкие стены и многочисленные щели. Все здесь пропахло табаком, в пепельнице лежал окурок сигары.

— Его? — спросил Мейсон, наклоняясь посмотреть.

— Да. Дорогая, я думаю. Хорошо пахло, когда он курил ее. Я-то курю трубку да сигареты.

Мейсон все еще стоял, наклонившись над маленьким столиком с пепельницей. Рядом лежала визитная карточка Джорджа Альбера, на которой от руки было приписано: «Заходил узнать про котенка. Позвонил в дверь, но не получил ответа. Думаю, что все о'кей. Знаю, что Элен беспокоится».

Ланк включил газовый обогреватель.

— Симпатичный домик, — вполголоса заметил Мейсон.

— Угу. Там вон моя спальня. Другая спальня позади, а между ними ванная.

— Лучше закрыть двери между спальнями, — посоветовал Мейсон, — чтобы Фрэнклин Шор не услышал телефонного звонка.

— Верно. Мне кажется, дверь из комнаты хозяина в ванную осталась открытой. Я закрыл дверь моей комнаты.

Он на цыпочках отправился в спальню, адвокат же неотступно следовал за ним. Спальня оказалась маленькой квадратной комнатушкой, в которой стояло дешевое бюро, стол, стул с прямой спинкой и односпальная железная кровать, очень простая, с тонким матрацем на осевших пружинах.

При свете, проникающем из гостиной, Мейсон увидел, что дверь в ванную открыта, постель не застелена, а посреди кровати на грязной измятой простыне, свернувшись пушистым клубком, спит котенок.

Ящики бюро были выдвинуты, их содержимое валялось на полу. Дверь стенного шкафа была распахнута, выброшенная из него одежда беспорядочной кучей валялась на полу.

Ланк, стоявший посередине комнаты, изумленно взирал на этот беспорядок и бормотал:

— Будь я неладен!

Мейсон прошел мимо него в ванную и заглянул в соседнюю комнату. Она была пуста. Эта спальня оказалась даже меньше первой. Окно в дальнем ее конце, выходившее на аллею, было распахнуто настежь. Ночной ветерок шевелил сомнительной чистоты тюлевые занавески. На подушке была вмятина в том месте, где покоилась голова спавшего здесь человека.

Ланк подошел и встал сзади Мейсона, потрясенно переводя глаза с пустой кровати на открытое окно и обратно.

— Смылся! — сказал он зло. — Если бы я добрался до Матильды Шор, пока он был здесь, она бы... — Он осекся, как человек, нечаянно сказавший лишнее.

Мейсон осмотрел комнату.

— Эта дверь в ванную была закрыта, когда вы уходили? — спросил он.

— Мне кажется, да, но дверь в ванную из моей комнаты — нет. Отлично помню, что эту дверь я закрыл, когда собрался уходить из дому.

Мейсон ткнул пальцем во вторую дверь.

— А эта куда ведет?

— На кухню. А из нее можно попасть в гостиную.

— Чтобы попасть в ванную, нужно пройти через одну из спален?

— Ну да. Это же не дом, а квадратный ящик. С одной стороны передняя комната и кухня, а с другой — две спальни и ванная между ними.

— Я вижу, дверь на кухню закрыта неплотно, — заметил Мейсон. — Там щелка в пару дюймов.

— Угу.

— Ясно, что оттуда вышел котенок. На полу остались его следы, он испачкал лапки в чем-то белом.

— Верно.

Мейсон наклонился и потер пальцем белый кошачий след на полу.

— Похоже на муку. Видите, котенок вышел из двери, подошел к кровати. Ага, вот сразу четыре следа рядышком. Это котенок остановился, чтобы прыгнуть на кровать. Потом он соскочил с обратной стороны. Вот и там следы белого порошка.

— Все правильно. Но я сомневаюсь, что это мука.

— Почему?

— А потому что мука у меня хранится в большой жестянке с крышкой. Ну и потом, я знаю, что дверь в кладовку плотно закрыта. — Ланк раскрыл дверь небольшой кладовки, говоря: — Конечно, я не трачу много времени на хозяйство и уборку в доме. Я сам готовлю еду, и моя стряпня меня вполне устраивает. Какой-нибудь шикарной экономке это, может быть, и не подошло бы, ну а мне в самый раз. Да, видите, на банке крышка надета очень плотно. Я, конечно, мог просыпать немного, когда доставал муку для стряпни. Вон она, на полу вокруг жестянки. Видно, котенок ловил мышь, прыгнул и угодил лапами в муку. Такого беспокойного котенка я в жизни своей не видел. Он ничего не боится, всюду сует свой нос. Когда он за чем-нибудь охотится, может разбежаться и врезаться прямо в стенку. Один раз вскочил на спинку стула, не удержался и шмякнулся на пол. Ужас какой неосторожный. Не знаю только, от глупости или по неопытности.

Мейсон стоял, продолжая рассматривать пол.

— Если дверь кладовки была закрыта, каким образом мог попасть сюда котенок?

Ланк задумался.

— Есть только один ответ. Фрэнклин что-то искал. Он пошарил и здесь, а котенок ходил за ним следом.

— А что творится в гостиной? Почему все ящики выдвинуты, а носильные вещи свалены в кучу возле шкафа?

— По всей вероятности, я дал маху, — не скрывая раздражения, сказал Ланк. — Шор, наверное, поднялся сразу же после моего ухода. Увидел, что меня нет на месте, сообразил, куда я отправился... Черт возьми, и как я мог так опростоволоситься?

— И вы предполагаете, что тогда он обыскал ваше жилище?

— Наверное. Иначе чего ради он стал бы открывать дверь в кладовку и все прочее?

— Чего же он искал?

— Откуда мне знать?

— У вас должно было храниться нечто весьма важное для Фрэнклина Шора.

Ланк немного подумал, потом нерешительно высказался:

— Я не уверен, но мне показалось, что Шор на мели. Может, он искал деньги?

— А у вас они были?

Немного поколебавшись, Ланк ответил:

— Да, я немного отложил на черный день.

— Где они хранились?

Ланк, поджав губы, молчал.

Тогда Мейсон нетерпеливо проговорил:

— Ну давайте же, говорите. Я-то не собираюсь их у вас отнимать.

— Они лежали в заднем кармане выходного костюма, который висит в стенном шкафу, — ответил садовник.

— Ну так давайте проверим, на месте ли они.

Ланк направился в переднюю, где был шкаф. Котенок открыл сонные глаза, зевнул, поднялся на все четыре лапки, выгнул спинку дугой, выпустил коготки, потом еще раз потянулся и жалобно мяукнул.

Мейсон засмеялся:

— По-моему, ваш котенок голоден. У вас есть молоко?

— Свежего молока у меня нет, есть сгущенное. Котенка мне принесла Элен Кендал, боится, как бы его там снова не отравили.

Он прошел через комнату к груде вещей, стал их перебирать, шаря по карманам. Лицо его приняло растерянное выражение, граничащее с отчаянием.

— Обчистил! — пробормотал он. — Будь он проклят, унес все до последнего цента. Все, что мне удалось скопить за эти годы.

— Скажите, сколько у вас было денег?

— Почти триста долларов. На эти деньги он мог далеко уехать.

— Вы считаете, что он хотел уехать?

И снова Ланк упрямо сжал губы, показывая, что не намерен отвечать.

— Думаете, он вернется? — спросил Мейсон.

— Не знаю.

— У вас остались какие-нибудь деньги?

— Немного в банке. Наличными ничего.

— Матильда Шор может позвонить в любой момент, — напомнил Мейсон. — Стоит ли ей говорить теперь, что к вам приходил Фрэнклин Шор и вы его не сумели задержать?

— Боже упаси, нет!

— Что же вы ей скажете?

— Не знаю.

— Ну а цветы? Как вы собираетесь объяснить, почему вы послали ей букет оранжерейных роз с указанием доставить их немедленно — и все это в три часа ночи?

Ланк нахмурился, пытаясь что-нибудь придумать, но потом сдался и мрачно сказал:

— Просто не знаю, что я скажу ей теперь.

— А зачем вообще с ней разговаривать? Гораздо проще улизнуть.

Ланк порывисто сказал:

— Я бы с удовольствием так и сделал, если бы мог. В голове полный сумбур.

— Послушайте, почему бы нам не сделать так. Я отвезу вас в какой-нибудь отель, там вы зарегистрируетесь под вымышленным именем, а позднее сумеете связаться с миссис Шор, когда захотите дать ей объяснения. Таким образом, вам не придется никому ничего говорить. Со мной вы сможете поддерживать постоянную связь.

Ланк медленно кивнул.

— Мне надо бы взять с собой кое-что из вещей и, может, снять деньги со счета.

Мейсон вытащил из толстой пачки пару десятидолларовых купюр.

— Деньги снимать не обязательно, — сказал он. — На первое время я ссужу вам некоторую сумму, а когда понадобится еще, вы мне позвоните. Я дал вам номер телефона, по которому вы всегда сможете меня отыскать.

Ланк неожиданно обхватил руку адвоката своими сильными пальцами.

— Вы поступаете очень даже благородно! Раз вы поддержали меня в такую минуту, я тоже в долгу не останусь. Держитесь за меня. Может, позднее я вам и расскажу, чего на самом деле хотел Фрэнклин Шор. Только дайте мне все как следует обмозговать. Потом я вам позвоню.

— Почему бы вам прямо сейчас не рассказать мне об этом?

Физиономия садовника мгновенно обрела все то же упрямое выражение.

— Нет, не сейчас, — произнес он. — Сначала мне надо кое в чем убедиться, но, пожалуй, потом я вам все выложу. Может, позвоню среди дня. А сейчас меня не уговаривайте. Ничего не добьетесь. Я должен кое-чего подождать, а потом уж расскажу вам.

Мейсон внимательно посмотрел на него.

— Вы хотите дождаться утренней газеты с подробностями смерти Лича?

Ланк потряс головой.

— Или полицейский рапорт о попытке отравления Матильды Шор?

— Не давите на меня. Я с вами говорю по-хорошему.

— Ладно, поехали, — засмеялся Мейсон. — Я устрою вас в симпатичном тихом отеле. Допустим, вы назоветесь Томасом Триммером. А я заберу с собой котенка и позабочусь, чтобы за ним хорошенько смотрели.

Ланк оглядел котенка с какой-то печалью в глазах.

— Вы уж позаботьтесь о нем хорошенько.

— Будьте спокойны.

Глава 16

Элен Кендал с сухими глазами сидела в приемной больницы. Ей казалось, что она находится здесь целую вечность. Она так нервничала, что не могла усидеть на месте, но в то же время чувствовала себя настолько усталой, что у нее не было сил подняться с места и немного походить. Она то и дело поглядывала на свои часики, каждый раз говоря себе, что время не может тянуться так долго.

Наконец в коридоре послышались чьи-то торопливые шаги. Измученная ожиданием, она вообразила, что это спешат позвать ее к постели умирающего. Сердце у нее сжалось при мысли о том, что, если бы все было в порядке, не стоило бы так бежать. Эти быстрые, легкие шаги могли означать только одно: это идут за ней и дорога каждая секунда.

Побледнев, она вскочила со скрипучего плетеного кресла и бросилась к выходу из приемной. Шаги замерли на пороге. В дверях стоял высокий мужчина в пальто и дружелюбно улыбался.

— Хэлло, мисс Кендал. Вы меня помните?

Ее глаза широко раскрылись.

— Ох, лейтенант Трэгг, скажите, вы что-нибудь... знаете о нем...

Лейтенант покачал головой.

— Его еще оперируют. Операция затянулась, потому что искали донора, чтобы сделать переливание крови. По-моему, теперь уже скоро закончат. Я разговаривал по телефону с сестрой.

— Скажите же мне, как он? Есть ли надежда? Или же...

Трэгг положил руку на ее худенькое плечо.

— Успокойтесь, прошу вас. Все будет хорошо.

— Они... они не потому послали за вами, что это последний шанс поговорить с...

— Послушайте, — сказал Трэгг, — постарайтесь держаться. За сегодняшний день вам пришлось столько пережить, что вы попросту не владеете собой. Операция протекает нормально, во всяком случае, мне так сказали. Я же приехал сюда, чтобы забрать одну вещь.

— Какую?

— Пулю. И получить его показания, если он сможет говорить.

— Это не то, что называется «предсмертное заявление»?

Трэгг усмехнулся.

— Это все нервы. Вы просто долго сидели здесь одна со своими переживаниями, вот и довели себя до такого состояния.

— Я все выдержу, — сказала Элен, — но я хочу знать, как он. Это же естественно. Вы все равно не поверили бы, если бы я стала вас уверять, что ни капельки не боюсь. Но я не собираюсь сходить из-за этого с ума. Понимаете, мы все считали, что рождены для счастья, что это само собой разумеется... А теперь люди по всему миру погибают...

— Я вижу, вы не плакали? — сочувственно заметил Трэгг.

— Нет. И не заставляйте меня плакать... Не жалейте меня и не смотрите на меня такими глазами. Но, ради Бога, если вы имеете хоть малейшую возможность узнать, как он, какие у него шансы, сделайте это.

— Вы обручены? — вдруг спросил Трэгг.

Элен потупилась и залилась краской.

— Честно говоря, я не знаю. Он никогда по-настоящему не просил меня стать... Но по пути сюда, в машине... Наверное, только тут он понял, как мне дорог. Я была слишком испугана, чтобы скрывать свои чувства. Конечно, мне не следовало быть такой откровенной.

— Почему? Ведь вы же любите его.

Девушка вскинула голову и с некоторым вызовом посмотрела на лейтенанта.

— Да, я люблю его. Я так ему и сказала. Я принадлежу ему, и так будет всегда, что бы ни случилось. А еще я ему сказала, что готова выйти за него прямо сейчас.

— И что же он ответил?

— Ничего... он потерял сознание.

С трудом сдерживая улыбку, Трэгг попытался ее успокоить:

— Вы же знаете, Джерри потерял много крови. Так что это естественно. Скажите, мисс Кендал, сколько времени вы находились дома, до того как появился Джерри?

— Не знаю. Не очень долго.

— Как случилось, что он заглянул так поздно?

Элен нервно засмеялась.

— Он сказал, что несколько раз звонил в течение дня, но меня не было дома. Вечером ему случилось проезжать мимо, он заметил в окнах свет и решил заглянуть на минутку. Мы разговаривали, и вдруг в спальне тети Матильды что-то упало...

— Вы говорили, что такой звук бывает обычно при падении тяжелого предмета. В комнате было темно?

— Да.

— Вы в этом уверены?

— Да. Если только у этого человека не было при себе фонарика. А он, наверное, был, потому что попугайчики начали чирикать.

— Но когда вы открыли дверь, фонарик не горел?

— Нет.

— А в коридоре свет горел?

— Да. Мне даже в голову не пришло зажигать там свет. А ведь разумнее было бы погасить его в коридоре, а в спальне сразу зажечь.

— Конечно, но ведь теперь уже ничего не поделаешь, — заметил Трэгг, — так что не стоит об этом и говорить. Меня интересует вот что: свет был зажжен в коридоре и выключен в спальне вашей тетушки, ведь так?

— Так.

— Кто открывал дверь, вы или Джерри?

— Джерри.

— Ну и что было потом?

— Мы понимали, что в спальне кто-то есть. Джерри стал нащупывать на стене выключатель, но не мог его найти. Я вдруг сообразила, насколько важно зажечь свет, проскользнула у него под рукой и потянулась к выключателю. Вот тут все и случилось.

— Два выстрела?

— Да.

— Свет вы так и не успели зажечь?

— Не успела.

— Скажите, ваша рука была уже возле выключателя, когда выстрелили в первый раз?

— Наверное, но я точно не помню. Первая пуля просвистела у меня прямо над головой и вонзилась в деревянный косяк двери. Мне в лицо полетели не то щепки, не то куски штукатурки — какие-то кусочки с острыми углами. Я отпрыгнула назад.

— А второй выстрел последовал сразу же вслед за первым?

— Почти сразу.

— Что было после этого?

Она еще больше побледнела и покачала головой.

— Простите, я мало что могу вспомнить... Я услышала такой характерный звук пули... Она попала в Джерри.

— Вы храбрая девочка, — сказал Трэгг. — Не думайте сейчас о Джерри. Вспомните, как все было. Не забывайте, нам важно все это знать. Значит, этот, второй, выстрел последовал сразу за первым, почти мгновенно, и он поразил Джерри?

— Да.

— Он сразу упал?

— Сперва он как-то странно повернулся, знаете, будто его ударили в бок.

— А после этого упал?

— Я почувствовала, как у него подкосились ноги и как он всей своей тяжестью повис на мне. Я хотела осторожно опустить его на пол, но мне это оказалось не под силу, и мы оба упали, потеряв равновесие.

— Что же случилось с человеком, который скрывался в комнате?

— Не знаю. Я видела только, как Джерри странно побледнел. Я дотронулась до его бока, и рука была вся в крови. Он был без сознания. Я решила, что он умер. Сами понимаете, тут уж мне было ни до чего. Я стала окликать Джерри, говорить с ним... И тут он приоткрыл глаза, улыбнулся мне и сказал: «Давай-ка, крошка, посмотрим, смогу ли я удержаться на собственных ногах или нет».

Трэгг нахмурился:

— А вам не приходило в голову, что человек в спальне стрелял вовсе не в Джерри?

— Что вы имеете в виду?

— Он стрелял в вас. Первый раз он лишь чудом не попал вам в голову, потом вы отпрянули назад и очутились позади Джерри. И когда он выстрелил в вас второй раз, он попал в Джерри. Не забывайте, что человек этот вас отлично видел на фоне освещенного коридора.

Она испуганно смотрела на Трэгга широко раскрытыми глазами.

— Я не думала об этом. Мне казалось, этот человек в комнате просто не хотел, чтобы мы его обнаружили, и поэтому...

— И вы не имеете ни малейшего понятия, кто бы это мог быть?

— Нет.

— Кто-нибудь, кому было выгодно убрать вас с дороги?

Она покачала головой.

— А если умрет ваша тетя?

— Почему вы задаете такой вопрос?

— Потому что за несколько часов до этого была предпринята попытка отравить миссис Шор. Возможно, у преступника есть основания считать, что эта попытка удалась и она умирает или уже умерла. Вот он и явился в дом, чтобы разом покончить и с вами.

— Нет, я не могу даже представить, кто бы это мог быть.

— Вы не знаете никого, кому могло бы оказаться выгодным, если бы...

— Нет.

В этот момент они услышали, как по коридору кто-то идет в туфлях на резиновой подошве.

Шурша накрахмаленной формой, в дверях появилась улыбающаяся медсестра.

— Его уже перевезли из операционной, мисс Кендал, — сообщила она. — Вы ведь мисс Кендал?

— Да, да... Скажите, он будет жить? Он в сознании? Он...

— Конечно да. Если хотите, можете подняться к нему.

Трэгг двинулся вместе с Элен Кендал, и медсестра вопросительно посмотрела на него.

— Лейтенант Трэгг. Полиция. Я пришел за пулей, — объяснил он.

— Вам нужно поговорить с доктором Рослином. Он сейчас должен спуститься из операционной.

Трэгг обратился к Элен:

— Мне страшно не хочется мешать вам, но я обязан задать ему несколько вопросов, если, конечно, разрешит врач.

— Он в сознании, — пояснила сестра. — Его оперировали под местной анестезией.

Элен Кендал умоляюще посмотрела на него, когда они подошли к лифту.

— Наверное, вам важнее сначала получить пулю, лейтенант? Это же страшно важно. Врачи такие рассеянные. Пулю могут выбросить или потерять, если вы замешкаетесь...

Трэгг от души рассмеялся.

— Ладно, вы победили. Идите одна. Но не переутомляйте его, потому что я приду через минуту поговорить с ним.

Медсестра возразила:

— Он еще не отошел от наркоза, лейтенант, сознание у него притуплено, так что на его слова нельзя особенно полагаться.

— Все понимаю, сестра. Я просто хочу задать ему парочку простых вопросов. Так на каком этаже операционная?

— На одиннадцатом. А мистер Темплер — на четвертом. Я провожу вас, мисс Кендал.

Чуть заметно подмигнув Элен, Трэгг обратился к сестре:

— Вы не могли бы проводить меня к хирургу? А мисс Кендал сама отыщет нужную палату.

— Да, конечно. Мисс Кендал, его палата номер 481, в самом конце коридора.

— Не беспокойтесь, она найдет.

Элен одарила Трэгга благодарной улыбкой.

— Спасибо, — выдохнула она и поспешила в конец коридора.

Дверь лифта закрылась, и кабина поползла вверх.

— Каковы его шансы на выздоровление? — спросил Трэгг.

Медсестра пожала плечами.

— К сожалению, я не знаю.

На одиннадцатом этаже она проводила его в операционную. Доктор Рослин, голый по пояс, вытирался полотенцем.

— Лейтенант Трэгг, — представила сестра.

— Ага, понятно, лейтенант. Я приготовил вам этот кусочек свинца. Черт побери, куда он девался? Мисс Дьюэр, вы не видели пулю?

— Вы положили ее на поднос, доктор, и предупредили, чтобы мы до нее не дотрагивались.

— Черт бы ее побрал, наверняка сверху ее завалили бинтами. Одну минуточку... вот сюда, прошу вас.

Он провел лейтенанта в комнату, примыкающую к операционной. В нос Трэггу ударил характерный больничный запах. Сестра вытащила кучу окровавленных тампонов из эмалированного контейнера и пододвинула их доктору. Вооружившись хирургическими щипцами, он быстро разгреб остатки операционного материала и вытащил окровавленный кусочек металла.

— Получите, лейтенант.

— Большое спасибо. Впоследствии вам придется подтвердить под присягой, что это именно та пуля, которую вы извлекли из тела Джерри Темплера.

— Конечно. Это именно она.

Трэгг осторожно покрутил пулю в руках.

— Сделайте на ней какую-нибудь заметку, доктор, чтобы впоследствии вы могли ее узнать.

Доктор вытащил перочинный ножик и нацарапал три параллельные черточки у основания пули, а потом перечеркнул каждую. Поблагодарив, Трэгг спрятал вещественное доказательство в жилетный карман.

— Каковы его шансы на выздоровление? — спросил он.

— Пока все в порядке. Здоровый, крепкий организм. Армейская закалка делает чудеса, лейтенант. Этот парень вынослив как черт. Отлично перенес операцию.

— Вы разрешите поговорить с ним несколько минут?

— Пожалуйста, но учтите, что он накачан лекарствами. Не утомляйте его и не задавайте слишком сложных вопросов. Ему нельзя напрягаться. Что-нибудь простое, на чем он сможет сосредоточиться. Если вы дадите ему возможность говорить самому, он непременно начнет путать. Но на простые и четко сформулированные вопросы ответит. Не вздумайте брать с собой стенографа. Речь его будет путаной, и какие-то ответы могут оказаться неточными.

— Прекрасно, договорились. Теперь, если будут изменения его состояния, немедленно поставьте меня в известность. Если дело пойдет плохо, я хочу получить его предсмертное заявление.

Доктор засмеялся:

— Сомневаюсь, чтобы вам представилась такая возможность. Этот малый хочет жить. Он по уши влюблен в какую-то девушку. Пока я не дал ему наркоз, он все бормотал, как он счастлив, что его подстрелили, потому что это дало ему возможность узнать, как она его любит. Представляете? Единственное, о чем он жалел, так это о том, что упустил стрелявшего в него негодяя... Ладно, лейтенант, дайте мне знать, когда я вам понадоблюсь в качестве свидетеля для идентификации пули.

Лейтенант спустился на четвертый этаж, прошел на цыпочках до палаты 481 и осторожно открыл дверь. В дальнем конце комнаты стояла медсестра. Элен Кендал, немного растерянная и смущенная, сидела на стуле у кровати больного.

— Я так рада... — говорила она в тот момент, когда Трэгг отворил дверь.

Джерри Темплер встретил хмурым взглядом еще одного свидетеля их свидания.

Но Трэгг ободряюще улыбнулся ему.

— Хэлло! Я понимаю, вы не слишком расположены сейчас вести серьезные беседы, но мне необходимо задать вам несколько вопросов. Я лейтенант Трэгг из отдела насильственных преступлений.

Темплер закрыл глаза, часто-часто заморгал, словно ему было трудно сфокусировать их на лице Трэгга, потом усмехнулся и сказал:

— Валяйте!

— Отвечайте как можно короче, чтобы не утомляться.

Джерри кивнул.

— Кто стрелял?

— Не знаю.

— Вы вообще что-нибудь видели?

— Легкое движение, смутные контуры человеческой фигуры.

— Высоко или низко?

— Трудно сказать... В углу комнаты что-то шевельнулось, и раздался выстрел.

— Мог ли этот человек стрелять в Элен, а не в вас?

От этого вопроса Темплер мгновенно возбудился.

— То есть как это? Стрелять в Элен?

— Могло быть так?

— Не знаю. Не могу представить... Да... да, мог... Я никогда...

— Простите, но пациента нельзя волновать, — негромко вмешалась сестра из угла палаты.

Лейтенант Трэгг посмотрел на Элен Кендал, гордо выпрямившуюся на стуле, вспомнил растерянное, озадаченное выражение лица Темплера, когда открылась дверь палаты, улыбнулся сестре и сказал:

— Сестра, я говорил с доктором и могу вас заверить, что, хотя в целом вы правы, но кое в чем ошибаетесь. Эти таинственные выстрелы все же помогли прояснить некоторые, более важные вещи. И сейчас тут все выяснится раз и навсегда, если только вы позволите себе отдохнуть, выпить чашечку кофе. Конечно, в медицине я профан, но зато разбираюсь в человеческой натуре, поэтому с полной ответственностью заявляю, что, если вы оставите эту парочку на пять минут, это принесет вашему пациенту гораздо больше пользы, чем любое лекарство. Ведь он все рассказал доктору во время операции. Почему бы не дать ему теперь повторить то же самое своей девушке?

Сестра взглянула на Трэгга, поднялась со стула, зашуршав накрахмаленной формой, и поплыла к двери.

— У вас есть одна минута, — предупредила она Элен.

Пропустив вперед сестру и прикрывая за собой дверь, Трэгг попросил ее:

— Дайте ей побольше времени.

— Ну, вы сделали свое дело, — сказала сестра, идя за ним к лифту.

— Пришлось, — ухмыльнулся Трэгг. — В любовных делах гордость иной раз приносит больше вреда, чем ревность. Парень не хотел говорить ей о своих чувствах, потому что он в армии. По дороге в больницу девушка признается ему в своих чувствах. Ну а потом, естественно, она смущается и ждет, чтобы он сделал следующий шаг. Но он боится, что она могла передумать. Ни один из них не хочет первым начать говорить, а тут еще вы стоите...

— Я тихо стояла в углу и не мешала, — возразила она.

— Ну что ж, — с улыбкой заметил Трэгг, — что-то теперь будет.

Насвистывая какую-то мелодию, он спустился вниз, прошел длинным больничным коридором и вышел на прохладный ночной воздух. Сев в полицейскую машину, Трэгг быстро поехал в управление.

В лаборатории раздраженный шотландец сказал ему:

— Надо полагать, ваше дело не терпит отлагательства до девяти часов утра?

— Верно, не терпит... Скажите, та пуля, которую извлекли из тела Генри Лича, у вас?

— Да.

Трэгг вынул из жилетного кармана две пули и протянул ему, поясняя:

— Пуля, помеченная тремя параллельными царапинами, извлечена при операции из тела Джерри Темплера. Вторая вонзилась в косяк той двери, возле которой стоял он со своей девушкой. Сколько времени вам потребуется, чтобы определить, не выпущены ли все три пули из одного и того же револьвера?

— Не знаю, — ответил шотландец со своим неподражаемым пессимизмом, — все зависит от обстоятельств. Иногда уходит много времени, иногда нет...

— Постарайтесь, чтобы на этот раз времени ушло как можно меньше, — попросил Трэгг. — Я спущусь к себе в кабинет. Позвоните мне. Только не перепутайте пули! Защитником выступает Перри Мейсон, а с ним шутки плохи! Как он проводит перекрестный допрос, вы, наверное, знаете.

— Не боюсь я его перекрестных допросов, — сердито огрызнулся эксперт, регулируя окуляр микроскопа. — У него не будет случая ко мне придраться. Я сделаю микрофотографии, и пусть за меня говорит фотоаппарат. Нужно быть болваном, чтобы трепать языком, когда можно предъявить убедительные документы.

Трэгг, задержавшись у порога, возвестил:

— Я объявил войну Перри Мейсону. Собираюсь отучить этого парня переть на рожон.

— Тогда вам стоило бы купить будильник, — проворчал Ангус Макинтош, приступая к работе. — Вам придется раненько подниматься, мистер лейтенант.

— Уже купил, — буркнул Трэгг на пороге и осторожно прикрыл за собой дверь.

Войдя к себе в кабинет, он невольно поморщился: там стоял тяжелый запах табачного дыма. Пришлось раскрыть окна, и лейтенант поежился от хлынувшего в комнату холодного предрассветного воздуха. Устало проведя рукой по лицу, он обнаружил отросшую щетину и пот, смешанный с пылью. Лейтенант чувствовал себя вспотевшим, грязным и усталым.

Он отправился в туалет, где был умывальник с горячей водой, и с удовольствием принялся мыть лицо и руки. Когда он уже вытирался полотенцем, раздался телефонный звонок.

Подбежав к аппарату, лейтенант поднял трубку:

— Да?

Эксперт-шотландец из лаборатории ворчливым тоном доложил:

— Я пока не сумел разложить их так, чтобы сделать фотографии в подходящем ракурсе, но одну вещь точно могу сказать. Все три пули выпущены из одного револьвера. А теперь — когда вы хотите фотографии?

— Чем скорее, тем лучше.

Шотландец недовольно вздохнул.

— Вечно вы не можете подождать, — заметил он и повесил трубку.

Снова зазвонил телефон. Трэгг услышал торопливую речь дежурного на коммутаторе:

— Анонимный звонок вам, лейтенант. Ни с кем другим говорить не желает. Говорит, что ровно через шестьдесят секунд повесит трубку и чтобы мы не пытались выяснить, откуда он звонит.

— Можете подключиться и слушать наш разговор?

— Конечно.

— Давайте соединяйте.

Раздался щелчок, и голос оператора объявил:

— Лейтенант Трэгг на линии.

— Хэлло! — Голос звучал неясно и глухо. По-видимому, собеседник Трэгга говорил, держа у рта руку, сжатую в кулак. — Это лейтенант Трэгг?

— Это Трэгг. Кто со мной говорит?

— Не важно. Я просто хочу вам кое-что сообщить насчет Перри Мейсона, адвоката, и девушки, которая привезла его к дому Шоров вскоре после полуночи.

— Говорите, что вам о них известно.

— Они подобрали там человека. Он важный свидетель, который вам нужен. Они его похитили и прячут.

— Кто этот человек? — нетерпеливо спросил Трэгг. — И где он?

— Кто он — не знаю, но мне известно, где он находится.

— Где?

Человек вдруг стал говорить очень быстро, будто ему не терпелось поскорее закончить разговор.

— Отель «Марпл-Лир». Зарегистрировался как Томас Триммер примерно в четверть пятого сегодня ночью. Он в номере 376.

— Одну минуточку, — быстро сказал Трэгг. — Мне нужно уточнить вот что: вы совершенно уверены, что Перри Мейсон, адвокат, привез этого человека в отель? И он все это организовал?

— Черт побери! Мейсон приехал вместе с ним в отель, он же нес его дорожную сумку. Но девушки с ним не было.

Внезапно на противоположном конце провода повесили трубку. Разговор прервался.

Лейтенант быстро спросил оператора:

— Установили, откуда звонили?

— Да. Телефон-автомат в квартале от отеля. Туда направлены две радиофицированные машины с инструкцией задержать всех людей в радиусе трех кварталов от этого места и допросить. Минут через пятнадцать мы узнаем результаты.

В глазах Трэгга сверкало нетерпение охотника, вышедшего на след.

— Ладно, пятнадцать минут я на всякий случай подожду.

Через двадцать минут поступило сообщение. Две радиофицированные машины прибыли на место. Это был ночной ресторан с телефонной будкой у входа. За стойкой находился один бармен, он обслуживал клиентов и не следил за тем, кто говорил по телефону. Он мельком заметил в будке какого-то мужчину, но описать его не мог. Патруль задержал двоих прохожих в радиусе четырех кварталов, и, хотя было сомнительно, что Трэггу звонил кто-то из них, полиция на всякий случай записала их имена и адреса из водительских удостоверений. Еще выяснилось, что некто Томас Триммер действительно прибыл в отель «Марпл-Лир» примерно в четыре часа утра. Это слегка сутулый мужчина около шестидесяти, вес — сто сорок фунтов, рост — примерно пять футов шесть дюймов. Одет в изрядно поношенный, но чистый костюм. С высокими скулами, седыми обвислыми усами. Его багаж состоял из видавшей виды матерчатой дорожной сумки, довольно тяжелой. Триммера привез высокий, хорошо одетый мужчина.

На лбу у лейтенанта Трэгга запульсировала жилка.

— Пусть обе машины продолжают патрулирование, — приказал он. — Следите за тем, чтобы Триммер никуда не сбежал. Я немедленно выезжаю.

Глава 17

Мейсон медленно вел машину. Его слегка лихорадило — сказывались бессонная ночь и напряжение последних суток.

Котенок свернулся клубочком подле него на сиденье, тесно прижавшись к нему в поисках тепла. Время от времени Мейсон, придерживая руль левой рукой, правой поглаживал котенка, ерошил ему шерстку, пока Янтарик не начинал громко мурлыкать.

На востоке уже заметно побледнели звезды. Небо посветлело, и на его фоне зубчатой линией проступали контуры крыш близко стоящих домов. Приближаясь к дому, где жила Делла Стрит, Мейсон сбросил скорость. Все здание было погружено в темноту, и лишь одно окно — в квартире Деллы — светилось оранжевым светом.

Мейсон поставил машину у тротуара, спрятал под пальто Янтарика, расслабленно мурлыкавшего, согревая его своим теплом, и направился к подъезду. Он просмотрел висевший за почтовыми ящиками длинный список жильцов и нажал кнопку звонка квартиры Деллы Стрит.

Почти сразу же послышался сигнал, возвестивший, что автоматическое устройство сработало и дверь открыта. Мейсон шагнул в теплый, душный вестибюль, вызвал лифт и поднялся на этаж, где жила Делла. Янтарик, приютившийся на груди адвоката, видимо, испугался непривычного шума и заерзал, цепляясь острыми коготками за пиджак Мейсона. Наконец его круглая головка высунулась наружу, и он с любопытством и страхом стал разглядывать стенки лифта.

Лифт остановился. Мейсон открыл дверь, прошел по длинному коридору к двери Деллы Стрит и постучал кончиками пальцев их условным стуком. Делла тотчас же отворила дверь. Она все еще была в том самом костюме, в котором Мейсон высадил ее на стоянке такси у отеля.

— Господи, как я рада вас видеть! — заговорила она громким шепотом. — Скажите, я правильно поняла ваши сигналы?

Мейсон вошел в уютную квартиру, радуясь ее теплу.

— Если бы я знал! Как ты решила, чего я хотел?

— Чтобы я съездила в домик Ланка.

— Правильно. Ну и что ты обнаружила?

— Его там не было. Ой, вы привезли котенка!

Мейсон отдал Янтарика в руки Делле, снял шляпу, но остался в пальто.

— У тебя найдется что-нибудь выпить?

— Я специально держу для вас кофейник на плите. Кофе с бренди — как раз то, что вам сейчас нужно.

Она посадила котенка на диван.

— Сиди здесь, Янтарик, будь умницей!

Мейсон остановил девушку.

— Обожди, Делла, я хочу с тобой поговорить...

— Сначала вы выпьете чашку кофе! — решительно сказала она и исчезла на кухне.

Упершись локтями в колени, Мейсон застыл в кресле, неотрывно изучая глазами рисунок ковра. Янтарик, обследовав диван, спрыгнул на пол, по запаху нашел дорогу на кухню и, сев под дверью, жалобно мяукнул. Делла, рассмеявшись, открыла дверь.

— Все ясно, тебе хочется теплого молока.

Когда она вошла с подносом, на котором стояли две чашки горячего черного кофе, Мейсон сидел в той же позе. Аромат хорошего бренди, смешавшись с запахом кофе, будоражил ноздри.

Мейсон взял чашку с кофе с подноса и подмигнул Делле:

— Итак, за преступление.

Она уселась на диване, пристроив чашку с блюдцем на коленях.

— Иногда этот ваш тост меня пугает, — сказала она.

Мейсон отпил горячего кофе и почувствовал, как от бренди по телу разливается благодатное тепло.

— Ну, теперь рассказывай, что случилось, — попросил он.

— Я не была уверена, что вам удастся задержать Ланка надолго, и попросила водителя поторопиться.

— Ты назвала ему адрес на Бельведер?

— Нет, я велела ему остановиться у перекрестка и подождать. Я прошла один квартал назад, повернула за угол и нашла подъездную дорожку, которая ведет к домику Ланка. Это малюсенький домик, пристройка к гаражу, и...

— Я знаю, — перебил ее Мейсон, — я там был. Ну а дальше?

— Я увидела, что в доме нигде нет света. Тогда я поднялась на крыльцо и позвонила. Мне никто не ответил. Я позвонила несколько раз, но звонка не было слышно. Тогда я принялась стучать и тут обнаружила, что дверь не заперта. Поверьте, шеф, в ту минуту мне больше всего хотелось научиться читать мысли. Я не была уверена, чего именно вы хотели от меня. Короче говоря, я вошла в дом.

— Зажгла свет?

— Да.

— Что ты увидела?

— В доме никого не было. Постель в передней спальне не была застелена, в задней...

— Одну минуточку. Как ты попала в заднюю спальню? Через кухню или через ванную?

— Через ванную.

— Теперь будь внимательна, Делла. Двери между спальнями были открыты?

— Да, примерно наполовину. То есть так была открыта первая дверь. А дверь из ванной в заднюю спальню —

распахнута настежь. В этой комнате есть окно, выходящее на аллею. Оно было открыто, и в доме гулял ветер, раздувая занавески.

— А дверь из спальни на кухню?

— Приоткрыта на пару дюймов.

— Ты через нее проходила?

— Нет. Я прошла на кухню кругом, через переднюю спальню и гостиную. Но дайте мне сначала описать вам переднюю спальню. В ней стоит бюро, все ящики из него были выдвинуты, а одежда выброшена из шкафа на пол.

— Знаю. Вернемся на кухню. Ты не заглянула в кладовку?

— Заглянула.

— Дверь в нее была открыта или закрыта?

— Закрыта.

— Ты не включала там свет?

— Нет. Я открыла дверь, и из кухни туда проникало достаточно света, так что я убедилась, что там никого не было. Понимаете, я подумала, что Фрэнклин Шор, услышав звонок, мог спрятаться где-нибудь в доме на случай, если явится какой-то нежелательный для него посетитель.

— Ты не заметила на полу в кладовке муку, просыпанную рядом с жестянкой?

— Нет, но я и не смогла бы ее заметить, если ее было мало, потому что, во-первых, свет падал сзади, а во-вторых, я старалась только определить, не прячется ли кто-нибудь в помещении.

— Ты небось тряслась от страха?

— А вы как думаете! У меня по спине мурашки бегали. Если бы Фрэнклин Шор и вправду прятался в кладовке, он мог бы напугать меня до смерти.

Мейсон допил кофе, поставил чашку на столик, снял пальто, потянулся, потом засунул руки в карманы. С кухни донеслось жалобное «мяу» — котенок требовал, чтобы его пустили обратно, к человеческому обществу. Делла открыла дверь. Котенок, с животиком, раздувшимся от теплого молока, не спеша вошел в комнату, удовлетворенно засопел, вспрыгнул на диван и устроился там, подогнув под себя лапки. Беспокойство исчезло

531

из его взгляда, и вскоре он, прикрыв глаза, уже мурлыкал сквозь сон.

— Где был Янтарик, когда ты вошла в дом?

— Спал, свернувшись клубочком на простынях посреди кровати в первой спальне.

— Почти посередине?

— Да. Сетка немного прогнулась, и посередине образовалась ямочка. Он свернулся в ней и крепко спал.

Заложив большие пальцы за проймы жилета, Мейсон принялся ходить взад-вперед по гостиной.

— Налить еще кофе? — спросила Делла.

Он как будто не слышал ее вопроса и продолжал мерить шагами ковер, немного вытянув вперед шею и глядя вниз.

Но вдруг он резко остановился.

— А ты не заметила никаких следов на полу? Таких, какие мог оставить Янтарик, если бы наступил в какой-нибудь белый порошок?

Этот вопрос заставил Деллу нахмуриться.

— Дайте вспомнить. Конечно, я искала человека, а на мелкие предметы не обращала внимания и вообще была перепугана, но... мне кажется, что на полу в кухне я действительно заметила кошачьи следы. Я еще подумала: сразу видно, что в доме нет хозяйки, тут нужна основательная уборка. Простыни на кровати в передней спальне были довольно грязные, наволочка засаленная. Тюлевые занавески из белых превратились в серые, а о кухонных полотенцах и говорить не приходится. Ну и все остальное в том же духе. Но, я думаю, там было что-то такое на полу — может быть, кошачьи следы.

— Дверь в кладовку точно была закрыта, ты уверена?

— Да.

— Как же, черт побери, котенок ухитрился угодить в муку в кладовке и оставить белые следы на полу, если дверь была плотно закрыта? Он не мог войти, когда ты открыла дверь?

Немного подумав, Делла покачала головой.

— Это выше моего понимания. Пока я была там, котенок не сдвинулся с места.

Мейсон задумчиво посмотрел на спящего котенка, потом вдруг схватил свое пальто и потянулся за шляпой.

— Прошу вас, шеф, поезжайте домой и ложитесь спать. Вам необходимо отдохнуть.

В ответ он улыбнулся, и твердые черты его лица сразу смягчились.

— И ты ложись. Тебе тоже необходимо отдохнуть. Кстати, когда ты была в доме, ты не заметила возле пепельницы визитную карточку Джорджа Альбера?

— Карточка была, только я не обратила внимания, что на ней значилось... Это важно?

— Да нет! Пустяки.

Он взял ее за запястье и притянул поближе к себе. Она подняла лицо, приоткрыла губы.

Другой рукой Мейсон обнял ее за плечи и, на мгновение прижав к себе, сказал:

— Ну, держись, девочка. Боюсь, что мы здорово промахнулись.

Бесшумно отворив дверь, он вышел в коридор.

Глава 18

Сквозь сон Делла Стрит услышала настойчивый звонок будильника. Она изо всех сил старалась не просыпаться, и в первый раз ей это удалось. Будильник перестал трезвонить, а Делла снова погрузилась в дремоту, но лишь затем, чтобы очень скоро быть разбуженной вторым звонком.

Приподнявшись на локте, не размыкая глаз, она протянула руку, чтобы выключить будильник, но не нащупала его, и ей поневоле пришлось открыть глаза. На обычном месте у кровати будильника не было. Господи, да она же сама поставила его на туалетный столик, опасаясь, что выключит звонок и снова уснет.

С неохотой Делла откинула одеяло, спустила ноги с кровати и подошла к столику. С постели раздалось протестующее «мяу». Она не сразу сообразила, что означает этот непривычный звук, потом, отключив звонок будильника, сняла одеяло, наброшенное на Янтарика. Котенок, удобно устроившийся в ямке на кровати, благодарно замурлыкал, встал на лапки, дугой выгнул спинку, потянулся и вдруг боком скакнул, оказавшись в непосредственной близости от ее руки. Он позволил Делле почесать себя за ушком и, мурлыча, начал зарываться в простыни в поисках местечка, все еще хранившего тепло человеческого тела. Делла засмеялась и сняла его с постели.

Котенок разрешил ей почесать себя.

— Не сейчас, малыш. Будильник говорит, что пора приниматься за дело.

Правда, в конторе можно было появиться и попозже, но утром придет почта, в которой нужно разобраться. Новая машинистка перепечатывает важные материалы для Мейсона, и Делла знала, что их нужно просмотреть, прежде чем дать на подпись шефу.

Теплая вода, нежная мыльная пена, а под конец последние струйки холодного душа вернули ей бодрость. Делла яростно растерлась полотенцем, внимательно рассмотрела чулки, нет ли зацепок, и в одном белье стояла перед зеркалом, накладывая косметику, когда раздался звонок в дверь. Сначала она не обратила на него внимания. Но звонили снова и снова.

Приоткрыв на дюйм дверь, Делла сердито крикнула:

— Уходите, я ничего не собираюсь покупать и ни на что не стану подписываться. Мне некогда, я опаздываю на работу.

Ей ответил голос лейтенанта Трэгга:

— Ну что ж, я подвезу вас в контору, чтобы сэкономить время.

Делла высунула голову в щель.

— Как вы ухитрились проникнуть в дом?

— Секрет. У вас сонный вид.

— А у вас даже не сонный, а еще хуже.

— Насколько мне известно, никто западнее Миссисипи этой ночью не ложился спать, — ухмыльнулся Трэгг.

— Я одеваюсь.

— Сколько времени еще уйдет на это?

— Пять или десять минут.

— Завтрак?

— Я не завтракаю дома. Пью кофе в аптеке на углу.

— Для здоровья вредно так питаться.

— Зато полезно для фигуры.

— Я подожду за дверью.

— Что, это настолько важно?

— Да, настолько.

Делла закрыла дверь. В зеркале отразилось ее лицо с выражением мрачной решимости. Она подошла к телефону и начала набирать личный номер Мейсона, которого не было в справочнике, но потом передумала. Делла натянула платье, сбросила домашние тапочки, сунула ноги в туфли и тут осознала проблему с котенком.

Она взяла на руки мягкий комочек и ласково заговорила:

— Послушай, крошка, этот полицейский ест маленьких котят, ест живьем. А что еще хуже, он потребует объяснить, откуда ты взялся. Честно говоря, это будет потруднее, чем найти правдоподобное объяснение, почему посторонний мужчина оказался под супружеской кроватью... Предоставляю в твое распоряжение кухню и молю Бога, чтобы теплое молоко заставило тебя молчать.

Янтарик удовлетворенно замурлыкал. Делла Стрит прошла на кухоньку, согрела в кастрюле молока и налила котенку.

— Доктор пока не велел давать тебе твердую пищу. Если не хочешь неприятностей, будь хорошим котиком, не мяукай. Надеюсь, полный животик тебе поможет, так что пей вволю.

Янтарик с удовольствием стал лакать молоко, а Делла осторожно выскользнула из кухни, тихонько, чтобы не услышал Трэгг, прикрыв за собой дверь. Она торопливо застелила постель, взбила подушки и поставила на место стулья.

Затем надела пальто, поправила шляпку, скорее по привычке, чем из желания быть привлекательной, отворила дверь и подарила лейтенанту Трэггу одну из своих самых обаятельных улыбок.

— Я готова. Очень мило, что вы намерены подвезти меня в контору, но, полагаю, вами руководит не только человеколюбие.

— Нет, конечно, — согласился Трэгг.

— Бойся данайцев, дары приносящих?

— Вот именно. А у вас тут весьма мило. Юго-восточная сторона и все прочее.

— И я так думаю, — сказала Делла, берясь за ручку двери.

— Вы здесь одна?

— Конечно.

Трэгг неожиданно шагнул вперед, встав в дверном проеме.

— В таком случае, мисс Стрит, мы можем прекрасно побеседовать прямо здесь.

— У меня нет времени. Мне надо быть в конторе.

— Это куда важнее, чем контора.

— Ну что ж, мы можем поговорить по дороге, в машине.

— Вести машину и одновременно разговаривать очень трудно, — сказал Трэгг и без приглашения прошел к дивану.

Преувеличенно тяжело вздохнув, Делла осталась стоять в дверях. Она прекрасно понимала, что наметанный глаз полицейского не упустит ничего в ее квартире.

— Извините, лейтенант, но я обязательно должна быть на работе. У меня нет времени на ваши вопросы и на споры по этому поводу... и я же не могу оставить вас здесь.

Казалось, Трэгг не слышит ее.

— И правда, очень симпатичное гнездышко. Ну что ж, если вы настаиваете, поедем, хотя я предпочел бы поговорить здесь.

— Прошу вас, лейтенант, идемте!

— Иду... Боже мой, я и правда выгляжу так, будто провел на ногах всю ночь. Вас не пугает перспектива ехать с таким сомнительным типом?

— Нет, если только мы наконец двинемся, — твердо сказала она.

— Что это за дверь? — спросил он, показывая в сторону кухни.

— Просто дверь, — ответила она сердито. — Можно подумать, вы никогда раньше не видели дверей, лейтенант. Их делают из дерева, они висят на петлях и свободно открываются и закрываются.

— Неужели? — спросил Трэгг, не сводя глаз со злополучной двери.

Делла сердито вошла в квартиру.

— Послушайте, — резко сказала она, — я не знаю, что вы ищете, но я не разрешу вам являться ко мне в дом и повсюду совать нос. Если вы хотите устроить обыск, покажите мне ордер. Если вам надо мне что-то сказать, сделайте это по дороге в контору. А сейчас я ухожу. И вы тоже!

Ее сердитый взгляд и решимость не остановили Трэгга, и он спросил с обворожительной улыбкой:

— Безусловно, мисс Стрит, вы не станете возражать, если я осмотрю вашу квартиру?

— Категорически возражаю.

— Почему? Вы кого-нибудь прячете?

— Даю вам честное слово, что, кроме меня, в этом помещении нет ни единого человеческого существа. Вы удовлетворены?

Он в упор посмотрел на нее и сказал «да». Делла подождала, пока он пройдет к двери, и быстро последовала за ним, мечтая как можно скорее захлопнуть за собой дверь и услышать щелчок замка. И в этот момент, когда лейтенант уже занес ногу над порогом, а она взялась за ручку двери, послышался душераздирающий кошачий вопль.

Крик с каждой секундой становился громче, отчаяннее. Не было сомнений — это был настоящий предсмертный вопль.

— Мой Бог! — испуганно вскрикнула Делла, внезапно вспомнив, что по привычке оставила окно на кухне приоткрытым.

В ней проснулись материнские чувства. Она не могла бросить котенка на произвол судьбы даже ради того, чтобы избежать обвинения в уголовном преступлении, так же как она не смогла бы не броситься на помощь ребенку.

Вслед за Деллой в кухню влетел лейтенант Трэгг и глянул через ее плечо, пока она открывала окно.

С первого же взгляда им стало ясно, что произошло. Блок, удерживавший веревку для сушки белья, был закреплен совсем рядом с окном. Янтарик полез на подоконник, чтобы выглянуть наружу, но запутался в веревке. Стараясь высвободить лапку, он только сильнее зацепился за веревку когтями и не мог отцепиться. Под тяжестью котенка веревка заскользила по хорошо смазанному блоку. Поскольку она была слабо натянута, запаса длины оказалось достаточно, чтобы Янтарик вылетел на ней в окно и повис над улицей на головокружительной высоте. Задние его лапки были спутаны той же веревкой, и он висел вниз головой, верея от ужаса и мотая из стороны в сторону распушившимся хвостом.

— Ой, бедняжка! — воскликнула Делла, стараясь поймать веревку и подтянуть к себе. — Теперь держись, кисонька, — увещевала она котенка, — не выпускай ее.

Котенок болтался на веревке туда-сюда, переводя глаза с безопасного окна, где стояла Делла, на асфальт двора далеко внизу.

Трэгг улыбнулся. Улыбка перешла в сдавленное фырканье, а когда Делла подтянула котенка поближе и схватила на руки, лейтенант разразился хохотом.

Янтарик не только не собирался отпускать веревку, а, наоборот, от страха вцепился в нее всеми коготками, так что Делле пришлось отцеплять их по одному, словно рыболовные крючки. Наконец она прижала к себе дрожащее тельце, гладя и успокаивая котенка.

— Смейтесь, смейтесь, — вспыхнула она. — Конечно, вам это смешно?

— Мне и правда смешно, — признался Трэгг. — Котенок, развлекаясь, тянет за веревку и в следующий момент обнаруживает, что летит по воздуху. Какое, должно быть, потрясающее ощущение!

— Да уж, потрясающее, — возмутилась Делла. — Я рада, что вам это показалось забавным. Конечно, полагаю, полиция чувствует себя задетой, что я взяла котенка, не посоветовавшись с ними. Наверное, если бы я сказала вам, что моя тетя Ребекка растянула связки, поскользнувшись на льду, вы бы вызвали меня на ковер за то, что я позволила ей выйти из дому, не получив разрешения у полиции? Если вы дадите мне возможность когда-нибудь попасть в контору, я напишу вам официальное письмо: «Уважаемый лейтенант Трэгг! Я завела котенка. Одобряете ли вы это?»

— Вы, конечно, излили на меня все свое возмущение и сарказм, — сказал Трэгг, — но так и не сообщили мне ничего о котенке, а от этого он не перестал меня интересовать.

— Ах вот как!

— Давно у вас этот кот?

— Не очень.

— А точнее?

— Он же еще совсем маленький.

— Вы взяли его новорожденным?

— Нет.

— Тогда как давно?

— Не очень. Но достаточно давно, чтобы успеть к нему привязаться. Вы же знаете, как это бывает, если животное проживет у вас несколько недель или даже несколько минут... и если вы любите животных, вы начинаете чувствовать...

— Кот прожил у вас несколько недель? — перебил ее Трэгг.

— Нет, в общем, нет.

— Значит, несколько дней?

— Не понимаю, почему это вас касается.

— Я бы сказал, что вы совершенно правы, мисс Стрит, если бы не некоторые обстоятельства.

— Что за обстоятельства? — не подумав, спросила Делла и тут же пожалела об этом, поняв, что сама предоставила Трэггу случай, которого он искал.

— О, — небрежно бросил он, — например, это может быть котенок миссис Шор, которую вчера вечером пытались отравить.

— Даже если и так, что тут особенного?

— Вопрос, каким образом этот котенок попал к вам, может заинтересовать полицию. Впрочем, как вы и предлагали, мы можем обсудить это по пути в контору.

— Да я уже и так опоздала.

— Боюсь, мы говорим о разных конторах, — с извиняющейся улыбкой заметил лейтенант.

Делла повернулась к нему, чувствуя, что у нее дрожат колени.

— Вы прекрасно знаете, какую контору я имею в виду, — сказала она, стараясь сохранить твердость в голосе, но на Трэгга это не произвело никакого впечатления.

— Я лично имею в виду контору окружного прокурора, — заметил он. — Я советую вам взять с собой котенка. Мне кажется, он слишком беспечный, чтобы оставлять его одного. Кроме того, он может служить весьма важным вещественным доказательством!

Глава 19

Перри Мейсон был погружен в сладкую дремоту. Сквозь сон он смутно осознавал, что уже давно наступил день. Он даже приподнялся в постели, взглянул на часы, но потом перевернул подушку и снова повалился на постель, наслаждаясь ощущением истомы и комфорта. Теплота и покой начали медленно обволакивать его... Однако резкий звонок в дверь вновь вернул его к действительности.

Мейсон решил не реагировать ни на какие звонки. Он решительно повернулся на другой бок... к черту все звонки... Наверняка какой-нибудь коммивояжер... когда он наконец уберется... Опять звонят... Ну и пусть, он все равно не встанет.

Но звонивший не унимался. Мейсон обнаружил, что его решимость снова уснуть постепенно сменяется бессонницей. В коридоре послышались чьи-то быстрые шаги, потом требовательный стук в дверь. Сердито ворча, Мейсон вылез из постели, отпер дверь и распахнул ее настежь.

На пороге стоял Пол Дрейк. Усмехнувшись, он спросил:

— Как тебе это понравилось?

— Нисколько, черт возьми, не понравилось. Ну, входи.

Дрейк прошел за ним в квартиру, выбрал самое удобное кресло, устроился в нем и закурил.

— А у тебя мило.

— Неужели? — буркнул Мейсон.

— Только прохладно. Я прикрою это окно, а то из него дует. Солнце сейчас с другой стороны.

— Ну и что из этого следует?

Дрейк выпустил колечко дыма и следил, как оно поднимается вверх в солнечном луче.

— Ты вечно поднимаешь меня среди ночи, когда вы с Деллой устраиваете гулянки, и находишь это весьма забавным. Вот и я решил нарушить твой сон, чтобы ты знал, как это приятно.

Спрятав голые ноги под одеяло, Мейсон усмехнулся, осознав высокую справедливость этих слов.

— Удовольствие ниже среднего, — заметил он и потянулся за сигаретой.

— Ну и к тому же я подумал, что тебе интересно выслушать рапорт о последних событиях.

Мейсон размял кончик сигареты, зажег спичку и сказал:

— Вот только выкурю эту сигарету — тут же вышвырну тебя отсюда, а сам лягу досыпать. — Он поднес спичку к сигарете.

— А событий очень много, — продолжал Дрейк. — Все три пули выпущены из одного револьвера.

— Это не новость.

— Трэгг поднял на ноги всю полицию. Он работает сразу по всем направлениям, по крохам собирая нужную информацию.

— Это славно.

— Врачи теперь дают Джерри Темплеру девять шансов из десяти, что он выкарабкается. Операцию он перенес отлично.

— Очень рад.

— Отравленного котенка на время отдали под присмотр садовнику, Томасу Ланку.

— Угу.

— Ланк исчез. Котенок тоже.

— Послушай, Пол, об этом я могу прочитать в газете. Я предпочел бы услышать что-нибудь такое, что никому, кроме тебя, не известно. Ну какой смысл тащиться по следам полиции?

Дрейк продолжал, пропустив слова Мейсона мимо ушей:

— Парень по имени Джордж Альбер очень высоко котируется в глазах ее величества Матильды Шор. Похоже, она твердо решила женить его на Элен Кендал. Сам Альбер согласен. Этот парень далеко пойдет. Твердо решил обрести себе теплое местечко под солнцем. Весьма привлекателен, в нем чувствуется магнетизм. Но Элен променяла его на человека, который ей вовсе не пара. Похоже, тетушка Матильда может лишить племянницу наследства в пользу Альбера, если Элен не будет хорошо себя вести.

Мейсон зевнул во весь рот.

— Пол, временами ты бываешь необычайно нудным.

Без тени улыбки Дрейк взглянул на него.

— Неужели я кажусь тебе таким?

Мейсон стряхнул пепел с сигареты и снова юркнул под одеяло.

— Матильда вернулась из больницы домой. Похоже, она составила завещание таким образом, чтобы вынудить Элен выйти замуж за молодого Альбера. Так что у Альбера прекрасные шансы тем или иным путем запустить руку в капиталы Шоров — либо в качестве мужа мисс Кендал, либо, если она не выйдет за него, о нем все же позаботятся... Да, твой приятель Трэгг занялся тщательной проверкой последних чеков, оплаченных со счетов Фрэнклина Шора. Вероятно, его особенно интересует чек на десять тысяч долларов на имя Родни Френча. Этого Френча разыскивает полиция. Вроде бы вчера вечером он отправился отдыхать, позабыв сообщить, куда именно.

— Фрэнклин Шор звонил своему бухгалтеру и предупредил, что выдаст такой чек, — ответил Мейсон.

— Правильно, — усмехнулся Дрейк, — звонил.

— Ну и что?

— Трэгг высказал предположение, что Фрэнклин Шор лишь *собирался* выписать чек на десять тысяч долларов, но потом ему пришлось исчезнуть, прежде чем он успел это сделать... Если так, то вырисовывается забавная ситуация, верно, Перри? Поставь себя на место человека, судьба которого зависит от чека на десять тысяч долларов, выписанного другим человеком, подпись которого так же надежна, как сертификаты Казначейства США. Потом этот парень исчезает, его нигде не могут разыскать, а ты уже действовал, исходя из того, что чек был действительно выписан...

— Что еще? — спросил Мейсон.

— Да, Трэгг всерьез занялся исчезновением Шора. Жаль, что, когда это случилось, дело было поручено не ему, а нашему старинному приятелю, сержанту Голкомбу. Трэгг начал с проверки всех неопознанных трупов, найденных в то время, заставил поднять все рапорты. И раскопал одно тело. Однако описание не совпадает с приметами Шора. Дальше он проверил все самоубийства во Флориде в тысяча девятьсот тридцать втором году, а также выяснил про какие-то рудники, которыми в свое время интересовался Лич. Далее была проведена тщательная проверка финансового положения Джеральда Шора в январе тридцать второго года. Очень, очень сообразительный парень этот Трэгг.

— Фу, — сказал Мейсон, — Трэгг просто страшный мизантроп.

— Похоже, он считает, что котенок сыграл весьма важную роль во всем этом деле.

— Котенок?

— Угу. Интересный парень этот Трэгг. Если он что-то принимается искать, то обязательно находит.

— К примеру, котенка? — самым равнодушным тоном спросил Мейсон.

— Совершенно верно, котенка. Сейчас котенок находится в конторе окружного прокурора.

— Что ты сказал? — Мейсон резко сел в постели.

— Котенок сейчас в конторе окружного прокурора. Уж не знаю, что он с ним делает, но...

— Где он его взял?

— Не знаю. Большую часть сведений я добыл у ребят из газет, то, что они выудили у полиции. Прокурор допрашивает парня по имени Ланк, работавшего у Шоров садовником. Он...

Мейсон мгновенно превратился в вихрь из рук и ног. Он отшвырнул сигарету, отбросил одеяло и схватился за телефон.

— Хэлло... Хэлло... Это вы, Герти? Делла была сегодня утром? И ничего не сообщила?.. Соедините меня с Джексоном... Хэлло, Джексон! Срочное задание. Брось все дела и срочно составь ходатайство об освобождении Деллы Стрит на основании «Хабеас корпус акта»[1]. Ее задержали

---

[1] «Хабеас корпус акт» устанавливает, что по заявлению арестованного о неправомочности ареста судья обязан издать приказ о доставке его в суд для проверки заявления. Судья вправе освободить арестованного, в том числе под залог, или вернуть в тюрьму. Эта процедура гарантирована Конституцией США.

против ее воли. Ее допрашивали с целью получить профессиональные сведения, которые она обязана хранить в тайне. Ее не отпускают и не предъявляют никакого обвинения. Она в состоянии внести залог, если, конечно, сумма будет умеренной. Потребуй немедленного ее освобождения на основании «Хабеас корпус акта», не забудь упомянуть, что деньги, внесенные в качестве залога, будут востребованы обратно в законном порядке. Я все подпишу и проверю. Приступай немедленно!

Мейсон бросил трубку, стащил с себя пижаму, торопливо кинулся в душ, выскочил оттуда, вытираясь на ходу, и, выдернув ящик комода, достал оттуда чистое белье.

Дрейк, свернувшись в кресле, с изумлением и растущим беспокойством наблюдал за тем, как Мейсон торопливо одевается.

— У меня в машине есть электробритва, работающая от аккумулятора, — сказал он. — Если ты поедешь в город со мной, можешь побриться уже в машине.

Мейсон тем временем выдернул из шкафа пальто, сунул руки в рукава, схватил шляпу, вытащил перчатки из кармана пальто и воскликнул:

— Идем, Пол! Чего ты ждешь?

— Ничего, — ответил Дрейк, поднимая из кресла свое длинное тело так, словно оно держалось на шарнирах. Его движения сделали бы честь «человеку-змее». — Поехали. К тебе или в контору окружного прокурора?

— Сначала ко мне, — распорядился Мейсон. — Когда приходится иметь дело с окружным прокурором, всегда люблю иметь возможность швырнуть ему в лицо постановление о применении «Хабеас корпус акта», если он начнет грубить.

— А эта пташечка начнет грубить? — поинтересовался Дрейк.

— Угу. Ну, где твоя бритва?

Глава 20

Гамильтон Бюргер, окружной прокурор, был широкоплечим мужчиной с могучим торсом и бычьей шеей. Своей мощью он чем-то напоминал медведя, однако

544

двигался при этом удивительно проворно, как это часто бывает с людьми, привыкшими наперед продумывать свои действия. Раскачивался он всегда медленно, зато потом действовал с такой напористостью, которая исключала всякую возможность противодействия. Знающие его адвокаты шутили, что, когда Гамильтон Бюргер собирается предъявить обвинение, его может остановить лишь кирпичная стена. Как выразился один защитник: «Уж если Бюргер сдвинулся с места, он так и будет двигаться, пока его не остановить, но вот остановить его чертовски трудно».

Переступая порог офиса окружного прокурора, Мейсон заранее знал, какой прием ждет его. Никому из помощников или заместителей прокурора не полагалось с ним разговаривать. И как только он назвал в приемной свое имя, его, следуя тщательно продуманной стратегии, провели прямо в кабинет окружного прокурора. Гамильтон Бюргер встретил его холодным взглядом и предложил сесть.

Мейсон опустился в кресло по другую сторону стола Бюргера.

— Вы хотите поговорить со мной или же я буду говорить с вами? — спросил Мейсон.

— Я буду говорить с вами, — заявил прокурор.

— Валяйте, — согласился Мейсон. — Сначала вы. А когда закончите, я скажу, что собирался.

— Вы неортодоксальны во всех своих поступках. Ваши методы театральны, эксцентричны и бьют на эффект, — ринулся в бой прокурор.

— Вам бы следовало добавить еще одно слово, — подсказал Мейсон.

В глазах прокурора вспыхнул злой огонек.

— Эффективны? — спросил он.

Мейсон кивнул.

— Именно это меня больше всего и раздражает, — признался Бюргер.

— Приятно слышать, что вы это признаете.

— Однако раздражает не тем, чем вы думаете, — продолжал Бюргер. — Беда в том, что если ваши театральные, драматические методы и дальше будут давать положительные результаты, то все адвокаты, следуя вашему примеру, начнут идти напролом, вставлять палки в колеса полиции, устраивать всякие фокусы с законом... А видит Бог, для нашего графства и вас одного более чем достаточно...

— Если я лучше, чем полиция, умею найти разгадку преступления, это называется «вставлять палки в колеса»?

— Вы прекрасно понимаете, что я имею в виду, — возразил прокурор. — Мы вовсе не стремимся судить невиновных. Поймите, Мейсон, я говорю не столько о том, что вы делаете, сколько о том, как вы это делаете!

— Что вам не нравится в моих действиях?

— Вы не занимаетесь разбирательством порученных вам дел в суде. Вы не беседуете с клиентами у себя в кабинете. Нет, вы носитесь повсюду, собираете улики по принципу «хватай, что попадает под руку», отказываетесь делиться сведениями с полицией и...

— Одну минуточку, — опять прервал его Мейсон. — А полиция делится со мной своими сведениями?

Бюргер пропустил мимо ушей вопрос Мейсона.

— Были времена, когда я сотрудничал с вами, считая, что вы тоже поможете мне. Но результат был всегда один: сплошной блеск и треск, показуха, фокусы с вытаскиванием живого кролика из шляпы.

— Но если тот кролик, которого я ищу, находится в шляпе, почему бы его не вытащить?

— Потому что эту самую шляпу вы же и подложили... Пусть даже вам всегда удается найти выход из любой ситуации, это не может оправдать ваши юридические фокусы. Впрочем, хватит говорить вообще. Перейдем к конкретным примерам.

— Замечательно, — заметил Мейсон.

— В частности, вчера вечером вы обнаружили весьма ценного, я бы сказал главного, свидетеля по делу об убийстве. Если бы у полиции были его показания, она бы к этому времени могла уже закончить следствие. Но ей не была предоставлена такая возможность. Вы со своей секретаршей похитили свидетеля из-под носа полиции.

— Вы имеете в виду Ланка?

— Да, я имею в виду Ланка.

— Продолжайте.

— Вы отвезли его в отель и спрятали там. Вы сделали все возможное, чтобы полиция не нашла его. Но полиция его нашла.

— Ну и что они собираются с ним делать? — спросил Мейсон. — Если его показания были так важны, кто им теперь мешает завершить следствие?

— Боюсь, все не так просто.

— Почему же?

— Мы обнаружили некоторые неизвестные до сих пор факты, связанные с исчезновением Фрэнклина Шора.

— Какие же?

— Например, чек на десять тысяч долларов, выданный Родни Френчу, может оказаться поддельным.

Мейсон откинулся в кресле, скрестил длинные ноги и с невозмутимым видом сказал:

— Прекрасно, давайте это обсудим.

— Был бы рад услышать ваше мнение, — сказал Бюргер с преувеличенной вежливостью.

— Во-первых, — быстро парировал Мейсон, — Фрэнклин Шор сообщил своему бухгалтеру о том, что выписал такой чек.

— Здесь я вас поправлю, — перебил его Бюргер, заглядывая в свои заметки. — Из показаний бухгалтера, данных десять лет назад, следует, что Фрэнклин Шор сказал ему, что *собирается* выписать такой чек.

Мейсон отмахнулся от этого замечания.

— Ну что ж, пусть он сказал, что собирается его выписать. Это доказывает правомочность чека. Но если чек был подделан, все равно данный факт утратил бы свое значение в связи с истечением срока давности. Так что в настоящий момент история с чеком не представляет ни малейшего интереса с точки зрения закона.

— Но чек мог явиться мотивом, — сказал Бюргер.

— Мотивом чего?

— Убийства.

— Продолжайте, я слушаю.

— Если бы мы могли связаться с Ланком вчера вечером, то, по всей вероятности, добыли бы весьма ценные дополнительные сведения.

— Может быть, вы будете говорить конкретнее?

— Я считаю, что мы смогли бы найти Фрэнклина Шора.

— И вы обвиняете меня в том, что я помешал вам связаться с Ланком?

— Совершенно верно.

— Ну что же, я готов с ходу разбить вашу теорию. Первое, что я сделал с Ланком, так это отвез его в больницу к миссис Шор, так как именно это он и намеревался сделать. Но — обратите на это особое внимание, Бюргер, это очень важно — вместо того, чтобы прятать его от полиции, я повез его в больницу, хотя знал, что Матильда Шор находится под полицейским наблюдением. Я сообщил полицейским, кто такой Ланк. Я сказал им, что он хочет повидать миссис Шор, что у него могут оказаться важные сведения и что Трэгг, по всей вероятности, захочет побеседовать с ним. Можно ли было ожидать большего?

Бюргер кивнул.

— Блестящий пример вашей предусмотрительности, Мейсон. В том, что касается Ланка, таким ловким способом вы фактически оградили себя от какой-либо уголовной ответственности. Подобное заявление будет сочувственно принято любым жюри присяжных. Тем не менее вы знаете и я знаю, что вы специально обставили этот визит таким образом, чтобы офицеры выставили вас обоих и тем самым развязали вам руки.

Мейсон усмехнулся.

— Разве я виноват, что вы набрали в полицию сплошных идиотов? Я привожу к ним Ланка и говорю, кто он такой. А они заталкивают его обратно в лифт и велят убираться оттуда и больше не появляться.

— Я понимаю, — терпеливо заметил Бюргер. — А теперь разрешите обратить ваше внимание на один факт. По существующему закону любое лицо, которое намеренно мешает или отговаривает другое лицо, являющееся свидетелем или могущее им стать, от дачи показаний, считается виновным в совершении судебно наказуемого проступка.

Мейсон кивнул.

— А по другому закону, — продолжал прокурор, — любое лицо, давшее или обещавшее дать такому свидетелю взятку, чтобы удержать его от дачи показаний, считается виновным в совершении уголовного преступления.

— Продолжайте, все это очень интересно!

— При этом вовсе не обязательно, чтобы свидетель был похищен в полном смысле этого слова или чтобы попытка увенчалась успехом. Мало того, в одном из соседних штатов под действие этого закона подпадают случаи, когда свидетеля, например, спаивают так, что он становится не способным давать показания.

— Поскольку я никому не давал взятки, никого не спаивал, то к чему все эти речи?

— Ланк упрямо настроен против полиции и не желает ничего рассказывать. Однако он не слишком умен. Если подобрать к нему ключик и немного с ним поработать, вполне можно вытянуть из него всю историю — слово за словом.

— Ну и что?

— Ланк рассказал нам достаточно, чтобы понять: Фрэнклин Шор был у него дома, а ваша секретарша поехала туда и забрала его. Трэгг особо вас предупреждал, что Фрэнклин Шор разыскивается как свидетель, чтобы выступить перед Большим жюри.

— Заканчивайте поскорее, что вы хотели сказать, и тогда я скажу вам, что я об этом думаю.

— Вы хотите, чтобы последнее слово осталось за вами?

Мейсон кивнул.

— Предупреждаю, Мейсон, я нанесу вам удар по больному месту и постараюсь, чтобы он был посильнее.

— Задержав мою секретаршу, как я полагаю?

— Это вы втравили ее в эту историю, а не я. Вы задерживали Ланка, пока она на такси съездила в его дом, вытащила Фрэнклина Шора из постели, предупредила его обо всем и помогла ему скрыться.

— Очевидно, вы сумеете все это доказать?

— У меня есть косвенные доказательства. Мы понимаем, Мейсон, что вам очень хотелось побеседовать с Фрэнклином Шором до того, как это сделает полиция. Вот вы и отправили мисс Стрит, чтобы увезти его и спрятать.

— Она призналась в этом?

— Нет, разумеется. Но нам и не требуется ее признание. У нас достаточно фактов, чтобы все это доказать.

— Что вы имеете в виду, говоря «доказать»?

— Убедить присяжных.

— Я в это не верю.

— Конечно, мы располагаем всего лишь косвенными доказательствами, но их у нас вполне достаточно.

— Столько же, сколько у меня королевских сокровищ, — вызывающе заявил Мейсон.

Гамильтон Бюргер твердо встретил его взгляд.

— В прошлом я сочувствовал кое-чему из того, что вы делали, Мейсон. Я был заворожен быстротой и результативностью ваших действий и даже не осознавал, что с точки зрения правосудия порочность ваших методов сводит на нет всю ту пользу, которую они приносят. Сейчас я, не скрывая, говорю: я поставил своей целью разрушить ваш карточный домик.

— Каким образом?

— Собираюсь обвинить вашу секретаршу в том, что она похитила главного свидетеля обвинения. После этого я привлеку вас как соучастника и предъявлю обвинение. Потом на основании этого обвинения добьюсь того, что вас лишат адвокатского звания. Не сомневаюсь, что у вас в кармане лежит апелляция о применении «Хабеас корпус акта», которую вы собираетесь швырнуть мне на стол в качестве вашего последнего слова. Давайте, швыряйте. Я вовсе не собираюсь быть жестоким без надобности с мисс Стрит. Я не намерен держать ее в тюрьме. Я возбудил против нее дело, потому что это мой единственный способ добраться до вас. Я ничего не имею против применения «Хабеас корпус акта». Я ничего не имею против того, чтобы она внесла залог. Однако я намерен предъявить ей обвинение в преступлении. Если она попросит взять ее на поруки, я не стану возражать. Я не собираюсь требовать для нее тюремного заключения. Но я хочу дождаться, когда на нее наложат штраф, и тогда использовать это обвинение для того, чтобы вас исключили из коллегии адвокатов.

Бюргер отодвинул назад свое крутящееся кресло и поднялся.

— А теперь ваш финальный жест — брошенная мне на стол апелляция, — пожалуй, утратил всякий драматизм, а, Мейсон?

Мейсон тоже поднялся и смотрел в упор на окружного прокурора.

— Хорошо. Я обещал вам, что за мной останется последнее слово. Вот оно. Ваша беда, Бюргер, в том, что вы убедили себя рассматривать закон только с точки зрения окружного прокурора. Как окружной прокурор вы добились определенного признания со стороны общества. Вы постепенно внушили людям убеждение в том, что они могут доверить вам контроль над правосудием, над тем, чтобы ни один невинный не был осужден.

— Рад слышать, что вы признаете это, Мейсон.

— А напрасно. Вам бы скорее следовало печалиться.

— Почему?

— Потому что общественность обленилась и позволила тем, кто представляет обвинение, изменять закон, как они хотят, а конституционные гарантии граждан были выброшены на свалку. Мы живем во времена больших перемен. Вполне возможно, что понятие «преступление» будет расширено и станет включать в себя то, что мы сегодня относим к категории политических дел. Когда рядового гражданина тащат в суд, он обнаруживает, что все там против него, что в этой игре карты подтасованы. Так называемые «слуги народа» делают вид, что так они борются с профессиональными преступниками, но на самом деле от этой подтасовки страдают простые мистер и миссис Смит, поскольку юридическая процедура остается совершенно неопределенной.

Гражданам давно пора открыть глаза на то, что проблема состоит не в том, виновен человек или нет, а в том, чтобы для доказательства его вины или невиновности использовалась процедура, которая *предоставляет гражданину законные права, гарантированные ему Конституцией*.

Вы возражаете против театральных, излишне эффектных методов защиты. Вы забываете, что за последние двадцать пять лет вы обманным путем отняли у людей почти все способы осуществления их конституционных прав и единственными эффективными методами защиты остались привлекающие внимание театральные выходки. А теперь, мистер окружной прокурор, давайте, арестуйте Деллу Стрит и мы встретимся с вами в суде!

— Прекрасно, Мейсон! Встретимся в суде. Что до меня, последнее слово не произвело на меня особого впечатления.

Мейсон с гневным лицом остановился в дверях.

— Я еще не сказал своего последнего слова. Вы услышите его в суде! — И он захлопнул за собой дверь.

Глава 21

Судья Ланкершим поднялся на возвышение под гул и перешептывание в переполненном зале суда. Бейлиф ударил молотком, и постепенно воцарилась тишина.

— Народ штата Калифорния против Деллы Стрит, — объявил судья.

Сразу поднялся адвокат Мейсон.

— Моя подзащитная находится в суде, будучи отпущенной под залог. Я требую отметить в протоколах, что она явилась на заседание.

— В протоколах это будет отражено, — сказал судья Ланкершим. — На протяжении всего процесса она будет освобождена под залог. Как я понимаю, это дело было вынесено для немедленного судебного рассмотрения по согласованию с защитой.

— Совершенно верно, — подтвердил Гамильтон Бюргер.

— Я хотел бы услышать от обвинения, в чем состоит суть данного дела.

Бюргер поднялся со своего места.

— Ваша честь, я готов сделать краткое предварительное заявление. Обвинение утверждает, что, в то время как полиция занималась расследованием уголовного преступления, а именно покушения на убийство некоего Джерри Темплера, совершенного неизвестным лицом, обвиняемая намеренно похитила важного свидетеля по делу Фрэнклина Шора, располагавшего сведениями, которые, будучи сообщены полиции, существенно помогли бы ей в раскрытии преступления. В частности, обвинение утверждает, что обвиняемая, прекрасно понимая все значение тех фактов, которые известны свидетелю, скрыла его от полиции и продолжает скрывать до сего времени.

— А обвиняемая утверждает, что она не виновна? — спросил судья Ланкершим.

— Обвиняемая отрицает свою вину и потребовала суда присяжных, — пояснил Мейсон. — И чтобы доказать нашу веру в справедливость их будущего решения, мы согласны без обсуждения принять первые же двенадцать имен из списка присяжных заседателей.

Судья Ланкершим посмотрел на Перри Мейсона поверх очков.

— Однако вы настаиваете именно на суде присяжных?

— Совершенно верно. Суд присяжных гарантирован Конституцией каждому гражданину нашего государства. Мы потеряли слишком много своих конституционных прав, не настаивая на их соблюдении. Как представитель подзащитной, мисс Стрит, я настаиваю на суде присяжных главным образом символически. В противном случае мы охотно доверили бы вашей чести единоличное рассмотрение дела.

— Согласны ли вы, мистер окружной прокурор, по примеру мистера Мейсона выбрать в состав жюри первых двенадцать человек, поименованных в списке?

Гамильтон Бюргер, который на этот раз лично возглавлял обвинение, поднялся с места, оставив своих помощников скромно сидеть по углам стола.

— Нет, ваша честь, мы будем опрашивать членов жюри в обычном порядке.

Опустившись в кресло, Мейсон с улыбкой заявил:

— Я не имею вопросов ни к одному из присяжных. Я отказываюсь от предъявления им отвода. Я уверен, что любые двенадцать американских граждан, которые войдут в состав жюри, будут беспристрастно и честно оценивать представленные доказательства. А это все, что требуется моей подзащитной.

— Суд увидит, — с кислой миной заявил Бюргер, — что адвокат использует отказ от своих прав как предлог для драматического заявления, чтобы заранее произвести впечатление на присяжных...

— Суд прекрасно разбирается в ситуации, — перебил его судья. — Присяжные не должны обращать внимания на не относящиеся к делу комментарии обеих сторон. Давайте перейдем к слушанию дела. В данных обстоятельствах, мистер Бюргер, я прошу вас приступить к отбору членов жюри.

Пока Бюргер проводил отбор присяжных, задавая им тщательно продуманные, точные, глубокие вопросы, которые больше пристали бы обвинителю по делу об убийстве, Мейсон сидел, откинувшись в кресле с довольной улыбкой на губах, всем своим видом показывая, что его не интересуют ни вопросы, ни ответы. И чем дольше Бюргер опрашивал присяжных, тем больше всем казалось, что он сомневается в их честности, беспристрастности, неподкупности, — и это отношение сильно проигрывало по сравнению с позицией защиты. Дважды его помощники предостерегали его, но Бюргер не обращал внимания на предостережения и упрямо засыпал претендентов вопросами.

Когда он наконец закончил, судья Ланкершим сказал:

— Теперь вы убеждены в беспристрастности уважаемых членов жюри, мистер прокурор?

Бюргер покачал головой.

Повернувшись к членам жюри, Мейсон приветливо улыбнулся. Постепенно до всех присутствующих дошло, что вся долгая процедура опроса закончилась именно тем, что с самого начала предлагал Мейсон: были избраны те самые двенадцать человек, имена которых значились первыми в списке. Присяжные в свою очередь заулыбались Мейсону.

Гамильтон Бюргер сделал для присяжных краткое заявление, обрисовав в общих чертах, что он намерен доказать, и наконец объявил, что в качестве свидетеля первой вызывается Элен Кендал.

Явно смущаясь от внимания сотен людей, находившихся в зале, Элен взошла на возвышение и была приведена к присяге. Сообщив свое имя и адрес, она посмотрела на Бюргера, ожидая вопросов.

Прокурор приступил к допросу.

— Вы помните события, происшедшие тринадцатого числа этого месяца?

— Помню.

— Я прошу вас вспомнить вечер этого дня и сказать, не произошло ли чего-нибудь необычного.

— Да, сэр.

— Что именно?

— Прежде всего, у моего котенка начались спазмы, и я срочно отвезла его к ветеринару, который сказал...

— Не важно, что сказал ветеринар. — Бюргер поднял руку. — Это уже с чужих слов. Вы можете утверждать только то, что сами знаете.

— Хорошо, сэр.

— Примерно в то же время, когда у вас заболел котенок, не произошло ли еще чего-нибудь необычного?

— Да. Мне позвонил по телефону мой дядя.

— Что?

— Мне позвонили по телефону, — повторила девушка.

— Кто?

— Мой дядя.

— У вас два дяди?

— Да, сэр. Мне звонил дядя Фрэнклин.

— Под дядей Фрэнклином вы подразумеваете Фрэнклина Б. Шора?

— Да, сэр.

— Когда вы в последний раз видели Фрэнклина Шора?

— Примерно десять лет назад, незадолго до его исчезновения.

— Ваш дядя Фрэнклин Шор исчез при загадочных обстоятельствах около десяти лет назад?

— Да, сэр.

Гамильтон Бюргер обратился к присяжным:

— Я задаю наводящие вопросы по некоторым пунктам, которые не являются спорными, но на которые я хочу обратить внимание жюри.

— Нет возражений, — заметил Мейсон.

— Что вам сказал дядя по телефону?

— Возражаю, поскольку это показания с чужих слов, — вмешался Мейсон. — Недопустимо, несущественно и не имеет отношения к делу.

— Если суд позволит, — заявил Бюргер, — я не требую дословно пересказывать какие-то детали, которые могут связать защиту в том, что касается этого разговора. Я хочу только выяснить общую обстановку того вечера, причем лишь в той степени, в какой ее можно считать частью res gestal[1], объясняющей поступки и действия людей, проходящих по делу.

— Возражение отклоняется, — сказал судья, — но предупреждаю, что жюри может рассматривать этот ответ лишь с определенными ограничениями, которые будут позднее указаны судом.

— Что сказал ваш дядя?

— Он спросил меня, знаю ли я, с кем разговариваю. Я ответила, что нет. Тогда он назвал свое имя и привел несколько фактов в доказательство того, что это был он.

— Это умозаключение, — торопливо сказал Гамильтон Бюргер, — можно опустить... Что он еще сказал?

— Ну, он напомнил мне о таких вещах, которые были известны только дяде и мне.

— Меня особенно интересует, что он попросил вас сделать?

— Велел мне обратиться к Перри Мейсону, адвокату, вместе с ним поехать в отель «Касл-Гейт» и спросить там мистера Генри Лича, который, как он сказал, отвезет нас к нему. Он запретил мне кому-либо еще говорить о его звонке, в особенности моей тетушке Матильде.

— Ваша тетушка Матильда — жена Фрэнклина Шора?

— Да.

— И позднее, вечером, вместе с мистером Мейсоном вы попытались связаться с мистером Личем?

— Да.

— Что именно вы сделали?

— Поехали в отель «Касл-Гейт». Но там нам сказали, что мистера Лича нет. В это время принесли письмо, в котором было сказано, где мы можем...

— Одну минуточку. Сейчас я покажу вам это письмо и попрошу сказать, то ли это самое, — сказал Бюргер.

---

[1] Обстоятельство, связанное с фактом, составляющим сущность спорного вопроса.

— Да.

Бюргер обратился к судье:

— Прошу включить его под номером один в список вещественных доказательств обвинения, а затем я зачитаю его присяжным.

Документ был должным образом оформлен и прочитан вслух.

— А теперь ответьте, — снова обратился прокурор к Элен Кендал, — что вы предприняли, получив этот документ?

— Поехали в названное место.

— К нему была приложена карта?

— Да.

— Я покажу вам ее и попрошу подтвердить, та ли она самая.

— Да, сэр.

— Прошу принять этот как вещественное доказательство обвинения номер два.

— Не возражаю, — согласился Мейсон.

— Принято, — объявил судья.

— И вы поехали на место, указанное в плане? — продолжал Бюргер.

— Да.

— Что вы там нашли?

— Это было высоко в горах за Голливудом. Там было водохранилище. Возле него стояла машина. В ней сидел человек. Было похоже, что он задремал, склонившись на руль. Но он оказался мертвым. Он... его убили.

— Этот человек был вам незнаком?

— Да.

— Кто был с вами в это время?

— Мой дядя Джеральд Шор, мистер Перри Мейсон и мисс Стрит.

— Вы имеете в виду мисс Деллу Стрит, обвиняемую по делу?

— Да, сэр.

— Ну и что же случилось дальше? Что вы предприняли сразу после этого?

— Мы втроем остались у своей машины, а мистер Мейсон поехал позвонить в полицию.

— Что было потом?

— Приехала полиция и стала задавать нам вопросы, а потом дядя Джеральд отвез нас домой. Затем мы пошли в больницу навестить тетю Матильду, и оттуда дядя Джеральд снова отвез меня домой.

— Говоря «домой», вы имеете в виду особняк Шоров?

— Да, сэр.

— Что было после этого?

— Меня высадили возле крыльца дома, а остальные поехали...

— Не нужно упоминать о том, куда они поехали, так как вы знаете это только с их слов. Итак, остальные уехали, верно?

— Да.

— Расскажите, что было дальше?

— Ко мне пришел мой друг.

— Как его зовут?

— Джерри Темплер.

— С этим человеком вы находитесь в дружеских отношениях?

— В некотором смысле — да.

— Кто был в доме в то время?

— Комо, наш слуга, спал в своей комнате на первом этаже. Миссис Паркер, кухарка и экономка, находилась в своей комнате над гаражом. Мы с мистером Темплером сидели в гостиной.

— Так что же случилось дальше?

— Мы услышали странный звук из спальни тети Матильды, как если бы что-то опрокинули на пол. Потом защебетали попугайчики, сидевшие там в клетках. Ну а после этого мы услышали характерный звук шагов моей тети.

— В ее походке есть что-то особенное?

— Да, сэр. При ходьбе она волочит правую ногу и пользуется тростью. Стук трости и характерное шарканье правой ноги ни с чем спутать нельзя.

— И эти шаги напоминали походку вашей тетушки?

— Да, сэр.

— Что было потом?

— Я знала, что тети нет дома. Я сказала об этом Джерри. Он сразу же прошел по коридору и распахнул дверь спальни. Джерри такой большой и сильный, что мне и в голову не пришло, что ему может что-то угрожать. Я совершенно не понимала, какой опасности его подвергаю... Я...

— Что же произошло? — спросил Бюргер.

— Кто-то, скрывавшийся в спальне, два раза выстрелил. Первая пуля прошла возле моей головы. Вторая... ранила Джерри.

— Что вы сделали после этого?

— Точно не знаю. Оттащила Джерри от двери, и тут он пришел в себя. Перед тем он на какое-то время потерял сознание. Когда он открыл глаза, я сказала, что нужно вызвать врача и «скорую помощь». Но он решил, что будет быстрее вызвать такси. Я вызвала по телефону такси, и мы поехали в больницу, где через час или два его оперировал доктор Эверет Рослин.

— Вы остались в больнице?

— Да, сэр. Пока не закончилась операция и пока... пока не увидела, что с ним все будет в порядке.

— Перекрестный допрос, — раздраженно объявил Бюргер.

— Мисс Кендал, вы не знаете, сколько времени Джерри Темплер оставался без сознания? — спросил Мейсон.

— Не могу сказать... все было как в кошмарном сне.

— Вы не знаете, сколько времени прошло после выстрела до того, как вы попали в больницу?

— Нет, сэр. Я не заметила времени.

— И вы не знаете, через сколько времени, после того как мы высадили вас из машины перед домом, в него стреляли?

— Ну... может быть, через час, примерно. Скорее даже не больше получаса.

— Точнее вы не в состоянии определить?

— Нет.

— Вам было четырнадцать лет, когда исчез ваш дядя?

— Да, сэр.

— Вы можете точно назвать время, когда вы заметили первые признаки заболевания у вашего котенка, если связать это событие с телефонным звонком вашего дяди Фрэнклина?

— Сразу же после того, как я повесила трубку, я заметила, что котенок нездоров.

— Вы сами это заметили?

— Нет, мне на это указала моя тетя.

— Вы имеете в виду Матильду Шор?

— Да, сэр.

— Что вы сделали с котенком?

— Повезла его к ветеринару.

Неожиданно прокурор подал голос:

— Простите, ваша честь, я забыл задать один крайне важный вопрос. Прошу разрешить мне сделать это сейчас. И внести в протокол.

— Не возражаю, — любезно согласился Мейсон.

— В тот же вечер после обеда вы еще раз ездили к ветеринару?

— Да, сэр.

— В каком состоянии тогда был котенок?

— Он, казалось, почти оправился, но был еще слаб.

— Что вы с ним сделали?

— Забрала его. Ветеринар посоветовал...

— Не имеет значения, что он посоветовал.

Мейсон все так же приветливо предложил:

— Почему бы не разрешить ей рассказать об этом? По всей вероятности, мисс Кендал, ветеринар посоветовал вам на некоторое время убрать котенка из дома. Тогда вы отвезли его к вашему садовнику, Томасу Ланку. Так?

— Да, сэр.

— У меня все, — сказал Мейсон.

Бюргер кивнул и вызвал своего второго свидетеля — лейтенанта Трэгга. Сразу было видно, что выступать в роли свидетеля для него — дело привычное. Его ответы звучали кратко, четко и точно. Он рассказал, как ему позвонили, как он поехал в горы за Голливудом, нашел труп, провел опознание вещей, завязанных в носовой платок и лежавших на сиденье рядом с трупом, и установил личность убитого. Далее он подтвердил, что в тот вечер в особняке Шоров сообщил Перри Мейсону о том, что полиция хочет вызвать Фрэнклина Шора как свидетеля на заседание Большого жюри. Трэгг заявил также, что он говорил Мейсону, как важно для полиции найти и допросить Фрэнклина Шора. После этого Трэгг приступил к описанию своих действий в доме Шоров, когда он поехал туда выяснить обстоятельства покушения на Джерри Темплера. Он показал, что там обнаружил, обратив особое внимание на тот факт, что письменный стол был взломан.

Перекрестный допрос Мейсон повел в добродушно-вежливой манере.

— Лейтенант, возвращаясь к носовому платку, вы помните, что я обратил ваше внимание на метку прачечной? Вы выяснили, что это за метка?

— Да.

— И вы узнали, что эта метка в свое время была выдана Фрэнклину Шору прачечной в Майами, во Флориде, и что сама прачечная не существует вот уже шесть лет?

— Правильно.

— Помните ли вы, что, когда в горах за Голливудом вы показали мне часы, я указал вам на то, что, согласно специальному индикатору, эти часы были заведены примерно в четыре тридцать или пять часов того дня, когда было совершено убийство?

— Да.

— Далее. Обследовали ли вы ручку?

— Да.

— В каком она была состоянии?

— Чернила в ней высохли.

— Согласно вашим выводам, по результатам осмотра места происшествия в доме Шоров, стрелявший в Джерри Темплера влез в спальню через окно первого этажа с северной стороны дома. Это верно?

— Да.

— При этом, попав в комнату, он опрокинул ночной столик или табурет возле кровати миссис Шор?

— Да.

— Затем он взял трость, которая, очевидно, оставалась в комнате, и стал имитировать походку миссис Шор?

— Мне думается, это правильный вывод из имеющихся данных. Но конечно, сам я этого не могу знать.

— Но трость вы нашли на полу в том углу, откуда были сделаны выстрелы?

— Да.

— Кстати, лейтенант, насколько я помню, вы показали, что это вы арестовали Томаса Ланка в отеле, где он был зарегистрирован под именем Томаса Триммера?

— Да.

— Как случилось, что вы отправились в отель, чтобы произвести арест?

Лейтенант улыбнулся:

— Эти сведения я не могу разглашать.

— Это неправильно, — запротестовал Гамильтон Бюргер. — Свидетель имеет право защищать свои источники информации.

— Хорошо, я снимаю этот вопрос, — согласился Мейсон, — и задам вместо него другой. Ответьте мне, лейтенант, это верно, что в отель вас привел анонимный телефонный звонок от лица, которое назвало вам местонахождение Ланка, имя, под которым он зарегистрировался, и номер его комнаты?

— Возражаю, — сказал Бюргер.

Судья Ланкершим на минуту задумался, потом спросил у Мейсона:

— С какой целью вы задаете вопрос?

— Я просто хочу показать общую картину дела. Фактически, ваша честь, этот вопрос может оказаться весьма существенным. Допустим, например, что это я звонил лейтенанту Трэггу.

— Вы заявляете, что это были вы? — уточнил судья Ланкершим.

— В данный момент нет, ваша честь. Но, мне кажется, будет только честно по отношению к моей подзащитной, чтобы свидетель ответил на этот вопрос.

— Возражение снимается, — решил судья. — Я сомневаюсь, что вопрос имеет прямое отношение к разбираемому делу, но хочу дать защите самые широкие возможности воспользоваться своими правами в ходе перекрестного допроса. Тем более что вопрос ни в коей мере не вынуждает лейтенанта называть источник информации. Отвечайте на вопрос, свидетель.

Трэгг тщательно подбирал слова для ответа:

— Действительно, состоялся анонимный телефонный разговор приблизительно такого содержания, как было сказано.

— Это все, — улыбнулся Мейсон.

— Я вызываю Матильду Шор в качестве следующего свидетеля, — объявил Бюргер.

Матильда Шор, сидевшая у прохода, грузно поднялась с места, опираясь одной рукой на трость, другой — на спинку стоящего впереди стула, и не спеша двинулась на возвышение для свидетелей, где и была приведена к присяге. Пока она шла, и присяжные и зрители могли отчетливо слышать характерный звук ее шагов.

Как только она назвала свое имя и адрес, Бюргер, не теряя времени, сразу перешел к сути дела:

— Вы супруга Фрэнклина Шора?

— Да.

— Где в настоящее время находится мистер Шор?

— Не знаю.

— Когда вы в последний раз видел его?

— Примерно десять лет назад.

— Вы можете назвать нам точную дату?

— Двадцать третьего января тридцать второго года.

— Что случилось в тот день?

— Он исчез. Он разговаривал в своем кабинете с каким-то человеком, которому нужны были деньги. Голоса звучали громко и сердито. Потом они затихли, и я пошла спать. После этого я мужа больше никогда не видела. Он исчез. Однако я знала, что он жив. Я не сомневалась, что в один прекрасный день он непременно появится...

— То, что вы чувствовали и предполагали, не имеет значения, — поспешно прервал ее Бюргер. — Я просто хочу установить факты, чтобы выявить возможные мотивы прихода в ваш дом человека, которому помешали, и он не успел осуществить задуманное. Только по этой причине я спрашиваю вас, имелись ли какие-нибудь чеки, по которым были получены наличные непосредственно до или после исчезновения вашего мужа?

— Да.

— Один из них был на десять тысяч долларов?

— Да.

— Кому он был выписан?

— Человеку по имени Родни Френч.

— Было и еще несколько чеков?

— Да, сэр.

— Где они находились, когда вы их видели в последний раз?

— Они лежали в моей спальне в отделении для бумаг моего бюро, стоящего возле стенки.

— Это бюро с убирающейся крышкой?

— Да.

— Старинное?

— Да, сэр. Когда-то оно стояло в кабинете моего мужа. Это было его бюро.

— Вы имеете в виду, что он им пользовался вплоть до того времени, как исчез?

— Да, сэр.

— А тринадцатого числа этого месяца им пользовались?

— Да, правильно.

— Те чеки, о которых я говорил, находились в нем?

— Да, сэр.

— Сколько их было?

— Около десяти в конверте: чеки, оплаченные за последние несколько дней до его исчезновения или выписанные прямо перед его исчезновением и оплаченные уже позднее.

— Почему эти чеки были выделены особо?

— Потому что я думала, что когда-нибудь они станут вещественным доказательством. Вот почему я их все сложила в отдельный конверт и спрятала у себя в бюро.

— Когда вы покинули дом вечером тринадцатого числа, миссис Шор?

— Затрудняюсь сказать точно. Я собиралась лечь в постель. Это было где-то около десяти часов вечера. По своей привычке я выпила бутылочку портера и вскоре почувствовала сильное недомогание. Вспомнив, что перед тем отравился котенок, я приняла рвотное и без промедления отправилась в больницу.

— Где находились упомянутые вами чеки, когда вы поехали в больницу?

— В бюро, в отделении для бумаг.

— Откуда вы знаете?

— Незадолго до этого я их рассматривала. Из спальни я выходила только для того, чтобы взять бутылочку портера из холодильника и стакан.

— Когда вы вновь вошли в спальню?

— На следующее утро около девяти часов утра, когда меня выпустили из больницы.

— Вас кто-нибудь сопровождал?

— Да.

— Кто?

— Лейтенант Трэгг.

— По его предложению вы проверили все в своей спальне, чтобы убедиться, что ничего не пропало?

— Да.

— Что-нибудь пропало?

— Нет.

Бюргер показал ей часы и авторучку, которые были найдены возле трупа Лича. Миссис Шор подтвердила, что они принадлежали ее мужу и находились у него в тот вечер, когда он исчез, и что она их больше не видела до того момента, как они были ей предъявлены полицией.

— Приступайте к перекрестному допросу, — предложил Мейсону Бюргер.

Мейсон был краток:

— Вы не смогли обнаружить, что какая-то вещь исчезла из вашей комнаты, когда осматривали ее после возвращения из больницы?

— Нет.

— У меня все, — заявил Мейсон.

Гамильтон Бюргер быстро изложил основы всего дела. Он вызвал хирурга, проводившего вскрытие, и доктора Рослина для опознания пуль, извлеченных из тела Джерри Темплера и из трупа Генри Лича. После этого снова был вызван лейтенант Трэгг, который представил суду пулю, застрявшую в косяке двери в доме Шоров. За ним давал показания эксперт полицейской лаборатории, который представил фотографии всех трех пуль и показал, что, судя по отчетливым царапинам, оставленным стволом оружия, все пули выпущены из одного и того же револьвера.

Судья Ланкершим посмотрел на часы и напомнил Бюргеру:

— Не забывайте, что мы не рассматриваем сейчас дело об убийстве.

— Да, ваша честь, но мы показываем обстоятельства, связанные с совершением предполагаемого преступления. Мы показываем значение случившегося и хотим подчеркнуть, как важно было, чтобы полиции не мешали в нем разобраться.

Судья кивнул и с любопытством взглянул на Перри Мейсона, которого, казалось, совершенно не интересовала эта процедура.

— А теперь я вызываю Томаса Ланка, — с важным видом заявил окружной прокурор.

Шаркая ногами, вошел Ланк. Он весьма неохотно давал показания, так что Бюргер чуть ли не клещами вытягивал из него каждое слово, часто прибегая к помощи наводящих вопросов, так что временами это больше напоминало перекрестный допрос. Судья не мешал ему ввиду явной враждебности свидетеля.

Составленная в конце концов из кусочков история Ланка стала убедительной и драматичной кульминацией всего дела, выстроенного окружным прокурором. Ланк рассказал, как в тот вечер он вернулся домой с работы, как Элен Кендал привезла к нему котенка, чтобы тот был в безопасности, как он слушал радио, читал журнал и, дойдя до середины, услышал шаги на крыльце и стук в дверь. Он открыл дверь и отшатнулся в удивлении, узнав в посетителе своего бывшего хозяина.

Дальше Ланк вкратце упомянул, что они «немножко поговорили», а потом он постелил Шору в свободной спальне. Он подождал, чтобы убедиться, что его гость заснул, а сам тихонько выскользнул из парадной двери, сел в трамвай, доехал до остановки, ближайшей к особняку Шоров, и быстро пошел к дому. Его остановила обвиняемая, спросила, хочет ли он видеть миссис Шор, и, получив положительный ответ, усадила его в машину, утверждая, что отвезет его к миссис Шор. Затем она, как он неохотно признал, «ходила вокруг да около», пока не появился Перри Мейсон, а после этого они поехали в больницу, и Мейсон сказал ему, что миссис Шор практически задержана полицией. Затем Мейсон отвез его в отель «Марпл-Лир» и заказал ему номер под именем

Томаса Триммера, и он пошел в свою комнату. Когда он начал раздеваться, в дверь постучали. Полицейские из радиофицированного патруля задержали его. Он совершенно не представляет себе, как они узнали, что он там.

— Как был одет мистер Шор, когда вы уходили из дому? — спросил его Бюргер.

— Он лежал в постели, если вы это имеете в виду.

— Он был раздет?

— Да.

— Вы решили, что он заснул?

— Что решил свидетель, не имеет значения, — прервал его Мейсон. — Важно, что он видел и слышал.

— Прекрасно, — согласился Бюргер. — Я поставлю вопрос иначе. Было ли в его виде что-нибудь такое, что вы могли бы видеть и слышать и что указывало бы на то, спит он или нет?

— Ну, он храпел, — неохотно признал Ланк.

— А вы в это время были полностью одеты? Вы не ложились спать?

— Нет, сэр.

— И вы ушли из дому?

— Да, сэр.

— Вы постарались уйти незаметно?

— Ну да, старался.

— И вы пошли пешком до трамвайной линии?

— Да, сэр.

— Далеко?

— Один квартал.

— Сколько времени вам пришлось ждать трамвая?

— Трамвай подошел, когда я был на углу. Я успел вспрыгнуть.

— Сколько времени вы ехали в трамвае?

— Не больше десяти минут.

— Через сколько времени, после того как вы сошли с трамвая, обвиняемая заговорила с вами и увезла оттуда?

— Ну, довольно скоро.

— Через сколько минут?

— Понятия не имею.

— Через минуту, две, пять или двадцать?

— Через минуту, наверное.

Гамильтон Бюргер сказал:

— Вряд ли можно допустить, ваша честь, что человек, который спокойно спал в постели, проснулся, выяснил, что Ланка нет в доме, оделся и успел уехать за столь короткий срок. Как я считаю, присяжные имеют все основания предполагать, что мистер Шор продолжал спать в той же постели в том же доме, когда мисс Стрит его захватила.

Не успел он закончить фразу, как поднялся Мейсон.

— Это довод, который одна из сторон приводит присяжным, — вмешался он. — В настоящий момент этого делать не полагается. Но если обвинитель желает уже сейчас приступить к аргументации дела, я...

Судья Ланкершим поднял руку.

— Согласен. Присяжные сейчас не должны обращать внимания на доводы обвинителя, — предупредил он жюри. — Они предназначены исключительно для суда. Продолжайте допрос свидетеля, мистер Бюргер.

— После того как обвиняемая посадила вас в машину, к вам присоединился мистер Мейсон, не так ли?

— Да.

— И после этого мистер Мейсон отвез вас в отель?

— Нет. Мы еще ездили в больницу, ко мне домой и в другие места по городу.

— Скажите, обвиняемая мисс Стрит все это время находилась вместе с вами?

— Нет.

— Где она с вами рассталась?

— Не знаю.

— Вы знаете, который тогда был час?

— Нет.

— Где она с вами рассталась?

— Не помню.

— Перед отелем, правильно?

— Я не хочу про это говорить.

— Во всяком случае, недалеко от стоянки такси, так?

— Вроде бы там где-то было такси.

— После этого мистер Мейсон некоторое время оставался с вами, вы купили цветы, послали их в больницу миссис Шор, съездили к вам домой, а потом он отвез вас в отель?

Свидетель несколько секунд подумал, потом одно-
сложно ответил:

— Да.

— Можете начинать перекрестный допрос, мистер
Мейсон! — с нескрываемым торжеством произнес Бюргер.

Мейсон внимательно посмотрел на свидетеля.

— Мистер Ланк, я хочу, чтобы вы отвечали на мои
вопросы честно и откровенно. Вы понимаете меня?

— Да.

— После того как мисс Стрит рассталась с нами, мы
поехали к вам домой, так?

— Да.

— Мы приехали туда примерно в четыре или четыре
тридцать утра?

— По-моему, да.

— Было холодно?

— Да, сэр.

— В доме не горел огонь?

— Нет, сэр.

— Когда мы приехали, вы включили газовый обогреватель?

— Правильно.

— Когда вы в первый раз ушли из дому, вы оставили
дверь между вашей спальней и ванной закрытой?

— Да.

— А когда мы приехали, эта дверь была открыта?

— Да.

— Содержимое всех ящиков комода было выброшено
на пол и одежда из стенного шкафа тоже?

— Правильно.

— Что-нибудь пропало?

— Да. Исчезли деньги, которые я припрятал в кармане выходного костюма.

— Костюм остался висеть в гардеробе?

— Да, сэр.

— Сколько у вас пропало денег?

— Возражаю, — поспешил вмешаться Бюргер. — Это
недопустимо, несущественно и не имеет отношения к
делу. Так нельзя вести перекрестный допрос. Это никак
не связано с данным делом.

— Возражение отводится, — сказал судья. — Защитник обязан установить, в каком состоянии находился дом, и выяснить все факты, которые указывают на то, что Фрэнклин Шор, возможно, уехал из дома раньше того времени, которое называет обвинение.

— У меня пропало около трехсот долларов, — заявил Ланк.

— Дверь в кладовку была закрыта?

— Да, сэр.

— Так... Когда вы стряпали, брали ли вы муку из жестянки, стоящей в кладовке?

— Да, сэр.

— Какое-то количество муки просыпалось на пол около жестянки?

— Да.

— Когда мы приехали, в доме был котенок?

— Верно, был.

— Тот самый котенок, которого ранее привезла к вам Элен Кендал?

— Он самый.

— И, как я помню, я обратил ваше внимание на то, что котенок, очевидно, наступил в просыпанную муку, потом пробежал через кухню и забежал в заднюю комнату?

— Верно.

— Там были следы, показывавшие, что именно так все и произошло?

— Да. Там недалеко от кладовки до двери в заднюю спальню, всего три или четыре фута.

— Расстояние от двери спальни до кровати — не больше четырех или пяти футов?

— Да.

— И возле кровати я показал вам место, где по следам было видно, что котенок вскочил на кровать?

— Да.

— Когда мы пришли туда, котенок спал, свернувшись клубочком посередине кровати в передней спальне. Так?

— Так.

— Но вы совершенно отчетливо помните, что дверь в кладовку была закрыта?

— Да.

— На столе в гостиной была пепельница и визитная карточка Джорджа Альбера, на которой что-то было написано, а в пепельнице лежал окурок потухшей сигары?

— Да. Эту сигару оставил Фрэнклин Шор. А карточка была пришпилена к двери, когда я выходил.

— Когда вы *выходили*?

— Да.

— Вы не слышали ни стука в дверь, ни звонка, когда находились в доме?

— Не слышал. Поэтому карточка меня удивила. Наверное, Альбер звонил в звонок, а он у меня часто ломается.

Окружной прокурор попросил у Мейсона разрешения временно прервать допрос свидетеля Ланка, чтобы допросить других свидетелей, которые не могли больше ждать. Мейсон с серьезным видом поклонился в знак согласия. Бюргер быстро вызвал шофера такси, который рассказал, как доставил Деллу Стрит к месту неподалеку от дома Ланка, сколько он ее там ждал и как затем отвез домой. Потом вновь были вызваны лейтенант Трэгг, показавший, что нашел котенка в квартире Деллы Стрит, и Элен Кендал, опознавшая котенка как того, который был отравлен и которого она оставила у Томаса Ланка вечером тринадцатого числа.

Эти свидетели не произвели на Мейсона ни малейшего впечатления. Он не стал ни заявлять протестов, ни задавать им вопросов. Затем на возвышение для свидетелей вновь поднялся Ланк.

На этот раз адвокат некоторое время разглядывал старого садовника, пока в зале не установилась необычайная тишина. Все поняли, что сейчас последует нечто важное.

— Скажите, когда вы в последний раз открывали банку с мукой в кладовке?

— Утром тринадцатого числа. Я делал на завтрак оладьи.

— После того как я обратил ваше внимание на порядочное количество муки, просыпавшейся около банки, вы не снимали с нее крышку?

— Нет, сэр. У меня не было возможности. Полиция забрала меня из отеля и уже не отпускала.

— Как важного свидетеля, — поспешил объяснить Гамильтон Бюргер.

Ланк сердито повернулся к нему и сказал:

— Уж не знаю, почему вы так сделали, но сделали, это точно!

— Свидетель должен ограничиваться только ответами на вопросы, — сделал замечание судья Ланкершим.

Мейсон повернулся к судье:

— Ваша честь, защита просит объявить перерыв на полчаса.

— Какова цель этой отсрочки?

Мейсон улыбнулся:

— Я не мог не заметить, ваша честь, что, как только я приступил к последней части перекрестного допроса, лейтенант Трэгг поспешно покинул зал заседаний. Полчаса ему хватит с избытком, чтобы добраться до дома Ланка, проверить содержимое банки с мукой и вернуться.

— Вы полагаете, что с этой жестянки снимали крышку вечером тринадцатого числа или утром четырнадцатого и это сделал не свидетель Томас Ланк, а кто-то другой? — спросил судья Ланкершим.

Мейсон улыбнулся еще шире:

— Я думаю, ваша честь, лейтенант Трэгг сделает там в высшей степени интересное открытие. Прошу суд понять мою позицию. Меня в данном случае интересует только невиновность моей подзащитной. Поэтому я не намерен высказывать никаких предположений ни о том, что он найдет, ни о важности этих улик.

— Хорошо, — сказал судья Ланкершим. — В таком случае суд объявляет тридцатиминутный перерыв.

Когда зрители потянулись из зала в коридор, к Мейсону протиснулся Джордж Альбер. На лице его была глуповатая улыбка.

— Очень сожалею, что моя визитная карточка внесла такую путаницу, — заговорил он. — Получилось так, что по пути из театра я проезжал мимо домика Ланка и решил остановиться и посмотреть, горит ли свет. Свет горел. Тогда я поднялся на крыльцо и позвонил. Никто не ответил. Я оставил карточку. Решил, что Элен оценит мою заботу о котенке, — я на самом деле немного беспокоился... Признаться, мне и в голову не пришло, что звонок мог быть испорчен.

— Так свет горел? — спросил Мейсон.

— Да. Он пробивался сквозь ставни. Ну а стучать я не стал, я ведь думал, что звонок действует.

— Когда это было?

— Где-то около полуночи.

Мейсон заметил:

— Что ж, вы можете, между прочим, намекнуть об этом окружному прокурору.

— Я так и сделал. Он сказал, что знает об испорченном звонке, поэтому это не имеет значения.

— Значит, так оно и есть.

Глава 22

Когда суд возобновил работу, при первом же взгляде на Гамильтона Бюргера становилось ясно, что он чрезвычайно возбужден.

— С позволения суда, — начал он, — данное дело приняло необычный оборот. Я прошу разрешения прервать допрос свидетеля Ланка и вновь вызвать лейтенанта Трэгга.

— Не возражаю, — сказал Мейсон.

— Прекрасно, — распорядился судья, — пусть лейтенант Трэгг поднимется на возвышение. Вы уже присягали, лейтенант.

Трэгг кивнул и занял место для свидетелей.

— Вы недавно ездили в жилище свидетеля Ланка? — спросил Бюргер.

— Да, сэр.

— Это было в течение последних тридцати минут?

— Да, сэр.

— Что вы там делали?

— Вошел в кладовку и снял крышку с жестянки для муки.

— Что вы сделали потом?

— Сунул руку в муку.

— Что вы там обнаружили?

Голос Трэгга зазвенел от напряжения:

— Револьвер 38-го калибра системы «Смит-и-Вессон».

— Скажите нам, что вы предприняли в связи с этим револьвером?

— Я срочно отвез его в лабораторию для снятия отпечатков пальцев. Записал номер. Но поскольку я сам проверял этот номер, я не могу сейчас представить необходимых свидетелей. Полагаю, что свидетели смогут дать показания в суде завтра утром.

— Перекрестный допрос, — сказал Бюргер.

Адвокат начал с предельной вежливостью:

— Но вы сами, лейтенант, нашли то, что искали, в регистрационных записях магазинов, торгующих оружием?

— Нашел. Недавно в полиции собирали статистические данные об огнестрельном оружии, проданном в графстве за последние пятнадцать лет, поэтому было нетрудно установить, где куплен револьвер. Конечно, наши данные нельзя представить в суд как вещественное доказательство. Мы должны будем получить оригинальную запись торговца, который его продал.

— Все понятно, лейтенант. Но в ваших списках, пусть составленных для внутреннего пользования, содержится та же информация, что и в регистрационных журналах торговцев огнестрельным оружием?

— Да, сэр.

— В таком случае отбросим все возражения о правомочности представления этих данных в суде. Я спрашиваю вас: показали ли списки полиции, что револьвер был приобретен Фрэнклином Шором до января тридцать второго года?

По глазам лейтенанта Трэгга было видно, что вопрос Мейсона застал его врасплох, но он все же ответил:

— Да, сэр. Этот револьвер, согласно нашим записям, был куплен Фрэнклином Шором в октябре тридцать первого года.

— Ну и к каким же выводам вы пришли, лейтенант?

Судья Ланкершим нахмурился.

— Мистер Мейсон, этот вопрос вряд ли имеет какое-либо отношение к вашей подзащитной. Разумеется, такой вопрос будет недопустим и со стороны обвинения.

— Я понимаю, — сказал Мейсон, — но, насколько я могу судить, обвинение не имеет возражений.

— Абсолютно никаких, — заявил Бюргер, торжествующе оглядываясь на присяжных. — Наоборот, нас бы очень устроило, если бы лейтенант Трэгг ответил на этот вопрос.

Судья Ланкершим, немного подумав, сказал:

— Существует единственный случай, когда такой вопрос может быть допущен в ходе перекрестного допроса, а именно когда он должен показать пристрастность свидетеля. Ввиду того что на этом основании вопрос может считаться допустимым и поскольку нет возражений со стороны обвинения, я разрешаю на него ответить. Конечно, суд не может знать, что именно имела в виду защита. Однако суд полагает, что в том, что касается процесса по данному делу, должны соблюдаться конституционные гарантии. Поэтому суд требует, чтобы присяжные рассматривали ответ на данный вопрос только с той точки зрения, что он позволит выявить пристрастность свидетеля. При этих условиях свидетель может ответить на вопрос.

Лейтенант Трэгг сказал:

— Лично я не сомневаюсь, что Фрэнклин Шор поднялся с постели сразу после того, как Томас Ланк ушел из дому, отправился в кладовку и спрятал этот револьвер в жестянке с мукой. Котенок пошел следом за ним в кладовку и наступил в муку. Мистер Шор прогнал его прочь, и тогда котенок побежал в спальню и вскочил на кровать, с которой только что поднялся мистер Шор. Далее считаю своим долгом добавить, что это лишний раз доказывает, насколько важным свидетелем был и остается Фрэнклин Шор, и подчеркивает, насколько преступна была попытка скрыть его от полиции.

— Это также показывает, — улыбнулся Мейсон, — что вскоре после того, как стреляли в Джерри Темплера, Фрэнклин Шор держал в руках тот самый револьвер, из которого стреляли, и, по всей вероятности, из того же револьвера была выпущена пуля, ставшая смертельной для Генри Лича, не так ли?

— Я протестую против этого вопроса, ваша честь, — заявил Бюргер, — на основании того, что он является спорным и недопустим при перекрестном допросе.

Судья Ланкершим сказал:

— Это в высшей степени нетипично и не имеет ничего общего с обычным ходом допроса. Здесь мы видим, что случается, когда свидетелю, служащему в полиции, разрешается высказывать свое мнение и делать выводы под видом изложения фактов. Однако, отказавшись от возражений против предыдущего вопроса, обвинение тем самым предоставило защите свободу продолжать перекрестный допрос в том же духе. Отметим, впрочем, что лишь с целью показать пристрастность свидетеля. Если свидетелю однажды разрешили изложить свое заключение о том, на что указывают факты, следует позволить защите указать свидетелю на возможную ошибку в его рассуждениях. Мне кажется, я понимаю, к чему ведет дело защита, и могу предположить, каков будет следующий вопрос — вопрос, который может очень серьезно повлиять на доводы обвинения. Окружной прокурор, предоставив защите полную свободу действий, предоставил ей свободу во всем. Я намерен разрешить свидетелю ответить на этот вопрос, равно как и на тот, который, по моему мнению, за ним последует.

Трэгг сказал, тщательно обдумывая свои слова:

— Мне неизвестно, что это был тот самый револьвер, с помощью которого были совершены преступления. Это револьвер того же калибра и подходит под описание. В барабане сохранились три пустые гильзы, а в трех целых имеются пули того же типа, что и те, которые были извлечены из тела Генри Лича, из косяка в доме Шоров и из Джерри Темплера при операции.

Мейсон подмигнул Гамильтону Бюргеру, а потом, повернувшись к присяжным, торжествующе улыбнулся.

— А теперь, лейтенант, — обратился он к свидетелю, — не резонно ли допустить, что если оружие окажется орудием убийства, то Фрэнклин Шор, спрятав револьвер в жилище Томаса Ланка, больше всего беспокоился бы о том, чтобы скрыться оттуда?

— Возражаю! — выкрикнул Гамильтон Бюргер. — На основании того, что этот вопрос заводит свидетеля слишком далеко в область предположений. Это заключение, которое защита может предложить присяжным. Нельзя задавать такие вопросы свидетелю.

— Это именно тот вопрос, которого я ожидал, — сказал судья Ланкершим. — Возражение отклоняется. Пусть свидетель ответит. Но помните, что ответ может только указать на его пристрастность.

— Наверняка я не знаю, — ответил Трэгг, — но все возможно.

Судья Ланкершим повернулся к присяжным:

— Присяжные должны понимать, что суд разрешил последние несколько вопросов лишь с целью показать отношение свидетеля, другими словами, возможную его пристрастность, подразумевая под этим, что он может быть предубежден против обвиняемой. Фактическое содержание вопросов и ответов не имеет никакого значения. Вы должны учитывать их только как демонстрирующие отношение свидетеля.

Мейсон откинулся на спинку кресла и спросил у Трэгга:

— Когда вы нашли револьвер в жестянке с мукой, лейтенант, вы несколько взволновались, верно?

— Ну, не совсем...

— Во всяком случае, вы очень спешили, чтобы отнести оружие в лабораторию и успеть вовремя в суд?

— Да.

— В такой спешке вы, как я полагаю, не обшарили как следует жестянку, чтобы выяснить, не спрятано ли в ней что-то еще?

Внезапное выражение ужаса на лице лейтенанта было красноречивее всяких слов.

— Я... я действительно больше ничего не искал. Но я привез жестянку с собой и передал ее в лабораторию для снятия отпечатков пальцев.

Мейсон обратился к судье:

— Полагаю, ваша честь, поскольку дело зашло не так уж далеко, свидетелю разрешат...

В конце зала поднялась какая-то суматоха. Оказалось, что сквозь толпу протискивается дюжий шотландец, стоящий во главе полицейской лаборатории.

Этим обстоятельством тут же воспользовался Мейсон:

— Однако, ваша честь, мне кажется, интересующие меня сведения сообщит суду Ангус Макинтош. Так что защита ничего не имеет против того, чтобы лейтенант

Трэгг уступил место мистеру Макинтошу, который уже был приведен к присяге как свидетель.

— Я не знаю, куда клонит защита, — осторожно отреагировал прокурор. — Если суд извинит меня, я хотел бы недолго переговорить с мистером Макинтошем.

Бюргер торопливо поднялся и перешагнул через барьер, отделявший участников процесса от зрителей. Он о чем-то пошептался с Ангусом Макинтошем, потом, озадаченно нахмурившись, взглянул на Перри Мейсона и неожиданно обратился к судье Ланкершиму:

— Если суд позволит, мы просили бы отложить заседание до утра следующего дня.

— Есть возражения? — спросил судья у Мейсона.

— Да, ваша честь. Если окружной прокурор не желает выставлять Ангуса Макинтоша свидетелем, тогда я вызову его в качестве свидетеля защиты.

— Но обвинение еще не закончило вызова свидетелей, — заупрямился Бюргер. — Защита может вызывать сколько угодно свидетелей, но после обвинения.

— Просьба об отсрочке отклоняется, — ехидно сказал судья. — Продолжайте перекрестный допрос лейтенанта Трэгга, мистер Мейсон.

— У меня нет больше вопросов, ваша честь, — заявил Мейсон. — Равно как нет вопросов и к свидетелю Ланку, чей допрос был прерван, чтобы повторно допросить лейтенанта Трэгга.

— В этих обстоятельствах, — быстро вмешался Гамильтон Бюргер, — у меня появились новые вопросы к свидетелю Ланку.

В голосе судьи Ланкершима звучало нетерпение:

— Очень хорошо. Вы можете идти, лейтенант, а свидетель Ланк займет место для дачи показаний. Однако прошу вас не терять зря времени, мистер окружной прокурор.

Когда Ланк вновь поднялся на свидетельское место, Гамильтон Бюргер спросил:

— Мистер Ланк, открывали ли вы хоть раз после утра тринадцатого числа вашу жестянку с мукой?

— Нет. После того как я пек оладьи утром тринадцатого, я больше не снимал с нее крышку.

— Использовали ли вы эту жестянку для иных целей, кроме хранения муки? Другими словами, не держали ли вы там или не клали ли туда хоть когда-нибудь что-то отличное от муки?

— Нет, сэр.

Бюргер немного подумал и заявил:

— У меня все.

— Нет вопросов, — сказал Мейсон.

Судья Ланкершим посмотрел на часы, затем на окружного прокурора.

— Вызывайте следующего свидетеля.

— Ангус Макинтош приглашается занять свидетельское место, — с явной неохотой проговорил Бюргер. — Мистер Макинтош уже приносил присягу и давал показания.

Макинтош поднялся на возвышение для свидетелей.

— Несколько минут назад лейтенант Трэгг передал вам жестянку с мукой? — спросил Бюргер.

— Да, сэр.

— Что вы сделали с этой жестянкой?

— Я хотел сфотографировать жестянку и проверить на наличие отпечатков пальцев, поэтому я высыпал муку.

— И что вы обнаружили?

— Я обнаружил деньги в купюрах по пятьдесят и сто долларов общей суммой двадцать три тысячи пятьсот пятьдесят пять долларов.

Среди присяжных прокатился взволнованный шепот.

— Где сейчас эти купюры?

— В полицейской лаборатории.

— Перекрестный допрос, — бросил Гамильтон Бюргер.

— Нет вопросов, — быстро отозвался Мейсон и, улыбнувшись судье, сказал: — А теперь, ваша честь, защита не возражает против предоставления отсрочки, которую просило обвинение.

— Теперь обвинению она не нужна, — отрезал Бюргер. — Обвинение закончило вызов свидетелей.

— Защита тоже закончила, — быстро сказал Мейсон. — Сейчас четыре тридцать. Я хотел бы заявить, что, по мнению защиты, аргументацию сторон можно ограничить для каждой десятью минутами.

— Я не готов давать аргументацию по делу прямо сейчас, тем более за такое короткое время, — возразил Гамильтон Бюргер. — Недавно были обнаружены чрезвычайно любопытные факты, и мне требуется время, чтобы сделать некоторые уточнения.

— Тогда почему, — спросил судья Ланкершим, — вы возражали против перерыва, предложенного защитой?

Бюргер ничего не ответил.

— Очевидно, — продолжал судья, — вы хотели посмотреть, каковы будут показания свидетелей защиты? Другая сторона предложила отсрочку, а вы отказались от нее.

— Но, ваша честь, — запротестовал Бюргер, — я думал, что нужно продолжать слушание, пока не закончится допрос свидетелей, но я не предполагал сейчас начинать дискуссию по делу.

Судья Ланкершим покачал головой.

— Суд сделает перерыв в пять часов. Вы можете приступать к аргументации. Суд ограничивает аргументацию каждой стороны двадцатью минутами.

Гамильтону Бюргеру пришлось согласиться с решением судьи и подняться на возвышение.

— Ввиду наложения ограничений, — начал он, — а также того, что дело получило новое, неожиданное развитие, я не готов сейчас к развернутой аргументации. Я сохраняю за собой время для более продолжительного заключительного выступления. Однако я заявляю, что косвенные улики убедительно показывают, что обвиняемая по данному делу и ее наниматель Перри Мейсон занимались противозаконной деятельностью, которая привела к исчезновению важного свидетеля. То, что они сделали со свидетелем Ланком, фактически не было опровергнуто. На сознательное намерение подсудимой похитить свидетеля ясно указывает то, каким образом она и ее наниматель увезли свидетеля Ланка от полиции и приложили все усилия, чтобы его спрятать.

Мы требуем наказания подсудимой на основании имеющихся у нас в настоящий момент улик. Независимо от действий самого Фрэнклина Шора, я уверен, никто из жюри не сомневается, что Делла Стрит отправилась в жилище Томаса Ланка рано утром четырнадцатого числа с единственной целью — увезти оттуда Фрэнклина Шора.

Суд пояснит вам, что, согласно статье 136-й Уголовного кодекса, попытка совершить преступление рассматривается как преступление, даже если она не была успешной. А *укрывательство свидетеля с целью помешать ему давать показания в ходе надлежащего судебного разбирательства или следствия является уголовно наказуемым преступлением.*

Таково, леди и джентльмены, заключение обвинения... Если защита утверждает, что Делла Стрит приехала в дом Ланка уже после того, как Фрэнклин Шор ушел оттуда, то она должна принять на себя обязанность доказательства этого факта. Далее я не буду тратить время, а использую оставшееся у меня для заключительного выступления.

Мейсон спокойно поднялся, неторопливо прошел вдоль ряда присяжных и улыбнулся озадаченному жюри. Он начал говорить совсем негромко:

— Обвинение не может свалить на защиту необходимость что-то доказывать до тех пор, пока оно не докажет вину моей подзащитной.

Леди и джентльмены, я утверждаю, что Фрэнклина Шора не было в доме Ланка, когда туда приехала Делла Стрит. Я не привожу показаний в пользу этого утверждения только потому, что это полностью доказывается свидетельствами обвинения.

Я не стану комментировать историю с мукой. Я буду говорить только о действиях котенка. Кто-то открыл жестянку с мукой. В нее положили какой-то предмет — возможно, револьвер, возможно, деньги, возможно, и то и другое. Котенок, игривое, беззаботное, доверчивое существо, привлеченный движениями рук над банкой, прыгнул в муку, но был тотчас оттуда выброшен. Тогда он выскочил через открытую дверь в заднюю спальню и вспрыгнул на постель. Можно не сомневаться, что в тот момент на кровати никого не было. Не менее очевидно, что котенок тут же соскочил с кровати с другой стороны, прошел прямиком через ванную комнату в переднюю спальню и примостился уже там на кровати.

Леди и джентльмены, я прошу обвинение, поскольку оно оперирует косвенными доказательствами, объяснить вам одну вещь. А предварительно разрешите напомнить вам, что, поскольку это косвенные улики, по закону вы обязаны оправдать мою подзащитную, если эти улики не только не указывают неопровержимо на ее вину, но и могут быть объяснены иной разумной и правдоподобной гипотезой. Так вот, леди и джентльмены, *почему* котенок, после того как он прыгнул в муку и вскочил на постель Фрэнклина Шора, ушел с нее и устроился на другой кровати, в передней комнате?

Поскольку окружной прокурор полагается на силу косвенных улик, он обязан дать объяснение решительно всему. Поэтому защита ждет утром от обвинения ответа на этот интересный вопрос о поведении котенка. Ну а некоторые из вас, хорошо знающие кошек, их привычки и психологию, наверняка уже знают ответ на этот вопрос.

На этом, леди и джентльмены, я заканчиваю свою аргументацию.

Кое-кто из членов жюри слушал Мейсона с недоумением, но две женщины согласно кивали и улыбались ему, явно поняв, в чем тут дело, и это заставило Бюргера бросать грозные взгляды. Судья Ланкершим, похоже, тоже знал кое-что о котятах, поскольку в уголках рта у него таилась улыбка, а в глазах сквозило лукавство, когда он давал наставления присяжным о том, что они не должны выносить какого-либо мнения по делу, обсуждать его между собой или позволять обсуждать его в их присутствии. На этом он объявил перерыв до десяти часов следующего утра, напомнив, что обвиняемая отпущена под залог.

Глава 23

Как только судья удалился из зала заседаний, Гамильтон Бюргер протолкался к Мейсону.

— Мейсон, какого дьявола, что все это означает?

— Не могу ничего сказать, Бюргер, — приветливо улыбнулся Мейсон.— Все, что я делаю, — это защищаю мисс Стрит от выдвинутого против нее обвинения. Не думаю, чтобы жюри нашло ее виновной. А вы?

— К черту это дело! Мы в первую очередь обязаны отыскать убийцу. Как, по-вашему, это сделал Фрэнклин Шор?

— Не могу вам ничего сказать.

В это время Ланк прошел через ограждение, отделявшее столы участников процесса от зрителей, и обратился к ним:

— Я хочу поговорить с окружным прокурором.

— В чем дело? — повернулся к нему Бюргер.

— Может, Фрэнклин Шор и положил в муку тот револьвер, хотя я в это не верю, зато я очень хорошо знаю, что денег он туда не клал.

— Откуда вы это знаете? — спросил Мейсон.

— Шор всячески уговаривал меня дать ему немного денег.

— Вы не дали?

— Нет.

— Почему?

— Я хотел, чтобы он оставался у меня, пока я не поговорю с миссис Шор.

— А почему он так старался поскорее раздобыть деньги и удрать? — не унимался Мейсон. — Выкладывайте, Ланк. Вы же обещали мне рассказать, что на самом деле говорил вам Шор. Вы уже слишком многое скрыли. Пора перестать играть в молчанку.

— Пожалуй, лучше рассказать, — угрюмо согласился Ланк. — Так вот, Шор пришел ко мне домой. Очень нервничал. Сказал, что у него были какие-то неприятности с одним человеком и он его застрелил. Сказал, что ему надо побыстрее отсюда убраться и что он стрелял в того парня, потому что тот собирался стрелять в него, но боится, что полиция ему не поверит. Матильда будет рада-радешенька, если он попадется. Я сказал ему, что все равно лучше бы ему с нею поговорить раньше, чем он даст тягу, но он об этом и слышать не хотел. Тогда я разрешил ему пока спрятаться у меня в доме, но предупредил, что, как только я увижу завтра утром миссис Шор, я попрошу ее заплатить мне жалованье вперед и дам ему денег, чтобы уехать. После этого он лег спать. Ну а я, дождавшись, пока он захрапит, поехал к миссис Шор. Я хотел сказать, что видел ее мужа. Я хотел посмотреть, захочет ли она помочь ему, или же наоборот.

— Ну а если бы она не захотела, вы бы передали Шора в руки полиции? — спросил адвокат.

— Не знаю, мистер Мейсон. Ведь Шор всегда честно обходился со мной. Понимаете, у меня и в мыслях не было говорить миссис Шор, что он у меня дома. Я бы просто сказал ей, что видел его. Я старался поступать честно с ними обоими.

— Продолжайте, Ланк. Пусть окружной прокурор узнает правду. Теперь уже вы обязаны говорить. Скажите, что рассказывал вам Шор о себе, где он был все это время?

— Он не... Мы особо-то и не разговаривали.

— По крайней мере уж, пока он курил сигару, вы с ним поговорили? Так расскажите мистеру Бюргеру, что он вам говорил.

Ланк задумался, потом выпалил:

— Ну, он удрал с той женщиной.

— Куда и почему?

— Все было так, как я вам говорил, мистер Мейсон. Когда Фрэнклин Шор был во Флориде, там его часто путали с кем-то другим. Шор отыскал того человека. Они были похожи, как близнецы. Тогда шутки ради они сфотографировались, и Шор стал дразнить жену, говоря, что расскажет этому парню про всех своих знакомых, будет посылать его вместо себя на вечеринки играть в бридж, который он терпеть не мог.

А потом Шор влюбился в эту молодую женщину и придумал, что он мог бы исчезнуть, взять с собой свою даму, уехать с ней во Флориду и там натренировать того парня как своего двойника, рассказать ему все о своих делах и людях, которых он знал. А потом, месяцев через шесть, когда этот парень все бы как следует заучил, он объявился бы и сказал, что он и есть Шор. Он сказал бы, что у него была временная потеря памяти и, хотя теперь память вернулась, все-таки кое-чего он не помнит.

Шор так и сделал. Все шло прекрасно. Где-то через полгода двойник был готов. И тогда Шор послал из Майами открытку племяннице. Он рассчитал, что полиция явится туда и обнаружит двойника, явно еще не совсем в себе, но заявляющего, что он Шор. Потом память будет к нему понемногу возвращаться. Конечно, он будет еще нездоров и не сможет заниматься делами, но он станет получать денежки от разных вложений и сможет посылать часть ему, настоящему Шору. И у Фрэнклина Шора все будет о'кей. Но в тот самый день, когда Фрэнклин Шор послал открытку, этот парень погиб в автокатастрофе. Ну вот Шор и остался с носом, а обратного пути уже не было.

— А что насчет Лича? — спросил Мейсон.

— Лич заинтересовал хозяина своим рудником. Хозяин дал ему сколько-то наличными, чтобы тот вложил деньги в дело, но сказал, что не от своего имени, а от имени того парня из Флориды. А Лич решил, что флоридский тип — просто молокосос, и отделался от него, когда рудник стал давать прибыль. На самом же деле деньги ему дал сам Шор. Потом Шору понадобились деньги. Он поехал к Личу. Тому пришлось бы вернуть деньги, но он тогда уже сам сидел на мели. Ну, Шор и возвратился ни с чем. Дамочка года два назад бросила его. Вот так мне все и рассказал хозяин, когда мы сидели у меня дома.

— Невероятно! — воскликнул Гамильтон Бюргер. — Ничего подобного не слышал за всю свою жизнь.

Ланк совершенно ровным голосом, не интересуясь, поверил ему прокурор или нет, добавил:

— А меня эта история нисколько не удивляет. Может, если бы вы услышали ее от самого хозяина, вы бы скорее поверили. Но он именно так мне все и рассказал.

Мейсон повернулся к прокурору:

— Допустим, все это правда, Бюргер, вплоть до момента, когда произошла автокатастрофа. Далее предположим, что в ней на самом деле погиб Фрэнклин Шор. Его двойник продолжал готовиться к роли Шора. У него записаны все подробности жизни Шора, которые тот ему рассказал. Он их заучил наизусть. Ведь если ему удастся всех убедить, что он действительно Шор, его ждет богатство.

— Но почему же он не объявился раньше? — спросил Бюргер.

— Существует лишь одно вероятное объяснение: миссис Шор знала о существовании двойника. Вспомните, ведь Шор затеял все это в шутку, и жене обо всем было известно. А вот если бы миссис Шор умерла, то двойник мог бы спокойно появиться в качестве ее пропавшего супруга и претендовать на все состояние.

Прокурор присвистнул:

— Черт побери! Это бы все объяснило, и яд тоже.

Однако Ланк не согласился:

— Ко мне-то приходил не двойник, а сам хозяин.

— Откуда вы знаете? — спросил Мейсон.

— Потому что говорил мне такое, что знал только один хозяин.

Мейсон улыбнулся, Ланк же продолжал хмуриться и вдруг сказал:

— Ну, кто бы он ни был, он нищий. Зачем бы тогда он стащил те несколько сотен, которые я прятал в кармане костюма, а потом оставил целое состояние в жестянке с мукой?

Бюргер смотрел на Мейсона, ожидая разъяснений. Но тот, улыбаясь, заметил:

— Без комментариев.

— Как *вы* считаете, человек, явившийся к Ланку, был сам Шор или его двойник? — наседал Бюргер.

— Не знаю, Бюргер. Я его не видел. Ну и потом, вы сами сказали, что предпочитаете, чтобы я занимался своими делами и предоставил полиции расследовать убийства. Почему бы вам самому не поломать голову над этой задачей?

— Нет уж, черт возьми! — воскликнул Бюргер.

Мейсон казался совершенно равнодушным.

— Я полагаю, оба моих клиента, Делла Стрит и мистер Джеральд Шор, совершенно чисты?

Гамильтон Бюргер в отчаянии почти завыл:

— Черт знает, что за дело!

Мейсон потянулся и зевнул.

— Я с вами не согласен. Однако меня интересует только оправдание мисс Стрит.

— Что за чертовщину вы несли о психологии кошек и какое отношение это имеет к делу? — не выдержал Бюргер.

— Боюсь, Бюргер, если я вам объясню,. вы обвините меня в стремлении перехитрить полицию. Я обдумал то, что вы сказали мне у себя в офисе. По-моему, очень многое говорит в пользу вашей позиции. Вы считаете, что адвокат не должен заниматься расследованием убийств, ему следует ограничиться обычной юридической практикой, и мне ничего не остается, как согласиться с вами. Я представляю Джеральда Шора, и я представляю Деллу Стрит.

— Но ведь вы хотите, чтобы с Джеральда Шора были сняты все подозрения?

— Да.

— Самый лучший способ этого добиться — показать нам, кто совершил убийство.

— Нет уж, — сказал Мейсон, — это не по закону. Как раз против этого вы возражали, Бюргер, когда говорили о моих методах. Это ваша обязанность доказать, что мои клиенты совершили преступление. А до тех пор, пока я их представляю, я не выхожу за пределы обычной, традиционной юридической практики. Стоит мне чуть отклониться от этого пути и попробовать «перехитрить полицию», как вы выражаетесь, вы в тот же момент обвините меня в неправильном ведении дел, которое вас так раздражает. Нет, мистер окружной прокурор, я решил предоставить вам самому разгадывать свои загадки — вот вам, как я и обещал, мое последнее слово. Пойдем, Делла. Пусть лейтенант Трэгг с окружным прокурором сами забавляются своей головоломкой. В конце концов, это не наша забота.

— Послушайте, Мейсон, но нельзя же так! Я уверен, что вы знаете об этом деле гораздо больше, чем мы, — взмолился прокурор.

— Нет, не знаю, — сказал Мейсон. — Вы располагаете всеми теми же фактами, что и я.

— Ну, возможно, вы лучше умеете делать выводы из тех фактов, которые всем нам известны.

— Благодарю вас, — поклонился Мейсон.

— Послушайте, вы просто обязаны сказать нам, к какому выводу вы пришли.

— Я скажу вам, что я сделаю, Бюргер. Я уравняю наши позиции. Есть одна вещь, которую я знаю, а вы —

нет. Ланк сказал мне, что он уверен, будто Комо, слуга в доме Шоров, экспериментировал с ядом и что он начал это лет десять назад. А незадолго до исчезновения Фрэнклина Шора умер брат Ланка, и Ланк всегда считал, что слуга отравил его.

— Это верно? — спросил Бюргер у Ланка.

— Верно. Я не думаю, чтоб этот чертов япошка специально хотел убить брата. По-моему, он просто пробовал, как действует яд, так же как теперь он попробовал его на котенке.

Лейтенант Трэгг, только что подошедший к ним, сказал:

— В холодильнике было четыре бутылки пива. Во всех найден стрихнин. Вы думаете, это сделал слуга?

— Я-то отлично знаю, что это сделал он, — запальчиво выкрикнул Ланк.

— Откуда вы знаете?

— Просто сложил вместе два и два, вот откуда.

Бюргер обратился к Трэггу:

— Есть новые поразительные сведения, лейтенант. Я хотел бы поговорить с вами.

Мейсон улыбнулся.

— Ланк хотел сказать, лейтенант, что он совершенно уверен, будто Комо — отравитель. Вспомните, вы сказали мне, что, по вашему мнению, экспертиза покажет, что все пули были выпущены из одного и того же оружия, следовательно, оба преступления совершил один человек. Давайте продолжим рассуждения. У Матильды Шор есть безупречное алиби. Она была в больнице, когда было совершено второе преступление. У Джеральда Шора тоже есть алиби. Вы, вероятно, знаете, в чем оно, но я не собираюсь подставлять себя под удар и сообщать вам это, потому что не желаю быть свидетелем. Вы можете также исключить Элен Кендал и Джерри Темплера. Вы можете исключить почти всех участников событий, кроме трех или четырех человек. Вот и все, лейтенант. Ваше право самому решать, что делать. Но на вашем месте я бы как следует разобрался в том, от чего умер брат Ланка, — вполне возможно, что он умер от яда, а не по естественным причинам. А теперь извините меня, джентльмены, я пригласил пообедать свою подзащитную.

Глава 24

Оркестр оказался превосходным. Свет в зале притушили. Танцевали всего несколько пар, не мешая друг другу и не привлекая ничьего внимания.

Перри Мейсон и Делла Стрит молча двигались в такт мелодии. Делла чуть слышно подпевала оркестру. Вдруг она остановилась и замолчала, непроизвольно всхлипнув.

— Что такое? Проглотила муху? — спросил адвокат. — Продолжай, мне нравится, как у тебя получается.

Она покачала головой.

— Что-нибудь случилось? — уже серьезно спросил он.

— Нет. Кажется, все в порядке. Я поела. Я выпила вина. Я повеселилась. Так что, по-видимому, вполне готова к завтрашнему дню.

В этот момент музыка умолкла. Мейсон, все еще обнимая девушку, повернул ее к себе лицом. Какое-то мгновение он смотрел недоумевая, потом взгляд его прояснился.

— Я сначала не понял. Ты же собиралась завтра умирать. Неужели ты переживаешь из-за этого дурацкого дела?

Делла нервно рассмеялась.

— Ну, наверное, каждой порядочной девушке рано или поздно приходится пройти через такое.

— Но ведь ты не совершала никакого преступления.

— Хорошо бы вы не забыли рассказать Гамильтону Бюргеру, как вы привезли ко мне котенка и обнаружили, что Фрэнклина Шора там нет.

— Я попал в очень трудное положение, — признался Мейсон. — Если бы я тогда как следует подумал, все было бы в порядке.

— Не понимаю, — призналась она, закуривая сигарету.

— Поймешь, если тебе знакомы кошачьи повадки.

— Вы имеете в виду, что котенок вскочил в муку?

— Нет, не это... В чем дело? — спросил он, заметив, что она смотрит на кого-то поверх его плеча.

— Пол Дрейк собственной персоной.

— Как он ухитрился нас здесь разыскать? — нахмурился Мейсон.

Дрейк уже подошел достаточно близко, чтобы услышать это замечание. Он пододвинул себе стул и уселся.

— Ты прекрасно знаешь, я могу найти кого угодно, где угодно, когда угодно. Не хочешь ли ты заказать мне выпить?

— Копам и частным детективам не полагается пить на работе.

— Пол Дрейк, на которого я работаю, не такой узколобый. Он отличный парень, просто высший класс. Тебе надо бы с ним познакомиться.

Не переставая смеяться, Мейсон подозвал официанта.

— Три шотландских виски с содовой.

— Пять виски, — поправил Дрейк. — Но только три из них — в мой стакан. Всегда терпеть не мог крепкий хайбол.

Официант удивился, но молча ушел.

— Вот что, Перри, я пришел сюда вовсе не за тем, чтобы поставить тебе с Деллой виски. Меня кое-что сильно тревожит.

— Что, тебя тоже арестовали? — вскричала Делла.

Пол Дрейк пропустил это мимо ушей, в упор глядя на адвоката.

— Перри, не замышлял ли ты, случаем, на завтрашний день какую-нибудь эффектную концовку с участием Томаса Ланка?

— Отчасти... А что?

— Теперь у тебя ничего не выйдет.

— Почему?

— Ланк погиб. Найден на перекрестке в двух кварталах от своего дома. Его сбила машина, и водитель скрылся. Один из очевидцев попробовал догнать нарушителя, но не смог приблизиться к нему даже на такое расстояние, чтобы разглядеть номер. Машина вылетела из-за угла как раз в тот момент, когда Ланк вышел из трамвая, на котором обычно ездил домой.

Кончиками пальцев Мейсон принялся барабанить по столу.

— Бюргер — страшный дурак, что отпустил его, — сказал он. — Видно, он вообразил, что Ланк выложил все и нет смысла его больше задерживать.

Мейсон нахмурился.

— Что вы собирались преподнести Ланку? — с любопытством спросила Делла.

— Да кое-что... Тебе не показалось странным, Делла, что, после того как я со всеми предосторожностями заставил Ланка зарегистрироваться в отеле под именем Томаса Триммера, полиция так легко нашла его?

— Наверное, вас кто-то выследил, — предположил Дрейк.

Мейсон покачал головой.

— Не обманывай себя, Пол. Уж если я захочу, чтобы за мной не следили, меня никто не выследит.

— Тогда кто же мог предупредить их? Это ведь не мог быть портье из отеля?

— Нет, конечно. Вы можете сами определить это методом исключения. В итоге останется всего лишь один человек, который мог это сделать.

— Кто?

— Ланк.

Дрейк недоверчиво посмотрел на Мейсона.

— Ты хочешь сказать, что он сам и позвонил в полицию?

— Да.

— Но это же глупость, просто сумасшествие какое-то! Зачем ему это понадобилось?

— Этот факт даст вам ключ к решению всей загадки, — пояснил Мейсон.

— Но каким образом? — спросила Делла Стрит.

— Я могу придумать только одно объяснение.

— Какое же?

— Он хотел, чтобы его арестовали.

— То есть он чувствовал, что ему что-то угрожает?

Мейсон пожал плечами. В этот момент официант принес виски. Дрейк поднял бокал, чокнувшись с Деллой.

— За тюрьму, — ухмыльнулся он. — Ну, Перри, что ты теперь будешь делать?

— Ничего, абсолютно ничего. Пусть теперь Гамильтон Бюргер сам распутывает этот клубок. Это жюри никогда не осудит Деллу, по крайней мере, пока в нем есть те две женщины, которые разбираются в кошачьих повадках.

Делла Стрит сердито поставила свой бокал.

— Если вы не объясните, наконец, что имеете в виду, меня точно обвинят в преступлении, и это будет убийство.

— Ни один прокурор в этом штате не обвинит тебя в убийстве, если ты прикончишь Перри Мейсона, — заметил Дрейк. — Наоборот, ты получишь вознаграждение... Но все же, что такого особенного сделал котенок?

Мейсон ухмыльнулся.

— Ночь была холодная, — сказал он. — Котенок вскочил в муку, когда кто-то прятал в жестянку револьвер. Естественно, его оттуда вышвырнули, наверное, еще и потрепали за уши. Но этого котенка все всегда ласкали, он не привык к грубому обращению. Он выскочил из кухни в заднюю спальню и прыгнул там на кровать. Однако там он не остался. Он спрыгнул с этой кровати и перебрался на другую.

— Почему? — спросил Дрейк.

— Ой, я знаю! — вдруг воскликнула Делла. — Это же станет ясно любому, стоит только подумать.

Дрейк покачал головой и поднялся.

— Куда ты, Пол? — спросила Делла.

— Пойду куплю кошку и займусь изучением ее повадок.

— Полезное занятие, — серьезно заметил адвокат.

— Спокойной вам ночи, — скорбно проговорил Дрейк.

Когда Пол Дрейк ушел, Мейсон повернулся к Делле Стрит:

— Знаешь, Делла, я только сейчас понял, что для тебя все это явилось куда более серьезным испытанием, чем я предполагал. Как ты смотришь на то, чтобы завтра, когда присяжные вынесут приговор, поехать со мной в пустыню, куда-нибудь в район Палм-Спрингс или Индио? Можно будет покататься верхом, поваляться на солнышке...

— Перри, меня ведь завтра могут осудить.

Мейсон улыбнулся:

— Ты забыла о тех двух кошатницах, которые входят в состав жюри.

— Вы больше ничего не собираетесь объяснять присяжным?

— Ни единого слова.

— Почему?

— Потому что тогда получится, что я объясню все и Гамильтону Бюргеру, а я этого не хочу. Пусть на этот раз сам повертится. Это будет ему расплата за все.

— А что станет делать лейтенант Трэгг?

— В конце концов Трэгг разберется с этим делом.

— Но ведь жюри не скоро доберется до истины, если им не помочь!

— Давай-ка заключим пари. Ставлю пять долларов на то, что жюри будет заседать не меньше трех часов. Они вынесут вердикт «не виновна», но выйдут из своей комнаты с ошеломленным видом, причем две женщины будут торжествующе улыбаться тебе, а мужчины — мрачно хмуриться. После этого мы отправимся в пустыню, а Гамильтон Бюргер будет беседовать с присяжными, чтобы исподволь выяснить, какую роль сыграл котенок в данном деле. Затем он попытается связаться со мной, а мы будем уже далеко отсюда. Пока же давай забудем о завтрашнем дне и потанцуем!

Глава 25

Большая машина ровно урчала, пробираясь в густой тьме, как бывает только в пустыне. Звезды, сиявшие по всему огромному небу, казались одинаково яркими и низко над горизонтом, и прямо над головой.

— Давай съедем с дороги и полюбуемся, Делла, — сказал вдруг Мейсон. — Это непостижимое зрелище, оно заставляет забыть этих странных двуногих животных, совершающих убийства.

Мейсон остановил машину, выключил зажигание и фары и откинулся на спинку сиденья.

— Люблю пустыню, — сказал он, немного помолчав.

Делла Стрит придвинулась поближе.

— Предполагается, что во время поездки мы работаем? — спросила Делла.

— Я взял с собой тот отчет. Пока мы не покончим с ним, назад не вернемся.

— Ладно. Я проспорила вам пять долларов. Вы попали в точку: жюри заседало три часа десять минут... Шеф, про котенка я знаю, но что было еще?

— Котенок прыгнул на кровать, которую, по словам Ланка, занимал Фрэнклин Шор. Потом он спрыгнул с нее, убежал в другую спальню и свернулся калачиком на неубранной постели, на которой Том Ланк якобы не спал. Поведение котенка доказывает, что Ланк солгал. На постели в задней комнате вообще никто не спал, она была холодной. А вот в передней спальне на кровати кто-то лежал, и она сохранила тепло.

Не знаю, задумывалась ли ты когда-нибудь над этим, Делла, но если у человека есть тайник, который он считает надежным и безопасным, то он будет прятать там все. На протяжении какого-то времени Ланк прятал в муку деньги, которые ему платили за то, что он сыграл свою роль в данной игре. Типичный тайник для закоренелого холостяка. Поэтому, когда ему понадобилось срочно спрятать револьвер, он, естественно, тоже сунул его в муку.

— Но зачем ему понадобилось прятать револьвер?

— Затем, глупышка, что, когда он уже улегся спать, ему позвонила из больницы миссис Шор и велела немедленно мчаться к ней в дом, забраться в спальню через окно и взять из бюро револьвер. Она вдруг сообразила, что полиция непременно устроит обыск у нее в доме. Удивительно, что револьвер не обнаружили при первом обыске. Но в то время Трэгг сосредоточился на аптечке в поисках яда.

— Знаете что, шеф, расскажите-ка мне все по порядку.

— Кто-то отравил котенка. И это явно кто-то из своих. Котенок из дома не выходил. Комо мог бы это сделать, но у него не было мотива. Ну а высказанное Ланком предположение, что на котенке проверяли действие яда, звучало неправдоподобно, потому что котенку дали слишком большую дозу.

Ты можешь сама сообразить, что произошло. Днем миссис Шор разговаривала с кем-то по телефону. После этого она решила, что настало время для того убийства, которое она так долго и тщательно планировала.

Ей надоело платить шантажисту. Ей надо было удалить Элен из дома на довольно продолжительное время, чтобы та не узнала, что Матильда куда-то ездила. Миссис Шор не сомневалась, что, если она отравит котенка, Элен сломя голову помчится с ним к ветеринару. Джеральд Шор явился совершенно неожиданно, но он, разумеется, тоже поехал с племянницей. Затем миссис Шор отослала Комо купить портера. Итак, путь свободен. Она взяла старый револьвер Фрэнклина Шора, села в машину и поспешила к водохранилищу над Голливудом, где Лич договорился с ней встретиться, чтобы получить очередную сумму денег. Она заплатила свой последний взнос пулей 38-го калибра, быстро вернулась домой и спрятала револьвер в бюро. Она понимала, что подозрение может пасть и на нее, поэтому подсыпала яд во все бутылки с портером в холодильнике, притворилась, будто сама занемогла, и поспешила в больницу. Это еще больше направило подозрения на Фрэнклина Шора. До появления лейтенанта Трэгга ей и в голову не приходило, что полиция устроит обыск в ее доме. Она поняла, что они найдут револьвер у нее в бюро. Полиция задержала ее в больнице, и тогда она срочно дозвонилась Ланку и велела ему съездить и забрать револьвер.

Ланк был ее сообщником. Она тщательно натаскивала его, в деталях объясняла, что ему нужно делать. Так что в тот день, после телефонного звонка Лича, миссис Шор осталось только позвонить Ланку и дать команду действовать.

Делла возразила:

— Но я думала, Фрэнклин Шор никогда ни Матильде, ни кому-либо другому не рассказывал, как Элен в детстве опьянела от пунша или как он...

Мейсон от души рассмеялся.

— Это же Ланк, назвавшись дядей Фрэнклином, звонил Элен и внушил ей, что он ничего не сказал Матильде.

— Ну, знаете... Значит, это Ланк забрался в спальню за револьвером и стрелял, только для того чтобы его не застали за этим?

— Правильно. Забрался он туда через окно, нечаянно перевернул ночной столик, но быстро сообразил —

а Ланк отнюдь не был таким дурнем, каким казался, — сымитировать походку миссис Шор, как будто это она ходит по комнате. Он подковылял к бюро, взял револьвер и направился к окну, когда Джерри Темплер распахнул дверь и попытался включить свет. Ланк сделал пару выстрелов, выскочил в окно и рванул к себе домой, скорее всего на своей машине.

Ланк врал, что не ложился спать. Он уже лежал в постели, когда позвонила Матильда. Вернувшись домой, он спрятал револьвер в жестянке с мукой, постелил постель в задней спальне, полежал на ней достаточно долго, чтобы смять простыни, положил в пепельницу остаток сгоревшей сигары, вывалил содержимое комода и гардероба на пол. После этого он поехал на трамвае к дому Шоров в надежде, что его схватит полиция и допросит. Под нажимом полиции он должен был как бы нехотя рассказать историю о появлении Фрэнклина Шора, которую состряпала Матильда. Полиция немедленно помчалась бы в домик Ланка и нашла бы все подстроенные им доказательства того, что Фрэнклин Шор действительно побывал в доме Ланка, но успел удрать, прихватив его деньги. Конечно, Ланк не ожидал, что они обшарят жестянку с мукой. Это был его самый секретный тайник, и они никогда бы его не нашли, если бы не я.

— Откуда вы все это узнали? — удивилась Делла Стрит.

— Поведение котенка убедительно доказывает, что постель в передней спальне была согрета, а в задней — нет. Вот ключ к разгадке всего дела. Ланк встал с постели. Она была нагрета, и котенок устроился на ней. Но вот Ланк вернулся, стал прятать револьвер в жестянку с мукой, и тут появился котенок и залез в муку. Когда его выставили из кухни, он убежал в заднюю спальню, вскочил там на кровать, обнаружил, что она холодная, вспомнил уютную теплую ямку на кровати в передней комнате, поспешил туда и улегся спать. Ну а Ланк отправился к дому Шоров в надежде привлечь внимание полиции и выложить им свою тщательно подготовленную историю. Но ты перехватила его. Он не слишком боялся рассказывать нам свою историю, раз уж он собирался выложить ее полиции, но все же ему пришлось притвориться, что он не желает иметь дело с полицией. Он боялся, что я не сразу расскажу полицейским его историю, поэтому, как только появилась возможность, он анонимно позвонил лейтенанту Трэггу, и в результате его обнаружили.

Матильда рассчитывала убить кучу зайцев одним кусочком свинца 38-го калибра. Создалось бы впечатление, что ее муж жив и что именно он сделал это. Далее, раз он жив — а полиция, конечно, никогда бы его не нашла, — значит, Джеральд Шор и Элен не могут претендовать на наследство. Элен по-прежнему бы целиком зависела от тетки, а сорок тысяч долларов остались бы в распоряжении Матильды.

— Но почему она велела Ланку позвонить именно Элен?

— Не понимаешь? Это как раз очень важный момент. Ведь только Элен на самом деле не могла узнать голос Фрэнклина Шора. Ведь ей было всего четырнадцать лет, когда он исчез. С Джеральдом этот номер, скорее всего, не прошел бы.

— А как личные вещи Фрэнклина Шора оказались в машине Лича?

— Это Матильда собрала кое-какие старые вещи мужа, завернула в носовой платок и захватила их с собой, не сообразив, что метка прачечной выдаст ее с головой. Не мог же Фрэнклин Шор на протяжении десяти лет пользоваться одним и тем же носовым платком! Тот факт, что часы были заведены около половины пятого, показывает, когда именно Матильда начала свою охоту. Люди обычно заводят часы утром или вечером, но никак не в четыре часа пополудни. Все это так просто, и остается только удивляться, почему я не догадался сразу.

И знаешь, Делла, ведь Матильда могла бы запросто обвести всех вокруг пальца, если бы не Янтарик. Все было задумано весьма умно. Впрочем, и она допустила промах.

— Какой?

— Записка, написанная якобы Личем, была отправлена ею на обратном пути, уже после совершения убийства. Она явно намеревалась впутать Комо, чтобы еще больше запутать следствие. Это было не совсем умно с ее стороны.

— Почему ее шантажировал Лич?

— Он узнал правду.

— Какую правду?

— Припомни труп, найденный приблизительно в то самое время, когда исчез Фрэнклин Шор, — неопознанный труп.

— Вы считаете, что это был Фрэнклин Шор? Что вы, шеф, этого не может быть. Он же...

— Нет, конечно, это был не Шор, а Фил Ланк.

— Фил Ланк? — Делла Стрит даже рот раскрыла от изумления.

— Видишь ли, Матильда Шор не любила своего мужа. Более того, он собирался разорить человека, в которого она была влюблена всю жизнь. Если бы Матильде удалось убрать Фрэнклина Шора с дороги, она унаследовала бы его капиталы и смогла удовлетворить свою жажду власти. Она могла бы помочь Стивену Альберу деньгами, а позднее выйти за него замуж. Наш дорогой Ланк с самого начала был ее доверенным лицом, так сказать ее Пятницей. Его брат умирал. Они знали, что жить ему осталось считанные дни и даже часы. Матильда в своих планах учла и это обстоятельство. Когда он умер, лечивший его врач приехал по вызову Тома Ланка и выдал свидетельство о смерти. Однако похоронили-то по этому свидетельству Фрэнклина Шора, которого перед тем умертвили при помощи изрядной дозы быстродействующего яда. Его тело где-то спрятали — возможно, в машине Ланка, — чтобы потом быстро провести подмену. Избавившись от тела брата, Ланк отвез труп Шора на Восток и похоронил под видом Фила Ланка, а позднее стал рассказывать, что все это произошло еще *до* исчезновения Шора.

— Но ведь у него где-то на Востоке жила мать. Неужели она не поняла бы, что это не Фил?

Мейсон усмехнулся.

— Ты все еще веришь тому, что наплел Ланк? Могу поспорить на пять баксов, что, когда Трэгг примется за расследование, он выяснит, что Ланк никогда и не жил в тех местах, куда переправили тело так называемого брата. Есть еще одно доказательство. Джордж Альбер заходил в домик Ланка около полуночи. Свет горел, но внутри стояла мертвая тишина. Ланк же утверждал, что он слушал радио, когда к нему якобы явился Фрэнклин Шор. Альбер непременно услышал бы либо голоса, либо музыку.

— А открытка из Флориды?

— Открытка на самом деле выдает Матильду не меньше, чем котенок.

— В каком смысле?

— В том, что она была написана зимой тридцать первого года, а не весной тридцать второго.

— Откуда вы знаете?

— Там написано, что он наслаждается мягким климатом. Во Флориде летом замечательно, но о «мягком климате» говорят только зимой. Далее он пишет, что, хочешь — верь, хочешь — нет, но он наслаждается купанием. Он не стал бы употреблять таких выражений, если бы писал это во Флориде летом, когда купание там самое обычное дело.

— Но на почтовом штемпеле был указан июль тридцать второго года.

— Конечно, — подтвердит Мейсон. — Но это была дата на штемпеле, а не на самой открытке. Люди редко ставят дату на открытках. Не понимаешь? Тут есть только одно объяснение. Это была открытка, которую Фрэнклин написал Элен, когда он и Матильда были во Флориде предыдущей зимой. Он, вероятно, сунул ее в карман пиджака и забыл отправить. Матильда нашла ее, разбирая вещи мужа в шкафу после его исчезновения. Эта деталь придала всему делу художественную завершенность: представляешь, через шесть месяцев после «исчезновения» Элен получает открытку, отправленную из Флориды. Не знаю, каким образом Матильда переслала ее, но для этого существует много способов. Более того, эта открытка помогла ей состряпать историю о таинственном двойнике, которая должна была еще сильнее запутать полицию, когда Матильда решила организовать «возвращение» мужа и создать впечатление, что это Фрэнклин Шор убил Лича.

Тут Мейсон широко зевнул.

— Что-то я засыпаю.

— По-моему, вы самая непостижимая и несносная личность из всех, кого я знаю, — сказала Делла Стрит.

— Ну, что теперь случилось?

— Все эти загадки кажутся такими простыми, когда вы все объясняете. Вот это-то и раздражает больше всего. Они *чрезвычайно* просты. И ответ совершенно очевиден, стоит только расставить все по местам. Но почему-то я сама никогда не могу этого сделать.

— Но ведь все факты налицо, — сказал Мейсон. — Котенок, прыгающий на теплую постель; носовой платок с меткой из прачечной десятилетней давности; часы, заведенные в четыре часа дня, когда ни один нормальный человек их не заводит. Открытка, посланная летом, но написанная явно зимой...

— И неужели вы не собираетесь помочь Гамильтону Бюргеру разобраться в этом деле?

— Ни за что! Пусть сам помучается.

— А вы не боитесь, что Матильде удастся выйти сухой из воды?

— Нет, Делла. Это у нее не выйдет. Трэгг в конце концов разберется во всем. Он поинтересуется останками Фила Ланка и выяснит, что в действительности это труп Фрэнклина Шора. Он начнет разыскивать водителя машины, сбившей Тома Ланка, и вычислит, что это должен быть тот же человек, который убил Лича, а потом постарался заставить замолчать того, кто мог бы и проболтаться. Следует отдать должное Ланку: он просто отлично сыграл свою роль, роль умного, хитрого свидетеля, притворяющегося дураком. Его история с визитом Фрэнклина Шора была просто шедевром. И конечно, следователь должен будет это учесть. Убийца, естественно, всегда будет лгать, а человек, способный разработать гениальный план убийства, в состоянии придумать и гениальную ложь. Однако Матильда сама помогла следователю. Они разработали весь план в деталях, и, если бы не котенок, им удалось бы одурачить нас — впрочем, до поры до времени.

И поверь мне, милая, в следующий раз, когда я буду заниматься каким-нибудь делом, Гамильтон Бюргер и Трэгг не посмеют мне указывать, что мое место в офисе, сидеть и ждать, пока мне принесут ключи к разгадке. Сейчас им придется очень-очень трудно, и, когда они наконец найдут решение, они поймут, что я знал все ответы давным-давно.

— А теперь я хочу сказать вам одну вещь, — призналась Делла Стрит. — Из-за вас я ужасно испугалась.

— Ты боялась, что тебя обвинят?

— Я... я сама не знаю. Все казалось таким безнадежным, когда все эти косвенные улики, собранные вместе, обрушились на меня.

Мейсон, придерживая руль одной рукой, обнял ее за плечи.

— Моя дорогая, ты всегда должна быть уверена в своем адвокате, — с серьезным видом сказал он.

Содержание

Литературно-художественное издание

Гарднер Эрл Стенли

«Весь Перри Мейсон»

ДЕЛО О ФАЛЬШИВОМ ГЛАЗЕ

Романы

Ответственный редактор *З.В. Полякова*
Художественный редактор *И.А. Озеров*
Технический редактор *Л.И. Витушкина*
Ответственный корректор *В.А. Андриянова*

Изд. лиц. ЛР № 065372 от 22.08.97 г.
Подписано к печати с готовых диапозитивов 01.10.99
Формат 84х108^1/$_{32}$. Бумага газетная. Гарнитура «Таймс»
Печать офсетная. Усл. печ. л. 31,92. Уч.-изд. л. 33,02
Тираж 8000 экз. Заказ № 1907

ЗАО «Издательство «Центрполиграф»
111024, Москва, 1-я ул. Энтузиастов, 15
E-MAIL: CNPOL@DOL.RU

Отпечатано в ГУП Издательско-полиграфический
комплекс «Ульяновский Дом печати»
432601, г. Ульяновск , ул. Гончарова, 14

ЭРЛ СТЕНЛИ ГАРДНЕР

«ВЕСЬ ПЕРРИ МЕЙСОН»

Знаменитый адвокат расследует
самые запутанные дела!
Полное собрание романов о Перри Мейсоне!

Популярнейший американский писатель Эрл Стенли Гарднер много лет владел адвокатской конторой и положил в основу своих произведений богатый опыт ведения запутанных дел. Его бессмертный герой — адвокат Перри Мейсон пользуется заслуженной славой, ведь он способен докопаться до истины, даже если для этого потребуется рисковать собственной жизнью. К нему обращаются и те, кто потерял надежду найти защиту у закона, и те, кто сам хочет нарушить закон. Неожиданные повороты дела способны поставить любого адвоката в тупик, но только не Перри Мейсона! Он сам принимается за расследование дела и представляет его в суде именно таким, каким оно было в действительности.

Адвокат готов пойти на любой опасный шаг, чтобы спасти своего клиента от ложного обвинения, от смертельной ловушки, в которой тот очутился, а порой и от электрического стула. Но когда дело предстает совсем в другом свете, чем преподносит его «пострадавшая» сторона, адвокат добивается того, чтобы мошенник был изобличен. Поэтому сюжеты романов Э.С. Гарднера — это не сухое изложение дел, а непредвиденные коллизии, коварные убийства, непостижимые загадки и напряженная детективная интрига.

Перри Мейсон и его друзья-соратники — частный детектив Пол Дрейк и секретарша Делла Стрит — всегда готовы прийти на помощь человеку, потерявшему надежду на спасение.

Дела адвоката Перри Мейсона известны во всем мире!

Твердый целлофанированный переплет, формат 130×206 мм. Объем 592—608 с. Цена одной книги 36 руб.

МИККИ СПИЛЛЕЙН

ПОЛНОЕ СОБРАНИЕ СОЧИНЕНИЙ

Современный американский писатель Микки Спиллейн создал многочисленную галерею ярких, запоминающихся героев, крутых парней, чей главный жизненный принцип — отстоять попранную справедливость. Наиболее известный из них частный сыщик Майкл Хаммер. Средств они не выбирают и, не находя поддержки закона, жестокостью карают жестокость.

Том 1. **Я сам вершу суд**
Том 2. **Мой револьвер быстр**
Том 3. **Большое убийство**
Том 4. **Охотники за девушкой**
Том 5. **Долгое ожидание**

Твердый целлофанированный переплет, формат 206 x 125 мм. Объем 490—500 с. Цена одной книги 33 руб.

ДЖЕЙМС ХЕДЛИ ЧЕЙЗ

ПОЛНОЕ СОБРАНИЕ СОЧИНЕНИЙ

Дж.Х. Чейз — король «крутого» детектива, возведенный на трон читателями многих и многих стран. По крутым, обрывистым склонам пролегают тропы его героев: борьба, перестрелки, погони, горы трупов, любовные «ловушки» и бесконечные варианты чрезвычайных ситуаций, из которых герою нужно выйти победителем, иначе — смерть.

Но Чейз никогда не оправдывает насилия. Преступивший черту терпит крах.

Том 1. **Плохие новости от куклы**
Том 2. **Весь мир в кармане**
Том 3. **Это не мое дело**
Том 4. **Мертвые всегда одиноки**
Том 5. **Судите сами**
Том 6. **Вор у вора**
Том 7. **Мертвые не кусаются**
Том 8. **Избавьте меня от нее**

Твердый целлофанированный переплет, формат 206 x 125 мм. Объем 480—530 с. Цена одной книги 33 руб.

ЦЕНТРПОЛИГРАФ

Книга-почтой

Если Вы желаете приобрести книги издательства «Центрполиграф» без торговой наценки, то можете воспользоваться услугами отдела «Книга-почтой»

Все книги будут рассылаться наложенным платежом без предварительной оплаты. Заказы принимаются на отдельные книги, а также на целые серии, выпускаемые нашим издательством. В последнем случае Вы будете регулярно получать по 2 новых книги выбранной серии в месяц.

Для этого Вам нужно только заполнить почтовую карточку по образцу и отправить по адресу:

111024, Москва, а/я 18, «Центрполиграф»

```
        ПОЧТОВАЯ КАРТОЧКА                          ┌───────┐
                                                   │   В   │
                                                   │       │
                                                   │ РОССИЯ│
                                                   └───────┘
            г. Москва, а/я 18
  Куда _____

  Кому   «ЦЕНТРПОЛИГРАФ»
  _____
                                    ┌────────────────────────────────┐
                                    │ Индекс предприятия связи и адрес отправителя│
                                    │ 680011                         │
 ₌ 1 1 1 0 2 4                      │ г.Хабаровск, ул. Мира,         │
                                    │ д. 10, кв. 5.                  │
                                    │ Ивановой Г.П.                  │
                                    └────────────────────────────────┘
                                    Мин. связи России. Издательство «Марка». 1992
  Пишите индекс предприятия связи места назначения   З. 165470. ППФ Гознака. Ц 55 к.
```

На обратной стороне открытки необходимо указать, какую книгу Вы хотели бы получить или на какую из серий хотели бы подписаться. Укажите также требуемое количество экземпляров каждого названия.

Указанные цены включают затраты по пересылке Вашего заказа, за исключением авиатарифа.

Стоимость пересылки почтового перевода наложенного платежа оплачивается отделению связи и составляет 10—20% от стоимости заказа.

Книги оплачиваются при получении на почте.

К сожалению, издательство не может долго удерживать объявленные цены по независящим от него причинам, в связи с общей ситуацией в стране. Надеемся на Ваше понимание.

МЫ РАДЫ ВАШИМ ЗАКАЗАМ!